令和07年(2025年)

ITパスポートの 新 よくわかる教科書

この一冊で
全部対策できる!

新シラバス
Ver.6.3に対応

原山 麻美子●著
HARAYAMA MAMIKO

技術評論社

Chapter 7
システムの運用管理

Chapter 8
企業の業務活動

Chapter 9
企業の戦略

本書で扱っている例題は、試験の実施団体である情報処理推進機構(IPA)から公開されている問題を、一部改変して使用しています。

Chapter 10
業務システムとITビジネス

Chapter 11
法令やルールの遵守

ITパスポート試験の短期攻略ガイダンス

まずは受験日を決めてしまおう！

受験対策を始めたら、まずは「いつ受験するのか」を決めてしまいましょう。試験は会場に設置されたPCを使って受験するため席数が少なく、数ヶ月先まで予約がとれない会場もあります。
なにより、試験日が未定のママで勉強を続けていくのは、モチベーションの維持が難しいのです。
申込みを済ませて受験料を払ってしまえば、本気度が上がるのは間違いありません。

https://www.ipa.go.jp ▶ 試験情報 ▶ 試験情報トップページ ▶ ITパスポート試験 ▶ 受験申込みはこちら

対策期間はどれくらい？

受験者に聞いてみると、対策期間は1～2か月。それ以上長くなると、受験しませんでした…というパターンが多くなる。どれくらいの期間をとればよいか不安な人は、とりあえず2か月先の試験日を申し込もう。もし対策が間に合わなくても、試験日3日前までなら予約変更が可能だ。最長、1年先まで延ばせるが、それだと受験日未定と同じになってしまうので、くれぐれも最終手段だと考えよう。

試験日までの間に…

忙しくて毎日本書を開く余裕がないときは、付録の「試験によく出る用語マスター」をスマホでチョコチョコ見ておくのがお勧め。なにより「諦めない気持ち」が大事！（用語マスターの詳細は、表紙裏にある「使い方と入手方法」を参照のこと）。
試験日が近づいてきたら付録の模試にもチャレンジ！ 本書を見ずにどれくらい自力で解けるのか確認して、わからなかった問題はもう一度本書で復習しておこう。
試験センター（IPA）のWebページには、CBT試験を疑似体験できるソフトウェアが用意されている。PCで試験本番と同じ操作を行ってみることができるので、一度体験しておくと本番もあわてずにすむ（ただしWindows PCが必要）。

IPAのWebページ　https://www.ipa.go.jp
▶ 試験情報 ▶ 試験情報トップページ ▶ ITパスポート試験
▶ 受験案内 ▶ CBT疑似体験ソフトウェア

試験前日と当日は

受験申込みが完了すると、試験会場の案内や受験番号・利用者ID・確認コードが掲載された「確認票」が発行される。あらかじめダウンロードして、前日までにはプリントアウトしておこう。
試験会場の受付けは確認票で行われ、本人確認のために顔写真付き身分証明書（学生証・運転免許証など）も提示しなければならない。確認票と身分証明書は、絶対に忘れないように用意しておこう。
また、受験当日に電車が止まったり、車やバスが渋滞に巻き込まれることだってある。試験会場までのルートはいくつか調べておき、早めに出発しよう。

Chapter 1

コンピュータシステム

●ハードウェア

●ソフトウェア

●システム構成

コンピュータの頭脳「プロセッサ(CPU)」

コンピュータに内蔵されているプロセッサは、一般にはCPUと呼ばれ、プログラムを解読して他の装置に指令を出すなど、中心的な役割を担っています。プロセッサの性能を示す代表的な値には、「コア数」「クロック周波数」「ビット数」があり、どれも値が大きいほど性能が高いことを表します。

「プロセッサ」の中身は?

コンピュータの中には異なる機能を持つたくさんの部品(装置)が組み込まれていますが、最も重要な人の頭脳にあたる装置がプロセッサ(処理装置)で、他の主要な装置と共に板状の基板(マザーボード)の上に配置されています。プロセッサは電子回路(半導体)を組み合わせて作られており、一般にはCPU(シーピーユー:Central Processing Unit)と呼ばれています。

プロセッサには、プログラムに書かれた命令を読み出して解読し、命令の実行に必要な処理を行うために各装置に指示を出す制御装置と、制御装置の指示で計算などの演算処理を行う演算装置が組み込まれており、この2つの超重要な装置をまとめてコア(プロセッサコア)といいます。

複数のコアを持つマルチコアプロセッサ

より高速に処理を行うために作り出されたプロセッサがマルチコアプロセッサ。1つのCPUの中に複数のコアが搭載されており、それぞれのコアに別の処理を振り分け、並行して動作させるので、コア数が多いほど処理効率は高く(=処理速度が速く)なる。

2つのコアが配置されたデュアルコアプロセッサ(デュアルコアCPU)や、コアが4つあるクアッドコアプロセッサ(クアッドコアCPU)などがある。ちなみに、1つのCPUにコアが1つだけあるプロセッサはシングルコアプロセッサという。

1-1-1
デュアルコアプロセッサの構造

CPUの性能を表す仕様項目

PCの仕様一覧などを見ると、性能を表す項目がたくさん書かれていますが、試験では、プロセッサの性能を表すコア数(前項)、クロック周波数、ビット数がよく出題されています。これらの項目は、プロセッサの動作の仕組みとも関連していますので、その仕組みも一緒に理解しておきましょう。

クロック信号とクロック周波数

1-1-2　クロックとクロック周波数

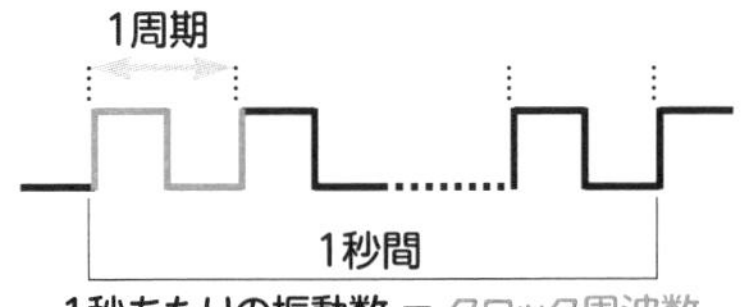

コンピュータ内部では、いくつかの装置が協力しながら処理を進めている。例えば、CPUがメモリ（主記憶装置<p.010>）に保存されたデータを読み出すには、両方が同時に受け渡しの動作を行う必要がある。このように、異なる装置が一緒に動作するには、タイミングを合わせるための仕組みが必要で、これに使われるのがクロック信号だ。

クロック信号は電圧の高低の波で作られ、「波が上がって下り、次に上がり始めるまで」を1周期と数える。クロック周波数は、クロック信号の振動数（周期の数）のことで、1秒間に何回振動するかをHz（ヘルツ）という単位で表す。CPUもクロック信号に合わせて動作するので、クロック周波数が1GHz（ギガヘルツ）という仕様なら、1秒間に10億回（1Gは10億<p.036>）動作できる性能があることを意味する。そのため、同じ構造のCPUならクロック周波数が高い（振動周期が短くて振動数が多い）ほど処理スピードも速い。

ちょこっとメモ

実際の処理速度は、CPUの速度だけでなく、メモリ<p. 009>のアクセス速度や、処理するプログラムの内容にも大きく影響を受ける。

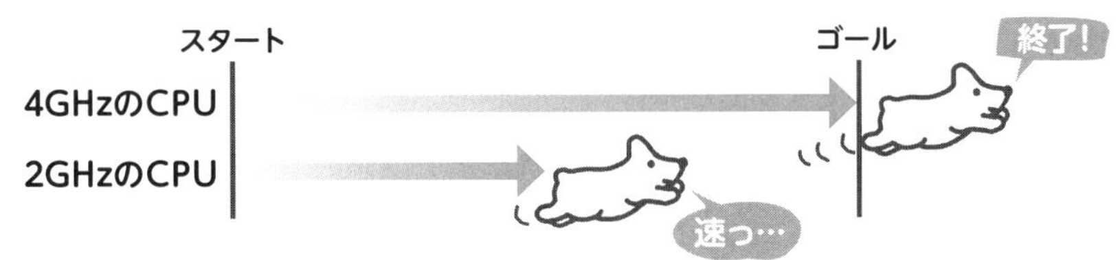

32ビットCPUと64ビットCPU

ビットは、コンピュータが扱う「情報」の一番小さな単位<詳しくはp.032>だ。CPUが1度（1クロック）に扱えるビット数（情報の量）はCPUの仕様で決まっている。プログラムに書かれた命令が複雑な場合は、その命令実行に必要な処理を分割して、複数回のクロックを使って実行する。

仕様に書かれている「32ビットCPU」や「64ビットCPU」は、1度（1クロック）でCPUが扱うことのできる情報量を示している。ビット数が大きいほどCPUが1度に処理できる情報量が多く、処理効率が高い（＝処理速度が速い）ことを表す。現在のPCでは、64ビットのCPUが主流になっている。

クロック周波数の高低によるCPUの特性の違い

CPUのクロック周波数に関する記述のうち，適切なものはどれか。

ア　32ビットCPUでも64ビットCPUでも，クロック周波数が同じであれば同等の性能をもつ。

イ　同一種類のCPUであれば，クロック周波数を上げるほどCPU発熱量も増加するので，放熱処置が重要となる。

ウ　ネットワークに接続しているとき，クロック周波数とネットワークの転送速度は正比例の関係にある。

エ　マルチコアプロセッサでは，処理能力はクロック周波数には依存しない。

解説　クロック周波数はCPUが1秒間に何回動作するかを示す値

ア：クロック周波数が同じなら、1クロックあたりの処理量が多い64ビットCPUの方が性能は高い。

イ：正解。CPUは半導体の組合せで作られ、その回路の中を電流が流れており、電気抵抗によって熱が発生する。クロック周波数を上げて動作速度を速くすると、CPUの発熱量は増大し、高温になると正常な処理ができなくなる熱暴走が起こる。そのため、冷却用の放熱板を追加したり、風量の多い冷却ファンを使うなどの熱対策が重要になる。ちなみに、1GHzのCPUを1.5GHzで動作させて処理速度を上げるなど、元の仕様（定格クロック）より高い周波数で動作させる仕組みを持つCPUもあり、この機能をオーバークロックやターボブーストと呼ぶ。

ウ：CPUの処理能力とネットワークの転送速度（通信速度）の間に、直接的な比例関係はない。ネットワークの転送速度<p.091>は、使っているネットワーク機器の性能や通信回線の速度、ネットワークの混み具合（ネットワークを流れているデータの量）などに影響される。

エ：同じコア数のマルチコアプロセッサなら、クロック周波数が高いほうが処理能力は高い。

正解：イ

CPUをアシストするプロセッサ

CPUはさまざまな処理に対応する多機能なプロセッサですが、PCには専門的な処理のみを担当して、CPUを助けるプロセッサも備えられており、その代表格が画像処理を担当するGPUです。

また、試験ではセキュアプロセッサ（セキュリティチップ、TPM <p.116>）も出題されています。このプロセッサは、保存するデータやインターネット経由で送受信するデータを暗号化／復号<p.121>するなど、セキュリティの対策機能を受け持っています。

画像処理の専用プロセッサ「GPU」

出題率超高

ディスプレイは、多数の小さな点（ドット）を並べ、ドットごとに光るを制御することで画像を表示している<p.075>。動画などの画像を遅れなく表示するには、1つひとつのドットの明るさや光らせる色を瞬時に計算処理し、表示用データとしてディスプレイに送らなければならず、特にゲームソフトなどで使われるリアルタイム3D描画の処理はCPUに大きな負担がかかる。そこでPCには、表示用の画像処理を高速に行う専用の演算装置GPU（ジーピーユー：Graphics Processing Unit）が備えられている。

また、高速な計算処理が得意なGPUの特性を活かして、画像処理以外の汎用的な演算に用いるGPGPU（General-Purpose computing on GPU）という技術も開発されており、AI<p.205>の処理などに使われている。

専用のプロセッサ GPU が果たす役割

GPUの説明として，適切なものはどれか。

ア　1秒間に何十億回の命令が実行できるかを示すCPUの処理能力を表す指標のひとつ。

イ　CPUが演算処理の同期をとるための周期的信号。

ウ　保存するデータや送受信するデータを暗号化／復号するなど、セキュリティ関連の機能を専門に担うプロセッサ。

エ　三次元グラフィックスの画像処理などをCPUに代わって高速に実行する演算装置。

解説　「GPUのGは、グラフィックのG」と覚えておこう

ア：BIPSの説明。プログラムに書かれた1つの命令をCPUが実行するときには、（ごく単純な命令の場合を除いて）CPUは何回かのクロックに分けて処理する。MIPS（ミップス：Million Instructions Per Second）とBIPS（ビップス：Billion Instructions Per Second）は、CPUが1秒間に実行できる命令の数を示す指標。1MIPSなら1秒間に百万個の命令、1BIPSなら1秒間に10億個の命令を実行できる性能を持つCPUであることを表す。

イ：クロック信号の説明<p.007>。

ウ：TPMの説明<p.116>。

エ：正解。GPUの説明。

正解：エ

データの保管庫「メモリ(記憶装置)」

コンピュータには、データを保存するためのメモリ(記憶装置)がいくつも備えられ、その特性によって使い分けられています。
まず、メモリ全般に共通する特性として、「読み書きのスピードが速いメモリは、保存できる容量が少なく」、反対に「大容量のメモリは、スピードが遅い」ことを覚えておきましょう。

記憶媒体の特性

1-1で説明した制御装置と演算装置<p.006>には、読み出した命令を置いておいたり、処理済みのデータを保存しておく機能がありません。そのため、コンピュータには記憶専門の装置である複数のメモリ(記憶装置)が備えられており、用途によって使い分けています。

上図では、全てのメモリに共通する「アクセス速度：データの読出しや書込みのスピード」と「データ容量：保存できるデータの量」に関する特性を説明しましたが、使われる記憶媒体によっても特性が異なるため、これを活かしたメモリの使い分けがされています。

RAMとROM

記憶媒体は、データが保存されているモノ自体を指す言葉。例えば、録画に使うブルーレイディスク(BD)は記憶媒体で、このディスクを録画・再生する機能を備えたブルーレイプレーヤーは記憶装置。

記憶媒体は、媒体への書込みの可・不可で、大きく2種類に分けることができる。RAM(ラム：Random Access Memory)は、データの読出しと書込みの両方ができる記憶媒体の総称で、PC用の記憶装置として使われているのは、そのほとんどがRAMの仲間。ROM(ロム：Read Only Memory)は、あらかじめデータが書き込まれている読出し専用の記憶媒体。映画などのコンテンツ販売に使われるDVD-ROMやBD-ROMの「ROM」は、書換えや上書きは不可なことを表している。

揮発性と不揮発性

記憶媒体の中には、データを保存しておくために「常に電源供給が必要なタイプ」がある。この特性を揮発性といい、このタイプの記憶媒体は装置の電源を切ると書き込まれていたデータが消えてしまう。PCに内蔵されている半導体メモリ<p.011>の仲間は、ほとんどが揮発性の記憶媒体。

これに対して、不揮発性の記憶媒体は、装置の電源を切っても書き込まれているデータは消えない。ハードディスク(HDD)<p.013>やSSD<p.012>、USBメモリ<p.012>などは不揮発性の記憶媒体。

ちょこっとメモ
一般に「メモリ」というと**メインメモリ**(主記憶装置<p.010>)のことを指すが、情報処理の世界では、HDDやDVDドライブ<p.013>などを含めて、記憶装置全般を**メモリ**と呼ぶ。また、上記の分類方法以外に、形態に着目して、記憶媒体と装置(ドライブやプレーヤー)が分かれており記憶媒体を取り替えられるリムーバブルメディア(例：BDやDVD<p.013>)と、一体化して取り替え不可なメモリの仲間(例：半導体メモリ<p.012>)に分ける方法もある。

メモリの使い分け

PCで使われるメモリを、用途ごとに分類した概念図は図のようなピラミッド型で表されます（図1-2-1）。上部にあるメモリは、超高速で動くCPUが頻繁に読み書きするため「アクセス速度は超速、記憶容量は極少」なメモリが使われます。アクセス速度が速いメモリは機構が複雑で高価なため、記憶容量も少なめです。

1-2-1　メモリの概念図

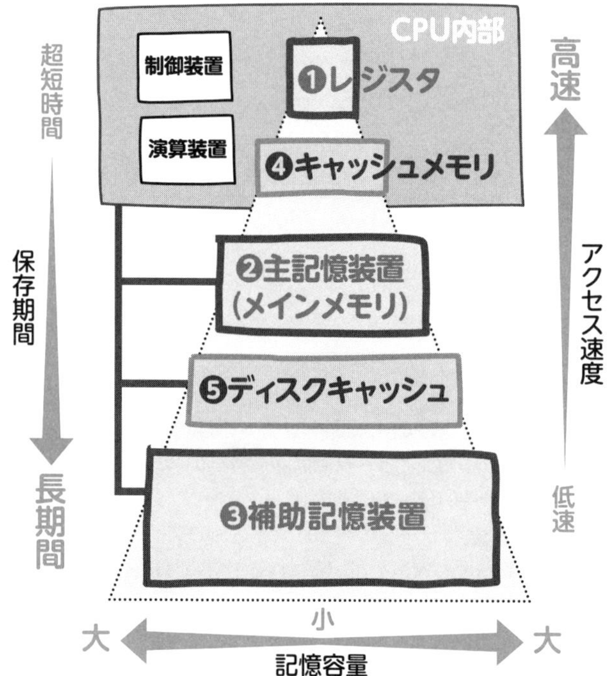

これに対して、ピラミッドの下部は「アクセス速度は遅いが、記憶容量は莫大」なメモリが使われます。機構が単純で、同じ記憶容量当たりで比べると装置の価格が安いのが特徴です。また、上部のメモリは極短時間のみの一時置き用に、下部は長期間の保存用として使われています。

❶レジスタ

CPUが処理中のデータや処理結果の値を一時的に置いたり、主記憶装置（❷）に保存された次の命令が主記憶装置のどこにあるか（アドレス）などを覚えておく※ためのメモリ。

CPU内部にあり、記憶容量は極小（数十バイト程度<p.035>）だが、超高速で動作する制御装置や演算装置が頻繁にアクセスするため、高速な半導体メモリのSRAM<p.011>が使われる。

※次の命令のアドレスを示すレジスタはプログラムカウンタやPCレジスタと呼ばれる。

❷主記憶装置（メインメモリ）

CPUが処理に使うために補助記憶装置（❸）から読み出したプログラム（命令文）やデータを置いておいたり、処理結果として補助記憶装置に書き込むデータなどを一時置きする記憶装置。

一般にはメインメモリや単にメモリと呼ばれ、PCでは数Gバイト～数十Gバイト<p.036>の記憶容量を持つ半導体メモリのDRAM<p.011>が使われている。

❸補助記憶装置

大量のプログラムやデータなどを長期間保存するための、大容量のメモリ。WindowsなどのOS<p.018>やワープロソフトなどのソフトウェア（アプリケーションプログラム）のデータ、それらのソフトウェアで作成した文書データなどは、この補助記憶装置に保存されており、必要なときにCPUからの指示で主記憶装置に読み出される。

レジスタ（❶）や主記憶装置（❷）はコンピュータの電源を切ると記憶が消えてしまうが（揮発性<p.009>）、補助記憶装置は、保存されたデータは電源が切れてもそのまま残る不揮発性<p.009>のメモリが用いられる。PC用にはHDD（ハードディスク）<p.013>やSSD<p.012>などが使われ、記憶容量は数百Gバイト～数Tバイト<p.036>。

「キャッシュ」の役割

図中の❶～❸のメモリの間には、「キャッシュ」という言葉が名前に入った❹と❺のメモリが挟まれています。キャッシュとは、動作速度の速い装置と遅い装置の間に入り、一時的にデータを預かることで、CPUが遅い装置を待つ時間を減らす役割を担う装置のことです。

❹キャッシュメモリ

CPU内部にあり、主記憶装置よりアクセス速度が速い。CPU（制御装置や演算装置）の動作速度と主記憶装置のアクセス速度との差で生じるCPUの待ち時間を減らすために設けられる。キャッシュメモリは、頻繁に使ったり、後ですぐに使うことが予想されるプログラムやデータを、あらかじめ主記憶装置から読み出して、仮置きしておくために使われる。

最近のCPUは多段階（複数）のキャッシュメモリを備えており、順に1次キャッシュ（超高速だが容量は極小）、2次キャッシュ（1次キャッシュより速度は落ちるが、容量は1次キャッシュの数十倍規模）…という構成になっている。CPUは、1次キャッシュ→2次キャッシュ→3次 … →主記憶装置の順にアクセスして、プログラムやデータを探す。高速な半導体メモリのSRAM<p.011>が使われている。

❺ディスクキャッシュ

主記憶装置と補助記憶装置との速度差を埋めるためのメモリ。CPUは、主記憶装置から読み出して補助記憶装置に書き込むデータは、とりあえず書込みの速いディスクキャッシュに一時置きする。こうしておけば、CPUは遅い主記憶装置の書込み終了を待つことなく、ディスクキャッシュへの書込みが終わった時点で、別の処理にとりかかれる。一時保存したデータは、後からCPUの空き時間を使ってディスクキャッシュから補助記憶装置へ書き込む。

半導体メモリの仲間

半導体メモリは、ICメモリ（アイシー：Integrated Circuit）とも呼ばれ、集積回路を組み合わせて作られた記憶媒体です。用途や必要な記憶容量によって、さまざまな種類のものが使われていますが、ここではよく出題される半導体メモリを解説します。

SRAM（エスラム：Static RAM）

SRAMは、PCではレジスタ<p.010>やキャッシュメモリ<p.011>に、超々高速に処理を行うスーパコンピュータでは主記憶装置にも用いられる超高速な半導体メモリ。読み書き可能なRAMの一種で、電源を切るとデータが消える揮発性。機構が複雑なため、DRAMに比べるとデータ容量は小さく高価。

DRAM（ディーラム：Dynamic RAM）

DRAMは、PCでは主記憶装置（メインメモリ）<p.010>に、HDDなどの補助記憶装置ではディスクキャッシュ用<前項>として使われる半導体メモリ。読み書き可能なRAMの一種で、電源を切るとデータが消える揮発性。さらに、DRAMの特徴として電荷（静電気）を蓄えることでデータを記憶しており、書き込んでから時間が経つと自然に記憶内容が消えてしまう。そのため、一定時間（数ミリ秒）ごとに電流を流して再書込みを行うリフレッシュ動作が必要。

スピードならSRAM、ドンドン消えちゃうDRAM

PC用の主記憶装置（メインメモリ）の規格

最近の試験では、PCの主記憶装置として実際に使われているDRAMの規格名が出題されることもある。

複数のDRAMを1枚の基板上に配置した部品（メモリモジュールという）の規格に、SIMM（シム；Single Inline Memory Module）とDIMM（ディム：Dual Inline Memory Module）がある。SIMMは基板の片面にいくつかのDRAMが搭載され、さらに記憶容量を増やすためにDIMMでは両面にDRAMが搭載されている。SO-DIMM（ソーディム：Small Outline DIMM）は、基板がDIMMの半分ほどの大きさのメモリモジュールの規格で、ノートPCの主記憶装置用として作られた。

SDRAM（エスディーラム：Synchrnous DRAM）は、PC用の主記憶装置（メインメモリ）用として普及したDRAMの標準規格で、クロック信号<p.007>と同期して高速に動作する。DDR SDRAM（ディーディーアール　エスディーラム：Double-Data-Rate SDRAM）は、クロック信号の波形の上がり／下がりの2つのポイントを合図とすることで、SDRAMの倍速で動作するメモリの規格。さらに現在は、DDR SDRAMの2倍のアクセス速度を持つDDR2 SDRAMや、4倍速いDDR3 SDRAMなどのメモリが、PCの主記憶装置として実装されている。

フラッシュメモリ

揮発性の記憶媒体が多い半導体メモリだが、フラッシュメモリは電源を切ってもデータが消えない不揮発性のメモリ。読み書き可能（部分書換えや部分消去も可）で、小型・大容量・安価なため、手軽なデータ保存用の補助記憶装置として広く使われている。PC用のUSBメモリ、スマートフォンやゲーム機に使うSDカードなどがフラッシュメモリに分類される。

SSD（エスエスディー：Solid State Drive）

上記フラッシュメモリを応用した大容量の記憶装置がSSD。HDD<右ページ>と同様に、補助記憶装置として、OSやソフトウェア（プログラム）、作成したデータなどの長期保存に使われる。内蔵タイプや外付けのSSDもあり、記憶容量は500Gバイト～数Tバイト<データ容量の単位はp.036>。

半導体で作られ、HDD（記憶媒体のディスクを回転させて読み書き）のような駆動部分を持たず、衝撃に強い。省電力で長時間稼働が可能なため、ノートPCなどモバイル用補助記憶装置に最適。以前はHDDよりも販売価格が高めだったが、普及に伴ってお手頃な価格になってきている。

半導体メモリの特徴と用途

メモリに関する説明のうち，適切なものはどれか。

ア　DRAMは，定期的に再書込みを行う必要があり，主に主記憶に使われる。

イ　DVD-ROMは，アクセス速度が速いので，キャッシュメモリなどに使われる。

ウ　SRAMは，不揮発性メモリであり，USBメモリとして使われる。

エ　SSDはHDDより消費電力が大きいので、モバイル環境用の補助記憶装置として利用するときは、バッテリーの電力容量に注意が必要。

解説　SRAMとDRAMは、混同しやすいので要注意！

ア：正解。DRAMの記憶を保つには、リフレッシュ動作が必要！

イ：PCのキャッシュメモリなどに使われているのはSRAM。DVD-ROMのアクセス速度は遅く、読出し専用（消去・書換え不可）なため、キャッシュメモリには使えない。

ウ：USBメモリに使われている半導体メモリはフラッシュメモリ。また、SRAMは電源の供給がないとデータが消える揮発性なので、これも正誤を判断するヒント。

エ：SSDは半導体で作られており、駆動する機構を持たないため、HDDより消費電力が小さい。

正解：ア

HDDと光ディスクの仲間

ディスクを記憶媒体として用いるタイプのメモリは、ディスクを回転させたり、ディスクに記録されたデータを読み出すためのアームを動かす駆動装置が必要なため、衝撃や振動に弱い・消費電力が大きいなどの欠点があります。

HDD（ハードディスクドライブ：Hard Disk Drive）

HDD、通称ハードディスクは、プログラムやデータの長期保存に用いられる補助記憶装置。最近はHDDではなく、よりアクセス速度の速いSSDが内蔵されたPCが普及してきている。

記憶媒体であるハードディスクは、アルミ製の円盤の表面に磁性体を塗布したもの。高速に回転しているディスク上に同心円状の記憶領域（トラック）が作られ、アームの先端にある磁気ヘッドで記憶領域の磁気の向きを変えることでデータを記録し、書き込まれた磁気の向きを解釈してデータを読み取る。

PC本体に内蔵するタイプと外付けタイプがあり、市販されている製品の記憶容量は数百Gバイト〜数Tバイト（データ容量の単位は<p.036>）。SSDの価格が下がってきたとはいえ、莫大なデータ容量が必要な場合は、圧倒的にHDDの方が安価なので、データセンターなどでは今でもHDDが使われている。

1-2-2
ハードディスクの構造

アーム先端には磁気ヘッドがあり、目的のトラックへ移動させて読み書きする

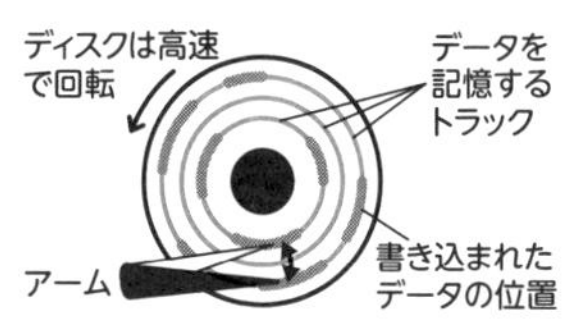

光ディスクの仲間

光ディスクはCDやDVD、ブルーレイディスク（BD）など、レーザー光を使ってデータを読み書きする記憶媒体の総称。記憶容量は、CD＜DVD＜BDの順に大きくなる。追記・書換え不可（データの読出しのみOK）のROMと、追記のみ可能なR、追記・書換え可能なRAMやRW（RE）の3つのタイプがある。

光ディスクを使ったPC用の装置は、HDDやSSDに比べてアクセス速度（特に書込み）がかなり遅く、頻繁に読み書きが必要な用途には向かない。そのため、アプリケーションソフトウェア（オフィスソフトなど）の販売用メディアや、データのバックアップなど大容量なデータの保存に使われている。

1-2-3　光ディスクの種類

種類	説明	容量
CD-R 追記型	記録層にある有機色素にレーザー光を当てて、色素を焦がすことでデータを書き込む。追記型とは、一度書き込んだデータは消去できないが、追加で書き足すことが可能なタイプの記憶媒体。	650Mバイト 700Mバイト
DVD-R 追記型	レーザー光を使い、CD-Rと同様に有機色素を変化させて書き込む追記型のDVD。記憶面を2層にして、データ容量を増やしたDVD-R DLもある。	1層：4.7Gバイト 2層：8.5Gバイト
DVD-RAM 書換え型	記録膜に結晶/非結晶の2つの状態を作る技術を使った書換え型。記憶面が劣化しにくく、長期保存用のバックアップなどに利用。ディスク両面それぞれに記憶面を持つ大容量のものもある。	片面：4.7Gバイト 両面：9.4Gバイト
BD-R/BD-RE 追記型/書換え型	ブルーレイディスクとは、波長の短い青紫色レーザー（Blu-ray）を使用して読み書きを行う記憶媒体のことで、DVDに比べて大容量。追記型のBD-Rと、書換え可能なBD-REがある。	1層：25Gバイト 2層：50Gバイト

Chapter 1-3 デバイスとインタフェース規格

コンピュータは単に演算処理を行うだけでなく、多様な機能を持つ装置を接続し、コンピュータで制御することで、さまざまな用途での利用が可能になります。このように、コンピュータに接続して機能を拡張する装置のことを、周辺機器やデバイスと呼びます。試験では、PCと一緒に使う周辺機器についての出題があります。

入出力装置

入出力装置とは、入力装置（コンピュータに情報を伝えるための装置）と、出力装置（コンピュータが持つ情報を外部に伝えるための装置）の総称です。入出力デバイスと呼ばれることもあります。

出力装置

PC内部にある情報を人にわかる形で伝える出力装置には、ディスプレイやプロジェクター、プリンターなどがある。最近は、3Dプリンターが出題されているが、この装置は3次元（3D）データを使い、簡易的に立体物を作る機器。樹脂を溶かして層状に塗り重ねて形を作る熱溶解積層法や、光で硬化する液体樹脂に紫外線やレーザー光を当て1層ごとに固めて形を作る光造形法などの方式がある。

1-3-1　プリンターの代表的な印字方式

レーザープリンター（ページプリンター）	帯電した感光ドラムに、印字したい画像を反転（黒→白）してレーザー光で描く。レーザー光が当たらなかった部分（静電気が残っている）にトナーが吸着するので、紙に押しつけて転写し熱で定着させる。
インクジェットプリンター	プリンターヘッドのノズルから、インクを紙に吹き付けて印字する。
感熱式プリンター（サーマルプリンター）	プリンターヘッドを熱することで印字する方式。熱で溶けるインクが塗られた印字用フィルムを使うタイプと、用紙自体が熱で発色するタイプがある。
ドットインパクトプリンター	細いピンの束と紙の間にインクリボンを通し、印字位置のピンを押し出してインクリボンを紙に叩きつけて印字。複写用紙を使うと一度に複数枚の印字ができるので、伝票印刷などに使われる。

入力装置

人が直接PCに情報を伝える入力装置には、情報として文字を入力するキーボードと、マウスやタッチパネルなど画面上のある位置を指し示すことで情報を伝えるポインティングデバイスに分類される装置などがある。試験ではタッチパネルの仕組みも出題されているので、代表的な2方式を解説しておく。

感圧式（抵抗膜式）は、画面裏にある2枚の電極膜が指先で押されて接触することで生じる通電位置を感知する方式で、同時に検知できるのは一箇所のみ。銀行のATMや駅の自動発券機などに用いられている。静電容量方式は、タッチした指と画面裏の導電膜の間に生じる静電容量の変化を検出する方式で、同時に複数箇所を検知できる（マルチタッチが可能）。タブレットPCやスマートフォンなどに用いられている。

また、画像や文字を読み取るスキャナーや、商品に印刷されたバーコードを読み取るバーコードリーダー、カメラに内蔵された画像センサーなども入力装置の仲間。

紙媒体からスキャナーなどで読み取った画像を文字データに変換する機能をOCR（オーシーアール：

Optical Character Reader)という。近年はOCRソフトの機能向上に伴い、多様な文字種を持つ日本語も文字認識精度が上がっているが、さらにAI(人工知能)を搭載した高精度なAI OCRも登場している。

PC側に必要なデバイス接続の仕組み

PCに周辺機器を接続して使う場合、PC側にも接続されたことを検出して制御のための準備をしたり、各装置に合わせた命令やデータを送るための仕組みが必要になります。

デバイスドライバ

デバイスを操作したり、そのデバイス用のデータを作るには、制御に必要な命令や情報が書かれたデバイスドライバと呼ばれるソフトウェアが必要。同じ種類のデバイスでも、メーカーや機種ごとに仕様や機能が異なるため、その機種専用のデバイスドライバをPCにインストールしておく必要がある。

ただし、WindowsなどPC用OS<p.019>には、キーボードやディスプレイ、プリンターなどの基本的な入出力装置用に、汎用の標準ドライバが最初から用意されており、どの装置にも備えられているような一般的な機能であれば、専用のデバイスドライバがなくても装置を使うことができる。

プラグアンドプレイ

プラグアンドプレイは、周辺機器の接続時にデバイスを検知して必要なデバイスドライバを探し、ドライバのインストールや、デバイスの設定を自動的に行う機能。この機能は、WindowsなどのOS<p.019>に備えられている。ただし、接続に使うインタフェース規格<p.016>と、接続されるデバイス自体もプラグアンドプレイに対応していないと、この機能は使えない。

似た機能に「PC側の電源を入れたまま、デバイスのケーブルの抜き差しができるホットプラグ(ホットスワップ)」があるので注意。PCは起動時に接続している装置を認識するため<p.116>、ホットプラグ非対応のデバイスやインタフェース規格を使う場合は、PCを再起動しないとデバイスが認識されない。

電力の供給

USB<p.016>などを使い、PCから周辺機器へ電力を供給する場合、電気容量が足りないと動作しないことがある。また、デバイス(スマートフォンなど)やモバイルバッテリーへの充電は、その機器に適合した電圧・電流で行わないと、満充電にならないことがある。

1-3-2 電源まわりの単位を表す用語と計算式

A(アンペア)	電気の流れる量(電流)を表す単位。mA(ミリアンペア)は、1Aの千分の1。同時に使う機器が多い場合は、より高いA数が必要になる。一般家庭では、20A～40Aで電力会社と契約していることが多い。
V(ボルト)	電気の圧力(電圧)を表す単位。日本の一般家庭では100V、工場などでは200Vが使われている。機器の仕様と異なる電圧で使うと、機器が壊れてしまうので要注意。
W(ワット)	機器によって消費される電気エネルギーの量(消費電力)を表す単位。ちなみに、デスクトップPCの消費電力は50～150W、ノートPCの場合は10～30W程度といわれている。
Ah(アンペアアワー)	1時間あたりに供給できる電気の容量を表す単位。バッテリーが供給できる蓄電容量を表す値としてよく使われている。

A(電流) ＝ W(電力) ÷ V(電圧)

例：20W 100Vで動作しているノートPCのA(アンペア)数
20W÷100V＝0.2A

Ah(アンペアアワー) ＝ A(電流) × 時間

例：上記ノートPCを1時間使用するのに必要な電気容量は
0.2A×1時間＝0.2Ah
バッテリーの容量が5000mAh(5Ah)ならば、満充電すれば、計算上は5Ah÷0.2A＝25時間 使用可能

有線のインタフェース規格

インタフェースとは、別のものと接したり、繋げたりするための部分を指します。機器どうしを結ぶインタフェース規格には、有線(ケーブルを使用)と無線(電波を使用)の規格があり、市販の接続ケーブルや、機器が持つ無線接続の機能は、これらの規格に適合するように作られています。

種類やメーカーが異なるデバイスであっても、規格に従った形状や仕様を採用することで、共通する汎用のインタフェースを使うことができるようになります。

有線のインタフェース規格で使われる用語

パラレルインタフェースはケーブル内に複数本の伝送路を持ち、1度に複数ビットずつデータを送ることで伝送速度<p.091>を上げる方式。シリアルインタフェースは1本の伝送路で1ビットずつ順にデータを送る方式。制御が簡単で通信線の本数が少ないためケーブルが細く、接続部のコネクタも小さい。一方、パラレルインタフェースは制御が複雑で通信線が複数あるのでコネクタが大きくデバイスの小型化が難しいため、USBなど高速シリアルインタフェースの普及に伴って使われなくなってきた。

バスパワー方式は、ケーブル経由で接続しているデバイスにPC側から電力を供給する機能。デバイス側に電源装置が不要なため小型化できるが、PCから供給される電力が小さいと動作しないこともある。これに対してセルフパワー方式は、デバイス自身がAC電源などを持ち、そこから電力を得る方式。

1-3-3　有線のインタフェース規格

		データの転送速度 <p.091>
USB (ユーエスビー：Universal Serial Bus)	さまざまなデバイスとの接続に用いられる汎用タイプのシリアルインタフェースで、現在はUSB2.0と3.0の2つのバージョンの規格が普及。プラグアンドプレイ・ホットプラグ対応。バスパワーの機能もあり、USB2.0で供給できる電力は500mA、3.0なら900mA。複数の接続口を持つUSBハブで中継させると、最大127台の機器を接続可能。USB2.0と3.0の機器の混在も可能だが、転送速度は2.0相当に低下する。Type-A・Type-B・Type-Cなどコネクタの形状や仕様に複数の規格があり、用途や機器の大きさに合わせて使い分けられている。	USB 2.0：480Mbps USB 3.0：5Gbps
HDMI (エイチディーエムアイ：High-Definition Multimedia Interface)	超高速シリアルインタフェースで、大容量の高解像度映像データ再生でのディスプレイへの接続などを想定した接続規格。1本のHDMIケーブルのみで、動画・音声・制御用信号を送信できる。PCとモニター・デジタルカメラ・オーディオ機器との接続などに使われる。プラグアンドプレイ・ホットプラグ対応。 ※転送速度の欄のHzの表記は、画面のリフレッシュ(書換え)レートの対応速度を表す。	HDMI 2.1 42.6Gbps (4K,120Hz※ 8bit)

無線のインタフェース規格

ちょこっとメモ

LANやWi-Fiなどネットワークの接続規格は、「ネットワーク分野」として別に出題されるため、本書でもChapter4<p.090>で説明する。

無線のインタフェースでは、空中に電波を飛ばしてやり取りを行います。ケーブルを使わないため、電波が届く範囲なら装置の移動も手軽にできます。ただし、有線のインタフェース規格に比べて伝送速度がかなり遅く(有線はMbps～Gbps、無線はkbps～Mbpsで速度の単位が異なる<速度の単位はp.035とp.091を参照>)、装置間に障害物があると接続できないというデメリットもあります。

活用範囲が広い無線インタフェース規格「NFC」

近距離用の無線通信を用いて、集積回路を埋め込んだ小さなICタグから情報を読み書きする技術の総称をRFID(アールエフアイディー：Radio Frequency Identification)という。

NFC(エヌエフシー：Near Field Communication)はRFIDに含まれる規格で、10cmまでのごく短い距離での接続に使われ、転送速度は212～424kbps。ICタグを埋め込んだICカードや、カードリーダーの仕様なども含めてNFCと呼ぶこともある。接触せずに(非接触)情報のやり取りができるため、シール状のICタグを商品に貼って在庫管理を行ったり、通信距離の短さを活かす交通機関のIC乗車券やマイナンバーカード（リーダーにかざしているカード以外には反応しない）に用いられるなど、幅広い分野で活用されている。

1-3-4 無線のインタフェース規格

データの転送速度 <p.091>

Bluetooth（ブルートゥース）	短距離無線伝送技術の規格で、接続範囲は10m程度、最大7台まで同時接続が可能。多少の障害物があっても通信可能で、PCとオーディオ機器（イヤホンやスピーカーなど）や、ワイヤレスキーボード・ワイヤレスマウスなどとの接続に使われる。	Bluetooth 5.0：LE（省電力規格） 2Mbps
IrDA（アイアールディーエー）	赤外線データ通信の規格で接続範囲は1m以内。間に障害物があると通信できないため、携帯電話(ガラケー)どうしの通信など、ごく近い距離での限られた用途に使われる。	16Mbps

デバイスどうしを結ぶ無線通信（IoTで使われる無線接続）

温室に設置された温度センサーから室温のデータを空調装置に送るなど、コンピュータを介さずにIoTデバイス（自身でネットワーク接続機能を持つ装置 <p.027>）どうしを結ぶネットワークに使われる無線通信の規格が、よく出題されるようになってきた。

Bluetoothを応用した規格に、BLE（ビーエルイー：Bluetooth Low Energy）がある。消費電力が低いのが特徴で、存在を知らせる信号を発するビーコン（登山の雪崩対策などで使用）では、コイン電池で1年以上使い続けられる。BLEの実用的な通信距離は10m前後（規格上は数十m）。

LPWA（エルピーダブリュエー：Low Power Wide Area：特定省電力無線）は、BLEでは届かない距離での低消費電力な通信を可能にする通信規格。複数の規格があり、通信距離は1km〜50km程度。電気やガスの使用状況などを自動的に計測し発信するスマートメーター<p.208>からの情報取得などに利用。

ETC（有料道路の通行料金の自動査収システム）で使われる狭域通信（DSRC：ディーエスアールシー：Dedicated Short Range Communication）という規格もある。ゲート通過中の車載器のみと通信するよう（後続車との誤通信が発生しないよう）、通信エリアをごく狭い範囲に制御する方式が使われる。

無線インタフェース規格の見分け問題

NFCに関する記述として，適切なものはどれか。

ア 10cm程度の近距離での通信を行うものであり，ICカードやICタグのデータの読み書きに利用されている。

イ 数十mのエリアで通信を行うことができ，無線LANに利用されている。

ウ 赤外線を利用して通信を行うものであり，携帯電話のデータ交換などに利用されている。

エ センサーどうしのネットワークに使われ、通信装置は小型・安価・省電力で乾電池で数年の稼働が可能。

解説 NFCのNは「ニア（近距離）」！

ア：正解。NFCだと判断するときのキーワードは、「10cm」と「ICカード・ICタグ」。他の無線通信の規格に比べて、通信距離が極端に短いのが、NFCを見分けるときのポイント。

イ：無線LANで使われるWi-Fiという仕様の説明<p.094>。

ウ：IrDA（赤外線データ通信）の説明。

エ：近距離通信用のZigBee（ジグビー）の説明。IoT<p.027>のセンサーネットワークに多用される無線通信規格で、通信距離は10〜75m前後、伝送速度は最大250kbps。

正解：ア

Chapter 1-4 ソフトウェアの分類と機能

ソフトウェアを役割で分類すると、コンピュータの基本機能（CPUやデバイスの制御など）を提供するOSと、ユーザーの利用目的に合う機能を集約したアプリケーションソフトウェアに分けられます。
アプリケーションがデバイスの機能を使いたいときはOSに依頼して、OSがデバイスとの間を仲介する形で処理が進められます。

ソフトウェアの分類

ソフトウェアとは、CPUに処理させる命令と、その処理の実行に必要な情報がまとめられているプログラム群のことです。PC用のソフトウェアは、ファイル<p.020>の形でHDD<p.013>やSSD<p.012>などの補助記憶装置に保存されており、必要に応じて主記憶装置（メインメモリ）<p.010>へと読み出され、このソフトウェアに書かれた命令にしたがってCPUが処理を行っていきます。

OSとアプリケーションの関係

OS（オーエス、オペレーティングシステム：Operating System）は、コンピュータの基本的な機能の制御・管理を担当するソフトウェア。基本ソフトウェアとも呼ばれ、処理の優先順位を決め、プログラムに書かれた命令をCPUに実行させたり、OSが管理しているデバイスを制御する働きを担っている。

一方、アプリケーションソフトウェア（アプリケーションソフト、アプリケーション）は応用ソフトウェアとも呼ばれ、ユーザーの用途に合わせて必要な機能をまとめたソフトウェア。ワープロソフトやメールソフトなどはアプリケーションに分類される。

さらにOSは、OS自身が持つ機能や管理しているデバイスの機能を、ユーザーやアプリケーションに提供する役割も担っている。OSが仲介して個々のデバイスの細かい違い（機種や仕様など）をカバーすることで、ユーザーやアプリケーションはそれらの違いを意識せずに機能を利用することができる。

1-4-1　OSとアプリケーションの関係

OS（基本ソフトウェア）

制御・管理機能
- **CPUに処理させるプログラムの実行管理**
- **デバイスの制御やデータの管理**
- **ネットワーク通信の制御　など**

OS自身やデバイスの機能を、ユーザーやアプリケーションへ提供

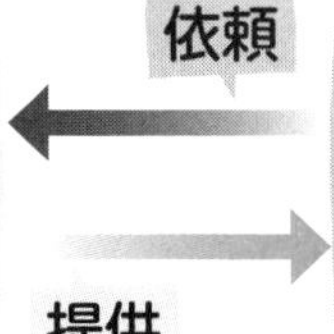

アプリケーション（応用ソフトウェア）

ユーザーが使いやすいように、特定の用途に必要な機能をまとめたソフトウェア

OSの機能やデバイスの機能を使いたいときは、OSにサービスの提供を依頼

OSの種類と特徴

種類の違うコンピュータでは、CPUに指示するための命令などが異なります。そのため、OSもその種類のコンピュータ専用のものでなければ、コンピュータは動作しません。

コンピュータだけでなく、家電製品やオーディオ機器などにもソフトウェアが組み込まれています。このソフトウェアは、その機器自身を制御して機能を実行するためのプログラムで、OSとアプリケーションの両方の働きを兼ね備えており、ファームウェアと呼ばれています。

1-4-2　コンピュータやスマホで使われるOS

Windows （ウィンドウズ）	Microsoft社のPC用OS。さまざまなメーカーからWindows用のPCが販売され、WindowsPCはMac（Apple社の独占）に比べてPC本体の価格が低めで、多様な機種が市販されていることもあり、オフィス用PCのOSではWindowsのシェアが高い。
macOS （マックオーエス）	Apple社製のPCであるMacの専用OSで、UNIX（下欄）をベースに作られた。プロ向けの画像処理や動画編集用のアプリケーションは、このOS上で動作するものが多いため、Webページや動画の制作、デザイン系の現場などで使われることが多い。
UNIX （ユニックス）	ソフトウェア開発や高度な技術計算などに使われてきた、性能の高いワークステーション<p.025>と呼ばれるコンピュータ用のOS。複数ユーザーの同時使用やプログラムの並列処理（マルチユーザーマルチタスク）に対応。種類が異なるコンピュータ用のOSへの書換えが比較的容易なため、作成者である米国AT&T社がUNIXの開発を休止した後も、いろいろなUNIX系OSが開発され続けている。
Linux （リナックス）	UNIX互換を目指して作られたPC用OSで、OSS<p.022>としてソースコード（元のプログラム<p.043>）が公開されている。PCをサーバ機（専門的な機能を持たせてネットワーク経由で共同利用するコンピュータ<p.024>）として用いる場合のサーバ用OSに使われることが多い。汎用コンピュータ<p.025>や超高性能なスーパコンピュータ用のLinuxもあり、広く使われている。
Android （アンドロイド）	スマートフォンやタブレット端末などのモバイル用OSで、OSS<p.022>としてソースコードが公開されている。Linuxをベースとして Google社が開発した。キーボードのない端末単体での利用を前提に、タッチパネルとソフトウェアキーボード（画面に表示された文字にタッチして入力）がサポートされている。
iOS （アイオーエス）	Apple社のスマートフォンであるiPhoneの専用OS。同じくApple社製のPCであるMacやタブレットiPadとの互換性が高く、これらデバイス間でのデータ共有も簡単で便利。試験でよく出題されるのだが、Androidとは異なり、iOSはOSS<p.022>ではないので、混同しないように注意しよう。

よく出題されるOSの機能

OSにはさまざまな機能が備わっていますが、ここでは試験に出るものを取り上げておきます※。これらの出題には、PC用OSの機能だけでなく、多数のユーザーが共同で利用するサーバ機やワークステーション用OSが持つ機能も含まれています。

※ファイル管理機能は、少し込み入った内容も出題されるので、次の項目で分けて解説。

ユーザー管理機能

ユーザー管理機能は、ユーザーごとにシステムやデータへのアクセスを制御したり、デスクトップの配置など利用環境を個人別に設定するための機能。これら個人別の設定情報を保存してあるデータをプロファイル（ユーザープロファイル）と呼ぶ。

アクセス管理では、役職や担当業務などによってユーザーごとにアクセス権を設定し<具体的な解説はp.119>、ユーザーIDとパスワードを用いた認証の機能を使って行われることが多い。

記憶管理機能

記憶管理とは、主記憶装置や補助記憶装置を効率良く使うためのOSの管理機能だ。限られた記憶容量の中で、多数のプログラム（ソフトウェア）やデータを保存するため、どのデータをどこに保存するかをOSがやり繰りしている。

CPUがあるプログラムを実行するには、プログラムが保存されている補助記憶装置（SSDやHDD）から実行に必要な一連の部分を読み出し、主記憶装置に置いておかなければならない。現在のソフトウェアは複雑で、必要部分のみを取り出しても主記憶装置の記憶容量を超えるため、補助記憶装置の一部を仮の主記憶装置として使う。この仕組みのことを仮想記憶と呼び、仮想記憶管理もOSの機能に含まれている。

OSのファイル管理機能

OSは、プログラムやデータをファイルとディレクトリ（PCではフォルダ）と呼ばれる階層構造で管理します。通常は、マウスでこれらのアイコンをクリックすることで操作しますが、試験にはディレクトリ名やファイル名を記述して指定する問題が出ています。これは、プログラム中でファイルやフォルダを指定するときに必要な方法だからです。まず、ファイル管理の仕組みから見ていきましょう。

ファイルとは？

コンピュータでは、ひとまとまりのプログラムやデータを、ファイルという形でHDDなどの補助記憶装置に保存し、OSが管理している。ファイルにはファイル名が付けられ、その後に「.」（ドット）とデータの内容（形式）やそのファイルを扱うアプリケーションを示す拡張子（かくちょうし）が付けられている。

1-4-3　拡張子の例

原稿.txt

文字データのみ（書式やレイアウトは含まない）が保存されたファイル（テキストファイル）を示す拡張子

出張費精算.xlsx

表計算ソフトMS Excelで作成した書類データが保存されたファイル

ちょこっとメモ

Windows10や11で拡張子を表示させるには、「エクスプローラー（フォルダのアイコン）」を開き、上部のリボンメニュー「表示」にある「ファイル名拡張子」にチェックマークを入れる。

文字データのみが保存されているテキストファイルは、ワープロソフトや表計算ソフトなど、いろいろなアプリケーションで読み込み、扱うことができる。このように、多数のソフトウェアが共通して扱えるデータ形式を汎用ファイル形式と呼ぶ。画像処理ソフトで扱う画像データの.jpg（JPEG<p.076>）、Webブラウザの表示用データは.htm（または.html <p.106>）など、いろいろな種類の汎用ファイル形式がある。

PC用OSは、ファイルをディレクトリ（フォルダ）という階層構造で管理している。この構造の概念図を書くと、木を逆さまにした形<右ページ1-4-4参照>になるため、このデータ構造は木構造と呼ばれる。ディレクトリは枝の部分（節と呼ぶ）、ファイルは枝先に付いた葉だと考えるとわかりやすい。

ルートディレクトリから順に書く＝絶対パス参照

HDDなどの記憶装置の最上位の階層をルートディレクトリ（ルート＝根）と呼ぶ。ここから順に途中の階層のディレクトリ名を書き連ね、目的のファイル名を指定する方法を絶対パス参照という。

絶対パス参照の指定ルール：

❶ ディレクトリとディレクトリの間、ディレクトリとファイルの間は「¥」で区切る

❷ 先頭に書く「¥」は、ルートディレクトリを意味する

下図1-4-4のHDDに保存されたファイル「報告書1.txt」を指定する例

パスの道筋は、「ルートディレクトリ → 報告用データ → 文書データ → 報告書1.txt」。
(ディレクトリ) (ディレクトリ) (ファイル)

先頭はルートディレクトリから ¥ **報告用データ** ¥ **文書データ** ¥ **報告書1.txt**

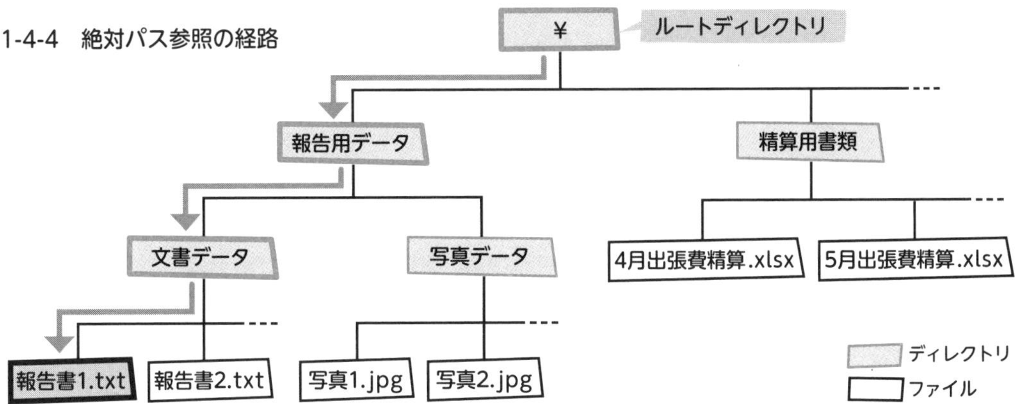

1-4-4　絶対パス参照の経路

カレントディレクトリからの位置関係を書く＝相対パス参照

今操作しているファイルが含まれるディレクトリのことをカレントディレクトリと呼ぶ。相対パス参照では、カレントディレクトリから目的のファイルまでの位置関係を順に記述する。

相対パス参照の指定ルール：(❶は絶対参照のルールと同じ)

❶ ディレクトリとディレクトリの間、ディレクトリとファイルの間は「¥」で区切る
❷ カレントディレクトリは「.」で表す
❸ 1階層上のディレクトリ(親ディレクトリ)は「..」で表す

図1-4-5の「報告書1.txt」を開いて操作している場合に、「5月出張費精算.xlsx」を指定する例

報告書1.txtが含まれるカレントディレクトリは「文書データ」。パスの道筋は、カレントディレクトリから「文書データ→報告用データ→ルートディレクトリ→精算用書類→5月出張費精算.xlsx」。

..¥..¥精算用書類¥5月出張費精算.xlsx

カレントディレクトリ「文書データ」の親ディレクトリは「報告用データ」

「報告用データ」の親ディレクトリはルートディレクトリ

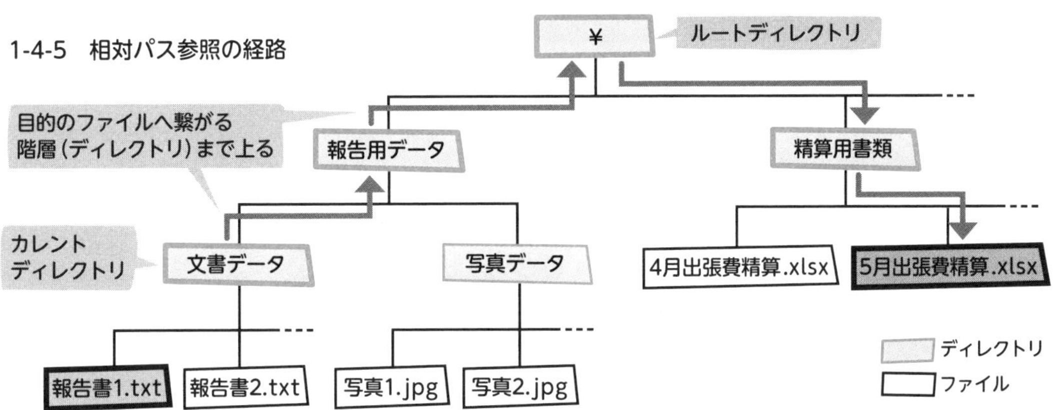

1-4-5　相対パス参照の経路

オフィスツール関連の用語

最近の試験では、ワープロソフトで文書を作成したりWebページをデザインするなど、文字のレイアウトなどを行うときに必要になる知識がよく出題されています。まとめて覚えておきましょう。

文字の配置やフォントに関する用語

左揃え	右揃え
早春の白梅	早春の白梅
中央揃え	**均等配置**
早春の白梅	早　春　の　白　梅

行揃えは、文字を納める枠内のどの位置に文字を並べるかの指定で、均等配置は枠の中一杯に並ぶように文字間を広げて置く。

フォントにはいろいろな分類方法があるが、各文字が持つ字幅での分類に、等幅フォントとプロポーショナルフォントがある。どの文字も同じ字幅として扱うのが等幅フォントで、原稿用紙のマス目に書いたように同じピッチで文字が並ぶ。これに対して、プロポーショナルフォントは字の形によって字幅が異なる。そのため、1文字が占める幅は文字によって違ってくるのが特徴。

等幅フォントの例：Information Technology Passport Examination

プロポーショナルフォントの例：Information Technology Passport Examination

テクノロジ系

ちょこっとメモ

図形の情報をビットで表現している画像データを**ビットマップデータ**、数式で表現している画像データを**ベクターデータ**という。

文字の形の情報を「どのように持っているか」で分類する方法もある。ビットマップフォントは、タイルを並べて形を描くように、文字の形をビット（点）の集まりとして記憶している。そのため、文字を大きくするとギザギザが目立ってしまう。これに対してアウトラインフォントは、文字を形作る直線と曲線を数式（が描き出す図形）として保存している。文字の大きさを変えると、そのつど図形が計算されるため、滑らかな形の文字が作られる。

ビットマップフォント

アウトラインフォント

の

無償で使えるソフトウェア「OSS」

ちょこっとメモ

ITベンダーとは、ソフトウェアの開発やシステム管理など、IT技術を使ったサービスを顧客に提供する企業のこと<p.216>。

一般的な業務でよく使われるOSやアプリケーションには、WindowsやMS Excelのように、ITベンダーが開発して市販しているパッケージソフトが多数あります。また、企業が自社の業務用に独自に開発した自社内専用のソフトウェアもあります。どのソフトウェアも著作権<p.220>で保護されており、無許可での使用や不正コピーは禁止です。

ところが、プログラム(ソースコード<p.043>)がインターネットなどに公開され、誰でも無償で利用できるソフトウェアもあるのです。これらはOSS（オーエスエス：Open Source Software)と呼ばれています。ちょっとした作業に便利なツールから、Webサーバ<p.105>用のOS、企業の基幹業務に使われるビジネス統合パッケージ（ERP<p.202>）などの大規模なものまで、さまざまな種類のOSSが公開され、利用されています。

OSSの要件とメリット／デメリット

右ページの要件は公に定められた規約ではないので、作者が独自の制約を設けているOSSもある（制約の例：再配布の際の作者名表記、改変範囲の限定、無償/有償の条件など）ので、実際に利用するときには注意しよう。また、有償でユーザーサポートを提供するOSSも存在する。

OSSの主な要件

- 作者は著作権を放棄していない
  （著作権が放棄されたソフトウェアはPDS（パブリックドメインソフトウェア））
- OSSのソフトウェアは、誰でも利用できなければならない（利用者を限定するような制限はNG）
- 利用者が改変を加えてから再配布することもOK
- 作者は品質保証をせず、利用によるトラブル発生にも責任を負わない
  （品質やセキュリティ上の問題があるソフトも…。ユーザーサポートもない）

OSSのライセンス（ソフトウェアの使用許諾要件、オープンソースライセンスという）には、いくつかの定義（見本のようなもの）があるが、出題の可能性があるのはGPLだ。GPL（ジーピーエル：General Public License）は、GNUというUNIX系OSを開発するプロジェクトのコミュニティが策定したオープンソースライセンス。

GPLは、上記の要件の他に、コピーレフトと呼ばれる「再配布する場合は、元のライセンスと同じ要件にしなければならない（要件の追加も不可）」と定義されているのが特徴。

1-4-6 試験によく出るOSSのソフトウェア

用途（ソフトウェアの分類）	ソフトウェアの名称
OS<p.018>	Linux（リナックス）<p.019>、Android（アンドロイド）<p.019>
Webブラウザ<p.105>	Firefox（ファイヤーフォックス）
Webサーバソフトウェア<p.105>	Apache（Apache HTTP Server）（アパッチ）
メールソフト<p.103>	Thunderbird（サンダーバード）
データベース管理システム（DBMS）<p.086>	MySQL（マイエスキューエル）

OSSの利用で得られるメリット

OSS（Open Source Software）を利用することのメリットはどれか。

ア　開発元から導入時に技術サポートを無償で受けられる。

イ　ソースコードが公開されていないので，ウイルスに感染しにくい。

ウ　ソフトウェアの不具合による損害の補償が受けられる。

エ　ライセンス条件に従えば，利用者の環境に合わせてソースコードを改変できる。

解説　OSS利用時のデメリットも知っておこう

正解はエ。作者が定めたライセンス条件で許可されていれば、ソースコード<p.043>を改変したり、改変したものを再配布することも可能。ア～ウは誤り。逆にいえば、市販のパッケージソフトを使わずOSSを利用すると、ア～ウのようなメリットは得られないということ。

正解：エ

目的に合わせたシステム構成

業務の処理内容を統一しデータを共有化する場合、社内のPCをネットワーク（LAN）に接続して、データの蓄積や処理は専門のコンピュータに行わせる分散処理システムを構築する方法が考えられます。このようなシステム構成では、ユーザーが使うコンピュータ（PCやスマートフォンなど）をクライアントや端末、クライアントからの依頼で処理を行ったりデータを管理するコンピュータをサーバやホストといいます。

企業内LANを使ったクライアントサーバシステムの構成例

インターネット
Webサーバ
メールサーバ
データベースサーバ
データベース
データベース<p.086>の管理と、クライアントから要求されたデータの提供を行う。
プリンター
プリントサーバ
クライアントから送られた印刷データを一時保管し、順に出力する管理機能などを持つ。現在は、プリントサーバと同様の機能を持つネットワークプリンターが普及。
クライアント自身も処理を行うのが集中処理の端末との違い。
例：ファイルサーバから提供されたデータを元に、クライアント側で文書を作成、印刷をプリントサーバに依頼。
Webサーバ：Webページの閲覧用データの提供用サーバ<p.105>。
メールサーバ：eメールの送受信と管理用<p.102>。
ファイルサーバ
クライアントが共有するファイルを保存・管理。サーバ機や管理用ソフトウェアが不要なNAS<p.026>の利用も増加中。
クライアント
クライアント
クライアント
たくさんのサーバ達、いつもお世話になってますっ！

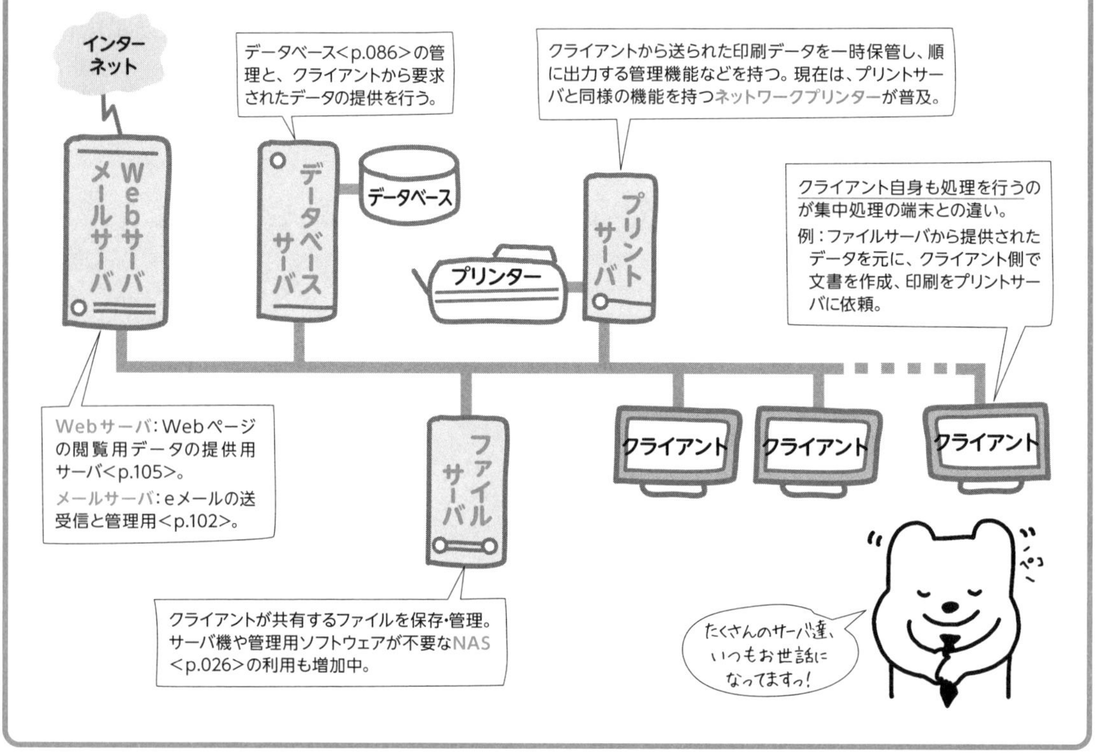

システムの構成方法

目的に合った効率的な仕組みを作るため、システムの構成にはいろいろな方法が使われており、試験では、それぞれのシステム構成の特徴と、それらの長所/短所について出題されます。なお、専門的な業務システムの内容については、Chapter10<p.202>で説明します。

分散処理システムと集中処理システム

ココが基本

分散処理システムは、複数のコンピュータ（サーバ）を使い、サービスに必要な機能を分割し、分担して処理を行うシステム形態。次項のクライアントサーバシステムが代表例（構成の例は上図参照）。

分散処理システムとは逆に、処理に必要なプログラムやデータを高性能なホストコンピュータに集中させ、ホストコンピュータが一括して処理を行う形態が集中処理システム。ユーザー側の端末は、キーボードやマウスからの入力や、ホストで処理したデータの画面表示など単純な処理のみを担当する。

1-5-1 集中処理システムの概念図

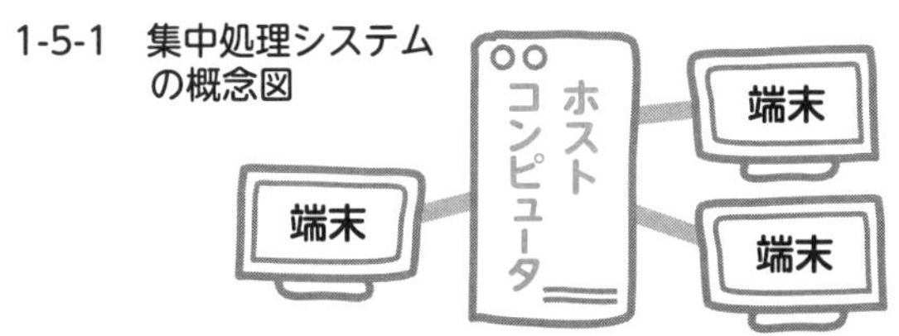

ちょこっとメモ

サーバ機に使われる**ワークステーション**は、元々、科学技術計算や3Dの画像処理等の専門的な分野の演算処理に使われてきた高性能コンピュータで、OSには**UNIX**<p.019>を利用。最近では、PCの性能も向上したため、ハイスペックなPCをサーバ機として使う場合も多い。

ちなみに、集中処理システムの**ホストコンピュータ**には、事務処理にも科学技術計算にも利用可能で処理能力がとても高い**汎用コンピュータ**（**メインフレーム**）が使われている。

1-5-2 分散処理と集中処理のメリット／デメリット

	分散処理システム	集中処理システム
構築に必要なコンピュータやソフトウェア	各サーバに処理を分散させるので、個々のサーバの処理能力はそれなりでよい。また、振り分けられた役割に最適なハードとソフトの組合せを選べるため、選択の幅が広がる（コストの削減）。	すべての処理がホストコンピュータに集中するため、大きな負荷に耐えられ、広い分野の処理に対応できる高機能（＝高価）なコンピュータ（メインフレームなど 上記）およびソフトウェアが必要。
システムの構築や改変	各サーバが分担する処理機能は限定されるので、システムの再構築や機能変更・追加が容易。あらかじめ代行するサーバを作っておき、該当するサーバのみを停止して改変すれば、サービスを停止せずに再構築することも可能。	ホストコンピュータに要求される処理は高度かつ複雑で、稼働しているプログラムの規模も大きい。そのため、新たなシステムの構築や、処理機能の変更・追加、ホストコンピュータの機種変更などは、手間やコストの負担が大きく難しい。
セキュリティ対策、運用管理、障害発生時の対応	データの処理機能や、データそのものも複数のサーバに分散しているため、セキュリティ対策や運用管理はそれぞれのサーバに対して個別に行う必要があり、集中処理システムと比べると費用と時間がかかる。障害発生時も、関連する複数のサーバを調査して原因を特定し、その対応を行うので負担が大きい。	ホストコンピュータにデータや処理機能が集約されているので、セキュリティ対策やシステムの運用管理がしやすい。障害の発生時もホストコンピュータを中心に原因追及と対応を行えばよいので、分散型に比べれば負担は少なめ。
社内で共有するデータの一貫性	データが複数のサーバに分散して保存されるため、データの一貫性が保ちづらい（データ更新に伴って新旧のファイルが混在するような矛盾が起きやすい）。	データはホストコンピュータが一元管理しているので、データの一貫性が保ちやすい（新旧のファイルが混在するような矛盾が起きにくい）。

クライアントサーバシステム

クライアントサーバシステム（Client Server System）は分散処理システムの一種で、サービスを提供するサーバとサービスを要求するクライアントで役割を分担する。サーバ機にはワークステーション（ページ上「ちょこっとメモ」）や高機能のPCが、クライアントにはPCやタブレット端末などが使われる。

集中処理システムと混同しやすいが、クライアント自身も処理を行い、複数のサーバがそれぞれ役割を分担するため、各サーバの処理負荷が分散されていることなどが異なる（構成の例は左ページ図）。

この構成図では、社内ネットワークのシステム例を説明しているが、都市部にある本社側のサーバを地方にある支社側のクライアントが利用するなど、専用回線やインターネットを経由して遠隔地間を結ぶ分散処理システムも普及している。

サーバの仮想化

従来は左ページ構成図のように、サーバ機ごとに役割を分けていたが、最近では仮想化と呼ばれる技術を用いて、1台のサーバに複数台分のサーバの役割を持たせる方法も使われている。

仮想化とは、実際に動作しているリソース（資源＝ハードウェア・ソフトウェア・設備など）とは異なる仮想的なリソースを設定して、ユーザーに提供する手法や技術のこと。これらの手法で作られた仮想的なコンピュータは、仮想機械や仮想マシン、VM（ブイエム：Virtual Machine）と呼ばれる。

サーバの仮想化は、1台のコンピュータ上で独立した複数のOSを起動させておくことで、それぞれのOS上で別のサーバ機の機能が同時並行で実行される（例：サーバ機1台に2つのOSを起動させて、Webサーバとメールサーバの2台分の働きを持たせる）。この方法なら、あるサーバ機の機能を別のサーバ機に移動させるなどの構成変更時も、ソフトウェア上の変更（OSやアプリケーションのインストールと設定）だけで済むので、サービスの停止時間をごく短時間に抑えることができる。

稼働中の仮想マシン（仮想化されたサーバなど）のサービスを全く停止することなく、瞬時に別の仮想マシンへ移行させることも可能で、これをライブマイグレーションと呼ぶ。マイグレーションは移転や移設という意味で、旧仮想マシンで行っていた処理は、そのまま途切れることなく新仮想マシンに引き継がれる。

仮想サーバを動作させることで得られる効果

1台の物理的なコンピュータ上で，複数の仮想サーバを同時に動作させることによって得られる効果に関する記述a～cのうち，適切なものだけを全て挙げたものはどれか。

a　仮想サーバ上で，それぞれ異なるバージョンのOSを動作させることができ，物理的なコンピュータのリソースを有効活用できる。

b　仮想サーバの数だけ，物理的なコンピュータを増やしたときと同じ処理能力を得られる。

c　物理的なコンピュータがもつHDDの容量と同じ容量のデータを，全ての仮想サーバで同時に記録できる。

ア　a　　イ　a, c　　ウ　b　　エ　c

解説　実物のコンピュータは1台しか使っていないことに注目しよう！

a：正しい。仮想化は、1台のコンピュータで複数のOSを動かし、複数台分の処理を並行して行わせる技術。1台で何台分もの処理ができるので、実際のコンピュータの台数を減らすこともでき、購入費用や管理の手間を低減できる。

b、c ：誤り。1台のコンピュータの処理能力やハードディスクの容量を、それぞれのOS用に分割して割り振っているだけなので、合計しても1台分にしかならない。さらに厳密に言うと、複数のOSを動作させる制御のための処理や、仮想化用のソフトウェアを格納するディスク容量も必要なため、仮想のOSで使える処理能力やデータ容量は、実際の物理的なコンピュータ1台分よりも小さい。

正解：ア

1-5-3　分散処理システムに関する用語

ブレードサーバ	サーバ機として使われる薄い板状のコンピュータのことで、CPU・主記憶装置・HDDなどが1枚の基板上に実装されている。電源装置や冷却装置は、格納する棚状の筐体(きょうたい)側に備えられており、筐体に複数枚のブレードサーバを差し込んで使う。狭いスペースに多数のサーバ機を設置することが可能になる。
シンクライアント	「シン(Thin)」は「薄い・貧弱な」という意味。クライアントには最小限の装置・機能のみ持たせ、処理実行やデータ保存はサーバ側が行う仕組みのこと。一般的なシンクライアント用端末はHDDやSSDを持たず、外部の記憶装置に接続するインタフェースもない。プログラムやデータはすべてサーバ側で管理・保存するため、クライアントがソフトウェアを不正にインストールしたり、USBメモリなどへのデータの不正コピーを防止できる。セキュリティ対策として導入されるケースが多い。
グリッドコンピューティング	ネットワークを介し、複数のコンピュータを連携して動作させることで、1台のコンピュータでは実現できない高い処理能力を得る技術。
NAS(ナス：Network Attached Storage)	LANなどのネットワークに直接接続できる記憶装置(ストレージ)で、保存されたデータはネットワーク上のクライアント間で共有できる。NAS自身が管理機能やネットワーク接続機能を持つため、管理用サーバ(ファイルサーバなど)は不要で設置も手軽。家庭内でも、音楽データを家族で共有したいときなどに使われている。

テクノロジ系

ストラテジ系

ネットワークで「モノ」を繋ぐIoTシステム

コンピュータどうしで作られるネットワークシステムだけでなく、センサーなどのデバイスをネットワーク経由でシステムに接続する、分散型のIoTシステムの活用も注目されています。

モノとモノを繋ぐIoTシステム

IoT（アイオーティー：Internet of Things）は、「モノのインターネット」とも呼ばれており、自身でネットワーク接続機能を持つIoTデバイス（←モノ）からデータを集めたり、インターネット経由でこれらのデバイスを遠方から制御するシステムが実用化されている。このようなネットワークとIoTデバイスを組み合わせたシステムのことをIoTシステムといい、IoTデバイスとやり取りを行い、データを収集・分析・判断して、IoTデバイスを制御するコンピュータをIoTサーバと呼ぶ（下図❸）。

IoTシステムでは、IoTデバイス（下図❶と❺）～IoTサーバの間にIoTゲートウェイ（下図❷）と呼ばれる中継器を設置する。ゲートウェイとは、例えば社内LANとインターネットなど、仕様や規格が異なるネットワークの接点に設置してデータの変換などを行い、通信を中継する装置やソフトウェアのこと。

IoTゲートウェイは、単にデータ通信を中継するだけでなく、いくつものIoTデバイスから送られてくる情報から必要な部分だけを抽出・集約して、IoTサーバに送信している。前処理を行うことで、送信するデータ量を削減し、ネットワークやIoTサーバの処理に掛かる負荷を減らしているのだ。

このように、ユーザーやデバイスが多数存在する場所のそば（エッジという）に中継用のコンピュータを置き、これがまず一次的な処理をした上で、ネットワーク経由でより上位のサーバなどとやり取りを行うことで負荷軽減を図る技術全般のことを、エッジコンピューティングという。

1-5-4 IoTシステムの利用例（温室の自動温度調整）

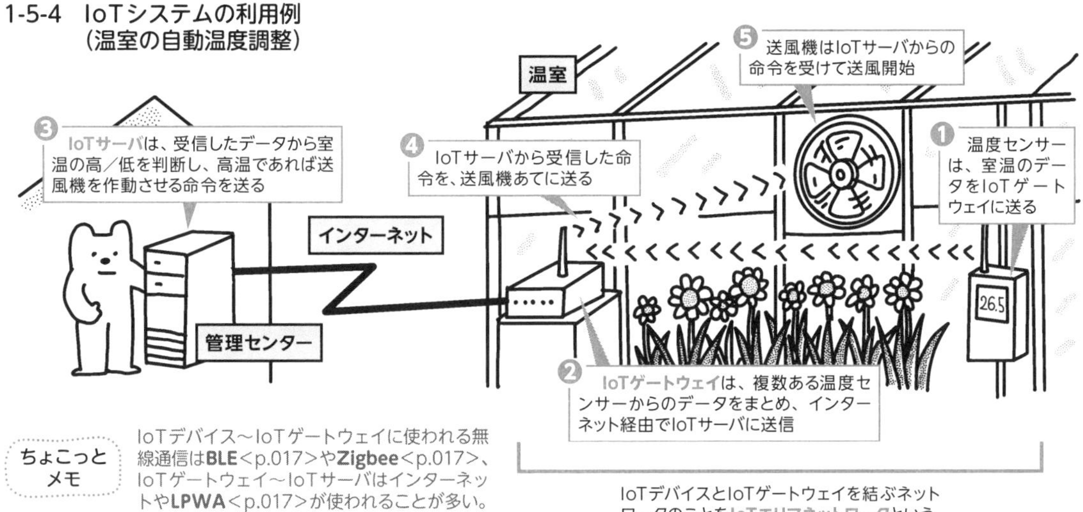

IoTデバイスとIoTゲートウェイを結ぶネットワークのことをIoTエリアネットワークという

IoTデバイス～IoTゲートウェイに使われる無線通信は**BLE**<p.017>や**Zigbee**<p.017>、IoTゲートウェイ～IoTサーバはインターネットや**LPWA**<p.017>が使われることが多い。

IoTデバイスが別のIoTデバイスからの通信をリレーのように中継することで通信距離を伸ばし、IoTエリアネットワークの範囲を広げる技術も開発されており、これを**マルチホップ**という。

試験問題を解く！ IoTシステムを構成するデバイスの組合せ

水田の水位を計測することによって，水田の水門を自動的に開閉するIoTシステムがある。図中のa，bに入れる字句の適切な組合せはどれか。

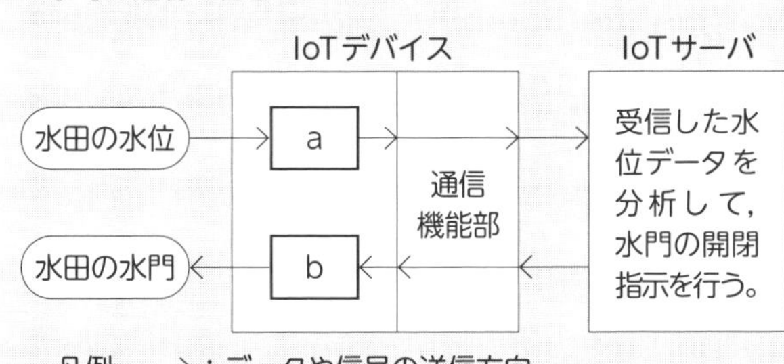

	a	b
ア	アクチュエーター	IoTゲートウェイ
イ	アクチュエーター	センサー
ウ	センサー	IoTゲートウェイ
エ	センサー	アクチュエーター

解説 **センサー・アクチュエーターの仲間を知っておこう**

このIoTシステムでは、「a：水位を測って、その値のデータを送信」、「b：IoTサーバからの命令を受信して、水門を吊るすワイヤを巻き上げるなどの動作を行って開閉」という、2種類のIoTデバイスが使われている。

a：センサー：ある状況を検知して電気信号に変換するデバイスのことをセンサーという。問題のケースでは、水位センサーがIoTデバイスとして使われていると推測できる。このほかに、温度センサー：温度、光学センサー・イメージセンサー：光の強さや色、加速度センサー：物の動き、ジャイロセンサー：傾き　などのセンサーがあり、音を捉えるマイクロフォンもセンサーの仲間。

試験では、センサーを使った応用的なデバイスとして、アクティビティトラッカーが出題されている。スマートウォッチなど人の身体に直接付けるIT機器をウェアラブルデバイスというが、その中でも人の状態や活動をデータ化する機能を持つIoTデバイスを、アクティビティトラッカーやアクティブトレーサーという。健康管理に利用するため、マイクや温度センサーで心拍数・体温・血圧を測ったり、加速度センサーやジャイロセンサーで人の動き（活動の様子）を読み取るなどしてデータを収集・送信する機能を持つ。

b：アクチュエーター：駆動装置とも呼ばれ、モーターやエンジンなどの動力源を持ち、物理的に何かを動かす機能を持つデバイス。問題のケースでは、水門を上下するためのワイヤの巻上機がIoTデバイスとして使われていると推測できる。

試験に出るアクチュエーターには、DCモーターや油圧シリンダがある。DCモーター（直流モーター）は、その回転運動を使ってプロペラを回したり、ワイヤを巻き上げるなどの用途に使われる。また油圧シリンダは、油圧でピストンを押し出したり引いたりすることで、重量のある物を直線的に移動させたい時などに利用される。前ページ図1-5-4では、送風機がアクチュエーターに分類される。

正解：エ

テクノロジ系

処理タイミングによるシステムの分類

システムに必要な機能やハードウェアの性能などを検討するときには、処理するデータの量と必要な処理時間、さらに処理を行うタイミングや処理が発生する頻度なども考慮する必要があります。

まとめて→バッチ処理

処理の対象となるデータがある量まで溜まるまで、または決められたタイミングに達するまで処理を待って、まとめて処理を行う形態をバッチ処理という。

例えば、昼間の業務時間中はデータの入力作業のみを行い、夜間に一日分のデータをまとめて処理するなどの使い方が考えられる。このような処理形態では、一度に処理を行うデータの量は多くなるが、一括して行うため、処理の回数は少ない。

ストラテジ系

都度対応→リアルタイム処理

バッチ処理とは逆に、ユーザーから要求が届いたらすぐに処理を行い、限られた短い時間内に結果を返す処理形態がリアルタイム処理。

リアルタイム処理の一種に、ユーザーから届いた要求内容に応じて、処理の内容や用いるデータを変え、要望に合う結果を返す対話型処理がある。人どうしが会話するように、ユーザー：要求を送る → システム：結果を返し次に要求が予想される指示の選択肢を提示→ ユーザー：結果を見て次の指示を選択…、と処理を進めていく。

例えば、列車の指定席の予約管理システムでは、駅の端末から空席の問合せが来ると、すぐにデータベースに保存された空席情報を検索して結果（候補となる空席の情報）を返し、提示した候補から選択された席の予約要求が来れば、予約処理を行って端末に予約情報を送り、同時にデータベースの空席情報を更新する。

信頼性を高めるシステム構成

故障などでシステムに障害が発生しても、必要な処理が続行できるように、あらかじめ対策を講じておく設計思想をフォールトトレラント（Fault Tolerant）といいます。その場合、どのような考え方でシステムの信頼性を高めていけばよいのか、その設計思想にはいくつかの方向性があります。

1-5-5　高信頼化システムの代表的な設計思想

	フォールトアボイダンス (Fault Avoidance)	システムの各構成要素の信頼性を極力高めることで、障害発生そのものを防ごうとする考え方。膨大なコストがかかるため、実現は難しい。(fault：故障)
	フールプルーフ (Fool Proof)	人間はミスを犯すことを前提に、誤操作をしても致命的な障害が発生しないよう、あらかじめ配慮・工夫して設計を行うこと。(fool：馬鹿)
続行	フェールソフト (Fail Soft：機能縮退)	障害発生時にはシステム全体の停止を防ぎ、機能の低下はあっても稼働を続行。(fail：失敗)
停止	フェールセーフ (Fail Safe)	障害発生時は、危険な状態に陥ることを回避するため、安全な状態にして稼働を停止させること。例えば、列車の運行管理システムの障害発生時は、全ての信号を赤にして全列車を停止させる。(fail：失敗)

システムの多重化

多重化とは、あらかじめ複数の処理系（システム）を用意しておき、障害発生時は切り替えて処理を続行する技術。平常時に予備の処理系に何をさせるか、障害発生に備えてどこまで準備しておくかで、いくつかの形態がある。

デュプレックスシステムは、主要業務を処理する現用系（主系）と、二次的な業務を受け持つ待機系（従系、片系）の、2つの処理系統を持つシステム。現用系に障害が発生した場合は、待機系の処理を中断して切り替え、待機系が主要業務の処理を行う。平常時は待機系が別処理を行う（または電源OFF）運用形態をコールドスタンバイ、常に現用系と同じOSやアプリケーションを起動して待機し、障害発生時は瞬時に切り替える形態をホットスタンバイという。コールドスタンバイで待機系が平常時も処理を行う場合、現用系はリアルタイム処理を担当し、待機系はバッチ処理を担当させることが多い。

平常時も処理系統を全て二重化して全く同じ処理を行い、さらに両者の処理結果を一定時間ごとに照合するシステムをデュアルシステムという。障害の発生時は、障害が起こっている系統を切り離して処理を続行する。例えば、火力発電所の燃料制御システムなど、ごく短時間でも制御が途切れたり、システムの不具合で誤作動が起こると、重大な事故が発生するようなシステムに用いられている。

HDD（ハードディスク）の障害対策

RAID（レイド：Redundant Arrays of Inexpensive Disks）は、複数のHDDを使ってアクセス速度を上げたり、障害発生時にデータ復旧ができるようにしておくための仕組み。RAID0～RAID6までの仕様があるが、試験ではRAID0・RAID1・RAID5の3つが出題されている。

RAID0とは、複数台のHDDを使い、保存するデータを分割して、それぞれのHDDに同時に書き込む方法で、これをストライピングという。データの保存も読取りも、各HDDに同時並行で行うため、1台のHDDで行うよりも短時間で読み書きできる。

RAID1は、複数のHDDに全く同じデータを書き込むミラーリングを行い、データ復旧を可能にする仕様。同じデータを複数台に書き込むため、データの安全性は高くなるが、何台のHDDを使っても、保存できるデータ容量はHDDの容量1台分のみ！であることに注意。

RAID5は、3台以上のHDDを使い、保存するデータを各HDDに分散して書き込むストライピングを行い、さらにデータの復旧に用いる情報（パリティ：誤り訂正用情報）を各ディスクに分散して記録。故障したディスクが1台であれば、全てのデータを復旧できる。ただし、保存できるデータ容量は保存するパリティの分だけ減ってしまう。

1-5-6　RAID0とRAID1のデータ容量（500Gバイトのデータ2本を保存する場合の例）

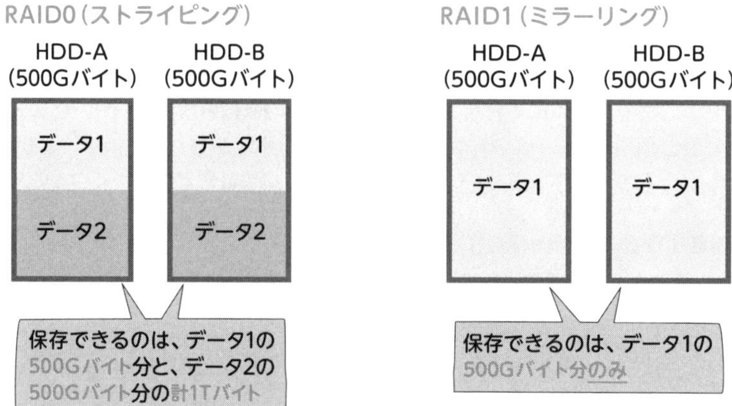

1-5-7　RAID5の仕組み

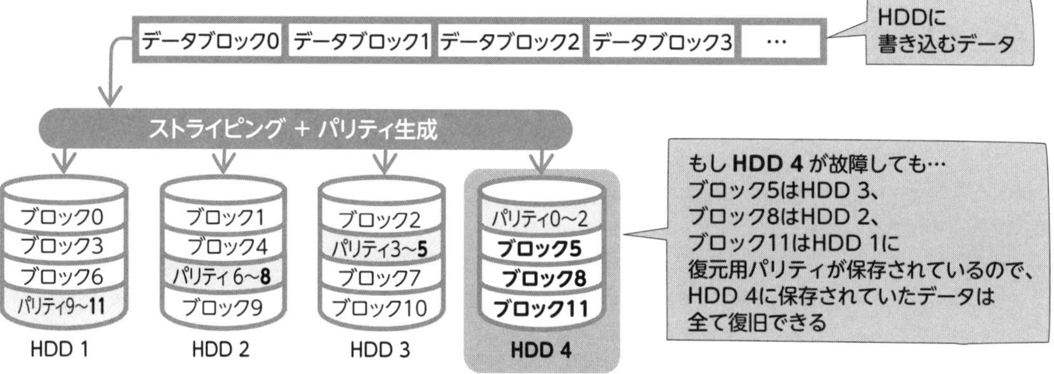

RAID5で構成されるHDDのデータ容量

障害に備えるために，4台のHDDを使い，1台分の容量をパリティ情報の記録に使用するRAID5を構成する。1台のHDDの容量が1Tバイトのとき，実効データ容量はおよそ何バイトか。

ア　2T　　イ　3T　　ウ　4T　　エ　5T

解説　**RAID5の実効データ容量 ＝ 全体の容量 － パリティ情報**

実効データ容量とは、制御や管理などのために使われるデータの容量を除いて、実質的なデータの保存に使える容量のこと。この問題の場合、障害発生時のデータ復旧に使うパリティ情報の容量を除いた残りの容量が実効データ容量になる。

全体のデータ容量：1Tバイト × 4台 ＝ 4Tバイト

実効データ容量：　4Tバイト － 1Tバイト ＝ 3Tバイト
（1Tバイト：パリティ情報の容量）

正解：イ

Chapter 2

情報処理の基礎知識

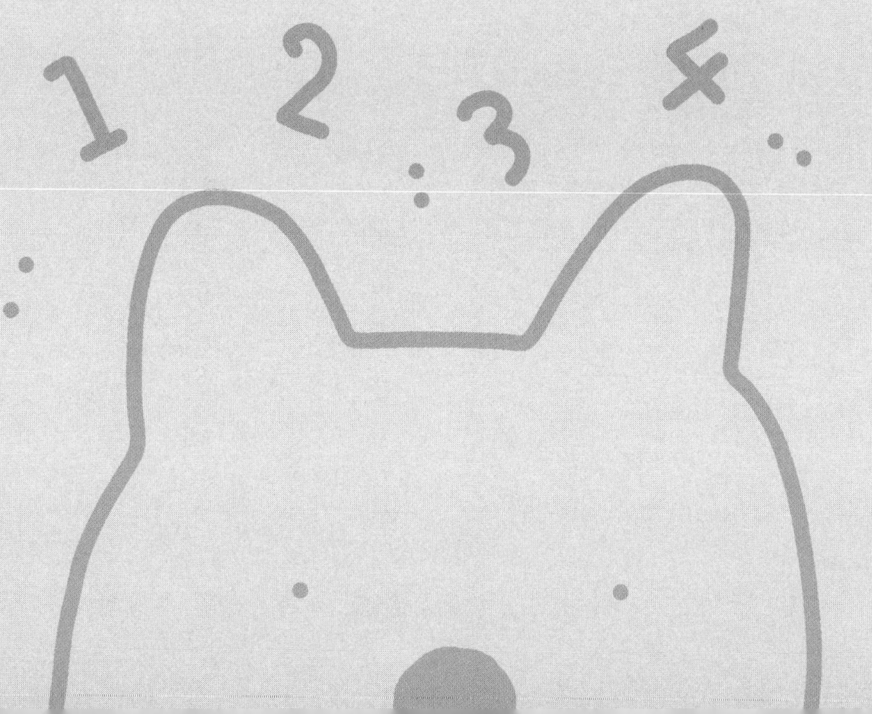

2進数の演算と単位の換算

コンピュータは電気回路で作られており、その内部のやり取りは電気信号で行われています。この信号は、電圧の高／低の変化で伝えられ、高低のパターンを組み合わせることで、さまざまな種類の情報を表しています。プログラム(機械語<p.043>)も、電圧が高い状態を「1」、低い状態を「0」として、2種類の値のみで命令やデータを表現しています。

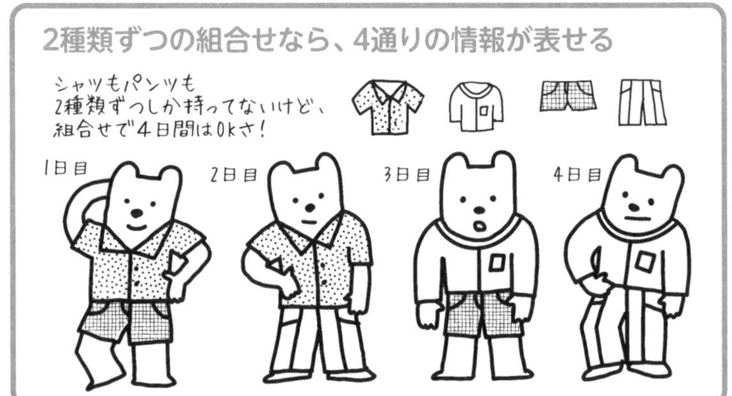

2種類ずつの組合せなら、4通りの情報が表せる
シャツもパンツも
2種類ずつしか持ってないけど、
組合せで4日間はOkさ！
1日目
2日目
3日目
4日目

情報を表すビット列

まず始めに、コンピュータ内部で使われている情報の表し方や、ビットやバイト<p.035>などの情報の大きさを表す単位について知っておきましょう。

ビット列の桁数と表せる情報の数

1つ（1桁）の「0」または「1」で示される情報は、コンピュータが扱う情報の一番小さな単位で、ビット(bit)と呼ぶ。コンピュータでは、数値・文字<p.074>・画像<p.075>など多様な情報を扱うが、コンピュータ内部ではそれらのデータも「0」と「1」を組み合わせたビット列に変換して扱っている。

例えば、コンピュータで文字を扱うUnicode<p.074>という規格では、ひらがなの「あ」を「0011000001000010」と表わすと定めている。

2-1-1　ビット列の桁数とビットパターン

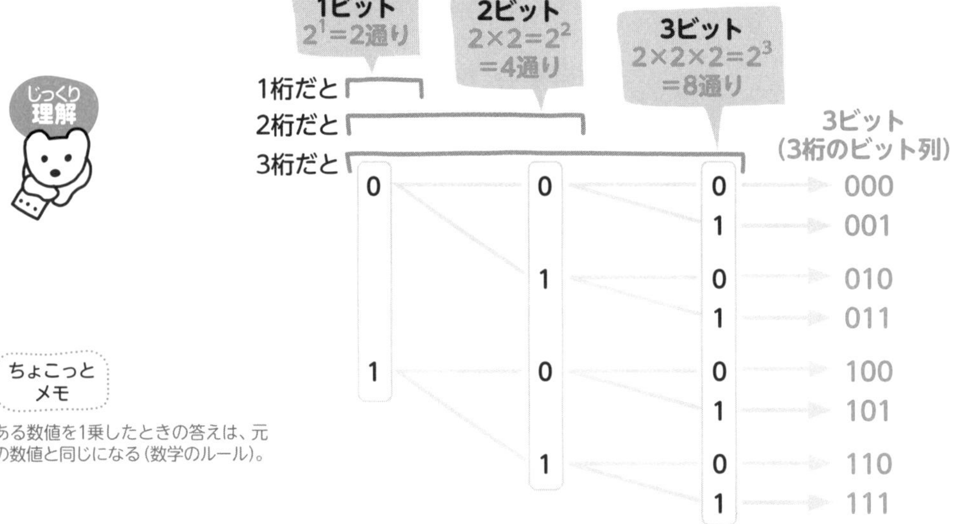

ちょこっとメモ
ある数値を1乗したときの答えは、元の数値と同じになる（数学のルール）。

2進数の仕組みと計算方法

コンピュータの内部では、数値も「0」と「1」だけで表しており、この方法（形式）を2進数といいます。「0」と「1」は普段使っている10進数でも使いますが、同じ数字でも2進数では意味する値が違うため、「10」は「イチゼロ」、「101」は「イチゼロイチ」と読みます。

2進数のビット列と対応する10進数

10進数では「9の次の値は10」「99の次は100」というように、各桁が「9」で埋まると桁が上がる。同様に、2進数はすべての桁が1になると、その次の値は繰り上がって桁が増える。10進数と同じように、2進数も桁数が多いほど表せる情報の数は増えていく。

2-1-2　2進数と10進数の対応

2進数	0	1						
10進数	0	1						
2進数	10	11						
10進数	2	3						
2進数	100	101	110	111				
10進数	4	5	6	7				
2進数	1000	1001	1010	1011	1100	1101	1110	1111
10進数	8	9	10	11	12	13	14	15
2進数	10000	10001	10010	10011	10100	10101	10110	…
10進数	16	17	18	19	20	21	22	…

2進数のまま筆算する計算方法

計算内容によっては、2進数から10進数に換算（基数変換<p.034>）してから計算した方が早いが、まずは2進数のまま筆算で計算してみよう。2進数の場合、加算では桁上がり、減算では桁借りが頻繁に発生するので、ケアレスミスをしないように要注意！

2-1-3　2進数「1100」と「1110」の加算

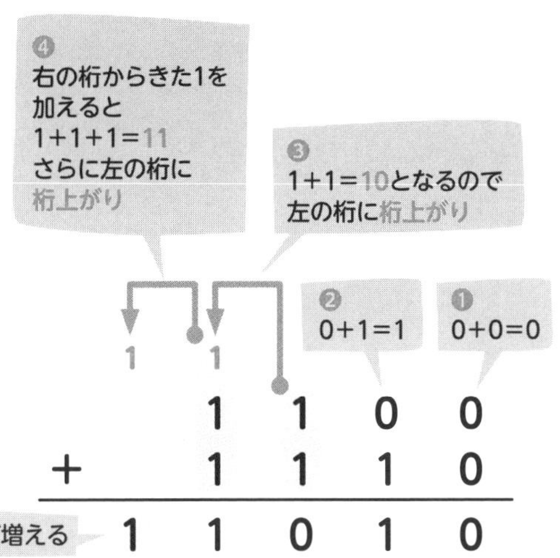

2-1-4　2進数「1101」から「1010」を減算

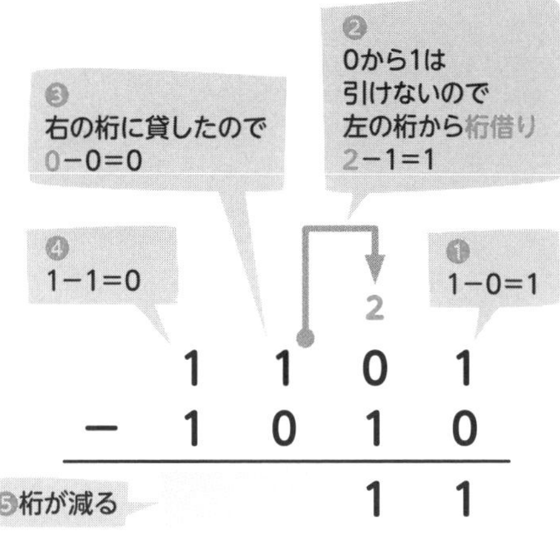

ちょこっとメモ　2進数には符号（−）を使わず、「0」と「1」だけで負の数を表す方法（**補数**）があるが、ITパスポート試験では2進数の負数は出題されない。

基数変換を使った2進数の計算

ここでは、2進数を10進数に変換して（基数変換という）乗算を計算し、10進数で計算した後に計算結果を2進数に戻す方法を使ってみます。2進数「1011」と2進数「101」を乗算する例で説明しましょう。

❶ 2進数の桁数と対応する10進数の値

2進数と10進数を変換するときには、「2進数の桁が増えるごとに、10進数の値は右桁の2倍」というルールを思い出そう。これさえ覚えていれば、2進数に対応する10進数の値を無理に暗記しなくても大丈夫！ 試験会場では、メモ用紙の隅に書き出して計算しよう。

2-1-5　2進数の各桁に対応する10進数

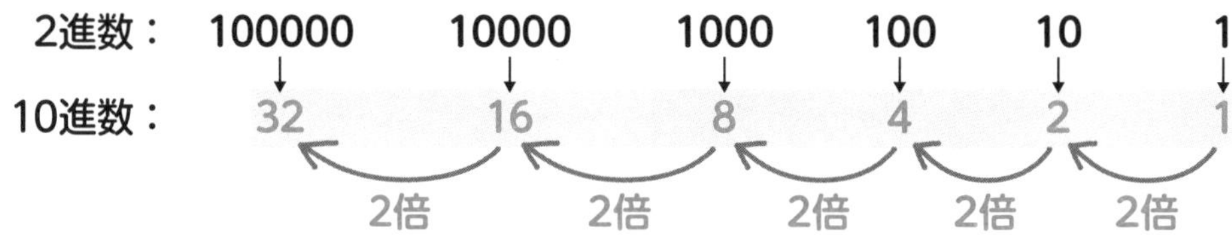

❷ 2進数を10進数に変換→10進数で乗算を計算

まず2進数を桁ごとに分解し、❶で書き出した2進数→10進数の値を元に、2進数の値が「1」になっている桁だけ10進数の値を足していく。

2-1-6　桁ごとに対応する10進数を求めて加算

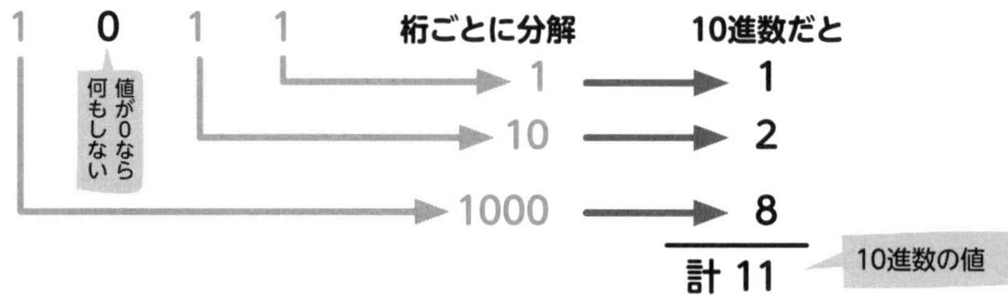

2進数1011を変換した結果は10進数の11。同様に2進数101を基数変換すると、10進数の5になる。

11×5＝55　（10進数で計算した乗算の結果）

❸ 結果の55（10進数）を2進数に変換する

「2進数の桁が増えるごとに10進数の値は2倍」のルールを逆に応用し、10進数の値を1/2ずつにしていく（2で割っていく）ことで、桁ごとに2進数に変換し、最後に足し合わせて10進数→2進数を計算する。

右図の方法では、最後に2進数の各桁の値を合計しているが、この計算を省くこともできる。あまりの一番下の値を2進数の先頭（一番左の桁）として、下から上に順に書き並べてみると「110111」となり、より手早く答えを出すことができる。

2-1-7
10進数→2進数への基数変換

<計算方法>
- 2で割ったときに「あまり」が出たら、2進数に1を立てる
- 割り算の1回目（2進数の右端の桁になる）のあまりは2進数の1、2回目のあまりは10、3回目のあまりは100…

<計算終了の合図>
- 割られる数が1になったら、次の割り算を省略し、「あまり」として1を立てて計算終了（「1÷2=0 あまり 1」なので）
- この最後の「1」が、2進数の先頭の桁になる

計算		あまり	2進数
55÷2 = 27	……	あまり 1→	1
27÷2 = 13	……	あまり 1→	10
13÷2 = 6	……	あまり 1→	100
6÷2 = 3	……	あまり 0	あまりが0なら何もしない
3÷2 = 1	……	あまり 1→	10000
1　割り算省略！		あまり 1→	100000
			計 110111

小数の基数変換

ITパスポート試験では、2進数の小数の計算は出題されない。ただし、「基数変換によって2進数が無限小数になる10進数の値」を問う問題が出ているので、その理論だけ理解しておこう。無限小数とは、小数点以下の値が永遠に続き、キリのよい小数（有限小数）で表現できない値のことだ。

2-1-8　2進数の小数の各桁に対応する10進数

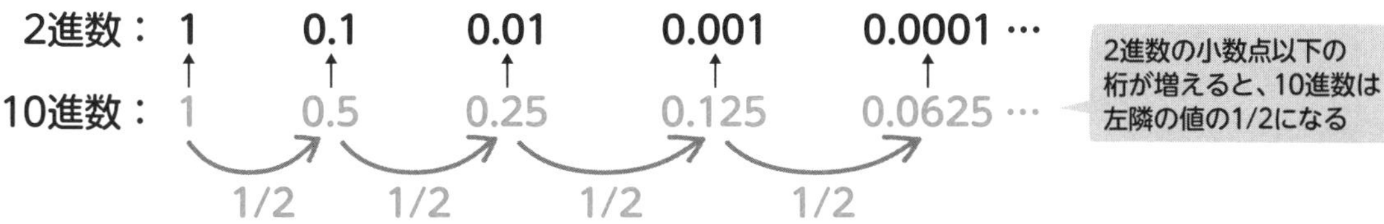

2進数の各桁の小数に対応する10進数の値を足し込んで計算できない10進数の値は、2進数に変換すると無限小数になってしまう。

例　10進数の0.75は　0.75 = 0.5 + 0.25
　　→ 2進数に変換すると 0.1 + 0.01 = 0.11（有限小数）
　　10進数の0.4は　0.4 = 0.25 + 0.125 + 0.03125 + …
　　→ 2進数に変換すると 0.01 + 0.001 + 0.00001 + … = 0.01101…（無限小数）

データ容量を表す単位

一番小さな情報単位であるビットでファイルの大きさなどを表すと、莫大な桁数の数値になります。そこで、1000mmを1mに置き換えるように、データ容量も補助単位を使い、少ない桁数で表現します。

ビットとバイト

データ容量を表す場合は、1つ上の補助単位であるバイト（byte）を使う。8ビットごとにまとめた単位が1バイトだ。

8ビット　＝　1バイト

さらに大きなデータ容量の補助単位

大きな値を表すM（メガ）やG（ギガ）などのことを、接頭語という。データ容量でも、接頭語を使った補助単位が使われており、試験ではMバイト→Gバイトなど、単位の換算が必要な問題が頻繁に出題されている。

2-1-9　補助単位の換算表

3桁ごとに単位が上がることに注目！

問題文での表記	一般的な表記	単位の換算
kバイト（キロバイト）	kB	1kバイト＝1,000バイト
Mバイト（メガバイト）	MB	1Mバイト＝1,000kバイト
Gバイト（ギガバイト）	GB	1Gバイト＝1,000Mバイト
Tバイト（テラバイト）	TB	1Tバイト＝1,000Gバイト
Pバイト（ペタバイト）	PB	1Pバイト＝1,000Tバイト

ちょこっとメモ　電卓の使用が許されないITパスポート試験では、計算をシンプルにするために補助単位の繰り上がりを1,000単位としているが、一般には「**1,024**」で計算することが多い。これは、コンピュータ内部では2進数を基本としているので、**2の10乗**で表せる1,024とした方が矛盾が生じないため。

データ容量の換算計算

<計算例>　100Mバイトのファイルを12本保存したいとき、HDDの空き容量は最低何Gバイト必要か？

合計容量：100Mバイト×12本 ＝ 1,200**Mバイト**

補助単位の換算：1.2**Gバイト**

3桁区切りのカンマに注目すると、迷わず換算できる

「ある接頭語は10の何乗を示しているか？」と問われることもある

10^3=k　1,000バイト

10^6=M　1,000,000バイト

10^9=G　1,000,000,000バイト

10^{12}=T　1,000,000,000,000バイト

10^{15}=P　1,000,000,000,000,000バイト

3桁区切りのカンマを超えるたびに、ひとつ大きな補助単位に上がる

2-1-10　補助単位を素早く変換する方法

小さな値を表す補助単位

CPUは超高速で動作しており、例えば1GHzの性能を持つCPUは、1秒間に10億回動作することが可能<p.007>。ここから1回の動作に必要な時間を計算すると0.000 000 001秒で、これは1n（ナノ）秒と表される。大きな値を表すときに補助単位を使ったように、このような小さい値を扱うときも、接頭語を用いて短い桁数で表す。試験問題でも、CPUの動作速度の計算などで出題されることがあるので、接頭語と一緒に覚えておこう。

2-1-11　小さな値を表す補助単位

単位	読み方	表している値
m	ミリ	$0.001=10^{-3}$
μ	マイクロ	$0.000\ 001=10^{-6}$
n	ナノ	$0.000\ 000\ 001=10^{-9}$
p	ピコ	$0.000\ 000\ 000\ 001=10^{-12}$

「10の何乗なのか」を示す指数に－（マイナス符号）が付くと、小数点以下の桁数が増えていく（数学のルール）

10の 1乗は 10
10の 2乗は 100…

同様に

10の －1乗は 0.1
10の －2乗は 0.01…

データ分析に使われる確率・統計と演算の基礎

ある条件や状況で起こりうる事象の総数を場合の数といいます。確率の計算は、この「場合の数」を使って求めるのですが、場合の数には2通りの数え方があります。

「ハンバーグとポテテ」のメニューで考えると、盛り付けが違っても内容が同じなら場合の数は「1通り（組合せ）」になります。でも、これがパスワードだったら、「Burger-Potato」と「Potato-Burger」は違う文字列なので場合の数は「2通り（順列）」。場合の数は使われる場面によって異なってくるということです。

このメニューは1通り？ 2通り？
プレミアムハンバーグでございます
同じやん！
デラックスバーグでございます

「順列」と「組合せ」

ちょこっとメモ

確率計算の例：
サイコロを振って3が出る確率
3が出る場合の数=1（1通り）
全体の場合の数=6（目は1～6なので6通り）
確率 = $\frac{1}{6}$

「ある事象が起こる」確率を計算するときは、「その事象が起きる場合の数」を「全体の事象の場合の数」で割ることで求めます。そのため、場合の数を順列で数えるのか、組合せで計算するのかによって、確率の値が変わってきます。

順列：パスワードの考え方

順列は「順序が違えば異なる場合」と考える方法。「abcdeの5つの文字から、3文字を並べてパスワードを作る（ただし同じ文字の複数回使用は不可）」というケースの「場合の数」を考える。

1文字目：選べる文字は「a」「b」「c」「d」「e」の5種類（5通り）
2文字目：1文字目で1種類使ったので、選べる文字は残り4種類（4通り）
3文字目：1文字目と2文字目で2種類使ったので、選べる文字は残り3種類（3通り）
順列の場合の計算：5×4×3=60通り

じっくり理解

<順列の公式> n個の中からr個を選ぶ

$$ {}_nP_r = \frac{n!}{(n-r)!} $$

Pは、順列（permutation）の頭文字。！は階乗といい、ある値（整数値）が1になるまで、1ずつ減らしながら掛け合わせる計算のこと。

公式を使った順列の計算
「5個の中から3個を選ぶ」

$$ {}_5P_3 = \frac{5!}{(5-3)!} = \frac{5\times4\times3\times\cancel{2\times1}}{\cancel{2\times1}} = 60 $$

組合せ：ハンバーグセットの考え方

組合せは「順序が違っても同じ」だと考える方法。「ⓐⓑⓒⓓⓔと書かれた5個のボールの中から、3個を取り出す（同じ種類のボールの組合せは1通りと数える）」ケースの「場合の数」を考える。

❶ 同じ種類のボールの組合せも含めて、順列の場合の数を計算

まず、5つのボールから3つを取り出す順列の場合の数を計算。
同じ組合せを含む場合の数（=順列） 5×4×3=60通り

❷ 同じ種類のボールの組合せが、何組ずつあるのかを計算

例として、取り出した3個の中にⓐⓑⓒが含まれるケースを書き出してみよう。

ⓐⓑⓒ　ⓐⓒⓑ　ⓑⓐⓒ　ⓑⓒⓐ　ⓒⓐⓑ　ⓒⓑⓐ　←同じ種類のボールの組合せは6組

この同じボールの組合せの数は「ⓐⓑⓒの3個のボールから、3個を取り出す順列」と同じ。同じ組合せが何組ずつ含まれているかを計算するには、取り出すボールの数で順列を計算すればよいことになる。

3個のボールから3個を取り出す順列の計算：3×2×1＝6組

❸ ❶で計算した場合の数を❷で計算した組の数で割る

場合の数の合計は60通り（同じ種類のボールで順序が異なる組を含む＝順列❶）、その中で同じ種類のボールの組合せは6組（❷）ずつ。つまり、5種類の中から3つを選ぶ組合せの場合の数は10通り。

60通り÷6組＝10通り　ⓐⓑⓒ　ⓐⓑⓓ　ⓐⓑⓔ　ⓐⓒⓓ　ⓐⓒⓔ　ⓐⓓⓔ　ⓑⓒⓓ　ⓑⓒⓔ　ⓑⓓⓔ　ⓒⓓⓔ　←**異なる種類のボールの組合せだけが残る**

＜組合せの公式＞ n個の中からr個を選ぶ

$$nCr = \frac{nPr}{r!}$$

Cは、組合せ（combination）の頭文字。rPr（r個からr個を選ぶ順列の計算）はrの階乗になるので、分母はr！を計算。

公式を使った組合せの計算
「5個の中から3個を選ぶ」　$_5C_3 = \frac{_5P_3}{3!} = \frac{60}{3\times2\times1} = 10$

順列と組合せで確率の値が異なる例：「コインを2回投げて、"表"と"裏"が出る確率」　全体の場合の数は、"表"と"裏"で2通り。"表"になる場合の数は1通り、"裏"になる場合の数も1通り。コインを1回投げたときに、"表"が出る確率は1/2、"裏"が出る確率も1/2。

順列：1回目"表"→2回目"裏"の順序。1回目が"表"の確率 1/2、2回目が"裏"の確率 1/2。**1回目"表"→2回目"裏"となる確率** 1/2×1/2＝**1/4**。

組合せ：1回目と2回目の表裏が異なれば、出る順序はどうでもよい。1回目に"表"または"裏"が出る確率 2/2＝1（1回目は表裏どちらが出てもOKなので確率は1）。2回目に1回目と異なる表裏が出る確率 1/2。**1回目と2回目の表裏が異なる確率** 1×1/2＝**1/2**。

情報の表現に必要なビット数

ビット数とは2進数の桁数のことです。試験では、「×通りの情報を表すのに必要なのは何ビットか？」という問題で出てきます。実際の問題で解き方を見ていきましょう。

攻略！定番パターン

情報の数（種類）を表現するのに必要なビット数

A～Zの26種類の文字を表現する文字コード※に最小限必要なビット数は幾つか。

ア　4　　イ　5　　ウ　6　　エ　7

解説　2進数で表したときに何桁あれば足りるのかを計算する

ちょこっとメモ　**文字コード**とは、文字を特定のビットパターンで表す規格<p.074>。

❶ 2進数のビット数（桁数）と表せる情報の数を確認

「ビット数」と「表せる情報の数」の関係はp.032を復習。2進数なので、「桁が増えるごとに表現できる情報の数（×通り）は2倍ずつに増える（2→4→8→16→32…）」というルールさえ忘れなければ、その場で計算が可能だ。

2進数：	1ビット（1桁）	2ビット（2桁）	3ビット（3桁）	4ビット（4桁）	5ビット（5桁）
表せる情報の数：	2通り（2^1）	4通り（2^2）	8通り（2^3）	16通り（2^4）	32通り（2^5）

❷ 何ビット必要なのかを考える

表現したい文字の種類は「A～Zの26種類」。4ビット（4桁）だと16通りで足りない。5ビット（5桁）なら32通りなので26種類の文字すべてを表せる。（表現の例：A→00000　B→00001 … Z→11001）

正解：**イ**

テクノロジ系

データの特徴を表す代表値・標準偏差

データ分析では、そのデータ群の特徴を数値として示すことで、より明確にわかりやすく表現するという処理がよく行われています。ここでは出題実績のある、代表値（平均値・中央値・最頻値）と標準偏差・偏差値を説明します。

グループを代表する値を示す

あるグループの集団としての特徴を表す値を代表値といい、よく使われるのが平均値・最頻値・中央値だ。ある学生のグループの身長を例に、解説していこう。

一番ポピュラーなのが平均値（算術平均値）で、その集団に属する要素の値を合計して、要素の数で割った値になる。この例では、身長の合計値2,506を要素数である14人で割った値となり、計算すると179cmになる。

最頻値（モード）は、集団の要素の値の中で一番多く出てくる値のこと。この例では、172cmで同じ身長の人が3人いる。中央値（メジアン）は、大小関係で順に並べたときに、その真ん中になる値のこと。この例では14人で偶数になるので、7番目の177cmと8番目の178cmの平均である、177.5cmになる。

あるグループの学生の身長（身長順に並べ替えたもの）

167	170	172	172	172	174	177	178	180	184	184	189	192	195

平均値：179cm　最頻値：172cm　中央値：177.5cm

値の散らばり具合を表す分散と標準偏差

代表値だと、データ群の違いがよくわからないことがある。例としてあげた2つの学生グループの得点の特徴を比べてみよう。平均値を計算してみると、どちらのグループも60点でまったく同じ。しかし、詳しく見ていくと、グループAとBでは最小得点と最大得点が10点以上違うことがわかる。

10点ごとに値を区切り、その区間に入る人数を表すヒストグラムを作ってみると、グループAは中央部の山が高く得点が集中している。反対にグループBは、山が低くて得点がばらついていることがわかる。

グループAとグループBの学生の得点（得点順に並べ替えたもの）

グループA	33	47	54	55	61	61	63	72	73	81
グループB	21	37	45	49	56	62	67	79	87	97

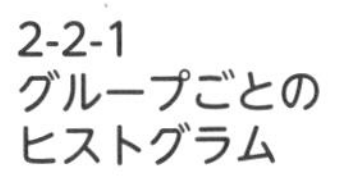

2-2-1
グループごとの
ヒストグラム

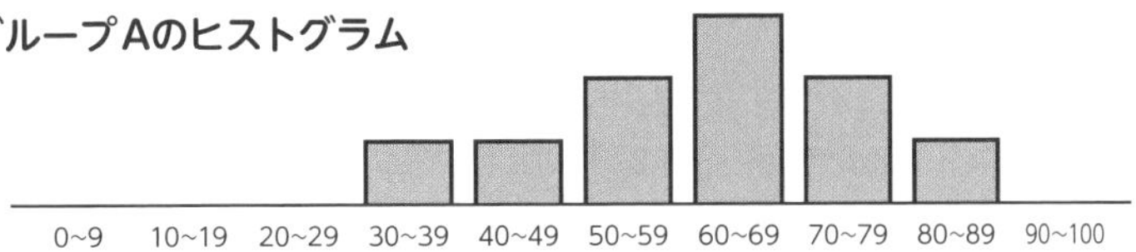

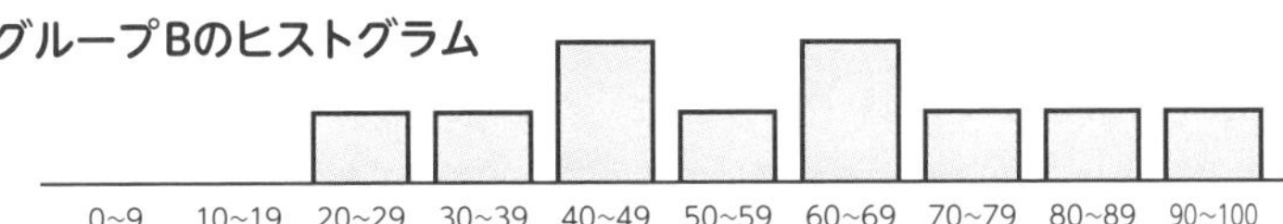

このような場合は、値のばらつき（散らばり具合）を示す分散と標準偏差を使うと、それぞれのグループの特徴を示すことができる。

偏差→偏差平方→分散の求め方

値の散らばり具合を数値で表すには、「個々の要素の値と平均値との差」である偏差を求めればよいだろう。偏差は、平均値以上なら0または正の値、未満なら負の値で表される。ところが、グループ全体の偏差を求めるために、個々の偏差を合計するとゼロになってしまう。

そこで、偏差を2乗倍して偏差平方を求める。2乗することで、平均未満の偏差の値が正の値になり、合計値が計算できるようになる。グループAの偏差平方の合計値は1,724、グループBは4,924だ。

この合計値を要素数で割ると、分散という散らばり具合を示す値が計算できる。この例では、グループの人数の10で割るので、グループAの分散は172.4、Bは492.4。分散は値が大きいほど、散らばり具合も大きいことを示すので、Bの方が散らばりが大きいことがわかる。

$$\text{偏差} = \text{要素の値} - \text{平均値} \qquad \text{偏差平方} = \text{偏差}^2 \qquad \text{分散} = \frac{\text{偏差平方の合計値}}{\text{要素数}}$$

元の単位でイメージしやすい標準偏差

分散は計算できたが、百点満点の試験なのに172.4や492.4というのは、違和感がある。そこで、散らばり具合を「元の単位」を使って表す標準偏差が用いられている。標準偏差を計算するには「分散」の値の平方根を求めて、グループの平均として平均点から何点くらい離れているのかを計算すればよい。

元の得点から偏差平方を求めるときに「平均との差を2乗倍」しているので、それぞれのグループの分散の値から平方根を求めると、Aの標準偏差は13.13点、Bの標準偏差は22.19点となる。

$$\text{標準偏差} = \sqrt{\text{分散}}$$

個々の値と平均との差を示す偏差値

では、学生の得点が全体の中でどの位の位置にいるのかを示す偏差値を計算してみよう。偏差値は、満点や平均点が異なる試験であっても、個々の受験者の得点を客観的に評価できる便利な値だ。

偏差値では、仮の平均点を50点として、標準偏差を使って試験による得点の散らばりを補正し、さらに値を10倍することで得点の差を強調している。

仮の平均点(50点)

$$\text{偏差値} = (((\text{学生の得点} - \text{平均点}) \div \text{標準偏差}) \times 10) + 50$$

もし仮に、グループAとBに70点だった学生がいたとして、両者の偏差値を計算すると、同じ得点でもグループの標準偏差(値の散らばり具合)で補正され、異なる偏差値になることがわかる。

A:(((70点−60点)÷13.13点)×10)+50点=57.6
B:(((70点−60点)÷22.19点)×10)+50点=54.5

得点(70点)と平均点が同じ(60点)でも、標準偏差が異なると求められる偏差値は違ってくる

条件式の中で使う演算子

ある条件を満たすデータを探す検索用プログラムの条件式を考えてみましょう。これらの条件式には、集合演算子や比較演算子が頻繁に使われます。演算子とは決められた操作を表す記号のことで、四則演算の「+」や「−」などの記号(算術演算子という)の仲間だと考えればわかりやすいでしょう。

集合演算に用いる集合演算子

集合とは、「ある特性を共通して持っている要素の集まり」のこと。集合演算は、ある条件で示される集合に、その要素が含まれるかどうかを判断するための演算だ(一般には、論理演算と呼ばれることもある)。例として、「成人しているが、飲酒は禁止されている人」を条件としてデータを検索するケースで説明する。なお、成人年齢は18歳だが、20歳未満の人は飲酒禁止となっている。

2-2-2
集合演算子の意味

問題文の表現	集合演算子	条件の意味
～かつ～	and	「かつ」の前後に示された2つの条件式の両方を満たす
～または～	or	「または」の前後に示された2つの条件式の、どちらかを満たす（両方を満たす場合もOK）
～ではない	not	「ではない」の前に示された条件を満たさない

● and

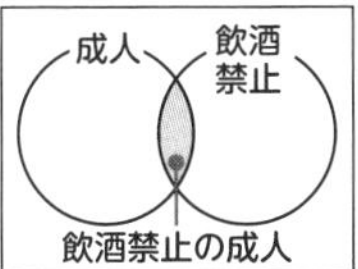

問題文：成人であり かつ
飲酒禁止である人

条件式：成人 and 飲酒禁止

18歳以上で20歳未満の人が
条件を満たす

● or

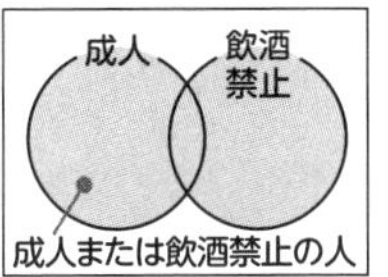

問題文：成人である または
飲酒禁止である人

条件式：成人 or 飲酒禁止

18歳以上の人と18歳未満の人（つまりすべての人）が条件を満たす

● not

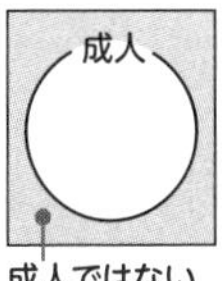

問題文：成人 ではない

条件式：not 成人

18歳未満の人が条件を満たす

値の大小関係を表す比較演算子の使い方

比較演算子は値の大小関係の表現に用いられる演算子で、数値を使った条件式では頻繁に使われる。

2-2-3
比較演算子が示す
値の範囲

問題文の表現	比較演算子	用例と条件に含まれる値の範囲
～以上	≧	Xは10以上 → X≧10　(10も条件の範囲に含まれる)
～以下	≦	Xは10以下 → X≦10　(10も条件の範囲に含まれる)
～より大きい	＞	Xは10より大きい → X＞10　(10は条件の範囲に含まれない)
～未満	＜	Xは10未満 → X＜10　(10は条件の範囲に含まれない)
～と同値	＝	Xは10と同値 → X＝10
～ではない	≠	Xは10ではない → X≠10

❶ **「成人」の年齢を表す式**：「成年に達する年齢が18歳」なので、「年齢が**18歳**以上」という条件式を書けばよい。

年齢 ≧ 18

❷ **「飲酒禁止」な年齢を表す式**：20歳になるまで飲酒禁止なので、「**20歳**未満」を比較演算子で表現すればよい。もし、逆の条件として「飲酒可能」を表したいときは「年齢 ≧ 20」になる。

年齢 ＜ 20

覚えておこう！
・「以上」に含まれない範囲を表すのは「未満」
・「以下」に含まれない範囲を表すのは「より大きい」

❸ **集合演算子を使って「成人 かつ 飲酒禁止」を条件とする式を作る**：検索したいのは「成人」と「飲酒禁止」の両方の条件を満たす人のデータなので、論理演算子のand を使って2つの条件式を結ぶ。

年齢 ≧ 18　and　年齢 ＜ 20

論理演算の基本

論理演算とは、集合演算の論理を応用し、条件式で判断した結果（評価という）を値にして表現する演算のことです。試験でも、アルゴリズム<p.044>を問う問題の中に、簡単な論理演算が出てきますので、理解しておきましょう。

論理演算の考え方

論理演算は簡単な電気回路を例に考えるとわかりやすい。乾電池から電球までの間に、スイッチが2つある装置を例に説明しよう。それぞれの状態を「スイッチが ON：1／OFF：0」、「電球が光る：1／光らない：0」と数値で表すこととする。

● 直列のとき <論理積(and)の考え方>

スイッチが直列で並ぶ場合を見てみよう。両方のスイッチがONのときだけ光るので、電球が光る(1になる)スイッチの条件は「1,1」のみ。これは、論理積演算のときに用いるルールになる。

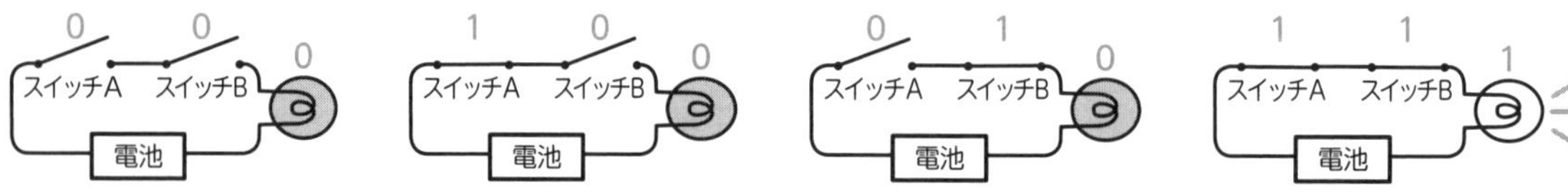

● 並列のとき <論理和(or)の考え方>

スイッチが並列で並ぶ場合を見てみよう。どちらかのスイッチがONなら光るので、電球が光る(1になる)スイッチの条件は「1,0」「0,1」「1,1」のどれか。これは、論理和演算のときに用いるルールだ。

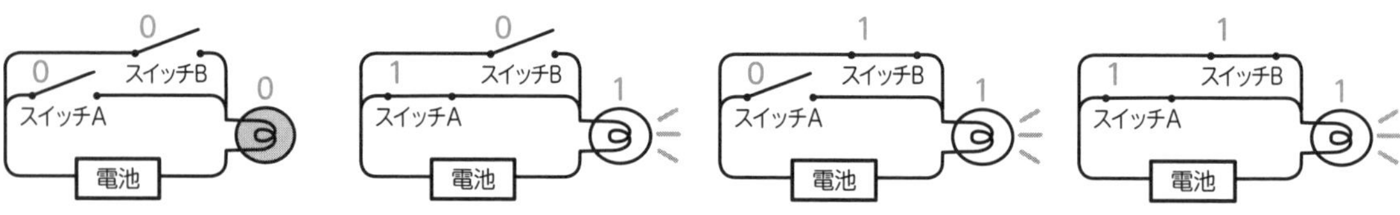

Aの値	Bの値	論理積の結果	論理和の結果
0	0	0	0
1	0	0	1
0	1	0	1
1	1	1	1

2-2-4 真理値表(論理積、論理和)

このように、論理演算では値の組合せと結果の値が演算の種類ごとにルールとして決められており、この組合せを示した表を真理値表という。また論理演算には、与えられた値が1なら0を、0なら1を結果として返す(＝値を反転する)否定演算(not)もあるので、一緒に覚えておこう。

ビットマスク演算の仕組み

8ビットの2進データXと00001111について，ビットごとの論理積をとった結果はどれか。ここでデータの左方を上位，右方を下位とする。

ア　下位4ビットが全て0，Xの上位4ビットが残る。
イ　下位4ビットが全て1，Xの上位4ビットが残る。
ウ　上位4ビットが全て0，Xの下位4ビットが残る。
エ　上位4ビットが全て1，Xの下位4ビットが残る。

解説　ビットマスクの値が1の桁はそのまま、0の桁はすべて0に変換

論理積演算を使い、残したい桁の値だけをそのまま取り出す方法をビットマスク演算と呼ぶ。与えられたビット列(ビットマスクと呼ぶ)が「1」の桁は元の値が残り、「0」の桁はすべて「0」に変換される。仮に、2進データXを「10111101」として、図2-2-4の真理値表から論理積の結果を拾ってみよう。

この2つの値で論理積演算を行う

2進データX：	1	0	1	1	1	1	0	1
ビットマスク：	0	0	0	0	1	1	1	1
	↓	↓	↓	↓	↓	↓	↓	↓
結果の値：	0	0	0	0	1	1	0	1

正解：ウ

プログラミングの基礎知識

プログラムには、できるだけ短時間で結果を出せる効率の高さが強く求められています。処理手順だけでなく、データをどんな構造・順序で記憶装置に置おく(データ構造)と読み書きが早いか、検索や整列の処理を使うならどの方法が適しているかなどを考えるのも重要なポイントです。

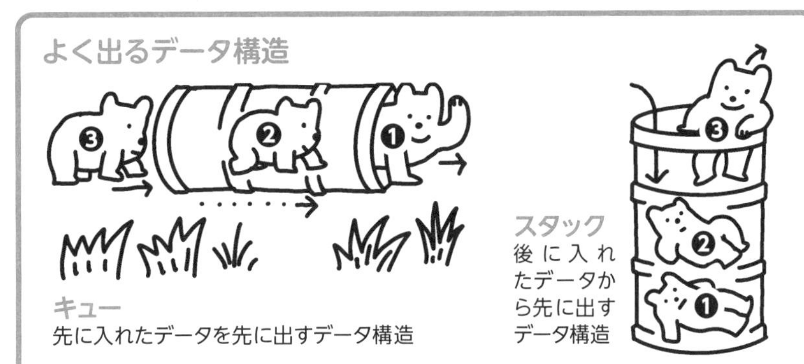

よく出るデータ構造
キュー
先に入れたデータを先に出すデータ構造
スタック
後に入れたデータから先に出すデータ構造

プログラム作成の手順

コンピュータが直接理解できるのは「0」と「1」で書かれたビット列のみで、これを機械語といいます。ソフトウェアの中身は、命令やデータが書かれた機械語のプログラムです。命令はコンピュータやOSの種類によって異なるため、その種類に合わせたソフトウェアを作る必要があります。

プログラムが出来るまで(機械語への翻訳)

人間が0と1しかない機械語で複雑なプログラムを書くのはとても大変。そこで、人にもわかりやすい言葉(プログラム言語・高水準言語)で書いておき(プログラミング)、コンパイラ(言語プロセッサ)という機械語に翻訳するツール(開発用ソフトウェア)を使って、実行させるコンピュータやOSに合わせた機械語のプログラム(=ソフトウェア)に変換するという二段階の手順で作成する。

プログラム言語で書かれた元のプログラムをソースコード(ソースプログラム)、機械語へ翻訳することをコンパイル、変換された後の機械語のプログラムを目的プログラムやオブジェクトプログラム、バイナリコード(バイナリとは2進数のこと)と呼ぶ。

2-3-1　プログラム言語関連の用語

C言語、C++	処理内容を細かく記述する手続き型プログラミングで使われる代表的な言語で、幅広い分野のソフトウェア作成に使われている。C++は、C言語を拡張して作られた言語で、オブジェクト指向言語(次欄)の仕様が取り入れられている。
オブジェクト指向言語	オブジェクト指向とは、対象のデータとそのデータに行う処理をまとめてオブジェクトという単位で扱う設計思想のこと。オブジェクト指向言語では、あらかじめ用意された多様な用途のオブジェクト(ライブラリ)を部品として、必要な機能を持つプログラムへと組み上げていく。手続き型のプログラム言語に比べてプログラムの構文が単純で、複雑な処理を行うオブジェクトも多数用意されているため、短期間でのソフトウェア作成も可能。
Java(ジャバ)	さまざまな分野のソフトウェア作成に使われるオブジェクト指向言語。作成した目的プログラムは、コンピュータやOSごとに用意されたJava仮想マシン(JVM)というソフトウェア上で実行される。JVMがあれば異なる環境でも動作させることができるため、同じプログラムを別のコンピュータに用いることも可能。
スクリプト言語	プログラム言語のうち、プログラムの構文が簡単でコーディングが容易なものを指す。実行時にソースコードを逐次機械語に変換する処理方法をインタプリタ方式というが、多くのスクリプト言語がこの処理方法を採用しているため、事前に機械語への変換を行うコンパイラ言語に比べると実行速度は遅め。
JavaScript(ジャバスクリプト)	オブジェクト指向のスクリプト言語(インタプリタ言語)。ソースコードの記述が簡単で、ライブラリも豊富に用意されている。動きのあるWebページを制作する用途で使われることが多く、ポップアップウィンドウを開く、文字アニメーションを表示させるなどの動作は、JavaScriptのプログラムが実行している。

アルゴリズムの制御構造

処理手順のことをアルゴリズムといいますが、「よいプログラム」とはシンプルで短く(=処理時間も短い)、わかりやすい(=メンテナンスが容易)アルゴリズムで書かれたプログラムのことです。試験には、アルゴリズムの表現方法として流れ図(フローチャート)が出題され、流れ図に空けられた空欄部分に必要な処理を問う問題などが出されています。

プログラムのアルゴリズムを細かく見ていくと、順次・選択・繰返しという3種類の処理手順(制御構造)だけ!で作られていることがわかります。まずは、この基本パーツから理解していきましょう。

順次(上から順に)

流れ図の中の□は処理を表す記号(処理記号)で、□の中に処理内容が記述されている。処理は□の上側から入り、□内の処理が実行されて、□の下側へ出るという流れになる。順次では□が並んでいる順に、上の処理→下の処理へと実行されていく。

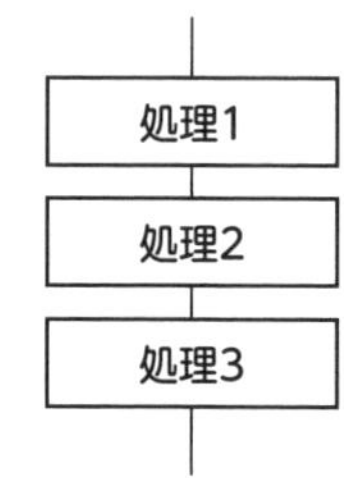

ちょこっとメモ

出題される流れ図では、処理内容は日本語で簡潔に書かれており、プログラミングの経験がなくても理解はしやすい。ただし、比較演算子や論理演算子<p.041>を使った「プログラム言語っぽい記述」もあるので読み方に慣れておこう。

選択(条件で分岐)

選択は、値が条件満たすかどうかで、その後の処理や手順を異なる内容にしたい場合に使う。

流れ図の◇(判断記号)は、処理が分岐することを表す記号。◇の中には、分岐する先(次に進む処理)を判断するための条件が書かれる。◇の上端の角が処理の入口、他の角が出口(分岐先)。

流れ図では原則的に上→下に処理が進むが、矢先(矢印)が付いている場合、その方向に進むことに注意!

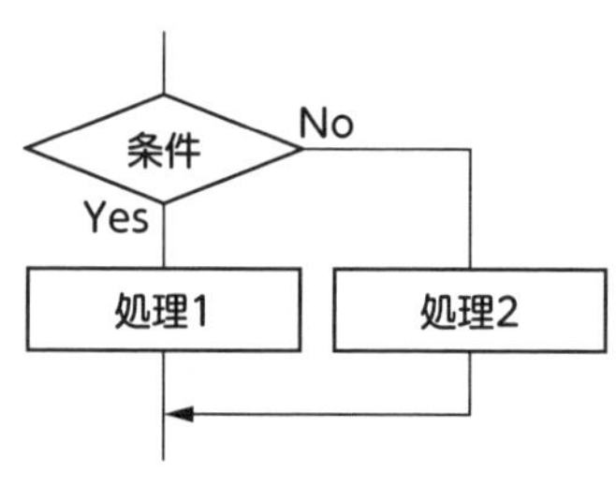

繰返し<前判定>

値が条件を満たす間は、同じ処理を繰り返す場合に使う。

処理に入る前の◇で「条件を満たす／満たさない」の判定を行うので、前判定繰返し処理と呼ばれる。処理より前に判定があるので、1回も処理が実行されないことがある。

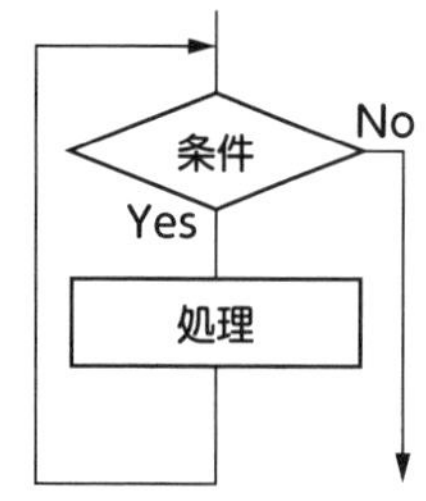

繰返し<後判定>

処理を行った後に条件を使って判定し、まだ条件を満たす間は再度処理を繰り返す。

処理後の◇で判定を行うため、後判定繰返し処理と呼ばれる。1回目は無条件に(判断を行わずに)処理が実行されるところが前判定と異なる。

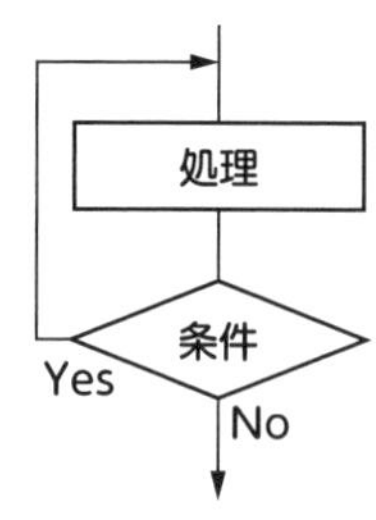

流れ図のトレース ― 順次と選択

順次と選択のアルゴリズムを、流れ図で表した例から説明していきます。書かれた流れ図やプログラムなどを見て、そのアルゴリズムの構造や処理内容を細かく読み取る作業をトレースといいます。処理の流れをひとつずつ追いながら、トレースの練習をしてみましょう。

金額の値で「処理を行う／行わない」を分ける選択処理

このプログラムは、「単価と数量を入力し、その計算結果の金額が1,000円以上なら1割引の金額を、1,000円未満ならそのままの金額を表示」するための処理を行う（黒丸数字は解説のため著者付記）。

2-3-2　割引後の金額を表示するプログラム

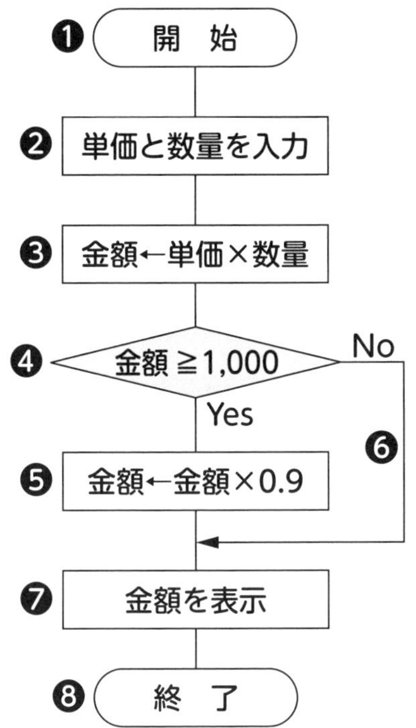

途中の❹には条件式（判断するための条件を式や言葉の形で表したもの）が書かれており、値（金額）がこの条件を満たすかどうかで、❺の処理（1割引）を行うか、❻に進んで❺の処理を飛ばすかを分けている。

この❹～❻の選択構造の部分で行われる処理の意味を理解することが、この流れ図を読み取るときのポイントだ。

❶ 処理の開始

記号（　）は、プログラムの処理の開始と終了（❽）を表す。

❷ 単価と数量の入力

ITパスポート試験の流れ図では、❷や❼のように処理内容が言葉（日本語）で書かれることが多い。実際のプログラムでは、どんな方法で入力されるのか（キーボードからの入力やファイルから読み込み）など、具体的な方法の記述が必要だが、問題に記述がなければ、これらは考えなくてよい。

❸ 金額の計算

「一時的に値を入れておく箱」のような役割を持つのが変数。処理を進めていく中で値が変化するものは、値そのものではなく、値が入っている変数の名前を書いておくことで、プログラムをシンプルにできる。変数に値を入れることを代入と呼び、「←」は代入を示す記号。この流れ図では、「単価」「数量」「金額」が変数。

❸は、「単価」に「数量」を掛けた計算結果の値を、変数「金額」に代入する処理を表す。（本物のプログラムでは、変数の名前などをプログラム冒頭で定義しておかなければならないが、試験問題の流れ図では省略される。）

❹ 千円以上かどうかを判断

≧は比較演算子<p.041>。

「金額 ≧ 1,000」は、「金額（に代入されている値）が千円以上」であるという条件式（逆向きの比較演算子を使って「1,000 ≦ 金額」と書いても、条件が表す内容は全く同じ）。

「千円以上（≧）」は千円も条件の範囲内。もし条件を「金額 ＞ 1,000（金額の値が千円より大きい）」と書いてしまうと、千円は条件の範囲外（該当しない）になるので要注意！

金額に代入されている値が千円以上ならYesの方へ（❺）、千円未満ならNoの方（❻）へ進む。

❺ 割引の処理

金額の値が千円以上だった場合の処理。金額に入っている値を0.9倍（1割引）して、変数「金額」に代入（上書きされる）。変数は上書きOKなので、中に入っている値は何度でも書き換えられる。

❻ 処理の回避

金額の値が千円未満だった場合の処理。割引処理を行わないように❺の処理を回避している。

❼ 金額の表示

変数「金額」に入っている値を表示。結果として表示されるのは、「千円以上だった場合→❺で割引処理された値」、「千円未満だった場合→割引処理されない❸で計算したときのままの値」であることに注意！

❽ 処理の終了

比較演算子で進む先を指定する方法

前ページの図2-3-2では、値が選択処理の条件式を満たすか(Yes)／満たさないか(No)で進む先を判断していたが、処理の出口に比較演算子を書いて、進む先を示す方法もある。

2-3-3　変数Xに加算を繰返す処理

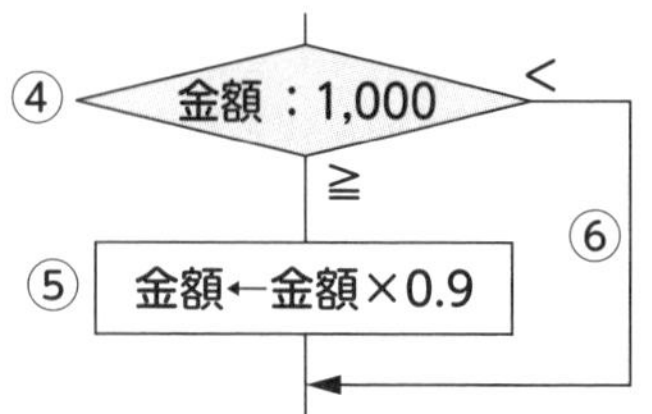

前ページの図2-3-2の条件式❹を、変数「金額」の値と「1,000」という値の大小関係に注目して見てみると、「金額 ≧ 1,000 (Yesの場合)」と「金額< 1,000 (Noの場合)」に分けて書くこともできる。

左図の④は、図2-3-2の条件式❹をこの方法で書き表したもの。「金額：1,000」は、「金額」と「1,000円」の大小関係を比べることを表し、金額の値がそれぞれの分岐先に書かれた比較演算子の大小関係に該当したら、その方向に進むことを示している。「金額 ≧ 1,000」なら下方向⑤に、「金額< 1,000」なら右方向⑥に処理を進めていく。

流れ図のトレース ー 繰返し

繰返しの内側にある処理のことを「ループ」と呼びますが、繰返しのアルゴリズムでは「繰返しを終了する仕組み」が正しく作られていないと、ループの中から永遠に脱出できなくなってしまいます。

この仕組みは、前判定<p.044>なら繰返し処理の冒頭、後判定<p.044>ならループの最後に条件式を書いて作り込んでおきます。ループを終了して繰返しを脱出させる方法には、「処理で扱う値を兼用する方法」と「制御のための変数を使う方法」の2つがありますので、順に説明していきます。

2-3-4　変数Xに加算を繰返す処理

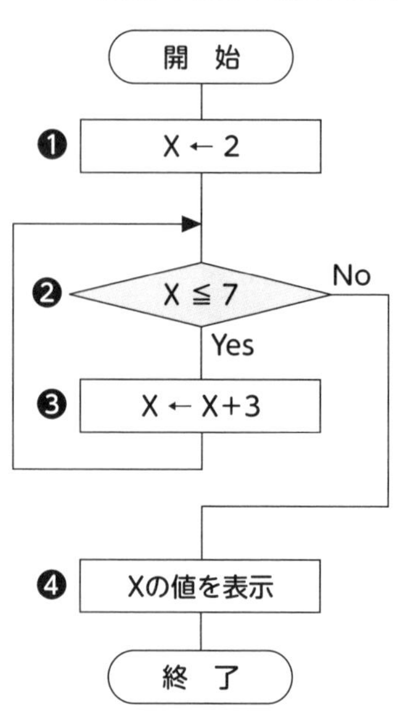

処理で扱う値を使って繰返しを制御する

図2-3-4の流れ図は、「変数Xに3を足す処理を繰返し、Xの値が7より大きくなったら繰返し処理を終了して（それ以上繰返し処理には入らない)、Xの値を表示する」という処理を行なっている（黒丸数字は解説のために付記)。

❶ 変数Xに初期値を代入

変数にあらかじめ値を代入しておくことを初期化、入れる値を初期値という。この流れ図では、変数Xの初期値として「2」を代入している。

❷の1回目　繰返し処理に「入る」ための条件

問題文が「Xの値が7より大きくなったら繰返し処理を終了」となっていることに注意！ この流れ図は、「❷の条件を変数Xの値が満たすときに繰返し処理に入る(繰返しを継続)」アルゴリズムになっている。そのため、「Yesのときに繰返し処理に入る」条件を書くには、問題文で示された終了のための条件を反転して、継続するための条件に書き直さなければならない。

X > 7 (終了条件)　→　X ≦ 7 (継続条件)

繰返しを継続して繰返し処理に入るための条件を継続条件、繰返しを終了して次の処理に進むための条件を終了条件というので覚えておこう。

1回目の繰返しに入る時点の変数Xの値は、❶で代入した「2」のままなので、繰返しに入る条件「X≦7」を満たすため、「Yes」へ進む。

❸の1回目　変数Xに3を足してXに代入

変数はいつでも上書きOKなので、ある変数の値を使った処理結果を、ふたたびその変数に代入（上書き）することも可能。この時点の変数Xの値は、初期値を代入（❶）したときのまま「2」なので、計算は「2+3=5」。結果の値の「5」を変数Xに代入して上書き。

❷の2回目　繰返し処理に「入る」ための条件

この時点の変数Xの値は「5」(❸の1回目)。繰返しに入る条件「X≦7」に該当するため、「Yes」へ進む。

❸の2回目　変数Xに3を足してXに代入

この時点の変数Xの値は「5」(❸の1回目)なので、計算は「5＋3＝8」。結果の値の「8」を変数Xに代入。

❷の3回目　繰返し処理に「入る」ための条件

この時点の変数Xの値は「8」(❸の2回目)なので、繰返しに入る条件「X≦7」を満たさない。そのため「No」に進み、繰返し処理には入らず、次の❹へ進む。

❹ 変数Xの値を表示する

この時点の変数Xの値は「8」(❸の2回目)なので、「8」を表示。

「ループ端記号」を使った繰返し処理の書き方

2-3-5　ループ端記号の使い方

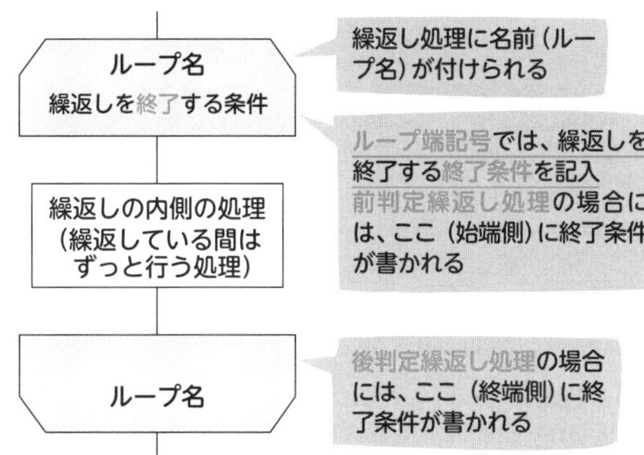
ループ名
繰返しを終了する条件
繰返しの内側の処理
(繰返している間は
ずっと行う処理)
ループ名
繰返し処理に名前(ループ名)が付けられる
ループ端記号では、繰返しを終了する終了条件を記入
前判定繰返し処理の場合には、ここ(始端側)に終了条件が書かれる
後判定繰返し処理の場合には、ここ(終端側)に終了条件が書かれる

下図2-3-6は、左ページの図2-3-4をループ端記号(②④)で表した流れ図。◇(判断記号)は選択と繰返しの両方に使われるので区別しづらいが、ループ端記号は独特な形で繰返し処理であることがすぐにわかる。

注意したいのは、一般的にループ記号で繰返しの条件として書かれるのは「繰返し処理を終了する(繰返しのループに入らない)条件(終了条件)」であること。試験問題には、継続条件と終了条件のどちらを使うのか明記されているので、必ず確認しよう。もし、問われているのが終了条件なのに、問題文が継続条件で書かれていたら、条件内容の反転が必要になってくる。

また、条件式が言葉で書かれることも多いので、ここでは言葉の条件式にも慣れておこう。

②の1回目　「加算繰返し」に入らない(終了する)ための条件

ループ端記号の始端側②に書いてあるのは終了条件。変数Xの値に加算を繰返すこの処理では「Xの値が7より大きくなったら繰返し処理を終了」と書かれているので、これがそのまま終了条件になる。

1回目の繰返しに入る時点の変数Xの値は、①で代入された「2」のままなので、「Xの値は7より小さい」ため、終了条件を満たさない。そのため、繰返し処理の内側にある③の処理へ進む。

③の1回目　変数Xに3を足してXに代入

変数Xの値は「2」なので「2＋3＝5」。結果の値の「5」を変数Xに代入して上書き。

②の2回目　終了条件には該当しない

この時点の変数Xの値は「5」(③の1回目)。終了条件を満たさないため、もう一度③の処理へ進む。

③の2回目　変数Xに3を足してXに代入

変数Xの値は「5」なので「5＋3＝8」。結果の値の「8」を変数Xに代入して上書き。

②の3回目　終了条件に該当、⑤に進む

この時点の変数Xの値は「8」(③の2回目)なので、終了条件「Xが7より大きい」を満たす。そのため、繰返し処理には入らず、次の⑤へ進む。

2-3-6　ループ端記号を使った加算の繰返し処理

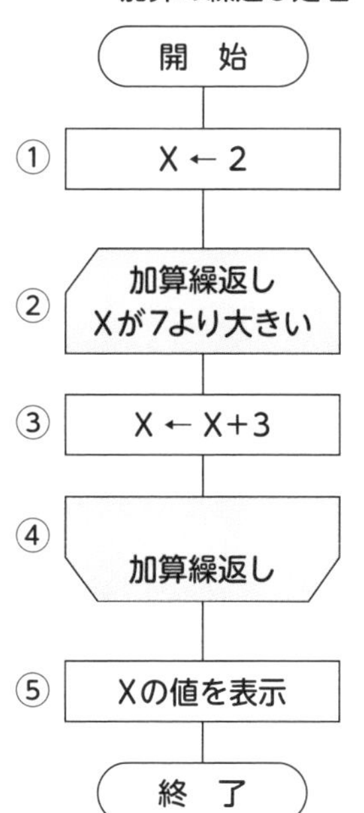
開　始
①
X ← 2
②
加算繰返し
Xが7より大きい
③
X ← X+3
④
加算繰返し
⑤
Xの値を表示
終　了

「制御変数」を使って繰返しを制御する

次ページ図2-3-7の流れ図は、「変数Yを2倍する処理を2回繰返し(3回目には入らずに)、繰返し回数は変数iでカウント」という処理を行なっている。このように、繰返し回数で制御する場合は、制御変数と呼ばれる変数を使って繰返し条件を記述する。制御変数の名前には慣習としてi・j・kが使われることが多い。

❶ 変数Yに初期値を代入

この流れ図では、変数Yの初期値として「5」を代入している。

❷ 制御変数iに初期値を代入

制御変数の初期値には、後の処理に都合のよい値が指定される。この場合は、制御変数iの初期値として「0」を代入。初期値が「0」の場合と「1」の場合では、繰返し条件❸で指定する値の範囲が異なってくるので、要注意！

❸の1回目　繰返し処理に「入る」ための条件（継続条件）

2回繰り返して終了する（3回目には入らない）ために、この例では❺で繰返し回数をコントロールする制御変数iの値を1ずつ増やして「0（1回目）→1（2回目）→2（3回目）…」と変化させている。判断記号の条件には、「iが2になったら繰返しに入らない（終了条件）」を反転させて、「2未満なら繰返しに入る（継続条件）」を表す「i＜2」を記述している。もし、変数iの初期値が「1」だった場合は、「1（1回目）→2（2回目）→3（3回目）…」となり、繰返しに入る条件は「i≦2」となるので気を付けよう。

1回目の繰返しに入る時点の制御変数iの値は❷で代入した「0」のままなので、「i＜2」を満たす。「Yes」へ進む。

2-3-7　制御変数を使った繰返し処理

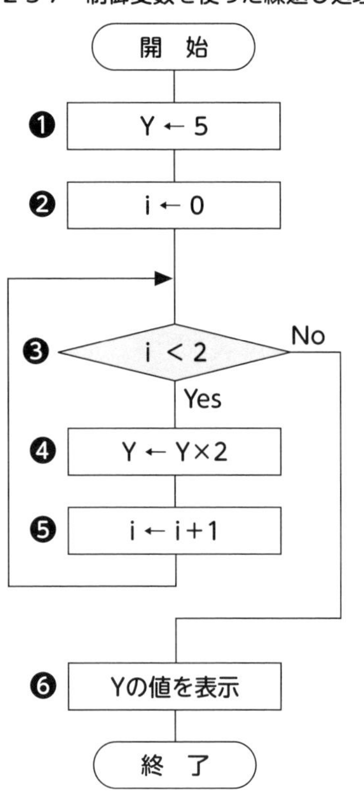

❹の1回目　変数Yを2倍してYに代入

この時点の変数Yの値は、❶で初期値を代入した「5」のままなので、計算は「5×2＝10」。「10」を変数Yに代入。

❺の1回目　制御変数iに「1」を加える

制御変数iに「1」を加える。この処理によって、繰返し回数を重ねるごとに、iの値が1ずつ増えていく。「繰返しのたびに増やす値」のことを増分といい、このプログラムの制御変数iの増分は「1」。iは初期値❷のままの「0」なので、「0＋1＝1」が計算され、iには「1」が代入される。

❸の2回目　繰返し処理に「入る」ための条件

この時点で制御変数iの値は「1」（❺の1回目）なので、繰返しに入る条件「i＜2」を満たすため、「Yes」へ進む。

❹の2回目　変数Yを2倍してYに代入

この時点の変数Yの値は「10」なので「10×2＝20」。「20」を変数Yに代入。

❺の2回目　制御変数iに「1」を加える

この時点の制御変数iの値は「1」なので「1＋1＝2」。「2」を変数iに代入。

❸の3回目　繰返し処理に「入る」ための条件

この時点で制御変数iの値は「2」（❺の2回目）なので、繰返しに入る条件「i＜2」に該当しない。そのため「No」へ進み、繰返しのループには入らない。

❻ 変数Yの値を表示する

この時点の変数Yの値は「20」（❹の2回目）なので、「20」を表示。

ループ端記号で制御変数を扱う場合

ループ端記号で制御変数を使う場合、ループ端記号の内側に制御変数に関する4つの指示をまとめて記入（制御記述という）する方法がある。

右図は図2-3-7と同じアルゴリズムをループ端記号②④で表した流れ図。②の制御記述の、左端の“i”は「変数iを繰返し回数の制御変数に使い」、次の“0”は「iの初期値は0」、その次の“1”は「繰り返すごとにiを＋1（増分値）」、最後の“2”は「iが2になったら繰返し処理には入らない（終値）」を示している。上図2-3-7では❷❸❺に分かれていた制御変数の記述が、この方法では②の中にまとめられ、シンプルで見やすい。ループ端記号の場合、ほとんどの問題が4つめの値を終値としているが、制御記述の定義は問題文に記載されるので、よく確認しよう。

2-3-8　ループ端記号の制御変数の記述

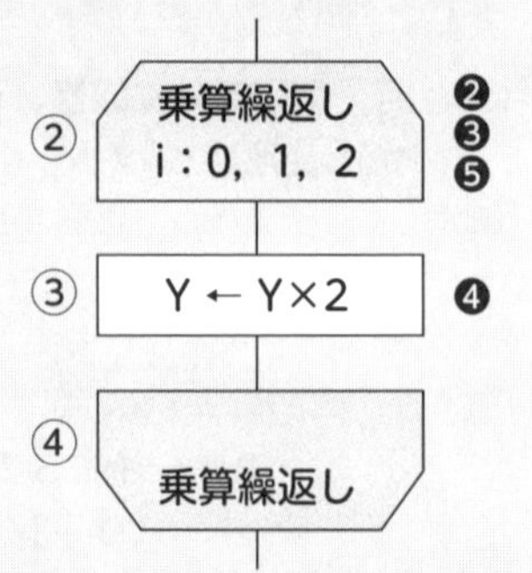

基本的なデータ構造

データ構造は記憶装置に保存するデータの格納方法のことです。データを、どんなルール・どんな順序で置いておけば効率良く保存や読み出しができるのかを考えて、データ構造を設計します。

先入れ先出しの「キュー」

「送られてきたデータを一時的に保存し、先に保存された（古い）データから順に取り出して処理する」ような場合は、先入れ先出し（FIFO：First-In First-Out）型のキュー（queue）が採用されている。キューで値を格納する操作はエンキュー（enqueue）、値を取り出す操作はデキュー（dequeue）という。新たな値はデータの最後尾に追加・格納され、値の取り出しはデータの先頭から行われる。

キューを使ったデータ構造での値の取り出し順序

先入れ先出し処理を行うのに適したキューと呼ばれるデータ構造に対して“8”，“1”，“6”，“3”の順に値を格納してから，取出しを続けて2回行った。2回目の取出しで得られる値はどれか。

ア 1　　イ 3　　ウ 6　　エ 8

❶値の格納が完了した時

入口　最後尾 ──→ 先頭　出口

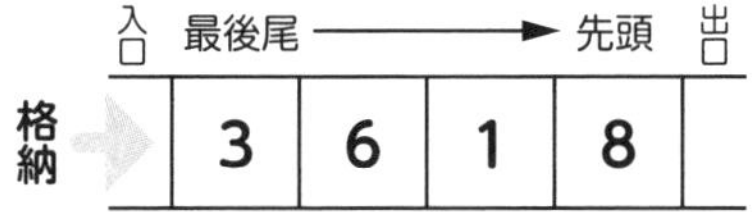

最初に格納した「8」が出口の先頭に、
最後に格納した「3」が最後尾にいる

❷1回目の取出し

入口　最後尾 ──→ 先頭　出口

		3	6	1	→ 8

❸2回目の取出し

入口　最後尾 ─→ 先頭　出口

			3	6	→ 1

2-3-9　キューから取り出される値の順序

先入れ後出しの「スタック」

後から格納された新しい値へのアクセスが多い場合は、先入れ後出し（LIFO：Last-In First-Out）型のスタック（stack）を使う。スタックで値を格納する操作はプッシュ（push）、値を取り出す操作はポップ（pop）という。値は順に積み上げられ、古い値は下に、新しい値は上に格納される。キューと同じ問題を使い、値の格納や取り出される順序の違いを確認しておこう。

2-3-10
スタックから
取り出される
値の順序

❶値の格納完了時

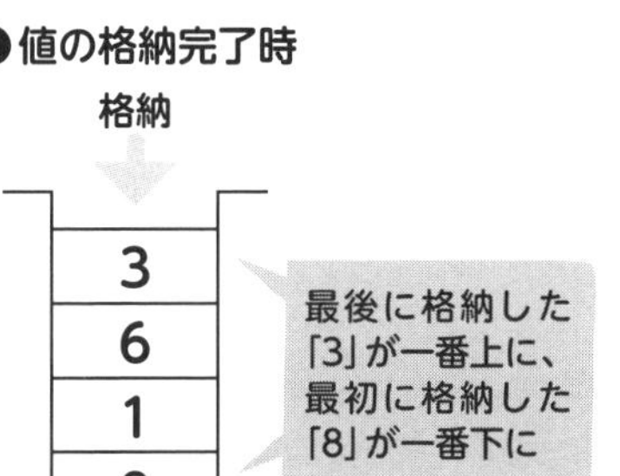

❷1回目の取出し　**❸2回目の取出し**

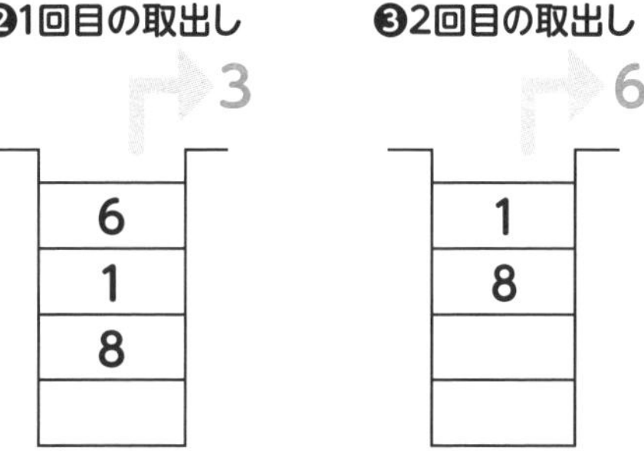

データの探索と整列

試験ではどんな方法で値を探したり並べ替えているのか、その特徴と簡単な仕組みが問われます。

ひとつずつ確認する「線形探索」

探索とは「データの中からある値を見つけ出す」こと、英語「search」のカタカナ読みでサーチとも呼ばれる。また、探したい値のことを検索値というので覚えておこう。探索にはいくつもの種類があり、探索するデータの特徴などによって、使い分けられている。

一番単純なのは線形探索という方法で、検索値と同じ値があるかを、データの始めから終わりまでひとつずつ順番に照合していく。同値がデータの最初の方にあれば、値を照合する回数が少ないため、処理時間は短い。反対に、最後の方にあると、見つけるまでに時間がかかる。

8つの値が保存されているデータから、「6」を探す例で説明する。「6」は先頭から5番目に格納されている。検索値との照合は、データの先頭から順に行われるので、この例の照合回数は5回になる。

2-3-11　線形探索の仕組み

半分に分けて探す「2分探索」

処理時間が長くなりがちな線形探索の欠点を改良するために考え出された代表的な探索方法が2分探索だ。2分探索では、事前にデータの値を小さいものから昇順、または大きいものから降順に並べ替えておく。探索方法は、データを半分に分けて、値の大小関係から、どちらのブロックに検索値が含まれる可能性があるのかを判断し、さらに半分に分けて…、という処理を繰り返す。

値の大小関係で探すブロックを半分に絞ることで、値の照合回数をぐっと減らせるので、線形探索に比べて処理時間を短縮できる。線形探索の例と同じデータで、2分探索の処理を見てみよう。この例では、データの事前準備として、小さい値から順に並べる昇順で値を並べ替えてある。

2分探索にも細かいルールの違いがあるが、ここでは2ブロックに分けたどちらを検索対象とするのかは、左側（値が小さい側）のブロックの右端、つまり「左ブロックの最大値」と検索値を比べることで、どちらのブロックに同値がありそうかを判断するルールとする。

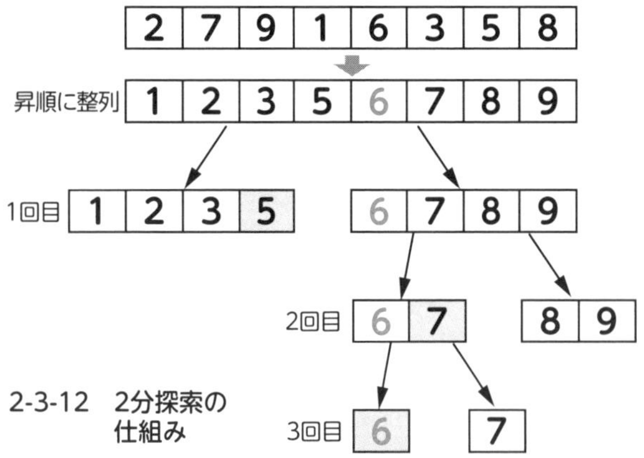

2-3-12　2分探索の仕組み

1回目の分割と照合：「1〜5」と「6〜9」のブロックにデータを2分割する。左側ブロックの最大値「5」と照合する。検索値は「6」なので、左側のブロックには同値がないことがわかる。そのため、次の処理は右側のブロックが対象。

2回目の分割と照合：ブロックをさらに「6〜7」と「8〜9」に2分する。左ブロックの端にある値は「7」なので、次の対象となるのは、この左側のブロック。

3回目の分割と照合：「6」と「7」にブロックが分けられ、左ブロックの「6」は検索値と同値、ここで発見！

線形探索は5回目だが、2分探索では3回目の照合で発見できた。データに含まれる値（要素）の数や、同値の格納位置によっても異なるが、平均すると線形探索より2分探索の方が処理時間が短い。ただし、2分探索では事前にデータの整列が必須なため、データ量が少ないと線形探索の方が早いこともある。

一番ベーシックな「選択ソート」

2-3-13　選択ソートの仕組み

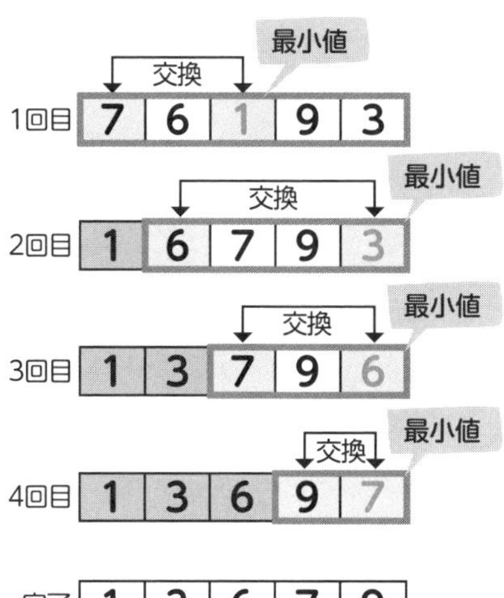

整列は、データに含まれている値を昇順（小→大）、または降順（大→小）に並べ替えること。英語ではソート（sort）というため、整列方法の名称は「××ソート」と呼ばれる。

選択ソートは最もベーシックな整列方法で、基本ソートとも呼ばれる。昇順の場合、データから最小値を見つけ、その値を検索範囲の左端にある値と交換。左端に置いた最小値は次の検索範囲から外し、範囲を狭めて再度最小値を探して範囲の左端と交換する、という処理を繰り返し行うことで値を整列させる。

1回の操作で行われる値の交換は1度のみなため、整列完了までの平均処理時間は、次に解説するバブルソートよりも短い。5つの値を持つデータで、昇順の選択ソートをやってみよう。

1回目：データのすべてを検索範囲として、最小値を探す。見つかった最小値「1」と、左端の「7」を交換。

2回目：1回目の最小値「1」を外して、「6～3」の範囲で最小値を見つける。最小値「3」と検索範囲左端の「6」を交換。

3回目以降：検索範囲を狭めながら同じ処理を繰返し、最後は右端の「9」と「7」を交換して、整列が完了。

隣の値との交換を繰り返す「バブルソート」

2-3-14
バブルソートの仕組み

操作の範囲

1回目①	7	6	1	9	3	
1回目②	6	7	1	9	3	
1回目③	6	1	7	9	3	左<右 値は交換しない
1回目④	6	1	7	9	3	
1回目完了	6	1	7	3	9	最大値

操作の範囲

2回目①	6	1	7	3	9	
2回目②	1	6	7	3	9	左<右 値は交換しない
2回目③	1	6	7	3	9	
2回目完了	1	6	3	7	9	

操作の範囲

3回目①	1	6	3	7	9	左<右 値は交換しない
3回目②	1	6	3	7	9	
3回目完了	1	3	6	7	9	
完了	1	3	6	7	9	

バブルソートは、隣り合う値を比較し、昇順の場合、右隣の値が左隣の値より大きくなるように値を交換することを繰り返す整列方法だ。交換によって値が移動していく様子が、水面に向かって浮かんでくる泡に似ているため、この名が付けられた。

1回の操作の中で、何度も値の交換が行われるため、選択ソートよりも処理時間がかかる。反面、必要な操作は隣り合う値の比較と交換だけで、選択ソートのように最小値を探す複雑な処理は不要なため、シンプルなプログラムで実行可能だ。選択ソートと同じデータを使い、バブルソートで整列させてみよう。

<1回目>

データの全範囲で隣合う値を比較して、右隣の値が左隣の値より大きくなるように、値を交換する。

1回目①：「7」と「6」が比較され、大小関係が左右逆なので、値を交換する。

1回目②：比較対象の2つの値をひとつ右にずらし、「7」と「1」を比較する。ここも「7」の方が大きいので値を交換する。

1回目③：「7」と「9」で大小関係は合っているので、何もせずにこのまま。

1回目④：「9」と「3」で大小関係が逆なので、値を交換する。

1回目が完了したところで、このデータの全体の最大値「9」が、右端に移動してきているのがわかる。

<2回目以降>

2回目は、最大値「9」を値の比較・交換の範囲から外して、処理を続行する。2回目以降も同様に、隣り合う値を比較して左<右になるように値を交換していく。そうすると、2回目ではデータの2番目に大きい値（7）が最大値の隣に、3回目では3番目に大きい値（6）がその隣に移動してくる。

Chapter 2-4 擬似言語プログラムの書き方・読み方

擬似言語は流れ図<p.044>と同様に、アルゴリズムを表すための方法のひとつです。出題される擬似言語プログラムには試験用の仕様が定められており、本書もそれにしたがって説明します。擬似言語や流れ図のアルゴリズムを読み解くときは、右図の項目に注目! これらのポイントを押さえて理解していけば、効率的に得点力UPができます。

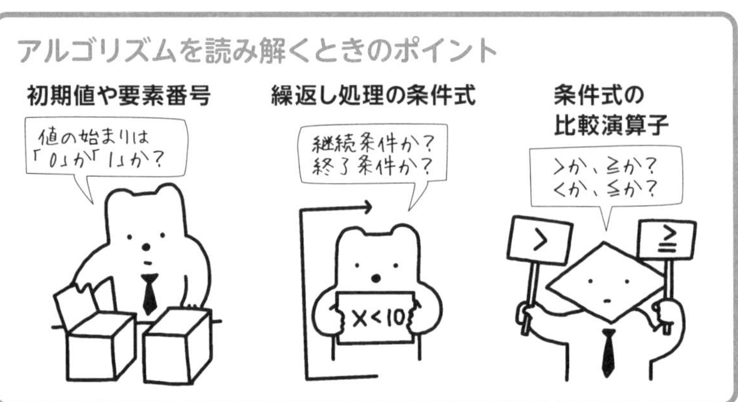

アルゴリズムを読み解くときのポイント
初期値や要素番号
値の始まりは「0」か「1」か?
繰返し処理の条件式
継続条件か?
終了条件か?
x<10
条件式の比較演算子
>か、≧か?
<か、≦か?
>
≧

擬似言語プログラムの基本的な構造

実際のソフトウェアでは、1つのプログラムで実行されるのは処理の一部分のみで、ソフトウェアは多数の小さなプログラムを束ねて作られます。小さなプログラムが互いに協力して動作し、別のプログラムを呼び出して処理を依頼するなど役割を分担しており、これらの「限られた機能を持つ小さなプログラム」のことを「手続き」や「関数」と呼んでいます。

手始めに、p.045の流れ図2-3-2と同じ処理を行う擬似言語プログラム「手続きWaribiki-kingaku (図2-4-2)」を使って説明していきます。ただし、プログラムの内容は後から順に詳しく説明するので、ここでは「こんな風に書くんだぁ」程度に見ておけばOKです。

擬似言語プログラムは2つのブロックで書かれている

右ページ図2-4-2の擬似言語プログラムは、「単価×数量の金額が、千円以上なら1割引の金額を、そうでなければ(千円未満なら)そのままの金額を表示する」処理を行う。

C言語やJavaなどのプログラムでは、処理内容はすべて数式などで記述するが、試験仕様の擬似言語プログラムでは、言葉(日本語)で書かれることもある。その一方で、手続き名や変数名などはアルファベットで書かれている。名前が役割を示すヒントにもなるので、プログラムを読むときには注目しよう。

1つの擬似言語プログラムは、機能によって大きく2つのブロックに分けることができる。最初のブロックは手続き・関数と変数などの名前や仕様を決めておく宣言部、次のブロックは宣言部で定義した変数<p.045>などを使った処理とその順序を具体的に記述する処理部だ。

宣言部の決まりごと

図2-4-2のプログラムでは、1行目と2行目が宣言部で、1行目がプログラム(この例では手続き)の名前などの宣言、2行目は変数の宣言になる。擬似言語プログラムでは、変数などは宣言部で名前や仕様(データ型など)の指定をしてからでないと、処理部で使うことはできない。

ちょこっとメモ

ITパスポート試験の擬似言語仕様では、「手続き」や「関数」の違いについて明確な説明はないが、次のように区別されることが多い。

手続き: プログラム自体にデータ型<右ページ>の宣言がないプログラム(複数の型の値を扱う場合など)や、親関数への戻り値がないプログラム。

関数: プログラム自体にデータ型の宣言があるプログラムや、親関数への戻り値があるプログラム。

2-4-1
割引後の金額を表示する処理の流れ図
(p.045の流れ図を擬似言語用にアレンジ)

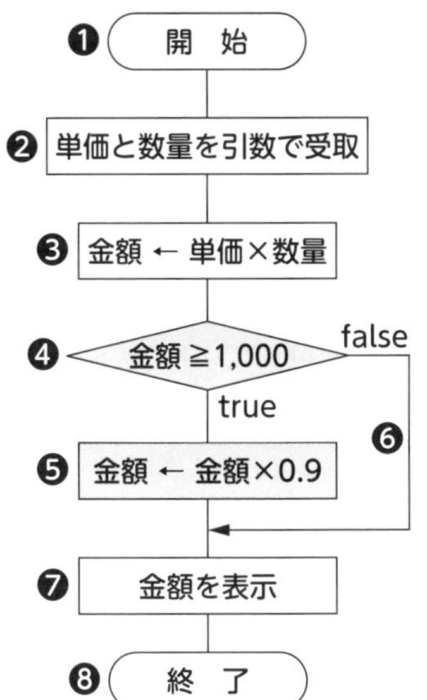

ちょこっとメモ 試験に出題される流れ図は判断記号にYes/Noが記されるが、このテーマでは擬似言語プログラムの理解のためにtrue/falseで記載。

2-4-2 割引後の金額を表示する擬似言語プログラム

```
1  ○Waribiki-kingaku(整数型:Tanka, 整数型:Suryo)
2     整数型:Kingaku

3     Kingaku ← Tanka × Suryo /*単価×数量=金額*/
4     if(Kingaku が千円以上である)
5        Kingaku ← Kingaku × 0.9
6        //千円以上なら0.9倍
7     endif
8     Kingakuの値を表示する
```

宣言部(1〜2行)
処理部(3〜8行)

※擬似言語プログラム左側の数字は、解説のために著者が添えたもの

● プログラムの名前と扱う値を指定(宣言)する

擬似言語プログラムの仕様では、最初の行に手続き・関数の名前や仕様を決める「宣言」を書いておく決まりになっており、この行の冒頭には「○」印が付けられる。このプログラム例の手続き名は、1行目に書かれている「Waribiki-kingaku(割引金額)」だ。

手続きの場合の宣言方法

○手続き名(引数の指定)

関数の場合の宣言方法

○型名:関数名(引数の指定)

● このプログラムで使う「引数」を指定する

試験で出題されるプログラムは、あるプログラム(親関数)から呼び出された別のプログラム(子関数)という想定になっているので覚えておこう。

ちょこっとメモ 親関数を**メインルーチン**、子関数を**サブルーチン**と呼ぶことがある。

親子間のやり取り

親関数(詳しい内容は説明されない)	
子関数は親関数から呼び出されて処理を請け負う ↓	↑ 子関数は処理結果を親関数に渡す
子関数(出題されるプログラム)	

手続き名・関数名の後にある( )は引数の指定。引数は親関数から処理に必要な値を受け取るための器で、値を入れておくための変数<p.045>や配列<p.063>を指定する。

このプログラム「Waribiki-kingaku」は、自分を呼び出した親関数から受け取る引数の入れ物として、変数Tanka(単価)と変数Suryo(数量)を指定している(流れ図の❷の処理)。なお、引数として宣言した変数は、そのまま処理部で普通の変数として利用することもできる。

● 変数の指定(宣言)とデータ型の指定

関数名や変数名の前に書く「型名」は、扱える「データの仕様」を示している。この擬似言語プログラムで用いる3つの変数(Tanka、Suryo、Kingaku)は、いずれも整数型が指定されており、整数を扱う処理に用いることが宣言されている。問題のプログラムによく使われている4つの型を説明しておこう。

変数の宣言

型名:変数名

代表的なデータ型

- 整数型:整数を扱うことができる
- 実数型:小数などを含む数値(実数)を扱うことができる
- 文字列型:日本語や英語などの文字列を扱うことができる
- 論理型:ある条件を満たすかどうかを判断した結果(真/偽)を扱うためのデータ型

指定された型と異なる値が変数に代入された場合、その型で扱える値に変換されてしまうことに注意！例えば、整数型の変数に小数値を代入すると、小数部分は削除され整数に変換される（例：23.86 → 23）。

処理部の決まりごと

● 処理内容の記述は日本語または数式で

擬似言語プログラムでは、処理の内容を3行目の「Tanka × Suryo」のように数式で表したり、8行目の「Kingakuの値を表示する」のように言葉で書くこともある。式で表す場合には、四則演算子（後述）・比較演算子＜p.041＞・論理（集合）演算子＜p.041＞などの演算子を使うことができる。

● 注釈（メモ書き）を残すことも可能

擬似言語プログラムでは、メモ書きを注釈としてプログラム中に書き入れておくこともできる（例：3行目、6行目）。注釈には2種類の書き方があり、「//～」はその行が全て注釈になるときに使い、「/＊～＊/」は式中や行末に割り込ませて書くときに使う。問題に提示された擬似言語プログラム中の注釈が重要なヒントになることが多いので、見落とさないようにしよう。

1行全てが注釈のとき	式中や行末に入れ込むことができる注釈
// 注釈注釈注釈	**/＊注釈注釈注釈＊/**

● 変数への値の代入

変数とは、値を入れておく箱のこと（入れられる値は1つだけ）。変数に値を入れる（代入という）には、「←」の左側に変数名を、右側に入れる値を指定する。3行目や5行目のように、右側に式が書かれているときは、その式の演算結果の値が変数に代入される。

変数への値の代入（値を代入）	変数への値の代入（式の演算結果の値を代入）
変数名 ← 値	**変数名 ← 式**

新たな値が代入されると、それまでその変数に入っていた値は上書きされて残らない。古い値を残しておきたいときには、別の変数に値を代入して保存しておく処理（退避という）が必要。

5行目では「Kingaku ← Kingaku × 0.9」のように、その時点で変数Kingakuに入っていた値（古い値）を使って計算し、その結果（新しい値）をさらに変数Kingakuに代入している。値の上書きは、プログラムでよく使われる方法なので、覚えておこう。ここで注意したいのは、「Kingaku × 0.9」の計算結果に小数が含まれる場合、整数型の変数Kingakuへ代入（上書き）する際に、小数部は切り捨てられてしまうこと。例えば、「1,028円 × 0.9 ＝ 925.2円」の場合、変数Kingakuの新たな値は「925」になる。

処理部で使う演算子

● 四則演算子と計算の優先順序

処理部では、数学と同様の四則演算を行うことができる（例：3行目と5行目の乗算）。×（乗算）、÷（除算）、＋（加算）、－（減算）に加えて、除算の余り（剰余）を計算するmodも利用可能だ（例：mod（12, 5）なら「12÷5」が計算され、計算結果の剰余は「2」）。計算の優先順序は、modと×と÷は、＋や－より優先して計算される。例えば「20－5×3」は「5×3」を先に計算するので結果は「5」。（　）を使って計算の順序を変えることもできる。「(20－5)×3」なら「(20－5)」を先に計算するので結果は「45」。

● 比較演算子と論理演算子

ある処理を行うかどうかを判断するときなど、条件式を記述する場合に、比較演算子（≠、≦、≧、＜、＝、＞＜p.041＞）や、論理（集合）演算子（not、or、and＜p.041＞）がよく使われる。また、条件式や論理演算で判断を行う処理が記述されている場合、条件を満たすときは（真）true、満たさないときは（偽）falseが結果の値として返される。

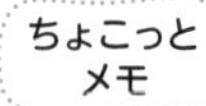

この後説明するif文やwhile文などでは、条件式の判断結果で処理の流れを制御しているが、結果の値（true／false）自体を変数（論理型変数）に代入して使うようなケースはほとんど出題されていない。

選択処理　if～endif (処理する／何もしない の2つに分ける場合)

いよいよここからは、処理部の内容を処理の種類ごとに説明していきます。最初は、ここまで使ってきた「割引後の金額を表示するプログラム」を例として説明します。このプログラムは、流れ図の❹の部分で判断を行い、処理の流れを「❺処理を行う」と「❻何も処理しない」の2つに分けています。このようなアルゴリズムでは、選択処理の機能を持つif文を使います。

2-4-3　割引後の金額を表示する処理の流れ図（一部分を再掲）

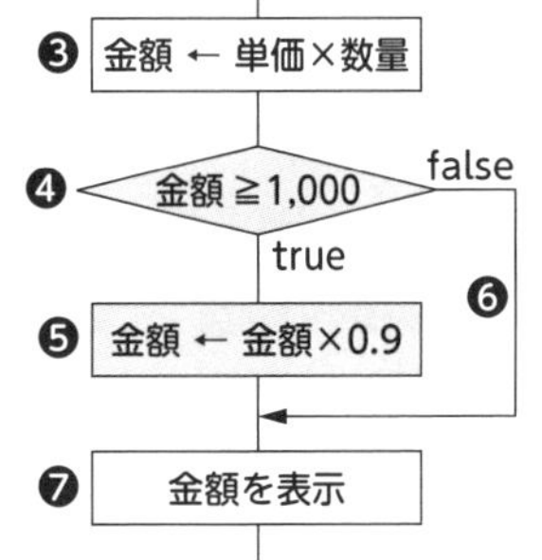

if文の構造

● 選択処理には「if文」を使う

if（イフ）文は、「条件を満たす（真 true）／条件を満たさない（偽 false）」で、処理方法を幾通りかに分ける機能を持つ。

「if」や「endif（エンドイフ）」は、言語の仕様で予め機能や書式が決められている記号のようなものだと考えよう。

ifの後の（　）内に処理を分ける条件を記述し、最後にif文の終わりを示す「endif」を記述するのが基本ルール。

if文の基本構造

if文の開始を表す

if（ 処理の流れを分ける条件式 ）

**　条件を満たす場合の処理**

endif

if文の内側の処理であることを示すため、行頭を字下げ

if文の終了を表す

4～7行目の選択処理（処理する／何もしない）

行頭に「if」と書かれた4行目がif文の始まりで、「endif」がある7行目がif文の終わり。「if」の後の（　）内に書かれているのがif文の中の処理に入るための条件式。

3行目で計算した「単価×数量＝金額（変数Kingakuの値）」が千円以上かどうかで、if文の中の処理（5行目の処理）を行うか、8行目に飛ぶかを判断している。「千円未満である」、つまりif文の条件を満たさない（偽 false）場合はif文内側の処理には入らず、5～7行目を飛ばして8行目の処理に入る。そのため、金額が千円未満のときは、そのままの値（0.9倍しない値）が8行目で表示されることになる。

2-4-4　手続きWaribiki-kingakuの処理部（一部分を再掲、注釈は省略）

```
3    Kingaku ← Tanka × Suryo
4    if(Kingaku が千円以上である)
5      Kingaku ← Kingaku × 0.9
7    endif
8    Kingakuの値を表示する
```

if文の条件式

千円以上なら5行目の処理に入る

5行目で0.9倍した金額が表示される　ただし、変数Kingakuは整数型のため、表示される値も整数値になる

千円未満なら、if文の内側の処理を飛ばして8行目へ

3行目の計算結果がそのまま表示される

選択処理 if～else～endif
（ある処理／別の処理 の2通りに分ける場合）

前項ではif文で「処理する」「何もしない」の2つに分けましたが、ここではif文にelse（エルス）節を加えて、異なる2つの処理に分ける選択処理をやってみましょう。前項で使った例を少しアレンジして、「千円以上なら金額を0.9倍」「千円未満なら手数料として金額に100円を加算」という処理を行う擬似言語プログラムを作ります。

if～else文の基本構造

if（ 処理の流れを分ける条件式 ）
**　　条件を満たす場合の処理**

else
**　　条件を満たさない場合の処理**

endif

2-4-5　金額によって異なる計算処理をする場合の流れ図（処理部のみ）

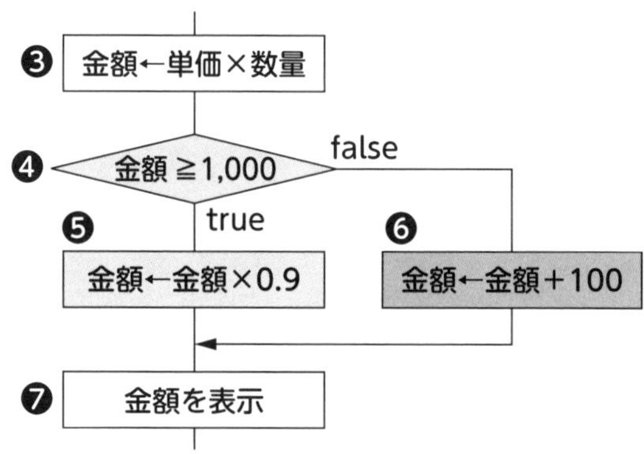

2-4-6　手続きWaribiki-kingaku02

```
1    ○Waribiki-kingaku02（整数型：Tanka, 整数型：Suryo）
2      整数型：Kingaku
3      Kingaku ← Tanka × Suryo /＊単価×数量の値を金額に代入＊/
4      if（Kingaku が千円以上である）
5        Kingaku ← Kingaku × 0.9  /＊千円以上なら0.9倍＊/    千円以上の場合の処理❹❺
6      else
7        Kingaku ← Kingaku + 100                            千円未満の場合の処理❻
8        //千円未満なら100円加算//
9      endif
10     Kingakuの値を表示する
```

※左側の数字は、解説のために著者が添えたもの

if～else文を使った「2通りに分ける」選択処理

「else」は「そうでないとき」という意味だ。この例のif文の条件式は「金額が千円以上」なので、「そうでないとき」は「千円未満」のとき。そこでelse節を使うと、「千円以上（0.9倍する：流れ図❺）」のケースと、「千円未満（100円を加算する：流れ図❻）」のケースの2つに処理を分けることができる。

3行目で計算した金額（単価×数量）がif文の条件を満たさなかった（偽 false）とき（⇐千円未満のとき）は、5行目のif文の処理を行わず、6行目のelse節に飛んで7行目の処理を行う。このプログラムでは、値を表示する処理（流れ図❼）の手前でtrueとfalseの両方からの処理が合流するため、どちらの処理から来ても変数Kingaku（金額）に入っている値の表示を行う。

ここで注目してほしいのは、「金額が千円以上でないときは、すべて千円未満の処理❻に振り分けられる」ということ。したがって、if～else文で分けられる処理は最大で2通りだ。

選択処理 if〜elseif〜else〜endif（3通り以上の処理に分ける場合）

前項の処理に、さらに「500円未満のときは手数料200円を加算」という処理を追加しましょう。この場合、「千円以上：金額×0.9」「千円未満〜500円以上：金額＋100円」「500円未満：金額＋200円」という3通りの処理の流れが必要です。また、ここからは条件式に数式を使う方法で記述していきます。

if〜elseif文の基本構造

if（ 最初の条件式 ）
　最初の条件を満たす場合の処理
elseif（ 2番目の条件式 ）
　2番目の条件を満たす場合の処理
… 必要な数だけelseif節を繰り返す …
else
　どの条件も満たさなかった場合の処理
endif

2-4-7　3通りの異なる計算処理を行う場合の流れ図（処理部のみ）

❸ 金額←単価×数量
❹ 金額≧1,000　true / false
❺ 金額←金額×0.9
❻ 金額≧500　true / false
❼ 金額←金額＋100
❽ 金額←金額＋200
❾ 金額を表示

2-4-8　手続きWaribiki-kingaku03

```
○Waribiki-kingaku03(整数型：Tanka, 整数型：Suryo)
  整数型：Kingaku
  Kingaku ← Tanka × Suryo /＊単価×数量を金額に代入＊/

  if(Kingaku ≧ 1,000)
    Kingaku ← Kingaku × 0.9 /＊千円以上なら0.9倍＊/
  elseif(Kingaku ≧ 500)
    Kingaku ← Kingaku + 100 /＊500円以上なら100円加算＊/
  else
    Kingaku ← Kingaku + 200
    //どの条件式も満たさないときは200円加算
  endif

  Kingakuの値を表示する
```

千円以上の場合の処理❹❺
500円以上の場合の処理❻❼
500円未満の場合の処理❽

※左側の数字は、解説のために著者が添えたもの

3通り以上ならelseifを利用

● 金額（単価×数量）の値で3つに処理を分けるプログラム

3通り以上に処理の流れを分ける選択処理にしたいときは「elseif（エルスイフ）」を使う。「elseif」は、「else」と「if」の機能を合体させたもの。前項のif〜else文では、選択処理の条件（ifの条件式）を1つだけ記述して処理を2つに分けたが、elseif節を使うと好きなだけ条件を追記して、数多くの処理に分岐させることができる。

● **プログラム4～5行目の処理**

if文の条件式を数式で記述する方法にも慣れておこう。4行目の「Kingaku ≧ 1,000」は、「金額が千円以上である」という意味。この条件式で金額が千円以上かどうかを判断しており（流れ図❹）、もし千円以上だった場合は「5行目：0.9倍（流れ図❺）」→「12行目：金額の値を表示（流れ図❾）」へと進み、6～10行目の処理は行わない。

● **プログラム6～7行目の処理**

4行目のif文の条件式で金額が「千円以上ではない」、つまり「千円未満」だと判断された場合は、（5行目の処理は行わずに）6行目へ飛ぶ。さらに6行目のelseif節の条件式で「Kingaku ≧ 500（金額が500円以上）」かどうかが判断され、500円以上なら7行目の処理（100円加算：流れ図❼）へ進み、12行目で計算結果の金額（100円が加算された金額）が表示される（流れ図❾）。

6行目で判断する条件は「500円以上」だけだが、すでに4～5行目で千円以上の場合の処理は済んでいるので、結果的に7行目の処理に進むのは「1,000 > Kingaku ≧ 500（金額が千円未満で500円以上）」の場合になる。

実際の問題では、6行目のelseif節の条件式を「Kingaku < 1,000（金額は千円未満）」とする選択肢が含まれるイジワル問題もある。「金額が千円未満」という条件にすると、200円や400円のときもすべて6～7行目の処理（流れ図❻❼）で完結してしまう。そのため、もし金額が500円未満であっても8～10行目の処理（流れ図❽）には進めなくなり、500円未満の処理ができなくなるので注意しよう。

● **プログラム8～9行目の処理**

4行目で「千円以上ではない」、さらに6行目で「500円以上ではない」と判断された場合は、8行目のelse節へ飛ぶ。「千円以上」でも「500円以上」でもないということは、8行目に来るのは「500円未満」の場合になる。この場合は、9行目の処理で金額に200円が加算され（流れ図❽）、12行目で計算結果の金額（200円が加算された金額）が表示される（流れ図❾）。

2-4-9　金額（単価×数量）の値による処理の区分け

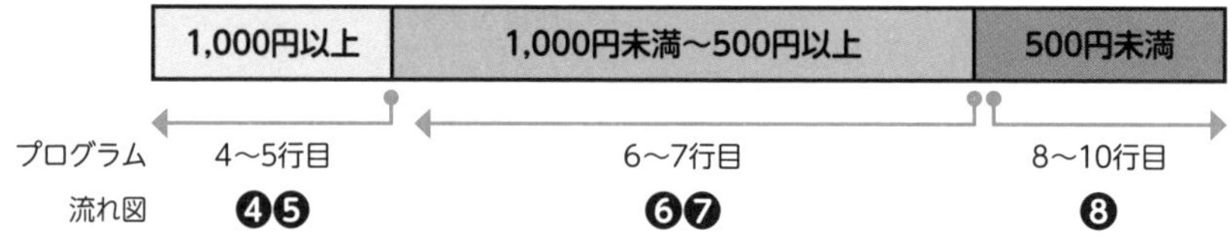

繰返し処理の基本（while文 と do while文）

繰返し処理<p.044>はプログラムの一部分を繰り返すことで処理の記述を省略できる便利な処理方法ですが、どうすれば適切なタイミングで繰返しから脱出できるのかを考えるのが難しく、ここが設問の題材となるポイントでもあります。よく使われるのは、ある値の上限値（または下限値）を繰返し処理の条件式に記述して、値が範囲内ならば繰返し処理を継続する方法です。

擬似言語の繰返し条件は「継続条件」のみ！

ITパスポート用の擬似言語には3種類の繰返し処理を行う文※が定義されているが、どれも「条件式を満たせば（true）次の繰返し処理に入る（継続条件）」という条件式を使い、「条件式を満たせば繰返し処理を抜ける（終了条件）」は使えないルールになっている。

そのため、例えば問題文が「変数aの値が10を超えたら繰返し処理を終了」となっていたら、擬似言語で記述する条件式は「変数aの値が10以下なら次の繰返し処理に入る（繰返しを続行）」と、条件を反転する必要がある。

※while文、do while文、for文の3種類

繰返し条件の反転

問題文が終了条件で書かれていたら…	a ＞ 10	「変数aが10より大きければ終了」
	↓ 条件を反転	
擬似言語は継続条件（繰返し条件）	a ≦ 10	「変数aが10以下なら繰返し」

判断（条件式）のタイミングが異なる前判定と後判定

繰返し処理には、条件式の置かれた位置の違いで2つのパターン＜p.044＞がある。

ココが基本

前判定繰返し処理：繰返し部分の処理に入る前に判断（while文とfor文）

後判定繰返し処理：繰返し部分の処理を行ってから、次の繰返しに入るかどうかを判断（do while文）

大きな違いは、後判定では問答無用で1回目の繰返し部分の処理が行われてしまうこと。繰返しの最初の1回目から繰返し条件を満たさない値が出てくる可能性がある場合は、後判定にしてしまうと繰返し処理が行われてしまい、正しく処理できない。

後判定を使うのは、繰返し条件に使う値を1回目の繰返し部分で予め処理する必要があるケースなど。この場合は、1回目の繰返しの後でないと正しく繰返し条件を判断できないので、後判定にしておく。

前判定繰返し処理

繰返し部分の処理に入る前に、繰返し部分に入るかどうかを判断（擬似言語ではwhile文とfor文）

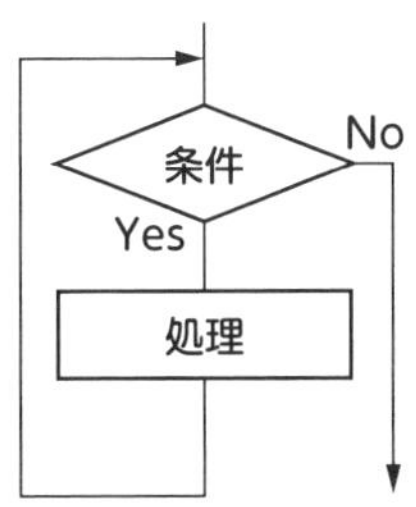

後判定繰返し処理

まず繰返し部分の処理を行ってから、次の繰返しに入るかどうかを判断（擬似言語ではdo while文）

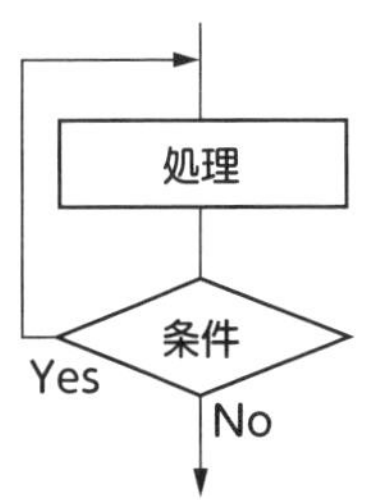

while文（while〜endwhile）＜前判定繰返し処理＞

while（ホワイル）は「その間」という意味。ITパスポート試験仕様の擬似言語では、前判定繰返し処理にはwhile文を使い、while〜endwhile（エンドホワイル）の間の処理を繰り返す。

while文の基本構造

```
while（ 繰返しを継続する条件式 ）
    繰返し行う処理
endwhile
```

● while文を使ったプログラム例

ある長さの棒状の素材を、最初の1本は10cm、次は10cm長い20cm、その次はさらに10cm長い30cm…と切断していって、最後に作られた棒の長さを求める。例えば元の素材が70cmなら、最後に作られる棒の長さは30cmになる（下図参照）。

次ページの関数lastLengthは、計算処理によって最後の1本の長さを求める機能を持つ。この関数は引数＜p.053＞として変数materialで素材の長さを受け取り、処理結果として求めた最後の棒（一番長い棒）の長さを変数productに代入して戻り値＜次ページ＞とする。ただし、元の素材の長さが10cm未満で、最初の1本が作れなかった場合は、戻り値productの値を「0」とする。

2-4-10 切り出せる棒の長さの例

	1本目	2本目	3本目	
素材 70cm	10cm	20cm	30cm	

2-4-11 関数lastLength（前判定）

```
1  ○ 整数型：lastLength(整数型：material)
2     整数型：product ← 0
3     整数型：remainL ← material
4     整数型：templ ← 0
5     while(remainL ≧ templ ＋ 10)
6        templ ← templ ＋ 10
7        remainL ← remainL － templ
8     endwhile
9     product ← templ
10    return product
```

繰返し処理

2-4-12 関数lastLengthの処理の流れ図

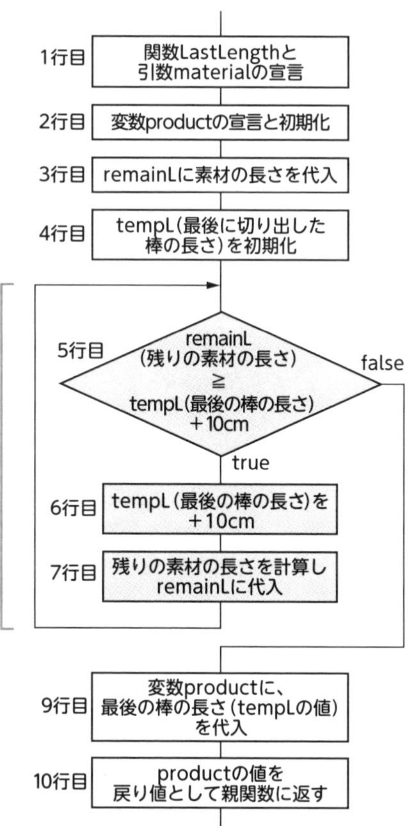

1行目
関数LastLengthと
引数materialの宣言
2行目
変数productの宣言と初期化
3行目
remainLに素材の長さを代入
4行目
templ（最後に切り出した
棒の長さ）を初期化
5行目
remainL
（残りの素材の長さ）
≧
templ（最後の棒の長さ）
＋10cm
false
true
6行目
templ（最後の棒の長さ）を
＋10cm
7行目
残りの素材の長さを計算し
remainLに代入
9行目
変数productに、
最後の棒の長さ（templの値）
を代入
10行目
productの値を
戻り値として親関数に返す

● 値を受け取る引数と、値を返す戻り値

じっくり
理解

この関数では、親関数とやり取りするために2つの変数を使っている。引数として親関数から素材の長さを受け取る変数materialと、親関数に処理結果の最後の棒の長さを戻り値として返す変数productだ。引数と戻り値は、どちらも通常の変数や配列<p.063>と同じもので、名前や型の宣言方法や値の代入方法も同じ。

ただし、引数はプログラム冒頭の手続き・関数の宣言文の（　）中で宣言する<p.053>。また、戻り値を入れる変数や配列は宣言部で宣言しておき、return文で指定することで親関数に値が渡される。なお、処理の流れの中でreturn文に到達すると、その時点でプログラムは終了するというルールになっている。

親子間の値のやり取り

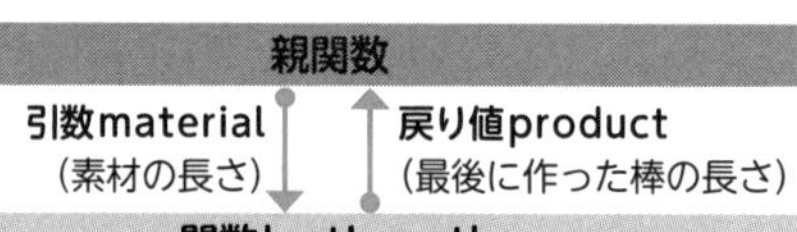

親関数
引数material
（素材の長さ）
戻り値product
（最後に作った棒の長さ）
関数lastLength

ちょこっとメモ 2行目と4行目では初期化（予め処理に都合のよい値を代入）が行われている。変数や配列は、その値を保存しているメモリの領域にどんな値が残っているか不明なため、初期化しないで使うと誤った結果が出る可能性がある。ただし、処理部で値を必ず上書きしてから使う場合、初期化を省略することもある。

2-4-13 素材の長さが70cmだったときの、変数の変化と繰返し条件の判断<前判定>

		material	remainL	templ	remainL ≧ templ ＋ 10	条件式の判断	product
	1行目	70					
	2行目						0
	3行目		70				↓
	4行目		↓	0			↓
繰返し1回目	5行目		↓	↓	70 ≧ (0+10)	true	↓
	6行目		↓	10			↓
	7行目		60	↓			↓
繰返し2回目	5行目		↓	↓	60 ≧ (10+10)	true	↓
	6行目		↓	20			↓
	7行目		40	↓			↓
繰返し3回目	5行目		↓	↓	40 ≧ (20+10)	true	↓
	6行目		↓	30			↓
	7行目		10	↓			↓
繰返し4回目	5行目		↓	↓	10 < (30+10)	false	↓
	9行目			↓			30
	10行目	変数productの値（最後の棒の長さ）「30」を戻り値として親関数に返す					

● 関数lastLengthが行っている処理

繰返し処理が入ってくると、プログラムの開始～終了までの工程が長く複雑になる。実際の擬似言語問題では流れ図も提示されないので、まだ不慣れなうちはプログラムの動きをしっかり把握するために、変数が処理によってどのように変化するのかを追うトレースという作業を行うとよい<左ページ下表>。この関数の処理は、次のような流れになっている。

- 繰返し(5～8行目)を行うたびに、切り出す棒の長さを10cmずつ長くし、残っている素材の長さを計算。
- 次の繰返しの冒頭(5行目)で「次の10cm長い棒が切り出せるかどうか」をwhile文の条件式で判断。
- 10cm長くした棒は切り出せないと判断した場合、その時点で繰返し部分には入らず、最後に切り出した棒の長さを戻り値として親関数に返す(9～10行目)。

1行目：整数型の関数lastLengthを宣言。引数は親関数から素材の長さを受け取る変数material。

2行目：処理結果を親関数に返すための戻り値を入れる変数productの宣言と初期化。この変数は、最終行10行目のreturn文で指定されているため、戻り値であることがわかる。

3行目：整数型の変数remainLを宣言し、引数materialに保存されている「素材の長さ」を代入(変数remainLは切り出した後に残った素材の長さを入れる変数)。

4行目：整数型の変数templを宣言し、「0」を代入して値を初期化(次の5行目で残った素材の長さremainLと比較しているので、最後に作った棒の長さを入れておく変数であることがわかる)。

5行目：残った素材の長さと次に作る予定の棒の長さ(10cm加算している)を比較し、残り素材の方が長ければ(true)6～7行目の処理を行い、次に作る棒の方が長ければ(false)繰返しの処理部分には入らず9行目の処理に飛ぶ。

6行目：変数templの値を、新たに作る棒の長さに更新するため10cm加算。5行目でも+10しているが変数templに代入していないので、加算前のtemplの長さは前回の繰返し時の値のママだ。

7行目：素材の残り長さが入っている変数remainLから、新たに作る棒の長さ変数templの値を引き、残りの長さを計算して上書き(代入)。

8行目：endwhileは繰返し処理の記述の終りを表す(whileに戻る)。

9行目：5行目で「残った素材の長さでは、次に作る棒の長さには足りない」と判断されると、この行に飛んでくる。変数product(戻り値)に変数templの値(最後に作った棒の長さ)を代入。もし元の素材の長さが10cm未満で最初の1本が作れなかった場合は、4行目で変数templに代入しておいた初期値「0」が変数productに代入される。

10行目：return文で変数productの値(最後の棒の長さ)を戻り値として親関数に返し、プログラム終了。

do while文(do～while)<後判定繰返し処理>

● 後判定繰返し処理を行うdo while文

繰返し判定に使われる値が1回目で必ずtrueと評価されると断言できるときは、繰返し処理に入るかどうかの判断を後回しにして、繰返し部分の処理にストレートに入れる場合がある。ITパスポート試験仕様の擬似言語では、後判定繰返し処理にはdo while文を使う。while文では繰返し処理の冒頭にあった条件式が、do while文では末尾にある。条件式を使った判断を最後に行うため、1回目の繰返しの処理部分は無条件で行われることに注意しよう。

while文の基本構造

```
do
    繰返し行う処理を記述
while ( 繰返しを継続する条件式 )
```

● do while文を使ったプログラム例

while文(前判定)の時と同じ問題で、後判定(do while文)のプログラム例<次ページ>を見てみよう。ただし今回は、「親関数から渡される元の素材の長さ(引数material)は、最低でも10cm以上」という前提条件を付け加えることにする。この前提条件によって「1本目の10cmの棒は切り出せることが確実」なため、最初の繰返し処理の入口で行っていた「素材の長さが10cm以上あるか」の判断を省略できる。そのため、ストレートに「次に切り出す棒の長さ(=最後の棒の長さ+10cm)」と「残りの素材の長さ(⇒前回の残りの長さ－次に作る棒の長さ)」の計算に入ることが可能だ。

2-4-14 関数lastLength02（後判定）

```
1   ○ 整数型：lastLength02（整数型：material）
2     整数型：product ← 0
3     整数型：remainL ← material
4     整数型：tempL ← 0
5     do
6       tempL ← tempL ＋ 10
7       remainL ← remainL - tempL
8     while（remainL ≧ tempL ＋ 10）
9     product ← tempL
10    return product
```

繰返し処理（5〜8行目）

2-4-15 関数lastLength02の処理の流れ図

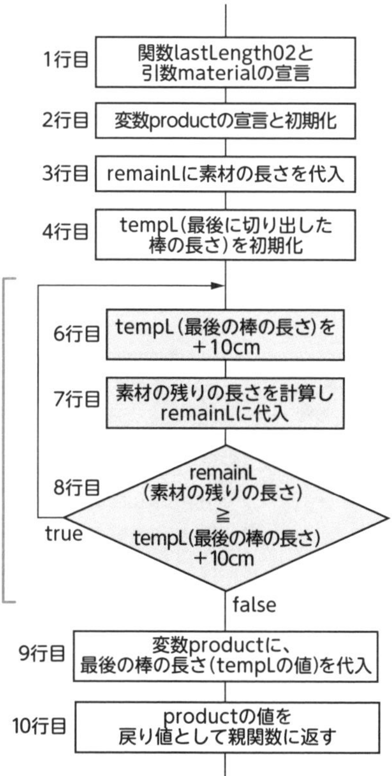

1行目
関数lastLength02と引数materialの宣言
2行目
変数productの宣言と初期化
3行目
remainLに素材の長さを代入
4行目
tempL（最後に切り出した棒の長さ）を初期化
6行目
tempL（最後の棒の長さ）を＋10cm
7行目
素材の残りの長さを計算しremainLに代入
8行目
remainL（素材の残りの長さ）≧tempL（最後の棒の長さ）＋10cm
true
false
9行目
変数productに、最後の棒の長さ（tempLの値）を代入
10行目
productの値を戻り値として親関数に返す

じっくり
理解

● 関数lastLength02の解説

前判定<p.060>では5行目で行っていた次の繰返し処理に入るかどうかの判断を、後判定のプログラムでは繰返しの末尾の8行目で行っている。それ以外の行は、前判定のプログラムと全く同じ処理だ。

下表を見ると、前判定では繰返し4回目（の条件式の判断）まであったが、後判定では繰返し3回目の最後で繰返し処理を脱出している（処理が早く終わる）ことに注目！

2-4-16 素材の長さが70cmだったときの変数の変化と繰返し条件の判断＜後判定＞

		material	remainL	tempL	remainL ≧ tempL ＋ 10	条件式の判断	product
	1行目	70					
	2行目						0
	3行目		70				↓
	4行目		↓	0			↓
繰返し1回目	6行目		↓	10			↓
	7行目		60	↓			↓
	8行目		↓	↓	60 ≧（10+10）	true	↓
繰返し2回目	6行目		↓	20			↓
	7行目		40	↓			↓
	8行目		↓	↓	40 ≧（20+10）	true	↓
繰返し3回目	6行目		↓	30			↓
	7行目		10	↓			↓
	8行目		↓	↓	10 ＜（30+10）	false	↓
	9行目			↓			30
	10行目	変数productの値（最後の棒の長さ）「30」を戻り値として親関数に返す					

制御変数を使った繰返しのコントロール

繰返しをコントロールする方法はいろいろありますが、あらかじめ繰返す回数がわかっているプログラムであれば、繰返し制御用の変数（制御変数<p.047>）を用いて、制御変数の値で繰返し回数をカウントすることで制御する方法がよく使われます。

繰返しのコントロールに「制御変数」が有効なケース

グループごとに学生のテストの合計得点を計算する場合に、次のような処理手順を考えてみる。

・繰返し処理を使い、繰り返すごとにグループのメンバー1人ずつの得点を順に加算して合計得点を計算。
・グループの最後のメンバーの得点を加算し終わったら、繰返し処理を終了。

このような処理では、前項の「棒の長さを計算する」例のように、繰返し処理で扱う値（この例では合計得点）の大小で繰返しの継続条件を書くことはできない。そこで今回は、繰返し処理で得点を足し込む回数（グループメンバーの人数で決まる）を条件にして制御する方法を使ってみよう。まず先に「配列」という変数の仲間の説明をしておく。

「配列」の使い方

「グループの各メンバーの得点」など、複数の値をまとめて扱いたいときには、変数の仲間の配列を使う。配列には、整数型・実数型・文字列型などの値を入れておくことができる。

● 配列の要素の指定（要素番号）

配列は値を入れる箱が連なったモノと考えるとわかりやすい。箱にはそれぞれ先頭から順に番号が振られており、この番号を要素番号と呼ぶ。配列の箱のことは要素というが、どの要素にアクセス（代入または読取り）したいのかは要素番号で指定する。

このとき気を付けたいのは、先頭の要素番号がいくつから始まっているかだ。問題文には必ず記載があるが、0から要素番号が始まる問題と、1から要素番号が始まる問題がある。0から始まる場合は、問題文に書かれる「何番目」と「要素番号」の値が違ってくるので要注意！

一次元配列の要素の指定

配列名 [要素番号]

二次元配列の要素の指定

配列名 [行番号, 列番号]

● 一次元配列（要素が1行のみの配列）の要素指定の例

問題文の表現：「要素番号が1から始まる配列scoreArrayの要素を {68, 70, 77, 62} とする。」

例1：配列scoreArrayの3番目の要素の値を変数sumScoreに代入する場合

要素番号	1	2	3	4
配列 scoreArray	68	70	77	62

sumScore ← scoreArray [3]

この配列の要素番号は1から始まるので「3番目」の要素は要素番号 [3]
変数sumScoreには77が代入される

例2：配列scoreArrayの先頭の要素に、90を代入する場合

scoreArray [1] ← 90

この配列の先頭の要素番号は [1]
配列の先頭にある要素の値が90に上書きされる

要素番号	1	2	3	4
配列 scoreArray	90	70	77	62

● 二次元配列（要素が複数行になっている配列）の要素指定の例

問題文の表現：「要素番号が0から始まる二次元配列zodiacArrayの要素を {{子, 丑, 寅, 卯, 辰, 巳}, {午, 未, 申, 酉, 戌, 亥}} とする。」

{ }が行の区切りになり、同じ{ }の内側にある要素は、同じ行に入っている要素の値であることを表す

例3：配列zodiacArrayの2行目4列目の要素の値を変数animalに代入する場合

animal ← zodiacArray [1, 3]

配列 zodiacArray 行番号＼列番号	0	1	2	3	4	5
0	子	丑	寅	卯	辰	巳
1	午	未	申	酉	戌	亥

配列から読み出され、変数animalに代入される値は「酉」

この配列の要素番号は行・列共に0から始まるので、「2行目」の行番号は [1]、「4列目」の列番号は [3] になることに注意！

グループの得点を合計する処理の流れ

● 問題文

関数totalScoreは、グループの合計得点を戻り値とする機能を持つ。この関数は2つの引数を持ち、各メンバーの得点は「要素数が1以上で要素番号が1から始まる一次元配列scoreArray」で、配列の要素数（グループの人数）は「変数member」で受け取る。

2-4-17 関数totalScore

```
1   ○ 整数型：totalScore
        (整数型の配列：scoreArray, 整数型：member)
2     整数型：addScore, groupScore
3     整数型：sumScore ← 0
4     整数型：i ← 1

5     while(i ≦ member)
6       addScore ← scoreArray[ i ] /*得点を取り出す*/
7       sumScore ← sumScore + addScore /*得点を加算*/
8       i ← i+1
9     endwhile

10    groupScore ← sumScore
11    return groupScore  /*戻り値の指定*/
```

2-4-18 関数totalScoreの処理の流れ図

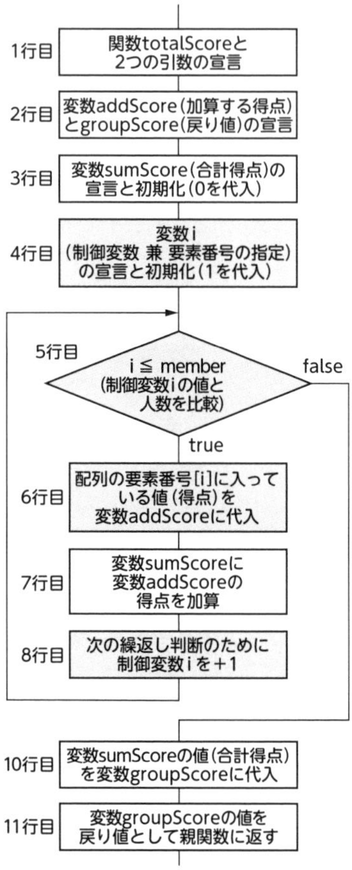

1行目 関数totalScoreと2つの引数の宣言
2行目 変数addScore（加算する得点）とgroupScore（戻り値）の宣言
3行目 変数sumScore（合計得点）の宣言と初期化（0を代入）
4行目 変数i（制御変数 兼 要素番号の指定）の宣言と初期化（1を代入）
5行目 i ≦ member（制御変数iの値と人数を比較） true / false
6行目 配列の要素番号[i]に入っている値（得点）を変数addScoreに代入
7行目 変数sumScoreに変数addScoreの得点を加算
8行目 次の繰返し判断のために制御変数iを+1
10行目 変数sumScoreの値（合計得点）を変数groupScoreに代入
11行目 変数groupScoreの値を戻り値として親関数に返す

2-4-19 引数の値、変数の変化と繰返し条件の判断

要素番号	1	2	3	4
scoreArray	68	70	77	62

member 4

		i	i ≦ member	条件の判断	scoreArray[i]	addScore	sumScore＋addScore	sumScore	groupScore
	3行目							0	
繰返し	4行目	1						↓	
1回目	5行目	↓	1 ≦ 4	true				↓	
	6行目	↓			scoreArray[1]	68		↓	
	7行目	↓				↓	0 + 68	68	
	8行目	2				↓		↓	
2回目	5行目	↓	2 ≦ 4	true		↓		↓	
	6行目	↓			scoreArray[2]	70		↓	
	7行目	↓				↓	68 + 70	138	
	8行目	3				↓		↓	
3回目	5行目	↓	3 ≦ 4	true		↓		↓	
	6行目	↓			scoreArray[3]	77		↓	
	7行目	↓				↓	138 + 77	215	
	8行目	4				↓		↓	
4回目	5行目	↓	4 ≦ 4	true		↓		↓	
	6行目	↓			scoreArray[4]	62		↓	
	7行目	↓				↓	215 + 62	277	
	8行目	5				↓		↓	
5回目	5行目	↓	5 > 4	false		↓		↓	
	10行目							↓	277
	11行目	変数groupScoreの値（グループメンバーの得点の合計値）「277」を戻り値として親関数に返す							

● **この関数のポイント**

繰返し回数のコントロールに使われる変数を、一般に制御変数という。その役割から制御変数と呼ばれるだけで、宣言の方法や使い方は他の変数と変わらない。制御変数は、習慣として変数名に「i」や「j」などが使われることが多いので覚えておこう。

この関数totalScoreのアルゴリズムのポイントは、「配列の各要素の値（得点）を順に読み取り→合計得点に足し込んで→最後の要素まで足し込みが完了したら、確実に繰返し処理を終了」すること。

このグループの例ではメンバーの人数は4人なので、必要な繰返し回数は4回（変数memberの値は4）。さらに、この関数では変数iを制御変数としてだけでなく、配列scoreArrayの要素を指定する要素番号（6行目：scoreArray［ i ］）にも兼用させて使っている。

1行目 ：合計得点を計算する関数totalScoreと、親関数から値を受け取る引数（メンバーの得点が入っている配列scoreArray、人数が入っている変数member）の宣言。

2行目 ：加算する得点を配列scoreArrayから読み出して保持する変数addScoreと、親関数への戻り値を入れる変数groupScoreの宣言。

3行目：合計得点を入れておく変数sumScoreの宣言と初期化（0を代入）。

4行目：制御変数として用いる変数iの初期化（1を代入）。

5行目 ：繰返し処理の継続条件。「変数i（繰返し回数）」と「変数member（人数）」を比較。変数iの値がメンバーの人数（配列の要素数）以下なら、6～8行目の繰返し処理に入る。

6行目：変数iで指定される配列の要素番号の要素の値（得点）を、変数addScoreに代入。

7行目 ：ここまでの合計得点が入っている変数sumScoreに、変数addScore（得点）の値を加算、その和をさらに変数sumScoreに代入。

8行目：次の繰返し条件の判断と、配列の次の要素を読み出す準備として、制御変数iの値に+1。

10行目 ：5行目の繰返し条件でfalse（メンバーの人数を超えた）と判断されると、この行へ飛ぶ。合計得点が入っている変数sumScoreの値を変数groupScoreに代入。

11行目：return文を使い、変数groupScoreの値を戻り値として親関数に返し、プログラムは終了。

「制御記述」で継続条件をまとめるfor文（for～endfor）

前項の関数totalScoreでは、別々の行に『制御変数iの宣言と初期化<4行目>、継続条件「制御変数iの値と人数の比較」<5行目>、制御変数を＋1<8行目>』と、制御変数に関わる処理をバラバラに記述していました。while文の代わりにfor（フォア）文を使うと、繰返しを判断する条件を含めた制御変数に関する処理を、1行にまとめて書く（制御記述と呼ばれる）ことができます。

2種類目の前判定繰返し処理「for文」

for文もwhile文と同じく、前判定繰返し処理を記述するための文だ。しかも、繰返しの制御に関わる部分を1行でまとめて書けるため、繰返しの条件を簡潔でわかりやすく記述できるメリットがある。

ココが基本

forの後の（ ）中に記述する制御記述には、繰返しの条件として次のような内容を記述する。

- 繰返しの制御に使う制御変数の指定
- 制御変数の最初の値（初期値）と繰返しの最後になる値（この値までは、繰返しの処理に入る 継続条件）
- 制御変数の更新の方法（「繰り返すごとに＋1」など）

for文の基本構造

```
for（ 制御記述 ）
    繰返し行う処理
endfor
```

2-4-20 関数totalScore02

```
1  ○ 整数型：totalScore02(整数型の配列：scoreArray)
2     整数型：addScore, groupScore
3     整数型：sumScore ← 0
4     整数型：i

5     for (iを1からscoreArrayの要素数まで1ずつ増やす)
6        addScore ← scoreArray[ i ]
7        sumScore ← sumScore + addScore
8     endfor

9     groupScore ← sumScore
10    return groupScore
```

2-4-21 関数totalScore02の処理の流れ図

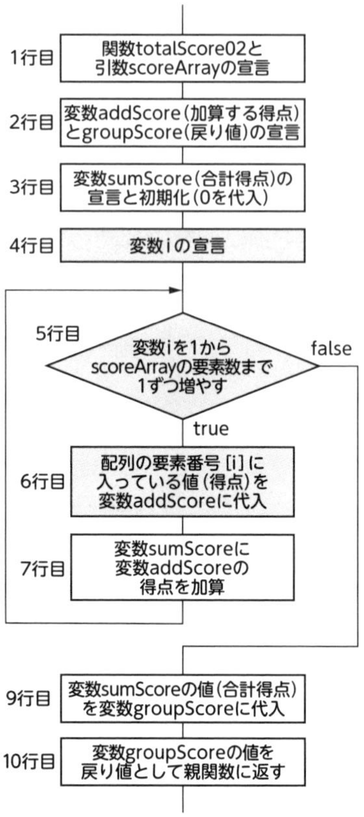

1行目 関数totalScore02と引数scoreArrayの宣言
2行目 変数addScore(加算する得点)とgroupScore(戻り値)の宣言
3行目 変数sumScore(合計得点)の宣言と初期化(0を代入)
4行目 変数iの宣言
5行目 変数iを1からscoreArrayの要素数まで1ずつ増やす（true / false）
6行目 配列の要素番号[i]に入っている値(得点)を変数addScoreに代入
7行目 変数sumScoreに変数addScoreの得点を加算
9行目 変数sumScoreの値(合計得点)を変数groupScoreに代入
10行目 変数groupScoreの値を戻り値として親関数に返す

● while文で書かれた関数totalScoreとの違い

1行目：前項の関数totalScoreではメンバーの人数（=要素数）を親関数から引数で受け取った。この関数では繰返し回数はfor文の制御記述<5行目>に「scoreArrayの要素数まで」と指定したことで不要となり、記述がない。

2〜3行目：前項の関数totalScoreと同じ。

4行目：制御変数iの宣言。初期値は5行目の制御記述で指定。

繰返し処理

5行目：for文の制御記述（継続条件）。「iを1からscoreArrayの要素数まで1ずつ増やす」と指定されている。文章が条件式の形をしていないのでわかりにくいが、これは繰返しの継続条件として「制御変数iの値が1〜4（要素数は4なので）のときは繰返しの処理に入る」という意味。

6・7行目：前項の関数totalScoreと同じ。

8行目：endfor（エンドフォア）はforから始まる繰返し処理の記述の終わりを表し、5行目のforへ戻る。

9・10行目：前項の関数totalScoreの10・11行目と同じ。

要素番号	1	2	3	4
scoreArray	68	70	77	62

2-4-22 引数の値、変数の変化と繰返し条件の判断

		i	条件の判断「iの値は1〜4」	scoreArray[i]	addScore	sumScore+addScore	sumScore	groupScore
	3行目						0	
繰返し	4行目						↓	
1回目	5行目	1	true				↓	
	6行目	↓		scoreArray[1]	68		↓	
	7行目	↓			↓	0 + 68	68	
2回目	5行目	2	true		↓		↓	
	6行目	↓		scoreArray[2]	70		↓	
	7行目	↓			↓	68 + 70	138	
3回目	5行目	3	true		↓		↓	
	6行目	↓		scoreArray[3]	77		↓	
	7行目	↓			↓	138 + 77	215	
4回目	5行目	4	true		↓		↓	
	6行目	↓		scoreArray[4]	62		↓	
	7行目	↓			↓	215 + 62	277	
5回目	5行目	5	false		↓		↓	
	9行目						↓	277
	10行目	変数groupScoreの値（グループメンバーの得点の合計値）「277」を戻り値として親関数に返す						

表計算ソフトの計算式

表計算ソフトは試験用に仕様が定義された仮想のソフトウェアで、オフィスツールの定番MS Excelがお手本です。そのため、この仮想ソフトの仕様を理解しておけば、Excelを使う実務への応用は容易です。
また、Excelにはマクロ（VBA）という機能が備えられていますが、擬似言語を修得済みなら、VBAでプログラムを書き、Excelの機能を拡張する使い方も可能になります（下記「ちょこっとメモ」参照）。

仮想表計算ソフトで実務のトレーニング

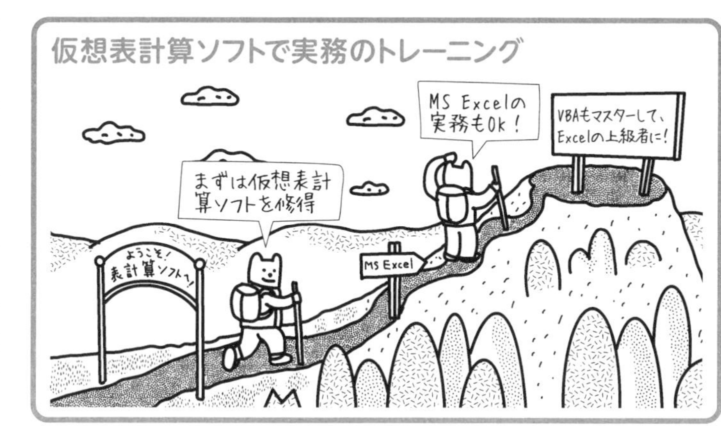

MS Excelの実務もOk！
VBAもマスターして、Excelの上級者に！
まずは仮想表計算ソフトを修得
ようこそ！表計算ソフトへ
MS Excel

表計算ソフトの基本機能

2-5-1　行とセルの関係

ワークシート　　列B

	A	B	C	D
1				
2				
3				
4				

行3　　セルB3

表計算ソフトでデータを操作するための作業領域をワークシートといい、列と行で作られる表組になっています。列名はA～Zの英字大文字で、行名は数字で表します。列と行が交わったます目をセルといい、列B行3の位置にあるセルはB3と表現します（セル番地）。

セルに入力する計算式

セルには、数値や文字列、セル参照（他のセルのセル番地を指定してそのセルの値を使う）や計算式などを入力できる。計算式は、数学の式と同じ演算子が使えるが、乗算は「＊」、除算は「／」なので要注意。

Excelとは異なり、式の先頭には「＝」を付けないので、普段Excelを使っている人は気を付けよう。

2-5-2　算術演算子

演算子	行う演算	式の例	式の例の意味
＋	加算	A1＋B1	セルA1の値＋セルB1の値
－	減算	A1－5	セルA1の値－5
＊	乗算	A1＊B1	セルA1の値×セルB1の値
／	除算	A1／5	セルA1の値÷5
＾	べき乗	A1＾2	セルA1の値の2乗

（）内は先に計算が行われ、乗算・除算・べき乗は加算・減算より優先されるのは、数学のルールと同じ。

計算結果の表示

ワークシートのセルには、計算式そのものではなく、結果の値が表示される。そのため、試験問題のワークシートには計算結果が示されている。ワークシートは再計算機能も備えており、あるセルの値を書き換えると、その値を使って計算している別のセルの値が自動的に再度計算され、ただちに新しい結果が表示される。

具体的な例を見ておこう。次ページ図2-5-3のセルD2とE2には計算式が入力され、その結果が表示されている。セルA2の値「60」が「90」に書き換えられると、A2の値を参照して計算しているセルD2とE2はすぐに再計算され、新しい計算結果が表示される。

ちょこっとメモ　**マクロ**とは、ユーザーが行った一連の操作を記録して、同じ操作を自動的に行わせる機能。表計算ソフトやワープロソフトなどに備えられている。
Microsoft社のオフィスツールでは、マクロはVBAという簡易的なプログラム言語で記録されている。ユーザー自身が直接VBAでプログラムを書くこともできるので、より複雑な操作を自動化させることも可能。

❶ セルD2に入力されている計算式：A2＋B2＋C2

❷ セルE2に入力されている計算式：D2／3

計算式中にセル番地がある場合は、指定されたセル番地に入力された値を使って計算する（詳細は次項参照）。

2-5-3　再計算の機能

	A	B	C	D	E	F
1	国語	数学	英語	合計点	平均点	
2	60	100	80	240	80	
3						

❶ 60＋100＋80の計算結果が表示されている

❷ 240÷3の計算結果が表示されている

再計算（セルA2の値が60→90に変更された）

	A	B	C	D	E	F
1	国語	数学	英語	合計点	平均点	
2	90	100	80	270	90	
3						

❶ 再計算した90＋100＋80の計算結果が表示される

❷ 再計算した270÷3の計算結果が表示される

ちょこっとメモ

ピボットテーブル（**ピボットデータ表**）は、条件を満たす値のみを合計するなど、高度な集計処理に使われるMS Excelの機能。「複数のキーワードで検索して集計」するなど、関数<右ページ>ではできない多彩な集計機能を持つ。具体的な機能や操作方法について出題されることはないが、ピボットテーブルの役割などが出題される可能性はあるので、覚えておこう。

テクノロジ系

別のセルの値を使う参照機能

計算式中に別のセルのセル番地（A1など）を書き、そのセルに入力されている値を使うことを参照（セル参照）といいます。セルに直接値を入力せずに、参照先を指定することで、値が変わってもセルに入力した計算式はそのまま使うことができます。

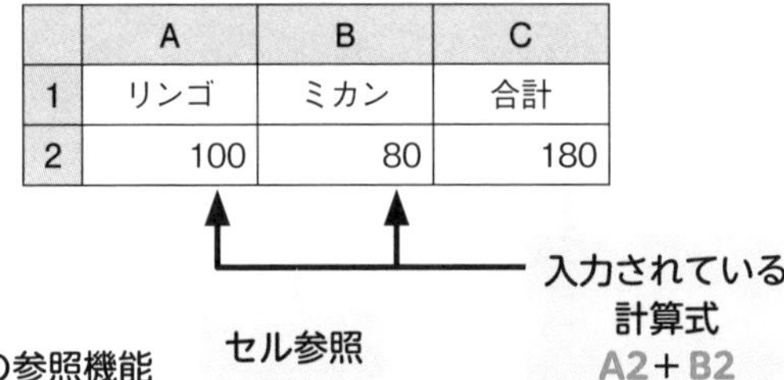

	A	B	C
1	リンゴ	ミカン	合計
2	100	80	180

2-5-4　セルの参照機能

セルの複写と相対参照

あるセルに入力されている数値・文字列・計算式を、別のセルに複写することもできる。計算式が他のセルの値を参照している場合、複写元と複写先のセルの位置関係によって、自動的に式中の参照先のセル番地が変更される。この参照先のセル番地の自動変更機能のことを相対参照といい、複写元の式を手軽に流用できるので便利。

例えば、セルD2に計算式「A2＋B2＋C2」が入力されている場合、セルD2の計算式を1行下のセルD3に複写すると、計算式は「A3＋B3＋C3」と行番号が変更され、3行目の合計を求めることができる。

2-5-5　相対参照の仕組み

	A	B	C	D
1	国語	数学	英語	合計点
2	60	100	80	240
3	100	50	60	210

A2＋B2＋C2

複写

参照するセルのセル番地が自動変更される→A3＋B3＋C3

絶対参照の指定

相対参照は便利な機能だが、勝手に参照先のセル番地が変更されてしまうと困る計算式もある。例えば、図2-5-6は学生の出欠の集計表で、セルB1に入力されている年間の授業回数（30回）から、各学生の出席回数を引いて欠席回数を求めている。

セルC4の式(山田)をC5（加藤）に複写して流用しようとすると、式中のセル番地が相対的なセル位置に変更される。そのため、授業回数が入ったセルB1からズレて、セルB2（この例では空欄）から出席回数を引く式になってしまう。

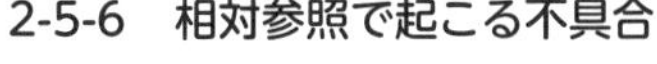

2-5-6　相対参照で起こる不具合

	A	B	C
1	授業回数	30	
2			
3	氏名	出席回数	欠席回数
4	山田太郎	28	2
5	加藤花子	26	
6			

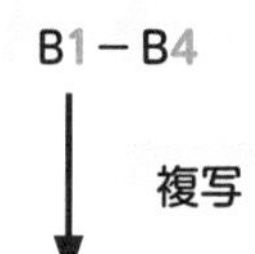

複写すると授業回数（B1）が参照できない！
→ B2－B5

じっくり理解

このような場合は、計算式を複写しても参照するセルのセル番地を変えずに固定する参照方法を使う。これを絶対参照といい、絶対参照を指定する場合は記号$を用いて、例えばセルB1を絶対参照にしたいなら$B$1と表す（図2-5-7）。

B1

列の固定　　行の固定

2-5-7　絶対参照の指定

	A	B	C
1	授業回数	30	
2			
3	氏名	出席回数	欠席回数
4	山田太郎	28	2
5	加藤花子	26	4
6			

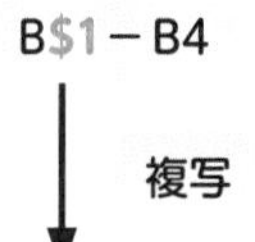

複写しても授業回数（B1）が参照される
→ B$1－B5

複写元のセルC4に、計算式「B1－B4」を入力し、これを1行下のセルC5に複写すると、計算式は「B1－B5」になり、加藤花子の欠席回数を正しく求めることができる。

じっくり理解

また、行か列のどちらかだけを絶対参照で指定することもできる。例えば、セル番地のB1の列番号（B）だけを固定する場合は$B1、行番号（1）だけを固定する場合はB$1と指定する。

図2-5-6の例は行方向（下方向）への複写なので、セルC4の山田太郎の計算式を「B$1－B4」と行番号だけ絶対参照にしておけば、複写しても正しい参照先を示す計算式になる（図2-5-7）。

表計算ソフトの関数

セルに入力する計算式には関数を使うことができます。表計算ソフトの関数とは「よく使われる計算や演算の組合せなどを、あらかじめ定義したもの」と考えるとよいでしょう。合計値を計算する合計関数や、平均値を計算する平均関数などがよく出題されています。

関数の書式とセル範囲

試験仕様の表計算ソフトで定義されている関数は、その機能を表す言葉（日本語）で関数名が付けられている。関数を使うには、関数名とともに引数を記述しなければならない。引数（ひきすう）とは、関数が処理を行うときに必要となる情報のことで、値、計算式、範囲、論理式などを指定する。必要な引数の項目や、引数を記述する順序は関数によって異なる。

関数名（引数1，引数2，…）

関数の名前を指定　　関数で計算するために必要な値や条件などの情報を指定

計算に使う値が入ったセルを引数として指定する場合、1つひとつのセル番地を書くのではなく、複数のセルをセル範囲としてまとめて引数に指定する関数もある。セル範囲とは、ワークシート上の長方形で囲めるセルの集まりのことで、次のように指定する。

セル範囲の左上端のセル番地：セル範囲の右下端のセル番地

例えば、セルB2からC3をセル範囲として指定するには、「B2：C3」のように表す。

2-5-8　セル範囲の指定

	A	B	C	D
1				
2				
3				

B2：C3

ちょこっとメモ　定義されている関数の機能と引数の定義などの表計算ソフトの仕様は、試験を主催するIPAのWebページ（https://www.ipa.go.jp）から、「試験情報」→「試験要綱・シラバス」→「試験要綱・シラバスについて」→「**試験で使用する情報技術に関する用語・プログラム言語など**」に記載されている。なお、表計算ソフトの仕様は、試験時間中に画面に表示させて参照することができる。

関数を使った計算式の例

最近の試験でよく出題されている関数は、合計関数・平均関数・整数部関数・IF関数・論理積関数・論理和関数の6つ。まず、合計関数・平均関数・整数部関数の例を見てみよう。

2-5-9　合計関数・平均関数・整数部関数の例

	A	B	C	D	E
1	国語	数学	英語	合計点	平均点
2	70	100	80	250	83

❶ 合計（A2：C2）　❷ 整数部（平均（A2：C2））

❶ 合計（A2：C2）

合計関数は、（　）内に示されたセル範囲に含まれる数値を合計する関数。文字などが入ったセルや、空値（何も入っていない）のセルなど、数値以外の値が入ったセルは無視される。この例では、セルA2～C2の合計値（70＋100＋80＝250）が結果として表示される。

❷ 整数部（平均（A2：C2））

この式は、平均関数の外側に整数部関数がある入れ子の構造になっている。整数部関数の引数として平均関数が指定されているため、内側の平均関数が先に計算される。

平均関数は、（　）の中に指定されたセル範囲に含まれる数値の平均値を計算する（文字などが入ったセルや空値のセルなど、数値以外のセルは無視）。この例の平均関数の計算結果は　250÷3＝83.33333…。この値が外側の整数部関数に引数として渡される。

整数部関数は、（　）内に指定された数値（セル参照している数値や計算結果の値も可）から、整数部だけを取り出す関数。もし、値が正の数値なら、小数点以下を切り捨てるだけでよい。

この例では、平均関数から引き渡された 83.33333… の整数部を取り出すので、計算結果は83。

ちょこっとメモ　平均関数の引数になっているセル範囲に、文字列や空値のセルがある場合、数値が入ったセルの値のみの合計値を、数値が入ったセルの数で割って平均を計算する。例えば、10個の内、数値が入ったセルが8個なら、8個の合計値を8で割る。ただし**「0」は数値**なので、数値が入ったセルとしてカウントし計算する。

IF関数の使い方

IF関数は、表計算ソフト問題の主役といってもよい関数です。p.044でアルゴリズムの3つの制御構造を説明しましたが、その中の選択の機能を持つのがIF関数です。値が引数に書かれた論理式を満たしているかどうかで異なる処理を行いたいときに、この関数を用います。

IF関数の書式

IF関数は3つの引数を使って処理を行う。論理式は選択処理の条件式<p.045>にあたる。比較演算子も同じものを使うので、もう一度目を通しておこう<p.041>。この論理式で判定した結果がtrue（真：論理式を満たす）なら式1の結果の値、false（偽：論理式を満たさない）なら式2の結果の値が、IF関数から戻ってくる値（セルに表示される値）になる。

IF（論理式，式1，式2）

true（論理式を満たす）のとき　　false（論理式を満たさない）のとき

IF関数の式の例

学生の成績を記録したワークシートの例（図2-5-10）を使って説明しよう。セルF2に入力する、『セルE2（平均点）の値が70点以上は「合格」、70点未満は「不合格」と表示』する式を考える。

論理式：「平均点（E2）が70点以上」

式1：論理式がtrue（満たす）のときに表示されるのは「合格」

式2：論理式がfalse（満たさない）のときに表示されるのは「不合格」

文字列を式中に記述するときには、文字列をシングルコーテーションで ’～’ のように囲むことを覚えておこう。平均点はすでにセルE2で計算されているので、セルF2に入力するIF関数の式は次のとおり。

IF（E2≧70，’合格’，’不合格’）

論理式：平均点（E2）は70点以上か？

2-5-10 学生の成績表（IF関数の例）

	A	B	C	D	E	F
1	国語	数学	英語	合計点	平均点	
2	60	100	80	240	80	合格

true　E2≧70　false

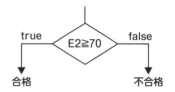

合格　不合格

この学生の平均点は80点、70以上であるため「合格」が表示されている

入れ子のIF関数

IF関数を「入れ子」にすると複雑な選択処理を作れる。図2-5-10のワークシートを使い次式を考えよう。

外側のIF関数の論理式　内側のIF関数の論理式

❶平均点が70点以上 で **国語が60点以上** なら「合格（内側の式1）」

❷平均点が70点以上 で **国語が60点未満** なら「国語追試（内側の式2）」

❸平均点が70点未満 なら「不合格（外側の式2）」

IF関数が入れ子で使われていると、どこで処理が分岐しているのかがわかりづらい。試験のときは、メモ用紙にごく簡単に流れ図を書き、式を考える前に分岐の条件(論理式)と表示される結果を整理しておくのが、早解きのコツだ。

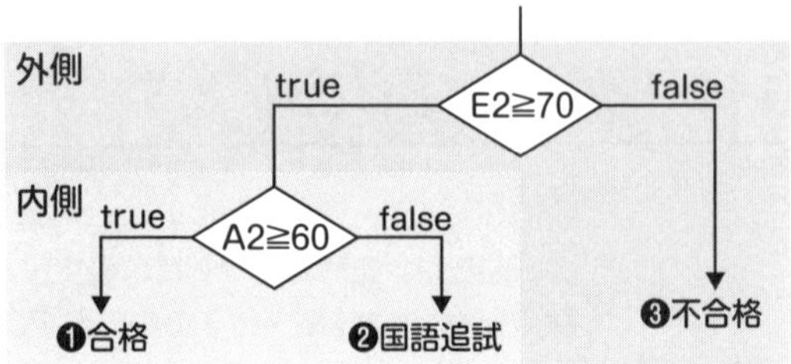

2-5-11 IF関数の入れ子の式

外側のIF関数の式1　❸外側のIF関数の式2

IF(E2≧70, IF(A2≧60, '合格', '国語追試'), '不合格')

❶内側のIF関数の式1　❷内側のIF関数の式2

IF関数と論理関数の組合せ

p.041では、条件を満たす／満たさないの判断に使う集合(論理)演算子を説明したが、表計算ソフトの論理関数も同様の機能を持ち、論理式の組合せや、ある条件を否定する論理式を作りたいときに使う。

IF関数の論理式に論理関数(3種類ある)を使う場合、論理関数は与えられた値が条件を満たせばtrueを、満たさなければfalseをIF関数への戻り値として返す。IF関数は、論理式として使っている論理関数からtrueが返ってくれば式1の、falseなら式2の結果の値を表示する。

2-5-12 3つの論理関数の機能と書式

問題文の表現	関数名	書 式	論理関数の機能
～かつ～	論理積	論理積(論理式1, 論理式2, …)	( )内の論理式のすべてを満たす場合にtrueを、1つでも満たさないものがある場合はfalseを返す。
～または～	論理和	論理和(論理式1, 論理式2, …)	( )内の論理式のどれかを満たす(すべてを満たす場合もOK)場合にtrueを、どれも満たさない場合はfalseを返す。
～ではない	否定	否定(論理式)	( )内の論理式を満たさない場合にtrueを、満たす場合はfalseを返す。

図2-5-10<p.071>のワークシートを使い、IF関数と論理積関数の組合せで『3科目すべての得点が70点以上なら「合格」、そうでなければ「不合格」』と表示するセルF2の式を考えてみよう。

IF関数の論理式：論理関数を使う
論理関数：「3科目すべての得点が」という条件なので、論理積関数を使う
論理関数の論理式：「国語が70点以上」「数学が70点以上」「英語が70点以上」
IF関数の式1：「合格」　IF関数の式2：「不合格」

2-5-13
IF関数と論理関数の組合せ

論理積関数とその引数

IF(論理積(A2≧70, B2≧70, C2≧70), '合格', '不合格')

IF関数の論理式　IF関数の式1　IF関数の式2

Chapter 3

ITを支える各種の技術

情報のデジタル化とマルチメディア

コンピュータは、実世界の多様な情報をデータに変換して保存し、それらを使って人にサービスを提供します。コンピュータと人の接点となる部分がヒューマンインタフェースです。コンピュータから提供される情報も文字・音声・画像だけでなく、仮想の3D動画であるVRやARなどを使った仕組み（カーナビなど）も実用化されています。

まぎらわしいVRとARの違い
VR(仮想現実感)
CGによる3D映像空間をヘッド
マウントディスプレイに映し出す
CGの世界に
入れるって
楽しい!!!
...
AR(拡張現実感)
現実の景色に、
CGや文字情報を重ね合わせる
見慣れた景色に
……うわ～!!
怪獣が出た！

情報のデジタル化

コンピュータ内部では、すべての情報をビット列のパターン<p.032>であるデジタルデータに変換して扱います。どのようなルールでデジタルデータに変換しているのかを見ていきましょう。

文字のデータ化

それぞれの文字とビットパターンを対応させる体系を文字コードという。すこし前まで国内のPCでは、アルファベット・数字・ひらがな・カタカナ・漢字・記号などを、16ビット（2進数16桁）のビットパターンで定義するシフトJISコードというローカルなコードが使われていた。

現在では、世界中の文字を1つの文字コード体系で網羅するUnicode（ユニコード）が普及して、8ビットで1文字を表現するUTF-8や、16ビットのUTF-16などの規格が用いられている。

Unicodeの例：**あ→0011000001000010**

音声のデータ化

楽曲の中で、音の高さは一瞬ごとに変わっていき、高音←→低音の間には無限の段階の音程がある。このような、値が連続的に変化する性質を持つ情報をアナログデータといい、アナログデータをコンピュータが扱うデジタルデータ（非連続の離散的な数値で表されるデータ）に変換することをA/D変換（エーディー：アナログ→デジタル）という。音声をA/D変換する仕組みを見てみよう。

ちょこっとメモ
コンピュータ内部に保存された音声のデジタルデータをスピーカで再生するときは、**D/A変換**（ディーエー：デジタル→アナログ）が行われる。

①標本化

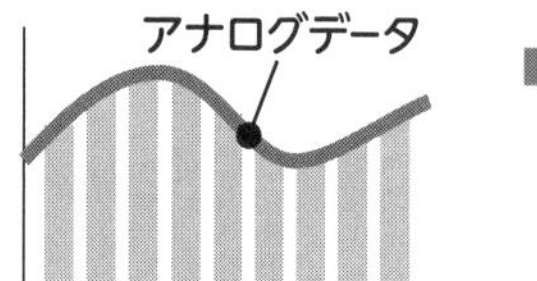

短い時間間隔で区切って、その瞬間の値を計測。サンプリングとも呼ばれる

②量子化

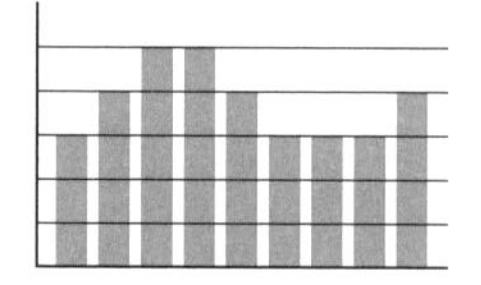

測定した信号の値を、適切な整数値にまるめる

③符号化

デジタルデータ
001101000101010101010000110011001101100

まるめた整数値をビット列に変換

3-1-1　音声のA/D変換の手順

画像のデータ化

画像データは、1枚の画像を細かな点（画素・ドット・ピクセル）の集まりに分解して表現する。24ビットカラーの場合、各ドットが持つ色の情報は、レッド（R）・グリーン（G）・ブルー（B）それぞれ8ビットずつ（8ビットは2進数8桁 2^8=256通り）のビットパターンで表現する。

ビットパターンと色を対応させる仕組みを、青く光る電球に例えて説明すると、値が「0（00000000）」なら「光っていない＝真っ黒」、数値が上がるにつれて光が強くなって青みが増していき、「255（11111111）」は「真っ青に強く光っている」状態を指す。つまり、「青」だけで256通りの色の濃さの「段階」があるわけで、この段階を階調といい、階調が多いデータほど色の再現力は高くなる。

3-1-2　色のデジタル化

画像のデータ容量計算

光が表す色は、RGBの3色（光の三原色）の掛け合わせでフルカラーを表現している。24ビットカラーなら再現できる色数は3色の掛け合わせで約1670万色（$2^{24}=2^8\times2^8\times2^8=256\times256\times256$）だ。24ビットカラーでは、1つのドットは24ビット（8ビット×3色）のデータで表現される。これを基に、ある画像全体のデータ容量を計算してみよう。

ちょこっとメモ

プリンターで印刷する場合、カラーインクで色を表現するため、RGBの画像データを「**色の三原色＋黒**」の**CMYK**（**C**：明るい青、**M**：赤紫、**Y**：黄色、**K**：黒）に変換して出力する。

<例題>縦600ドット×横800ドットの画像を24ビットカラーで表示する。この画像のデータ容量は何Mバイトになるか。

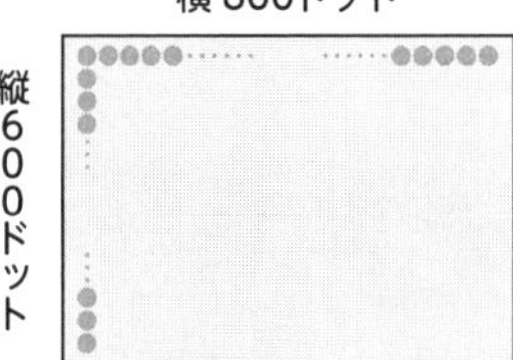

❶ ドットの総数

画像全体のドットの総数は縦のドット×横のドットで求める。

600ドット×800ドット＝480,000ドット

❷ 画像全体のデータ容量

各ドットのデータ量は、24ビットカラーなので、24ビット＝3バイト（8ビット＝1バイト）。

480,000ドット×3バイト＝1,440,000バイト＝1.44Mバイト<単位の換算はp.035>

多彩な情報を扱うマルチメディア

データ形式とは、情報をファイルとして保存する場合の仕様のことです。情報の種類や用途によっていろいろな形式が規格化されており、同じ種類の情報でも複数のデータ形式があります。これらの多様な種類・形式の情報をまとめて扱うコンピュータの機能をマルチメディアといいます。

マルチメディアデータの圧縮技術

音声や映像は時間と共に変化するアナログデータなので、それをデジタルに変換したデータには大量の情報が含まれており、データ容量がかなり大きい。そこで、あるルールでビット列をまとめて変換し、ビット列を短くすることでデータ容量を減らすデータ圧縮の技術が使われている。

簡単な圧縮の仕組みの例：白と黒のみで描かれた画像を、「色」と「その色が続いている数」で表現

マルチメディアのデータ形式は、圧縮形式も含めて規格化されている。圧縮後のデータを解凍（伸張）再生したときに、圧縮前と同じ品質で再生できる圧縮形式を可逆圧縮といい、データ容量が大きいのが欠点。そこで、容量を減らすために人が気付きづらい部分を間引いてから圧縮する非可逆圧縮が採用されているが、このデータ形式の場合、解凍したデータは元データより音質や画質が劣化する。

3-1-3 マルチメディアの主なデータ形式

分類	名称(拡張子)	特徴
静止画像	JPEG (.jpg)	静止画像の圧縮形式。写真などのフルカラー静止画像のフォーマットとしてよく使われている。
	GIF (.gif)	標準のGIFは最大で256色。Webページのメニューやイラストなどに利用されている。複数の画像を連続的に表示するアニメーションGIFや、画像中の1色を透明色にできる透過GIFという形式などもある。
	PNG (.png)	フルカラーの可逆圧縮の画像形式で、GIFより圧縮率が高い。Webページ用の画像形式として利用される。
	BMP (.bmp)	フルカラーも扱えるが非圧縮のためデータ容量が大きい。Windowsで標準形式として採用されている。
動画	MPEG (.mpg)	ISO(国際標準化機構)とIEC(国際電気標準会議)により規格化された、カラー動画の圧縮伸張の標準形式。
	AVI (.avi)	Windows標準の動画ファイル形式。
音声	MP3 (.mp3)	上記MPEGのアルゴリズムを応用して、高音質で高い圧縮率(約1/10)を実現する音声の非可逆圧縮方式。インターネットでの音楽配信などで利用されている。
	WAV (.wav)	PCM(パルス変調)方式というA/D変換<p.074>で作成する音声データ。Windowsの標準ファイル形式。
音楽	MIDI (.mid)	コンピュータで電子楽器を制御するためのインタフェースとして規格化された。音程、音の強弱、音色などの楽譜データを記録・再生するためのファイルフォーマットも規定されている。

仮想の世界を人に見せる技術

CG(シージー:Computer Graphics)はコンピュータを使って仮想の画像(2D・3D)や動画を作る技術。VR(ブイアール:Virtual Reality)はCGによる3D映像を(ゴーグル状の)ヘッドマウントディスプレイなどに映し出し、ユーザーの動きをセンサで読み取って映像の動きを合わせることで、仮想空間に居るように感じられる仮想現実のこと。カメラで撮影している現実空間の映像に、別の映像や文字情報などを重ねて投影するAR(エーアール:Augmented Reality:拡張現実)も実用化されている。

これらの映像を建物などの立体物に投影するプロジェクションマッピングをイベントなどで見かけることがあるだろう。建造物には凹凸があり、投影する部分によってプロジェクターとの距離が異なる。そのため、映像が歪んで見えないように予め凹凸に合わせて調整した映像を作成する技術を使っている。

3-1-4 マルチメディアコンテンツに関わる用語

用語	説明
メタバース	コンピュータやインターネット上に作られている仮想空間のこと。ユーザー(参加者)は自身の分身となるアバター(デジタルで作成したキャラクター)を使い、他のユーザーと交流したり、ビジネスに参加するなど、実世界とも連動する活動を行うことが可能。
ストリーミング	インターネット経由のコンテンツ配信に使われる技術。従来の技術ではコンテンツデータが最後までダウンロードされてから再生が始まっていたが、ストリーミング配信はデータの一部が到着した時点で再生を開始できる。
エンコード/デコード	エンコードはある規則に従ってデータを変換することで、符号化ともいう。デコードはエンコードしたデータを再変換して元のデータに戻すこと。マルチメディア分野では、音声や動画をA/D変換+データ圧縮することをエンコード、解凍+D/A変換をデコードという。
CPRM(シーピーアールエム:Content Protection for Recordable Media)	DVDやSDカードをメディアとした場合のコンテンツ配布用の著作権保護技術。ユーザーが行う複製を1回のみに制限するコピーワンスなどに用いる。
DRM(ディーアールエム:Digital Rights Management)	デジタル著作権管理のこと。ソフトウェアやハードウェアに制限機能を持たせることで、不正に入手・複製されたコンテンツの再生を不可にする技術。

3-1-5 ヒューマンインタフェースに関する用語

用語	説明
ユーザビリティ、アクセシビリティ	ユーザビリティとは、ユーザーが製品やサービスを使うときに、簡単で効率よく利用でき、その結果に満足できる度合いのこと。アクセシビリティはユーザビリティの中でもヒューマンインタフェースに注目した用語で、アクセスのしやすさ(入手・利用・操作のしやすさ)の度合いのこと。
VUI(ブイユーアイ:Voice User Interface)、NUI(エヌユーアイ:Natural User Interface)	VUIは、人の声を使って意図した操作を行うことができるインタフェースのこと。GoogleアシスタントやAmazonのアレクサなどが実用例。NUIは、人が日常行う自然な動作で操作するインタフェースで、例えばタッチパネルに指で触れながらアイコンなどを移動させる(ドラッグ)、2本の指の間隔を広げる/狭める動作で、表示の拡大/縮小などを行うピンチアウト/ピンチインなどの操作がある。
UXデザイン(ユーエックスデザイン:User Experience)	Experienceとは「経験・体験」のこと。作り手がユーザーの利用場面を想像して反応を予測したり、作り手自身が利用して実体験することで、より良い使用体験が得られる製品・サービスを設計すること。例えば、LINEはコミュニケーションツールに必要な機能が網羅され、簡単操作で使い心地がよく、親しみやすい画面デザインで広く普及しており、UXデザインの成功例といわれている。

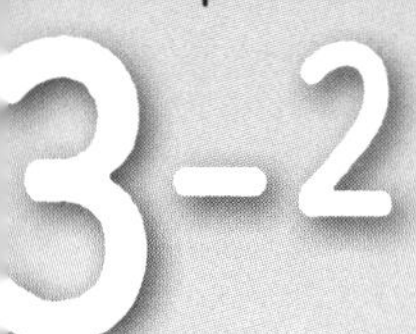

関係データベースの仕組み

それぞれの社員がデータを別々に保存していると、手元にないデータを探し回ったり、更新するタイミングのズレで情報の矛盾が起きるなど、データの利用効率は良くありません。
データベース(DataBase：DB)は、大量のデータを一括して管理し、体系的に蓄積・利用するための仕組みで、個別の業務でデータを扱うときには、データベースから必要なデータを呼び出して使います。

関係データベースの特徴

データベースは、データをどのような形（論理構造）で保持するのか（データモデル）によって、階層データモデル（データを親子関係で階層化して管理）、ネットワークデータモデル（データどうしの関連情報を付加して網の目状の論理構造で管理）、オブジェクトモデル（データとそのデータの処理方法をまとめて管理）、関係データモデル(次項)などのモデルが使われています。中でも、一番広く普及しているのが関係データモデルです。

関係データモデルとは

関係データモデルは「集合」の考え方を応用したモデルで、「ある要素（値）がどんな集合に含まれるのか」を考えて、情報の論理的な構造を作っていく。

<例> 値：「りんごジャム」と「チョコクリーム」 → これらの値が含まれる集合は「商品」
値：「200円」と「250円」 → これらの値が含まれる集合は「単価」

さらに別の集合に含まれる値を紐付けることで、さまざまな値を1つの大きな集合にまとめ上げていく。

<例> 商品「りんごジャム」，単価「200円」

関係データベース（関係DB）

関係データモデルを用いたデータの論理構造を持つデータベースを関係データベース（関係DB）という。関係データベースでは、データを複数の表の形で保存し、表と表の関連や、表中の列と列の関連などを定義しながら、全体を構築していく。

蓄積された情報の形がシンプルでわかりやすいため、業務用データベースの多くが関係データベースを採用している。なお、実際にデータベースを構築・操作する場合は、データベース管理システム(DBMS) <p.086>というソフトウェアを導入する。

<関係データベースに保管する表を作成するまでの手順>

① 業務に使う情報の個々の値を、その意味や性質などで列項目に分類

② 関連の強い列は1つの表にまとめる

③ すべてのフィールドがどこかの表に含まれるように、必要な数の表を作成（表は複数になる）

④ さらに表と表を結びつける情報（キー）を各表に設ける

3-2-1　関係データベースの表の要素

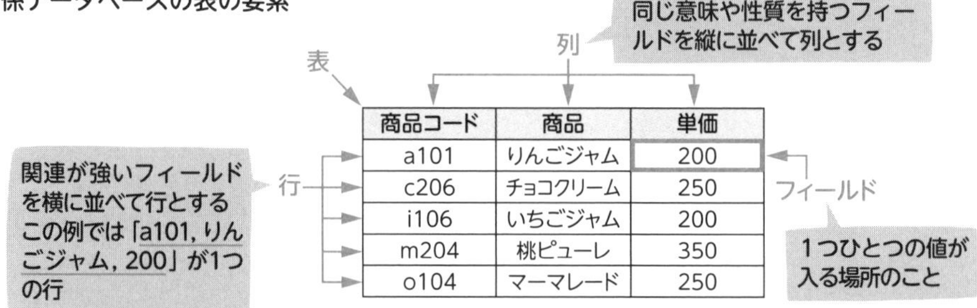

表
列
同じ意味や性質を持つフィールドを縦に並べて列とする
関連が強いフィールドを横に並べて行とするこの例では「a101，りんごジャム，200」が1つの行
行
フィールド
1つひとつの値が入る場所のこと

商品コード	商品	単価
a101	りんごジャム	200
c206	チョコクリーム	250
i106	いちごジャム	200
m204	桃ピューレ	350
o104	マーマレード	250

関係データベースの表まわりの用語は、使っているDBMS＜p.086＞などで異なり、「表・テーブル・リレーション」、「列・カラム・属性」、「行・レコード・タプル」など、同じものを指す用語が複数ある。そのため本書では、一般的な表現である「表」「列」「行」と、列に含まれる1つのマス目を「フィールド」、横並びのフィールド1行分のデータを「レコード」として説明する。

なお問題文では、列に相当する意味合いを「フィールド」や「項目（列項目）」と表現されることもあるので覚えておこう。

ちょこっとメモ　関係DBが実際に保存しているデータは、表組形式にはなっていない。しかし、表組の書式は列と行で値の集合と関連を示せるので、集合理論を基にした関係DBの論理的なデータ構造を視覚的に表現するのに都合がよい。そこで、人にわかりやすい形として、関係DBでは「表組み」を使ってデータを出力している。

表設計と「キー」の定義のルール

列の定義や、フィールドに入れる値のルールも含めて、もう少し詳しく表の設計を見ていきましょう。

表の正規化

表を設計するときには、情報の重複（冗長性）や矛盾をなくして、データの保守（更新や修正など）が容易になるように表の形を整える正規化が行われる。

例えば、図3-2-2の最初に示した非正規形の表だと、受注のたびに「商品名」と「製品単価」の入力が必要。しかし、“受注明細”表と“商品”表を別にして、商品名と単価は常に“商品”表から参照するようにしておけば入力は不要だ。また、単価が変更されたら、“商品”表の該当する価格欄のみを修正すればよい。

3-2-2　表の正規化

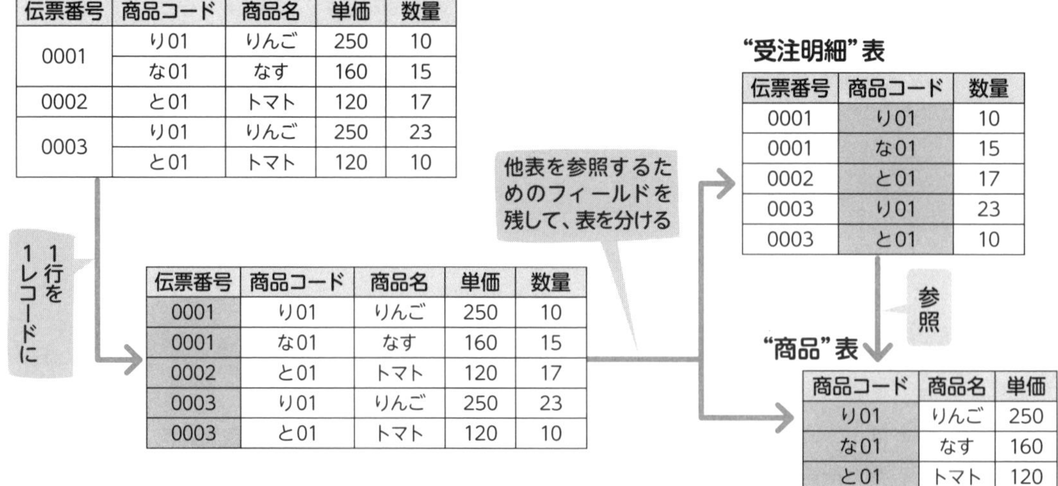

非正規形
1行を1レコードに
他表を参照するためのフィールドを残して、表を分ける
“受注明細”表
参照
“商品”表

非正規形

伝票番号	商品コード	商品名	単価	数量
0001	り01	りんご	250	10
	な01	なす	160	15
0002	と01	トマト	120	17
0003	り01	りんご	250	23
	と01	トマト	120	10

伝票番号	商品コード	商品名	単価	数量
0001	り01	りんご	250	10
0001	な01	なす	160	15
0002	と01	トマト	120	17
0003	り01	りんご	250	23
0003	と01	トマト	120	10

“受注明細”表

伝票番号	商品コード	数量
0001	り01	10
0001	な01	15
0002	と01	17
0003	り01	23
0003	と01	10

“商品”表

商品コード	商品名	単価
り01	りんご	250
な01	なす	160
と01	トマト	120

主キーのルール

関係データベースのそれぞれの表には、ある1行（レコード）を特定するためのフィールドが設定されており、これを主キーという。

もし、下図3-2-3の“社員”表で「氏名」を主キーにすると、同姓同名の社員がいた場合に複数の行が候補となり特定できない。そのため、「社員番号」のように、ある主キーの値には必ず1行だけが対応する（同じ値が無い）フィールドを選ぶ。

主キーになるフィールドにはいくつかの制約があり、複数のフィールドで同じ値を保存することはできず（一意性制約）、空値（NULLという）のままにしておくのもNG（NOT NULL制約）。

複数の列にあるフィールドが主キー（複合主キー）になることもある。例えば、「建物番号」と「部屋番号」のように、片方だけでは行が特定できない場合、両方のフィールドを組みにして主キーに設定する。

外部キーのルール

ある表から別の表を参照しているとき、参照先の行の特定に用いるフィールドを外部キーという。参照元の外部キーから、参照先の特定の1行が参照されるには、参照元の外部キーは参照先の主キーでなければならない（主キー以外だと、同じ値が複数存在して、参照先の行が特定できない可能性あり）。

図3-2-3の“社員”表と“部署”表は、フィールド「部署番号」で関連付けられている。ある社員の所属部署名が知りたいとき、“社員”表には部署名のフィールドがないため、外部キー「部署番号」を手がかりに“部署”表から参照する（例：社員番号「201」の浅井愛子の所属部署は「C2」の総務部）。

3-2-3　主キーと外部キーの例

“社員”表（外部キー：部署番号）

社員番号	氏名	年齢	部署番号
101	浅井愛子	26	C3
201	浅井愛子	44	C2
202	斉藤友子	29	C3
301	高崎多喜子	36	C1

氏名が同じ！

主キーの値は重複不可！　“社員”表の主キー

参照

“部署”表（“部署”表の主キー：部署番号）

部署番号	部署名
C1	設計部
C2	総務部
C3	営業部

参照元の表からいくつもの別の表を参照する場合は、それぞれの表を参照するための外部キーとして、複数のフィールドが外部キーに設定される。

試験では列名のみでフィールドの値の部分が省略された表がよく出る。この省略形の表では、「主キー：下線」「外部キー：破線」という表し方も定番なので、覚えておこう。

3-2-4　2つの外部キーを示す表の例

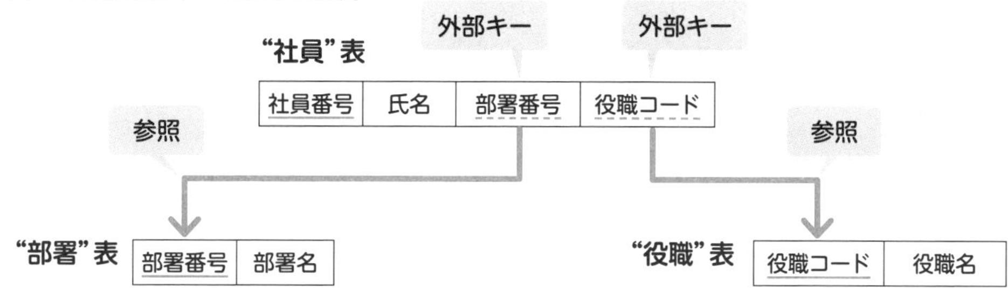

ちょこっとメモ　正規化と絡めて出題される用語にデータクレンジングがある。**データクレンジング**とは、処理の前段階でデータを整えること。データベース用のデータに対して行うデータクレンジングは、正規化を行い、さらに値の誤記を修正したり、表現の揺れ（例：プリンタ／プリンター、usb／USB）などを統一することで、データの検索品質を高め、データベースの一貫性や信頼性を向上させる方法。

表の正規化と主キー・外部キーの設定

商品の仕入状況を管理している関係データベースの“仕入一覧”表を正規化して，“仕入”表と“商品”表に分割したい。分割後の二つの表に共通して必要なフィールドとして，最も適切なものはどれか。ここで，仕入れは一度に一つの商品だけを仕入れることとし，仕入番号で一意に識別できる。また，商品は商品番号で一意に識別できる。

仕入一覧

仕入番号	商品番号	商品名	個数	単価	支払方法	納品日

ア　仕入番号　　イ　支払方法　　ウ　商品番号　　エ　商品名

解説　正規化の手順とコツを掴もう

❶ とりあえず､｢仕入｣に関わるフィールドと｢商品｣に関わるフィールドを分けてみよう

仕入：仕入番号、納品日、商品番号、個数、支払い方法
商品：商品番号、商品名、単価

“仕入”表にも商品に関するフィールドが無いと、何を仕入れたのかわからない。でも「商品名」だと同名の商品があったら困る… だから“仕入”表に入れるのは「商品番号」

❷ “仕入”表と“商品”表の主キーを探す

❶で分けたフィールドの中から､「他の行と絶対に重複しない値を持つフィールド（＝主キー)」を見つける。最大のヒントは問題文にある「仕入番号で一意に識別」「商品番号で一意に識別」という説明。「一意に識別」とは、同じ値がないという意味だ。つまり､“仕入”表の主キーは「仕入番号｣､“商品”表の主キーは「商品番号」になる。

❸ 外部キーと対応する主キーを見つける

問題文の「二つの表に共通して必要なフィールド」とは、参照元の表の外部キーと参照先の表の主キーのこと。参照元側の外部キーは“仕入”表の「商品番号｣、対応する参照先側の主キーは“商品”表の「商品番号」となる。

3-2-5　表の分割と主キー・外部キーの定義

“仕入”表

仕入番号	納品日	商品番号	個数	支払方法

仕入番号：主キー　商品番号：外部キー →（参照）

“商品”表

商品番号	商品名	単価

商品番号：主キー

正解：ウ

主キー・外部キーの制約に関する問題

関係データベースにおける外部キーに関する記述のうち，適切なものはどれか。

ア　外部キーがもつ特性を，一意性制約という。

イ　外部キーを設定したフィールドには，重複する値を設定することはできない。

ウ　一つの表に複数の外部キーを設定することができる。

エ　複数のフィールドを，まとめて一つの外部キーとして設定することはできない。

解説　なぜその参照制約が必要なのか、理解して覚えよう

ア・イ：一意性制約とは「同じ列にあるフィールドに、重複する（同じ）値があってはならない」とする制約とのこと。フィールドの値によって行を特定する必要がある主キーには、この制約がある。

他表を参照するために設定する外部キーでは、値の重複するフィールドがあっても構わない。

例：p.079図3-2-3の"社員"表の外部キーに設定されている「部署番号」では、101の浅井さんと202の斉藤さんが同じ部署の「C3」。

ウ：正解。図3-2-4<p.079>のように参照先の表が複数ある場合は、外部キーのフィールドが複数になることが多い（1つのフィールドを外部キーとして、複数の表を参照している場合もある）。

エ：参照先の表が複合主キー<p.079>を持つ場合は、1つのフィールドでは参照先の行を特定できないため、参照元の表には複数のフィールドを1つの外部キーとして設定できる。

正解：ウ

データベース設計に使うE-R図

ココが基本

関係データベースの表設計に用いる図法にE-R図があります。Eはデータベースが管理対象とする実体（Entity：表中のフィールドに該当）、Rは実体どうしの関連（Relationship）を意味しています。簡単にいうと、データベースに保存すべきデータ（E）と、それらのデータどうしの関連（R）を図で表し、分析・整理して表の設計に用いるのがE-R図です。

E-R図の読み方

E-R図でよく出題されるのは「ある実体と別の実体の、数の対応関係」。例えば、1機の航空機に乗れる乗客は複数人なので、この関係は1：多。これが自転車だと、自転車と人の関係は1：1（幼児を乗せる以外の二人乗りは禁止！）になる。なお、E-R図では「多」になる側に矢先を付けるので、覚えておこう。

3-2-6　E-R図の書式

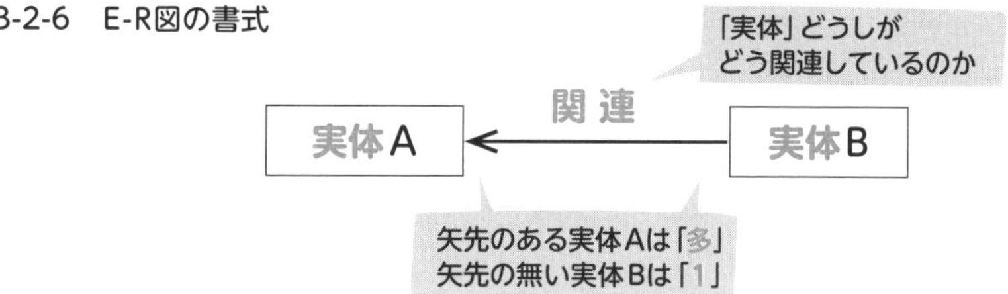
「実体」どうしが
どう関連しているのか
関 連
実体A
実体B
矢先のある実体Aは「多」
矢先の無い実体Bは「1」

解答のウラ技

具体的な例として、「生徒」とその生徒が所属している「学級」の関係をE-R図で考えてみよう。E-R図で、数を表す矢先を付ける箇所を考えるときは、「1人の」「1つの」という言葉を付けて考えてみるのがコツだ。

生徒：1人の生徒が所属している学級は1つ
（「生徒」から見て「学級」は1つ：学級側の矢先は不要）

学級：1つの学級に所属している生徒は複数
（「学級」から見て「生徒」は複数：生徒側には矢先が必要）

3-2-7　「生徒」と「学級」の関連を表すE-R図

「生徒」と「学級」の関連は「所属」
所 属
生 徒
学 級
「1人」の生徒が所属する学級は「1つ」で、
学級には「複数」の生徒がいるケースを想定

データベースの操作

データベースの操作には、データベースの設計・構築、フィールドへの値の入力、保存しているデータの取出しなどがあります。試験で主に出題される操作はデータの取出しですが、探したいデータに合わせて、いろいろな演算処理が使い分けられています。

イメージで覚える"関係演算"
"選択"は行を抜き出すこと
レタスは嫌い ハムだけ 選択!!
上のバンズ〜 下のバンズまで ごっそりぬき出すよ!!
"射影"は列を抜き出すこと
"結合"はキーの値を元に、複数の表をつなぎ合わせること
バンズとバンズ パテとパテ 野菜と野菜を ドッキング!!

データ操作に使う演算の種類

実際にデータベースを操作する場合は、データベース管理システム（DBMS<p.086>）の操作画面を利用する方法と、データベース操作用の言語であるSQL(エスキューエル)を記述してDBMSに実行させる方法があります(どちらも出題範囲外)。試験では、操作の目的に合った「演算の種類」とレコードの取り出しに使う「言葉を使った簡単な条件式の記述」の2項目が出題されます。

新しい表を作る集合演算

データベース操作の集合演算は、集合の考え方を応用した演算の一種で、試験では代表的な和・差・積の3つが出題されている。同じ意味のフィールドを持つ列がある表どうしなら、1つの表にまとめたり、表から必要な部分だけを取り出して新たな表を作るなどの演算ができる。それぞれの集合演算はp.041のベン図で説明した演算と同じ考え方をするので、もう一度確認しておこう。

3-3-1 3つの集合演算

和(合併)

表を縦に繋げ新たな表を作る。すべてのフィールドの値が同じ行は、1行にまとめられる。

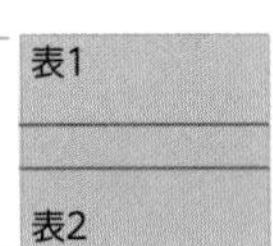

差

表1から、表2と値が共通する行を除いて、新たな表を作る。

積(交差)

値が共通する行だけを抽出し、新たな表を作る。

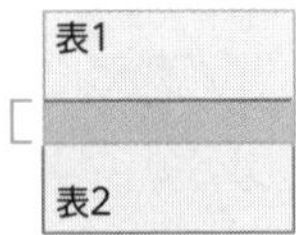

3-3-2 集合演算の例

表1

社員番号	氏名
201	朝倉愛子
202	斉藤咲子
301	高崎滝子

表2

社員番号	氏名
101	亀井佳世
102	山田靖男
202	斉藤咲子

和

社員番号	氏名
101	亀井佳世
102	山田靖男
201	朝倉愛子
202	斉藤咲子
301	高崎滝子

表1に表2の行を追加（共通する行は1行にまとめる）

差

社員番号	氏名
201	朝倉愛子
301	高崎滝子

表1と表2に共通する行を、表1から除く

積

社員番号	氏名
202	斉藤咲子

表1と表2に共通する行のみを取り出す

表から行や列を抜き出す関係演算

関係演算では、条件に合う行や列だけを取り出すことができる。また、列項目が異なる表から、関連のある列どうしを繋げて、新たな表を作ることもできる。試験では、代表的な選択・射影・結合の3つの関係演算が問われている。

3-3-3　代表的な3つの関係演算

選択
条件を満たす値を持つフィールドが含まれる行を抽出して、新たな表を作る。

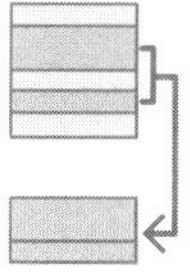

射影
必要な列だけを取り出して新たな表を作る。

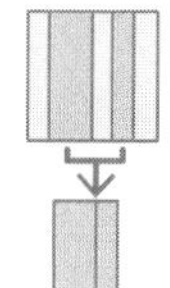

結合
特定の列のフィールドの値をもとに、複数の表を横に結合し、新たな表を作る。

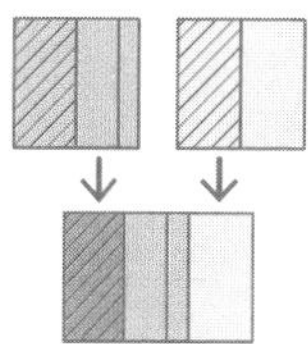

3-3-4　関係演算の例

じっくり理解

"社員"表

社員番号	氏名	年齢	部署番号
201	朝倉愛子	26	C3
101	亀井佳世	44	C2
202	斉藤咲子	29	C3
301	高崎滝子	36	C1

選択：(年齢＜30)

"社員"表から、条件を満たす値を持つフィールドを含む行を抽出

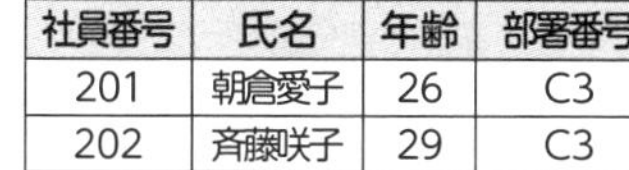

社員番号	氏名	年齢	部署番号
201	朝倉愛子	26	C3
202	斉藤咲子	29	C3

射影

"社員"表から、指定した列のフィールドを抽出

氏名	年齢
朝倉愛子	26
亀井佳世	44
斉藤咲子	29
高崎滝子	36

"部署"表

部署番号	部名
C1	設計部
C2	総務部
C3	営業部

結合

"社員"表と"部署"表を結びつけるフィールド「部署番号」の値を使って、2つの表を結合

「部署番号」は"社員"表の外部キー、"部署"表の主キー

社員番号	氏名	年齢	部署番号	部名
201	朝倉愛子	26	C3	営業部
101	亀井佳世	44	C2	総務部
202	斉藤咲子	29	C3	営業部
301	高崎滝子	36	C1	設計部

データの取出しに使う条件文

試験では、操作結果の表から行われた操作や使われた条件文を推測する問題が出ています。まずは、条件文に用いられるワイルドカードの使い方から説明しましょう。

条件文に使われるワイルドカード

条件に合う文字列を探すための条件を考えさせる問題が出ている。ワイルドカードは、トランプのジョーカーのようなもので、条件文の中で任意の文字の代わりをする記号。「ワイルドカードの部分は、どんな文字が入ってもよい」ことを意味する条件の記述に使われる。

ワイルドカードに使われる記号と、そのワイルドカードの条件（ワイルドカードが示す文字数など）は、その都度、問題文中に説明が書かれている。

<出題されるワイルドカードの例>

? ：**任意の文字**　1文字**を表す**
* ：**任意の文字列**　0文字以上**（文字数は任意）**

検索条件「？うどん」で抽出される文字列

うどん
「うどん」の前に文字が無いのでNG
肉うどん
OK
うどんすき
「うどん」の前に文字が無く、さらに「うどん」の後に文字があるのでNG
カレーうどん
「うどん」の前に文字があるが、3文字なのでNG

検索条件「＊うどん」で抽出される文字列

うどん
「うどん」の前に文字は無いが、＊は0文字以上なのでOK
肉うどん
OK
うどんすき
「うどん」の後に文字があるのでNG
カレーうどん
＊は0文字以上（何文字でもよい）なので、3文字でもOK

試験問題を解く！

行われた操作（演算）の推測

表1と表2に，ある操作を行って表3が得られた。行った操作だけを全て挙げたものはどれか。

表1

品名コード	品名	価格	メーカー
001	ラーメン	150	A社
002	うどん	130	B社

表2

品名コード	棚番号
001	1
002	5

表3

品名	価格	棚番号
ラーメン	150	1
うどん	130	5

ア　結合　　イ　結合，射影　　ウ　結合，選択　　エ　選択，射影

解説　別表にある列を1つの表で使うときは、一度結合させる

❶ 表3にある列が、元の表のどこにあるのかを確認

品名：表1、　価格：表1、　棚番号：表2

表3の列は、表1と表2の両方から来ている…どう操作すれば、品名や価格（表1）からその商品の棚番号（表2）を特定できるかな？

❷ 複数の表にある列をまとめる演算は「結合」

表1と表2で共通する列は「品名コード」。表1では「品名コード」は主キーであり、さらに表2を参照するための外部キーでもある。「品名コード」のフィールドの値を使い、同じ値を持つレコード（行）どうしを横に繋げて、2つの表を結合してみよう。

表1と表2を結合した表

表2だけにある列

品名コード	品名	価格	メーカー	棚番号
001	ラーメン	150	A社	1
002	うどん	130	B社	5

品名コードの値が同じ行どうしを結合

❸ 必要な項目（列）だけを取り出す操作は「射影」

問題の表3では、「品名」「価格」「棚番号」のみが表示されている。つまり、結合した表からさらに必要な列だけを取り出しているので、❷の表に対して行った操作は射影。

表3

品名	価格	棚番号
ラーメン	150	1
うどん	130	5

❷の表から、「品名」「価格」「棚番号」の列のみを取り出した表

正解：イ

論理演算子と比較演算子を用いた条件式

"気温"表の2023年の7月1日から8月31日までの間で，最高気温が35度以上のレコードを全て抽出したい。抽出条件として，適切なものはどれか。

ア　年 = 2023 and (月 = 7 and 月 = 8) and 最高気温 ≦ 35

イ　年 = 2023 and (月 = 7 and 月 = 8) and 最高気温 ≧ 35

ウ　年 = 2023 and (月 = 7 or 月 = 8) and 最高気温 ≦ 35

エ　年 = 2023 and (月 = 7 or 月 = 8) and 最高気温 ≧ 35

気 温

年	月	日	最高気温
2023	1	1	12
2023	1	2	11
2023	1	3	9
⋮			
2023	7	31	34
2023	8	1	36
⋮			
2023	12	31	10
2024	1	1	11

解説　選択肢の違いに注目して、間違い探しをするのがコツ

❶ 選択肢を眺めて、条件式の構造を考える

論理演算子の意味と使い方は、p.041で復習しておこう。ア～エの各選択肢に書かれた条件式は、どれも次の3つの条件を持つ構造になっている。

年の条件　and　(月の条件)　and　最高気温の条件

and (かつ) は、前後にある条件の両方を満たすことを示す<p.041>
3つの条件がandで繋がれているので、3つとも満たすレコードが抽出される

❷ 数式の優先順序にしたがって、月の条件から考える

数学の計算式の優先順位では、(　) 内の演算は他より優先して行うルールになっている。この問題も、先に(　)内の「月の条件」を考えよう。

ア・イ　(月 = 7 and 月 = 8)

and (かつ) は、前後にある条件の両方を満たすことを示す
「7月かつ8月」

ウ・エ　(月 = 7 or 月 = 8)

or (または<p.041>) は、前後にある条件のいずれかを満たすことを示す
「7月または8月」

「7月 かつ 8月 (7月であり8月でもある)」という日付は存在しないため、アとイは誤り。

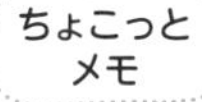

問題文の「7月1日から8月31日までの間 (7月始め～8月末)」という条件から考えると、「月」の値が7または8という「月の条件」のみで、「日」の範囲を判断する条件は不要なことにも注目しよう。もし、提示された範囲が「7月半ば～8月半ば」であれば、「日」に関する条件文を追加する必要が出てくる。

❸ 「最高気温の条件」から、正解の選択肢を判断

どの選択肢も年の条件は同じ「年 = 2023」なので、残った条件から単純そうな「最高気温」の条件を先に考える。

「最高気温が35度以上」→　最高気温 ≧ 35　が正しい条件式

残った正解の選択肢はエ。

もし「最高気温 ≦ 35」だったら
「最高気温が35度以下」を表す

正解：エ

Chapter 3-4

DBMSの管理・制御機能

データベース管理システム（DBMS）には、さまざまな機能が備わっています。なかでも、データの更新処理中に障害が発生した場合に、データを復旧させる障害回復機能が問われることが多く、リカバリの方法として小規模な障害の場合に用いるロールバックと、大規模な障害からの回復を行うロールフォワードがよく出題されています。

ロールバック処理とロールフォワード処理の違い
ロールバック処理
ちょっとした破損なら
補修で何とかなる
鼻が取れた！
この程度なら
接着剤でくっつけて！
ロールフォワード処理
大がかりな破損だと、バックアップからやり直し
首ごと折れた！
キープして
おいた別の丸太
(バックアップ)
から作り直し
だねぇ…

DBMSの機能

関係データベース用のデータベース管理システム（DBMS：ディービーエムエス：DataBase Management System）には、MySQL（OSS<p.022>）やOracle Database（Oracle社）のように、企業のシステムに使われる大規模なデータベース用のものや、Microsoft Access（Microsoft社）など個人ベースで使えるものまで、さまざまな種類のソフトウェアがあります。

DBMSの代表的な3つの機能

ちょこっとメモ
データベースの構築や管理を行う専用サーバとして、サーバ機にDBMSを稼働させたものを**データベースサーバ（DBサーバ）**という。

❶ **データベース定義機能**
データベースの構築を行うための機能（3-2<p.077>で説明）。表や列の定義、フィールドの値の制限やキーの設定、表と表の関連の定義などもDBMSの機能を使って記述する。

❷ **データベース操作機能**
データベースに格納された表からデータを取り出す操作<p.082>や、それぞれのフィールド・レコード（行）への値の入力・更新などの操作を行うための機能。

❸ **データベース管理（制御）機能**
データの機密保護機能（アクセス制御機能：ユーザーごとに各データへのアクセスの可否を判断）や、保全機能（排他制御機能、障害回復機能）などで構成される。

同時アクセスに対応する排他制御機能

DBMSには、複数のユーザーやプログラムから同時に同じデータへの書換え（更新）要求が来ても、データに矛盾が起こらないように制御する機能が備えられています。例えば、航空機の座席予約システムで、同じ座席に対して同時に予約処理を許すと、ダブルブッキングが起こってしまいます。このような矛盾の発生を防止し、データの一貫性を保つ機能が排他制御（同時実行制御）機能です。

ロックとアンロック

DBMSは、あるプログラムがデータ更新のためのアクセスを行っている間は、他のプログラムからの同一データに対するアクセスを禁止（ロック；lock）しておき、先のプログラムの処理が完了してからロックを解除（アンロック；unlock）する排他制御を行う。

デッドロックは、2つのプログラムが、お互いに要求するデータ（相手がロックしている）の解放を待ったまま、永久に待ち状態から抜け出せなくなる状態のこと。

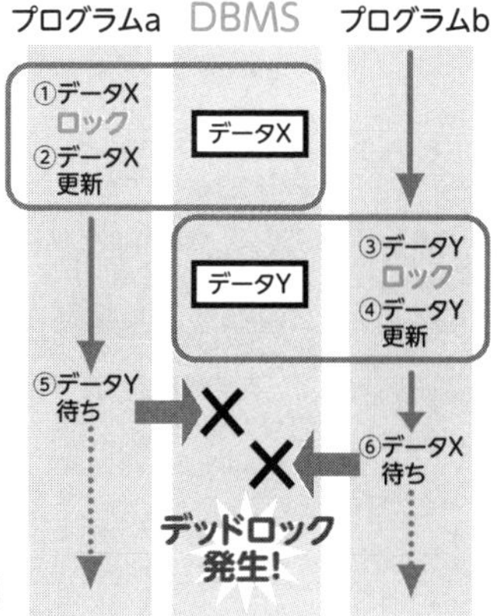

3-4-1　デッドロックの発生

トランザクションとデータの復旧

トランザクションとは、ユーザーやプログラムから要求される処理の、ひとまとまりの操作単位のことです。例えば、銀行のATMを利用した預金の引き出しでは、引出し操作を受けて引出し金額から引出後の口座残高を再計算してデータベースに記録し、現金と明細書をATMに排出させるまでが一連の取引となります。このように、分断できない処理のまとまりがトランザクションです。

トランザクション処理は、トランザクションごとに処理を実行し、ひとつのトランザクションが確定する（結果が出る）までは、別のトランザクションには移行しません。

DBMSには、障害発生時に復旧（リカバリ）するための機能がありますが、データの復元はこのトランザクションを1つのまとまった単位として処理を行います。

データ更新の手順

更新処理の途中で処理が異常終了した場合（下図❹）、DBMSはデータを更新前（トランザクションの開始前）の元の状態に戻すロールバック処理を行います。

3-4-2　データ更新の手順とロールバック

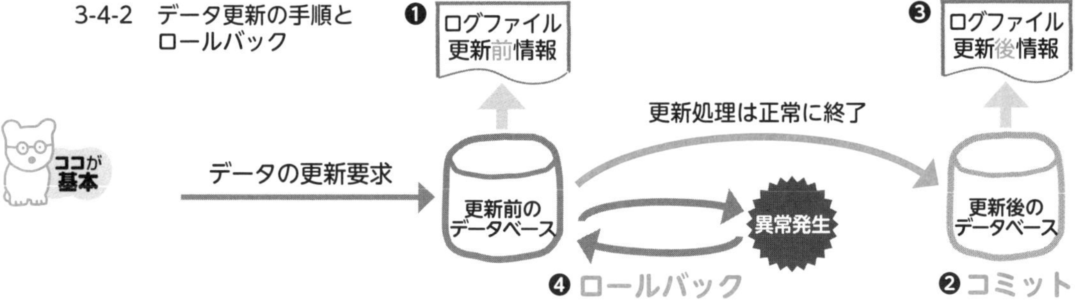

❶と❸ ログの取得

更新が行われる都度、更新前と更新後のデータベースの内容をログファイル（ジャーナルファイル）に書き込んでおく。

❷ コミット

更新に必要な処理と書き換えが正常に完了した場合にのみ、DBMSは更新を確定（コミット）する。

❹ ロールバック処理

更新処理中に障害が発生した場合は、その時点のデータベースの内容とログ（更新前情報）を使い、更新直前の状態までデータベースを復元するロールバック処理（バックワードリカバリ）を行う。

ロールフォワード処理

障害の程度が大きく、❹のロールバック処理では更新前の状態に復元できない場合、最新のバックアップファイルと、そのバックアップを取得した以降のログファイルの更新情報を使用して、障害発生直前の状態までデータベースを復元。これをロールフォワード処理と呼ぶ。あらかじめ設定しておいたタイミングで自動的にバックアップを取る機能も、DBMSの重要な機能だ<バックアップp.157>。

3-4-3 よく出題されるDBMS関連の用語

チェックポイント	データの更新時は、まずDBMSが動作しているコンピュータの主記憶装置に更新済みのデータが保存され、これを何回かのタイミングに分けてDB用の補助記憶装置（HDDなど）に書き込むが、このタイミングがチェックポイント。障害発生時はチェックポイント時点の主記憶装置の内容が最新状態なので、これを元に補助記憶装置のデータを復旧。
インデックス	DBに保存された膨大な量のデータの中から検索を行うのは時間がかかる。インデックスは検索時間短縮のため、あらかじめデータに設定しておく検索の手がかりとなる情報のこと。例：顧客DBで購入頻度の高い顧客のレコードに「優良顧客」を示すインデックスを付けておく。
アーカイブ	長期保存用のデータのこと。データ復旧用のバックアップは、次のバックアップが行われるたびに上書きされるが、アーカイブは原則的に上書き禁止にして長期間保存する。また、複数のファイルをまとめて1つに圧縮<p.075>したものもアーカイブといい、「ファイルの1本化＋圧縮」の機能を持つツールをアーカイバと呼ぶ。
レプリケーション	まったく同じデータを持つデータベースを複数箇所に配置して、検索などの処理要求を分担させることで、データベースサーバの負荷を分散するシステム構成のこと。大元になるマスタデータベースと、複製したレプリカデータベースとの整合性を保つため、即時または定期的に両者の同期を行っている。
NoSQL（ノーエスキューエル）	シンプルなデータ構造を持ち、大容量の映像や音声などのデータも管理することができる、新たなタイプのデータベースのこと。操作にも関係データベースで使われる修得が難しいSQL<p.082>などは不要（NoSQLの語源）。データモデルが異なる複数のデータベースを統合できるなど柔軟性が高く、保管しているデータ容量が大きくなっても検索性能は下がりにくいといった特徴を持つ。
ACID特性（エーシーアイディー）	データベースに求められる4つの特性を示す用語。Atomicity（原子性）：トランザクションが「すべての処理が完了」しているか、「まったく処理が実行されていない」かのどちらかの状態に制御されること。Consistency（一貫性）：更新処理などが行われた場合、関連する複数の表の間に矛盾が生じないこと。Isolation（独立性）：同時に複数のトランザクションからデータベースに処理要求があっても、互いに干渉されないこと。Durability（持続性）：トランザクション（更新など）の内容と結果は記録され、保存されることで障害が発生しても消失しないこと。

DBMSの機能に関する用語

トランザクション処理におけるロールバックの説明として，適切なものはどれか。

ア　あるトランザクションが共有データを更新しようとしたとき，そのデータに対する他のトランザクションからの更新を禁止すること

イ　トランザクションが正常に処理されたときに，データベースへの更新を確定させること

ウ　何らかの理由で，トランザクションが正常に処理されなかったときに，データベースをトランザクション開始前の状態にすること

エ　複数の表を，互いに関係付ける列をキーとして，一つの表にすること

解説　「排他制御・コミット・ロールバック」は要暗記！

問題文では、「データ検索」や「データ更新」など具体的な操作内容を書かずに、ユーザーやプログラムからの処理要求をまとめて表す言葉としてトランザクション<p.087>が使われることがある。示されたトランザクションの中身が、どんな操作の要求なのかを想像して答えを考えよう。

ア：複数のトランザクション（複数のユーザーやプログラムからの処理要求）が同時に更新することを防ぐのは、排他制御（同時実行制御）機能。

イ：確定＝コミットのこと。

ウ：正解。トランザクション処理の開始前に戻すのがロールバック。

エ：ある表の外部キーの列と参照先の主キーの列のフィールドの値を関連付けて、一つの表にまとめる操作は関係演算の結合。

正解：ウ

Chapter 4
ネットワーク技術

ネットワークの基礎

社内や家庭内といった同一の敷地内など狭い範囲で使われるネットワークをLAN（ラン：Local Area Network）といいます。一方、WAN（ワン：Wide Area Network）は複数のLANを結んだ広域なネットワークで、LANどうしの接続には通信事業者（電話会社など）が提供する通信回線を利用しています。インターネットは、世界中にある無数のLANを繋いだ世界規模の巨大なWANです。LANやWANには、コンピュータやルーター<接続装置 p.098>などさまざまな機器が接続されており、これらを端末やノードと呼びます。

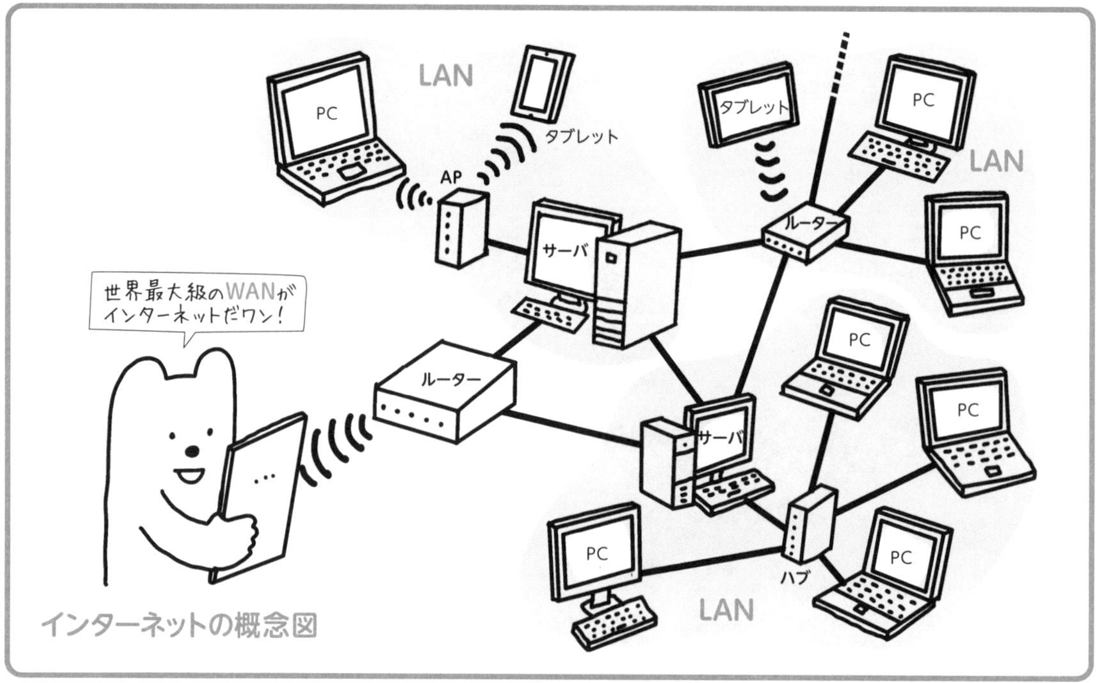

インターネットの概念図

ネットワークで使う回線

ちょこっとメモ
一番小さなネットワークは、2台のコンピュータを直接ケーブルで接続した**ピアツーピア**（peer to peer）と呼ばれる形態。

コンピュータ内部でのやり取りと同じように、ネットワークもケーブルなどの伝送路（通信回線）を使い電気的に情報を送ります。端末間を繋ぐ回線の使い方（通信方式）には、次の2つの方法があります。

ネットワークの通信方式

回線交換方式は、通信のたびに端末間に通信路を設定する方式。例えば、昔の電話は電話局内の交換機を使い、2台の電話の間を物理的な回線で接続していた。この方式では、通信が終了するまでこの2つの端末の間の通信が回線を独占して使用するため、1つの回線で複数の通信はできない、そのため通信品質は高いが、回線の利用効率が低く、通信費用も高価だった。

LANやWANで使われるパケット交換方式は、送るデータを小さく分割して、やり取りに必要な情報を付加したパケットを伝送路に送信する。データをパケット単位でバラバラにネットワークへ送り出せるため、複数の端末で同じ伝送路を共有することができる。回線の利用効率が高く、通信費用も抑えられるが、流れているパケットの量が多くて回線が混み合うと、パケットの到着に遅れが生じやすいので、通信品質はあまり高くない。そのため、以前は通話などリアルタイム型の通信には適さないとされていた。しかし、光回線など高速大容量な通信回線の普及や通話用アプリケーションの技術向上で、LINE通話やSkypeのビデオ通話など、インターネット経由のパケット通信の品質も向上している。

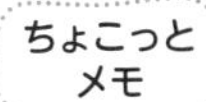

パケットとは小荷物のこと。「大きな装置を小さな部品に分解して、いくつもの小荷物で送り、現地で組み立てる」というイメージで考えるとわかりやすい。

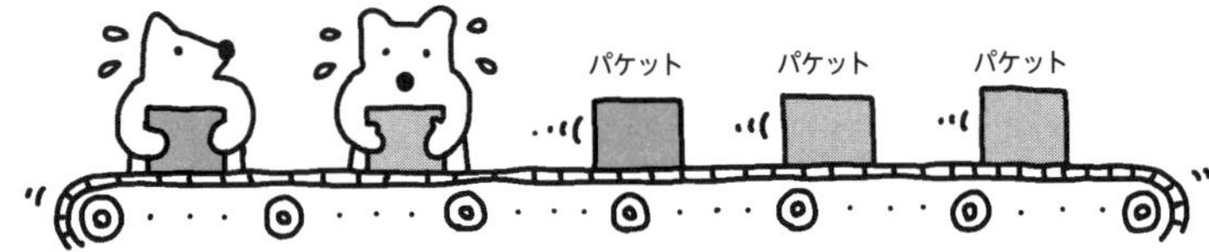

ネットワークの通信速度

通信速度（回線速度）の単位は、その回線で1秒間に送れるデータ量をビット／秒（一般にはbps：bits per second）で表す。値が大きいほど高速な回線であることを示している。装置間を繋ぐインタフェース<p.016>の転送速度も同じビット／秒を用いる。データ容量はバイト単位<p.035>だが、通信速度・転送速度はビット単位で表すので、データ容量から転送に必要な時間などを計算するときは、単位の換算を忘れないように注意！　例題を使って、ファイルの転送時間を計算してみよう。

じっくり理解

<転送時間の計算例>

- **通信速度：100Mビット／秒**
- **転送するファイルの容量：100Mバイト**
- **転送効率：80%（実際の通信速度がどれくらい出るか、その割合の平均を表す値）**

通信経路上に大量のデータ（パケット）が流れていたり、多数の端末が同時に通信していると、実際の通信速度が遅くなることがある

実効通信速度

転送効率を考慮した通信速度：100Mビット／秒 × 0.8 ＝ 80Mビット／秒

転送効率80%=0.8

転送にかかる時間：（100Mバイト× 8 ）÷ 80Mビット／秒 ＝ 10秒

ファイル容量の単位は「バイト」なので、8倍してビットに換算

有線LANの仕組み

ケーブルなどを使い、物理的に端末を接続するLANを有線LANといい、広く使われているのがイーサネット（IEEE 802.3）という規格による方式です。まずは、宛先となるアドレスがどのように決められているのか、その仕組みから見ていきましょう。

宛先や発信元を示すMACアドレス

ネットワークへ送信されるデータは、端末内部で「パケットに分割→ビット列に変換→電気信号に変換」という処理が行われてから送出される。この電気信号への変換を行っているのがNIC（ニック：Network Interface Card、ネットワークカード、LANカード）と呼ばれる装置で、コンピュータだけでなく、ネットワークの接続機器であるハブ（次ページ）やルーター<p.098>にも内蔵されている。

複数の端末が接続されるLANでは、どの端末に送るデータなのかを示す宛先が必要。この宛先となるのがMACアドレス(マックあどれす：Media Access Control Address)だ。MACアドレスはNICの製造時にメーカーによって書き込まれ、世界中にある膨大な数のNICは重複することなく、それぞれ異なるMACアドレスを持つようにルールが定められている。

イーサネットの仕組み

古いタイプのイーサネットLANでは、伝送路が1本しかないため、送信したい端末は通信路上にキャリア（他の端末が送信していることを示す信号）が流れていないことを確認して送信する。もし、同時に複数の端末が送信すると、通信路上で衝突（コリジョン）が起こり、電気信号の波どうしがぶつかって破壊される。送信した端末は、衝突が検知されたらランダムな時間待機して、あらためて送信し直すという方法を使っていた。

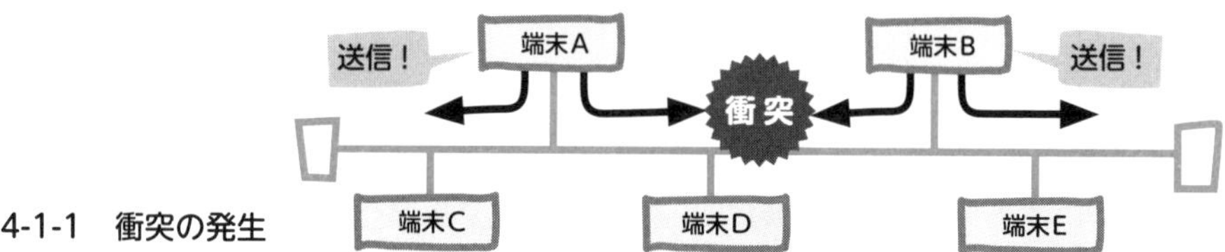

4-1-1　衝突の発生

送信されたデータは、LAN内のすべての端末に送られるため、それぞれの端末は、自分宛てであれば取り込み、他の端末宛てであれば廃棄する。この送受信の方法をCSMA/CD方式(シーエスエムエーシーディー：Carrier Sense Multiple Access with Collision Detection)という。

現在のイーサネットLANは、全二重通信と呼ばれる伝送路を複数使い、送信と受信の両方向通信が同時にできる方式を採用している。衝突は起こらないため、待機時間不要で送信時間も短縮された。旧来型(伝送路が1本)の規格10BASE-Tの通信速度は10Mビット/秒だったが、現在普及している(全二重の)100BASE-TXでは100Mビット/秒、1000BASE-Tでは1Gビット/秒と高速になっている。

LAN内で使うネットワーク機器

LAN内で端末の台数を増やしたいときには、ハブ（リピータともいう）を増設する。ハブは、送られてきた電気信号を増幅・整形して、通信距離を伸ばす機能を持つ。

ただし、ハブは受け取った電気信号をすべての端末に送り出すため、端末の数が多くなるとネットワークが混雑し、通信速度が低下する。このような、ネットワークの伝送路が混んで繋がりにくくなる状態を輻輳（ふくそう）という。そこで混雑緩和のため、MACアドレスを識別して、宛先となる端末がある側にのみ送信するスイッチングハブ（L2スイッチ）が使われるようになった。

4-1-2
ハブと
スイッチングハブ

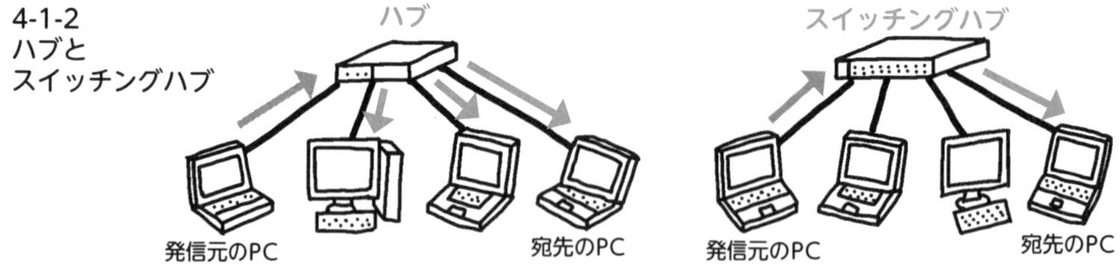

有線LANに使える便利な仕組み

PLC（ピーエルシー：Power Line Communications）はコンセントLANとも呼ばれ、既存の電気配線を利用してLANを構築することができる。LANケーブルの配線は不要だが、専用のアダプタ（親機と子機がある）が必要。また、他の家電が出す電気ノイズに邪魔されて通信速度が遅くなる場合がある。

PoE（ピーオーイー：Power over Ethernet）は、イーサネットのLANケーブルを使い、電力供給を行う技術のこと。PoE対応の端末であれば、電源用コンセントがない場所への設置が可能で、監視用ネットワークカメラの設置などに用いられている。

無線LANの仕組み

ケーブルで物理的に繋がっている有線LANとは異なり、無線LANでは電波が届く範囲なら誰でも接続できる可能性があります。そのため、LANへの接続が許可された正規ユーザー以外の不正アクセスや、通信データの盗み読みを防ぐための手段が必要になります。

無線LANの接続形態

無線LANには2つの接続形態がある。アドホックモードは端末どうしが直接無線接続する形態で、携帯ゲーム機どうしの通信などに使われる。もうひとつはインフラストラクチャモードで、アクセスポイント（AP：基地局）と呼ばれるネットワークの接続装置を介して無線接続する方法。APとルーター＜p.098＞の機能を併せ持つ無線ルーターが使われることが多い。

インフラストラクチャモード

無線ネットワークを識別する手段

端末がいくつかのAPを検出した場合に、どれが自分の所属するネットワークのAPなのかを区別するための識別子がESSID（イーエスエスアイディー：Extended Service Set Identifier）だ。

ESSIDの情報はAPが発信する信号の中に含まれており、無線LAN対応の端末は、APが発する信号から接続可能なネットワークを自動検知する機能を持っている。

無線LANのセキュリティ対策

● **ステルス機能**

APが発信するESSIDの情報を端末から読み取れないように隠して（＝ステルス機能）、LANのESSIDを知っている接続を許可された端末だけが接続できるように制限する機能。ただし、多少の知識があれば隠したESSIDを見つけることは可能なので、他の対策と併用する必要がある。

● **MACアドレスフィルタリング**

有線LANのNIC＜p.091＞と同様に、無線LAN接続用の無線NICにもMACアドレス＜p.092＞が付けられており、無線LANの内側では互いにMACアドレスで相手を認識している。これを利用して、APにLANへの接続を許可する端末のMACアドレスを登録しておき、それ以外の端末は接続を拒否するアクセス制御方法をMACアドレスフィルタリングという。

● **データの暗号化方式**

データの盗聴防止のため、送信するデータ（パケット）は事前に暗号化しておく。以前はWEP（Wired Equivalent Privacy：ウェップ）という暗号化方式が使われていたが、コンピュータの処理性能が高くなり解読の恐れが出てきた。そのため、現在ではWPA（Wi-Fi Protected Access：ダブリュピーエー）やWPA2などの、より複雑な暗号化アルゴリズムを使った暗号化方式が使われている。

無線LANの規格

広く使われている無線LANの規格にIEEE 802.11があります。この規格では、用いる周波数帯や通信最大速度が異なるいくつかのバージョンが規定されています。市販されているPCやスマートフォン、ネットワーク機器は、この規格に準拠して作られています。

Wi-Fi（ワイファイ）

Wi-Fiは、ネットワーク機器がIEEE 802.11の規格に準拠していることを示すブランド名称だが、一般には無線LANを表す用語として定着している。現在、広く使われている規格は2つあり、802.11ac（Wi-Fi 5）は、通信に使う電波の周波数帯に5GHz帯を使い、規格上の最大通信速度は6.9Gビット／秒。802.11ax（Wi-Fi 6）は、2.4GHz帯と5GHz帯の2つのモードがあり、規格上の最大通信速度は9.6Gビット／秒となっている。電波の性質として、周波数帯が低いほど物の向こう側に回り込む性質が強く、障害物の裏側にも届きやすいので覚えておこう。ただし、2.4GHz帯は電子レンジが発する電磁波と同じ周波数帯なので、干渉を受けて通信が途切れたり遅くなる場合がある。

4-1-3 無線LANに関する用語

ゲストSSID（ゲストポート）	SSID（Service Set Identifier）とはAPの識別子のこと。SSIDの機能を拡張して、1つのWi-Fiネットワーク内で端末をグループ分けして、複数のAPが使えるようにしたのが前ページで説明したESSID。ゲストSSIDは、接続してきた端末に対して、無線LAN内部のネットワークへのアクセスを不可にしたまま、インターネットへの接続のみを可能にする機能。名前の通り、来訪者が一時的にインターネットへ接続する場合などに使われる。
ANY接続拒否	ANY接続とは、アクセスポイント（AP）のESSIDがわからなくても、電波状態のよいAPを勝手に選んで接続してしまう端末側の機能。AP側でANY接続拒否に設定しておけば、端末側からはESSIDを入力しないと接続できなくなる。
無線チャネル	無線通信の電波の周波数帯は規格で定められているが、1つの帯域をさらにいくつかの周波数帯に区切って使っている※。チャネルはこの区切られた細かな周波数帯のことで、使用するチャネルを変更することで、近隣の無線LANや電子レンジからの電波干渉を避けることができる。※2.4GHz帯だと最大で14チャネルに区切れる。
デュアルチャネル	無線通信を行う場合に、チャネル（上項）2つ分の帯域を使うことで通信速度を約2倍に高めることができる機能。

無線LANに関する用語

無線LANで使用するESSIDの説明として，適切なものはどれか。

ア APのMACアドレス
イ 使用する電波のチャネル番号
ウ デフォルトゲートウェイとなるAPのIPアドレス
エ 無線のネットワークを識別する文字列

解説　耳慣れない用語も多いので、整理しておこう

ア：AP（アクセスポイント）もMACアドレスを持っており、これをBSSIDと呼ぶ。BSSIDは、APの増設時に子APから親APを認識させる操作などで必要になる。
イ：無線チャネルが複数ある場合は、チャネル番号を変えると周波数帯を切り替えることができる。
ウ：デフォルトゲートウェイについては、4-2<p.098>を参照。
エ：正解。ESSIDは所属する無線LANを判別するための文字列。

正解：エ

その他のネットワーク方式

ソフトウェア定義ネットワーク（SDN）

SDN（エスディーエヌ：Software Defined Network：ソフトウェア定義ネットワーク）は、接続・中継に使うハブやルーターなどのネットワーク装置（ハードウェア）の機能を、ソフトウェアを使って実現することで、物理的な機器の構成や配置に捕らわれない柔軟な仮想ネットワークを構築する技術のこと。

SDN用のソフトウェアを導入することで、システムからネットワーク全体の一元管理ができるようになる。また、ネットワークの構成変更などもソフトウェア上で設定変更するだけなので、手間が掛からないなどのメリットがある。

Chapter

シラバス　小分類：58 ネットワーク方式　小分類：59 通信プロトコル　小分類：60 ネットワーク応用

4-2 インターネット通信の仕組み

インターネットへ送信されたデータ（パケット）は、いくつものホスト（インターネット上のサーバやルーターなど）を経由し、バトンリレーのように渡されて、宛先へ届けられます。実際に会社や自宅のLANをインターネットに接続するには、インターネット接続サービスを行うインターネットサービスプロバイダ（ISP<p.108>）のインターネット接続サービスを利用します。

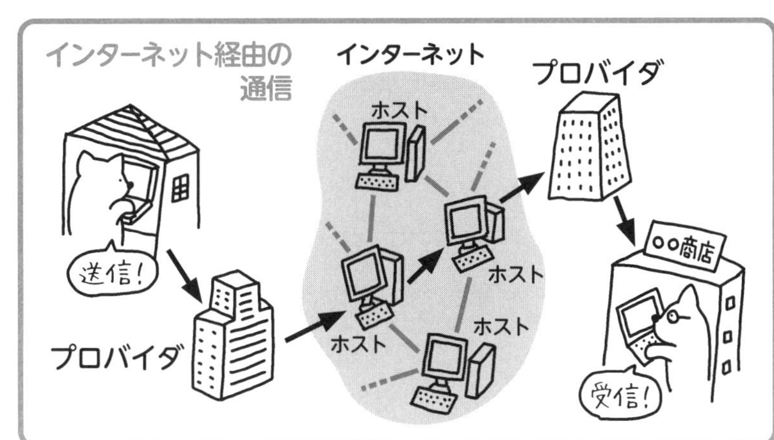

インターネットの全体像

インターネットは無数のLANを結びつけた巨大なWANです。ホストどうしが網目状に繋がるメッシュ型で、宛先まで複数の経路があって迂回できるため、通信障害にも強いネットワークです。

インターネットのルール

それぞれのLANやホストは設置した組織が自身で管理しているが、インターネット全体を一元的に管理・運営する組織は存在しない※。

Webページの技術的な仕様はこうしましょう！とまとめられた勧告や、こういうルールで通信しますよというプロトコル（通信規約）<p.100>と呼ばれる規約（約束事）に自主的に従うことで、それぞれがインターネットを共用している。

インターネット通信にはTCP/IPというプロトコル群<p.100>が用いられており、インターネットを利用する端末には、TCP/IPの約束事が反映されたソフトウェアやハードウェアが備えられている。

ちょこっとメモ

※ ただし、Web技術標準化のための規約を策定する非営利法人**W3C**（ダブリュスリーシー：World Wide Web Consortium）や、世界中のグローバルIPアドレス<次項>を一元管理する組織**ICANN**などが活動している。

インターネット上の住所「IPアドレス」

インターネットでは送信先や発信元を示すためにIPアドレスを使います。IP（アイピー）はTCP/IPのプロトコル<p.100>の1つで、データを宛先まで転送するための規約です。

IPアドレスの仕様と管理

現在、IPアドレスには2つの規格があり、IPv4（IP version 4）は2進数32ビットで示され、8ビットずつ「.」（ピリオド）で区切り、各8ビットを10進数に変換して、「192 .168 . 1 . 29」のように表す。

4-2-1
IPv4のアドレス表記

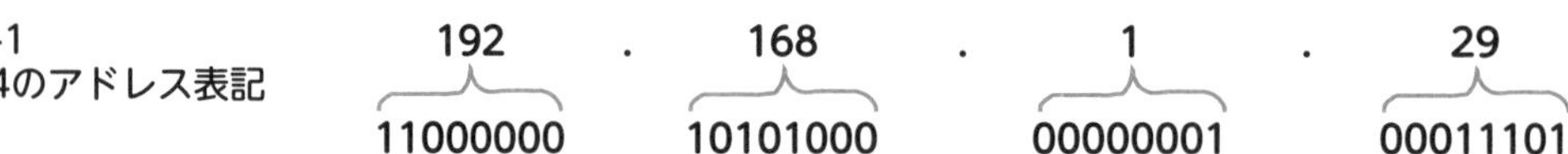

インターネット接続するホストが増え続けた結果、32ビットのIPv4ではアドレス数が不足するようになり、現在128ビットの新規格**IPv6**（IP version 6）への移行が進められている。IPv6では、128ビットを16ビットごとに「：（コロン）」で区切り、区切った2進数16ビットを16進数4桁に変換して表記する。

4-2-2
IPv6のアドレス表記

2001：db8 ：： 1：1：0：1

「16進数4桁の左側に0があったら省略可、0が続く箇所は省略してコロンで表現」など、より短い桁数で表現するルールがある

16進数 2001：0db8：0000：0000：0001：0001：0000：0001

2進数 0010000000000001 0000110110111000 0000000000000000 …

インターネットに接続された無数のホストの中から送信先（宛先）を特定するため、それぞれのホストには世界中に1つも重複がないIPアドレスが割り振られており、これを**グローバルIPアドレス**という。

● **グローバルIPアドレスの取得と利用**

実際にグローバルIPアドレスを取得するには、インターネット接続を中継するプロバイダ※に依頼して登録する。また、グローバルIPアドレスがなくても、接続サービスを利用すればプロバイダが持つグローバルIPアドレスが接続時に一時的に割り振られるので、手軽にインターネット接続ができる。

※一般の企業・ユーザーが直接インターネットに接続することはできない。

● **LAN内で使うプライベートIPアドレス**

オフィス内や家庭内のLANにも、インターネットと同じTCP/IPネットワークで使われる仕組みが利用されている（**イントラネット**という）。イントラネットでは、LAN内の通信用に各端末へIPアドレスが割り振られているが、このアドレスはそのLAN独自のアドレスになっている。

これを**プライベートIPアドレス**といい、LAN内の端末に自由に割り振れるが、このアドレスでインターネットに接続することはできない（**グローバルIPアドレス**としては使うことは不可）。

LAN内で宛先指定にIPアドレスを使う場合、まず送信側の端末はTCP/IPのプロトコルの1つである**ARP**＜p.101＞を使って、宛先IPアドレスに該当するMACアドレスの問合せを行う。この問合せはLAN内のすべての端末に送られ（**ブロードキャスト**）、該当する端末は自分のMACアドレスを回答するので、以降はMACアドレスを使って送信先を指定する。

ちょこっとメモ

ARPは本来、インターネット上の宛先ホストの**IPアドレス**から**MACアドレス**を得るために使うプロトコル＜p.101＞。

ネットワークアドレスを計算するサブネットマスク

IPアドレスには、宛先のLANを示す**ネットワークアドレス**と、そのLANに所属する端末を示す**ホストアドレス**の両方が含まれている。ネットワークアドレス部分のビット数が少ないほど、ホストアドレスとして端末に使えるアドレスの本数は多くなるが、ネットワークアドレスの桁数は、そのネットワークの規模によって割り振られている。例えば、IPv4のアドレス（32ビット）で、そのLANのネットワークアドレスが28ビットなら、残りは4ビットなので、このLANで使える端末用アドレスは2^4で16個。

このうち、端末用のアドレス部分のすべてが**0**（例：ネットワークアドレスが28桁なら右端4桁が0000のアドレス）はネットワーク自体を示すアドレス、すべてが**1**（例：ネットワークアドレスが28桁なら右端4桁が1111のアドレス）は**ブロードキャストアドレス**（LAN内の端末すべてに送るときのアドレス）と決められているので、このLANで端末用に使えるアドレスは16−2＝14個になる。

サブネットマスクは、論理積演算（and＜p.042＞）を使い（右ページ「ちょこっとメモ」参照）、IPアドレスからネットワークアドレスを求めるときに使うビット列のこと。

4-2-3　ネットワークアドレス28桁、端末用4桁の場合

元になるIPアドレス	192	.	168	.	1	.	29
	11000000		10101000		00000001		0001 1101
and	11111111		11111111		11111111		1111 0000 ←サブネットマスク
演算結果のネットワークアドレス	11000000		10101000		00000001		0001 0000
	192	.	168	.	1	.	16

ネットワークアドレスに該当する28桁を「1」として、元のアドレスと論理積演算

右端4桁がすべて0（=ネットワークアドレス）、これを10進数に変換

ちょこっとメモ　**論理積**とは、与えられた2つの値の両方が1のときにのみ1を返す論理演算のこと。

1 and 1→1　　1 and 0→0
0 and 1→0　　0 and 0→0

＜p.042真理値表参照＞

IPアドレスとドメイン名

例えば、情報処理技術者試験の実施団体であるIPAのWebページを閲覧したいとき、Webブラウザのアドレスバーに入力するのはIPアドレスではなく、「ipa.go.jp」というドメイン名です（wwwは省略可）。ドメイン名は、受けたいサービス（例：Webページの閲覧用データの送出）を提供しているホストがインターネット上のどこにあるのかを示すもので、IPアドレスのような数字の並びではなく、文字で表現します。この仕組みは、人にとって覚えにくく入力しづらい数字のIPアドレスを、わかりやすいドメイン名に変換するDNSを使って実現しています。

DNSの仕組みとドメイン名の構造

ドメイン名とIPアドレスを相互変換する名前解決の仕組みをDNS（ディーエヌエス：Domain Name System）という。インターネット上には、ネットワークホストの一種であるDNSサーバ（ネームサーバともいう）が無数に設置され、これらのDNSサーバが「IPアドレス←→ホスト名+ドメイン名」の変換情報を持つことで変換が行われている。ドメインとは「所属している組織」のこと。ドメイン名は所属を表す名称を、所属の階層の下位→上位へとピリオドで区切って書いていく。一番右側に書かれる最上位のドメインはトップレベルドメインといい、国を表す。

ちょこっとメモ　一般には、**ホスト名**を含めて「**ドメイン名**」としていることも多い。そのため、**DNS**の機能を「**IPアドレス**と**ドメイン名**の変換」と説明しているものもある。

4-2-4　ドメイン名の階層構造

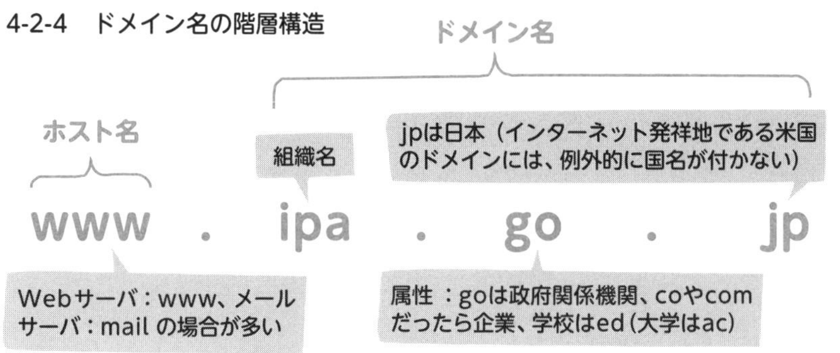
ドメイン名
ホスト名
組織名
jpは日本（インターネット発祥地である米国のドメインには、例外的に国名が付かない）
www　.　ipa　.　go　.　jp
Webサーバ：www、メールサーバ：mail の場合が多い
属性：goは政府関係機関、coやcomだったら企業、学校はed（大学はac）

ちょこっとメモ　正確には、Webブラウザのアドレスバーに入力するのはURL（例：https//www.ipa.go.jp）<p.106>。URLは「要求するサービスの種類 例：https」「要求先のホスト名 例：www」「ホストが属するドメイン名 例：ipa.go.jp」で構成されている。ドメイン名のみの入力で正しいWebページが表示されるのは、省略した部分を補う機能が備えられているから。

所属するLANのDNSサーバが、指定したホスト名+ドメイン名のIPアドレスを知らないときは、DNSサーバが最上位のドメイン名（この場合はjp）が登録されたDNSサーバ → goが登録されたDNSサーバ…の順に問合せ、該当するURLのIPアドレスを入手する。ちなみに、メールアドレスでも、例：「Hanako@△△△.co.jp」なら、@マーク右側にある「△△△.co.jp」は、ドメイン名を表している。

送信経路を探す「ルーティング」

インターネットでは、多くのLANがネットワーク回線を共有するため、通信方式にはパケット交換方式<p.091>を使います。データを送信する場合、パケットと呼ばれる小さな単位にデータを分割し、それぞれのパケットに「宛先となるIPアドレス」と「パケットをデータに組み立て直すときに必要な順番を表す情報（シーケンス番号）」などを付けておきます。網目状に繋がっているインターネットで、送信されたデータをどのような道筋で宛先へ届けるのか、ここではその仕組みを説明します。

ルーターの経路選択機能

所属しているLANとは別のLANや、インターネットへの接続には、接続装置であるルーターを使う。インターネットではTCP/IPのプロトコル群<p.100>を使うが、他のプロトコルを用いるネットワークもあるため、ルーターはプロトコルの変換機能を持っている。

また、ルーターには経路選択（ルーティング）機能があり、パケットの宛先IPアドレスをもとに、インターネット上の回線経路の中から、障害箇所がなく転送速度の速い最良のルート選択を行う。

ルーターは内部にアドレステーブル（ルーティングテーブル）を持っており、最短経路の選択はこれを参照して次にパケットを渡すべきルーターやホストを選び、渡す先のアドレス情報を得る。インターネットでは、複数のホストを経由してパケットがリレーされるので、より宛先に近いホストに順次パケットを渡すことを繰り返して宛先に届く仕組みになっている。

L3スイッチ

L2スイッチ<p.092>の機能とルーティング機能の両方を持つハードウェアがL3スイッチ。プロトコル変換機能が無いため、TCP/IPのプロトコル群を使うネットワークどうしの接続専用だ。ルーターはソフトウェアでの処理がメインなのに対して、L3スイッチはハードウェアで処理を行うため、高速にデータを送受信できる。ただし、ルーターも性能向上により高速化されたため、両者の差はなくなってきている。

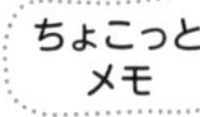

L2スイッチ<p.092>や**L3スイッチ**の「L」は、プロトコルの機能を階層化して分類した**OSI基本参照モデル**<p.101>のレイヤ（階層）のこと。L2は2層目の「データリンク層」に分類されるパケットの伝送制御機能、L3は3層目の「ネットワーク層」に分類される経路制御機能を持つことから名付けられている。

デフォルトゲートウェイ

LAN内の端末からインターネットへ送信するときには、宛先IPアドレスとは別に、次にパケットを渡す先を指定しておく必要がある。一般的には、そのLANからインターネットへの出口となる接続装置のIPアドレスを送信先に指定する。これをデフォルトゲートウェイといい、ルーターやL3スイッチであることが多い。

4-2-5　デフォルトゲートウェイ

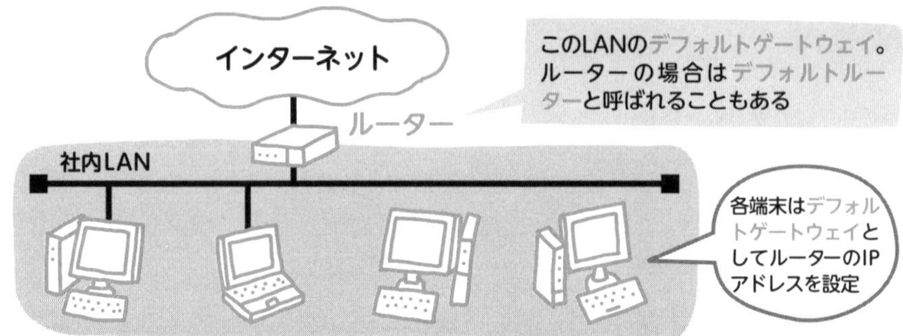

DHCP機能とNAT機能

LANへの接続を要求してきた端末へ、IPアドレスを割り振る機能をDHCPといいます。また、LAN内の端末がインターネットへ接続するには、グローバルIPアドレスが必要ですが、共用のグローバルIPアドレスを何本か用意しておき、インターネット接続を要求をしている端末にその都度グローバルIPアドレスを割り当てる方法を使います。

プライベートIPアドレスを割り当てるDHCP機能

出題率**超高**

DHCP（ディーエイチシーピー：Dynamic Host Configuration Protocol）は、あらかじめ設定されているプライベートIPアドレスの中から未使用のアドレスを探して、アクセスしてきた端末に自動的に割り振る機能。LAN接続に必要なその他の設定も自動的に行うため、簡単に接続できて便利だが、悪意を持つ第三者が勝手にLANへ接続してしまう危険性もある。

グローバルIPアドレスへの変換機能

出題率**超高**

● **NAT（ナット：Network Address Translation）機能**

NAT機能はプライベートIPアドレスとグローバルIPアドレスを1対1に対応付けて変換する機能で、ルーターが持つ機能の1つ（NAT機能を持つL3スイッチもある）。

● **NAPT機能（IPマスカレード）**

複数のプライベートIPアドレスと1つのグローバルIPアドレスを都度変換し、複数の端末が同時に同じグローバルIPアドレスを使ってインターネット接続するのがNAPT（ナプト：Network Address Port Translation）で、IPマスカレードとも呼ばれる。

パケットに付加される情報は、IPアドレス以外にも、そのデータがどのサービス（アプリケーション）で扱うデータなのかを示すポート番号が含まれている。NAPTでは、どの端末との通信なのかを見分けるためにポート番号を使い、多対1の変換を行っている。

4-2-6　NAPT機能の仕組み

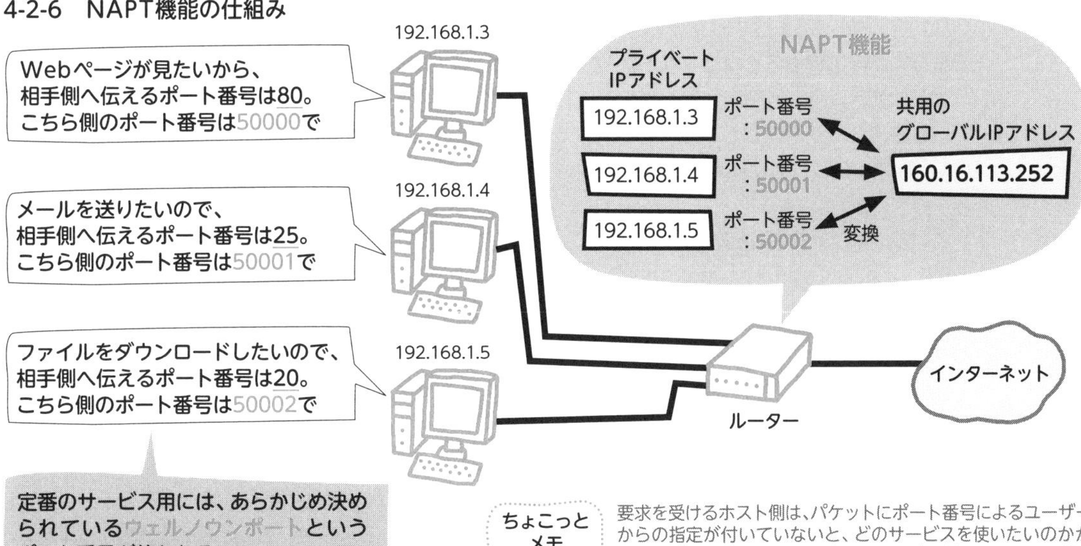

定番のサービス用には、あらかじめ決められているウェルノウンポートというポート番号が使われる。
・Webページの閲覧（HTTP）：80番
・メールの送信（SMTP）：25番
・ファイルの転送（FTP）：20番、21番
など　（　）内はプロトコル名

ちょこっとメモ

要求を受けるホスト側は、パケットにポート番号によるユーザーからの指定が付いていないと、どのサービスを使いたいのかがわからず対応できない。一方で、ユーザー側はホストから送られてきた受信データをどのアプリケーションで使うのか指定せず、自分で任意のポート番号を付けてしまうことができる。
NAPT機能を使う場合、どの端末も同じ1つの共用グローバルIPアドレスから発信しているため、ホスト側から送られてくる受信データも共用のアドレス宛てなので、どの端末宛なのか区別がつかない。そこで、送られてきたデータに付けられたポート番号をLAN内の端末を示すアドレスの代わりに利用して、受信データの振り分けに使っている。

識別に用いられるアドレスや番号

インターネットに接続されているサーバが，1台でメール送受信機能とWebアクセス機能の両方を提供しているとき，端末のアプリケーションプログラムがそのどちらの機能を利用するかをサーバに指定するために用いるものはどれか。

ア　IPアドレス　　イ　ドメイン名　　ウ　ポート番号　　エ　ホスト名

解説　それぞれのアドレスや番号が何を表すのかを整理しておこう

ア：IPアドレスは、インターネットに接続しているホストや端末を一意に識別するための番号で、32ビット（IPv4）または128ビット（IPv6）で示される<p.095>。

イ：ドメインは、インターネット上のホストや端末の所属を階層的に表している。ドメイン名は宛先（または発信元）のホストや端末の所属先を一意に示す文字列。DNSシステムにより「ドメイン名＋ホスト名」は、IPアドレスと1対1に関連付けられている<p.097>。

ウ：正解。ポート番号は、インターネット経由でデータを受信または送信した先で処理を行うアプリケーションやサービスを示す番号。NAPT機能では、受信したデータを渡す端末の判別にポート番号を使っている<p.099>。

エ：ホスト名は、ユーザーがサービスの提供を依頼するインターネット上のサーバ（メールサーバやWebサーバなど）の名前<p.097>。問題文の「メール受送信機能」とはメールサーバ、「Webアクセス機能」はWebサーバの機能を指している。

TCP/IPのプロトコル群

相手先とは異なるソフトウェアやハードウェアを使っていても、同じ通信プロトコルに準拠したものであれば、スムーズに通信を行うことができるのが通信プロトコルを使うメリットです。

TCP/IPのネットワークに接続する端末では、TCP/IPのプロトコル群で決められた約束事にしたがって通信処理を行うソフトウェア（PCではOSに含まれている）やハードウェア（NICなどのネットワーク機器）が組み込まれています。

なお、TCP/IPのプロトコル群を利用しているLANのことを、インターネットをもじってイントラネットと称することもあります。

試験に出る代表的なTCP/IPプロトコル

インターネットには、「IPプロトコルを使ったIPアドレスに基づく転送機能」と「TCPプロトコルが実現する信頼性の高い通信サービスを提供する機能」をベースとしたさまざまなプロトコルが定められており、多様なサービスが利用できる。これらインターネット用のプロトコル群のことをTCP/IPプロトコルと総称する。すでに本文で説明したものもあるが、右ページの表4-2-7に整理してまとめておく。

OSI基本参照モデルとTCP/IPプロトコルの分類

業務では、TCP/IP以外のルール（通信プロトコル）でやり取りを行うネットワークも存在している。そこで、さまざまな通信規格で使われるプロトコルを、その機能に注目して階層的に分類したのがOSI基本参照モデル（オーエスアイ：Open Systems Interconnection）だ。

右ページの表4-2-8は、TCP/IPのプロトコルをOSI基本参照モデルの分類方法でまとめたもの。OSI基本参照モデルではプロトコルの機能を、「電気信号を扱う物理的な機能〜ユーザーに直接サービスを提供する高度な機能」まで、細かく7つの階層で分類する。これに対して、TCP/IPでは4階層で大まかに分類している。

4-2-7　よく出るTCP/IPの通信プロトコル一覧

プロトコル	説明
IP （アイピー： Internet Protocol）	ネットワークを介して、IPアドレスで指定された宛先にデータ（パケット）を転送する中継機能を提供。データのパケットへの分割／組立、パケットへのIPアドレスの付加、通信経路の制御（ルーティング＜p.098＞）などの機能を持つ。
TCP （ティーシーピー：Transmission Control Protocol）	通信の信頼性を向上させるためのプロトコル。送信前に相手の動作確認を行う、受信時は到着した旨の応答を行い、送信側はこの応答がなければ再送するなど、送受信の確実性を保つ機能を持つ。データにポート番号＜p.089＞や、順序を示すシーケンス番号を付加するのもTCPの機能。
ARP （アープ：Address Resolution Protocol）	IPアドレスからMACアドレスを求めるためのプロトコル。インターネット上のホストが次のホストにパケットを送信するには、送り先のホストのMACアドレスが必要なため、近隣のホストに問合せをブロードキャストし、知っているホストは該当するMACアドレスを回答。
SMTP（エスエムティーピー：Simple Mail Transfer Protocol）	メールサーバ間のメール転送や、ユーザーからメールサーバへメール送信を行うためのプロトコル＜p.103＞。
POP3（ポップスリー：Post Office Protocol Version 3）	メールサーバからメールを取り出すためのプロトコル＜p.103＞。
HTTP（エイチティーティーピー：HyperText Transfer Protocol）	Webページ表示用のHTMLファイルを転送するためのプロトコル＜p.106＞。
FTP（エフティーピー：File Transfer Protocol）	ファイルを転送するためのプロトコル。
DNS（ディーエヌエス：Domain Name System）	ホスト名＋ドメイン名とIPアドレスを対応付ける名前解決のサービスを提供するプロトコル。ホスト名とドメイン名からIPアドレスを割り出すために利用＜p.097＞。
DHCP （ディーエイチシーピー：Dynamic Host Configuration Protocol）	TCP/IPのLANに接続要求してきた端末に、未使用のプライベートIPアドレスを自動的に割り振るサービスを提供するプロトコル＜p.099＞。
NTP（エヌティーピー：Network Time Protocol）	ネットワークに接続している端末が内蔵する時計を、正しい（統一された）時刻に同期させるためのプロトコル。

ちょこっとメモ　**ping**（ピング）とは、インターネット上にある相手先のホストなどが正常に機能しているかどうかを調べるためのコマンド。プロトコルを問う問題の選択肢に入っていることが多いので、一緒に覚えておこう。

4-2-8　OSI基本参照モデルで分類したTCP/IPプロトコルとLAN間接続装置

<table>
<tr><th colspan="2">OSI基本参照モデルの7階層</th><th>TCP/IPの層名と
プロトコル、接続装置</th></tr>
<tr><td>第7層</td><td>アプリケーション層（応用層）：アプリケーション（メールソフトなど）に、データ通信用の機能を提供。受信データのアプリケーションへの引渡し、送信データの受取りなど</td><td rowspan="3">アプリケーション層
DNS、DHCP、FTP、HTTP、MIME、NTP、POP3、SMTP
接続装置：ゲートウェイ（規格の異なるネットワークとの接続のためのプロトコル変換用。ルーターが持つ変換機能を使うことが多い）</td></tr>
<tr><td>第6層</td><td>プレゼンテーション層：ファイルなどのデータを、データ通信のための表現形式に変換。データの圧縮／解凍、暗号化／復号もこの層の機能</td></tr>
<tr><td>第5層</td><td>セション層：論理的な通信路の確立と切断、送受信のタイミングなどの通信方法を決定。データ転送の管理を行う</td></tr>
<tr><td>第4層</td><td>トランスポート層：接続方法や通信の制御方法を決める。受信エラーの検出・データの再送要求など、通信の品質に関わる事項をコントロール</td><td>トランスポート層
TCP、接続装置：ゲートウェイ（上項）</td></tr>
<tr><td>第3層</td><td>ネットワーク層：経路制御（ルーティング）など、他のネットワークとのやり取りに関する決定を行う。データ↔パケットの分割／組立てを行い、パケットにIPアドレスを付与</td><td>インターネット層
IP、接続装置：ルーター</td></tr>
<tr><td>第2層</td><td>データリンク層：次の転送先との通信方法を決め、パケットに情報を付加したフレーム（中身はビット列）の伝送を制御。フレームごとに誤り制御やフロー制御（流量調整）を行う</td><td rowspan="2">ネットワークインタフェース層
ARP、接続装置：ハブ（リピータ）</td></tr>
<tr><td>第1層</td><td>物理層：電気的（物理的）に接続する方法を決め、ビット列↔電気信号を変換して伝送</td></tr>
</table>

電子メールとWebページの機能

インターネット上では、さまざまなサービスが提供されています。中でも身近なのは電子メールとWebページの閲覧でしょう。ビジネスの世界でも、この2つは情報伝達のための重要なツールとして位置づけられています。まずは、電子メールの送受信の仕組みから見ていきます。

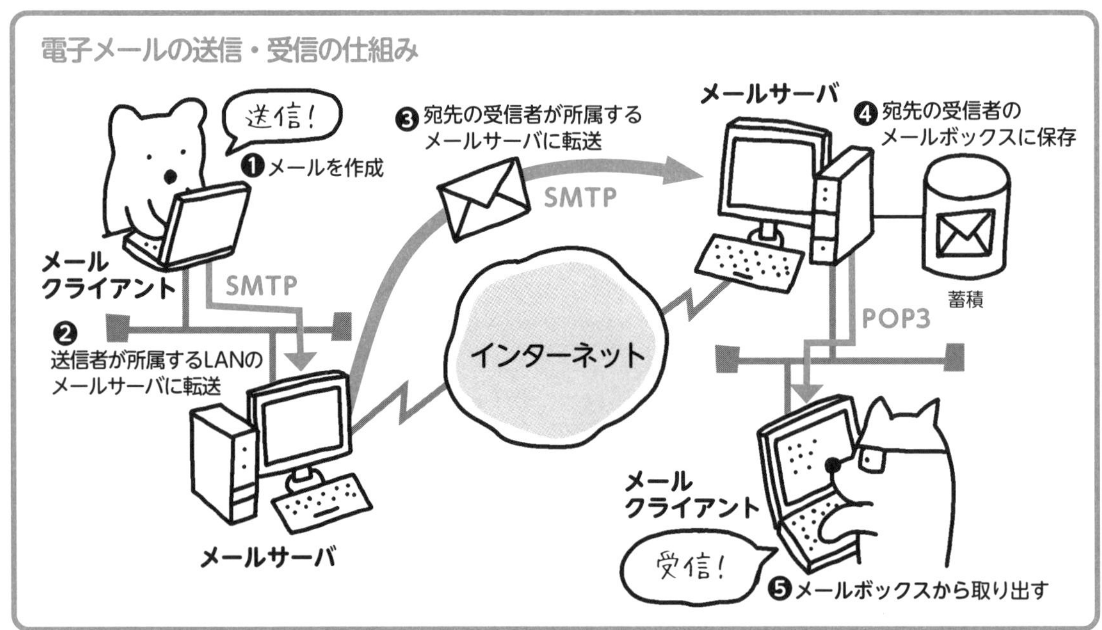

電子メールの仕組み

電子メールは一般にはeメールとも呼ばれ、インターネットを経由して特定の宛先へ送信されるテキストデータです（右ページMIMEも参照）。電子メールのデータもインターネット上のホストであるメールサーバ間をバトンリレーのように受け渡されながら、相手先まで送られていきます。電子メールがどのような仕組みで届けられるのかを詳しく見ていきましょう。

メールアドレスの構造

p.097でドメイン名を解説したが、復習を兼ねてメールアドレスの構造を確認しよう。

4-3-1
ユーザー名とドメイン名

Hanako @ △△△.co.jp

ユーザー名（アカウント名） / ドメイン名

@（アットマーク）の右側はドメイン名だが、正確にいうとユーザーが所属するLANのドメイン名を指している。例えば、業務に使っているメールのアドレスなら所属する会社などを表すドメイン名、プライベート用なら接続しているプロバイダや通信会社のドメイン名になっているのが一般的だ。

メールサーバとメールクライアント

メールサーバは、ネットワークホストの一種で、所属するLANの内部から送信されてきたメールをインターネットへ転送したり、インターネットから受信したメールを受信者ごとのメールボックスに保管するなどの機能を持つ。メールクライアントは、一般にはメールソフトやメーラーと呼ばれるソフトウェア。メール作成を補助し、所属するLANのメールサーバへ転送したり、メールサーバに蓄積されているメールを受け取ったり、受信したメールデータをユーザー側のPCへ保管しておく機能などを持つ。

初期の電子メールは、英字と数字のみのテキストしか送受信できなかったが、送信側と受信側の両方がMIME（マイム：Multipurpose Internet Mail Extensions）という拡張機能を備えることで、日本語で書かれたメールを送受信したり、画像や音声などのマルチメディアデータやオフィスソフト用のファイルなどもメールに添付して送れるようになった。

メールのやり取りに使われるプロトコル

メールを送信してから、相手が受信するまでの手順を見てみましょう。試験では、送受信に使われるプロトコル<p.100>が頻繁に問われています。送信や転送にはSMTPが、メールボックスからのメールの取り出しにはPOP3が使われます。（黒丸数字は、左ページ図中の黒丸数字に対応）

メール送受信の手順

❶ メールの作成

メールソフトを使ってメールを作成。宛先のメールアドレスを指定。

❷ メールサーバへの送信
<プロトコル：SMTP（エスエムティーピー：Simple Mail Transfer Protocol）>

メールソフトの機能を使って、所属するLANのメールサーバへ作成したメールを送信。自宅からメール送信するときは、接続先のインターネットサービスプロバイダ（ISP）のメールサーバに送られる。

❸ インターネットへの送信<プロトコル：SMTP>

メールサーバは、LAN内の端末から送られてきたメールをインターネット上のメールサーバに転送。受信したメールサーバが次々に転送を繰り返して、宛先ドメインのメールサーバへと送られる。

❹ メールボックスへの保存

宛先ドメインのメールサーバは、送られてきたメールを各ユーザーのメールボックスに振り分けて保存。

❺ メールの受信と保存
<プロトコル：POP3（ポップスリー：Post Office Protocol version 3）>

受信者はメールソフトを使い、所属するLANのメールサーバから自分宛てのメールを取り出して受信。POP3を使った受信では、メール確認の操作を行うと、メールボックスに保存されている未受信のメールは自動的にすべてユーザー側にダウンロードされるので、メールソフトで保存しておく。

IMAPを使ったメール受信

メール受信に使われるプロトコルはPOP3の他に、メールボックス管理機能を持つIMAP（アイマップ：Internet Message Access Protocol）がある。

IMAPは、メールデータをメールサーバに置いたまま（ダウンロードせずに）、件名や送信者のアドレスだけを見て、受信（ダウンロード）するか破棄（メールボックスから削除）するかをユーザーが選択できる。ただし、メールサーバとメールソフトの両方がIMAPに対応していないと、この機能は使えない。

電子メールの送受信に使われるプロトコル

電子メールに関する説明のうち，適切なものはどれか。

ア　IMAPは，メールサーバ上で管理されている電子メールを閲覧するためのプロトコルであり，PCとスマートフォンなど複数の端末で一つのメールアカウントを使用する場合は便利である。

イ　MIMEは，電子メールを受信するプロトコルであり，受信したメッセージはPCなどの端末上で管理される。

ウ　POP3は，企業や学校に設置した特定のPCで電子メールを送信する場合に利用されるプロトコルである。

エ　SMTPは，電子メールでテキスト以外のデータフォーマットを扱えるようにするための仕組みである。

解説　**プロトコルとその機能を結びつける典型的パターン問題**

ア：正解。IMAPのメールボックス管理機能では、メールの受信後もメールサーバにメールのデータを残しておくことができる。そのため、別の端末から再度受信することも可能。

イ：これはPOP3の説明。MIMEはメールソフトの拡張機能<p.103>。

ウ：プロトコルは汎用的な機能を実現するための共通の規約。「特定のPCからの送信」といった独自の機能を担うプロトコルは用意されていない。

エ：これはMIMEの説明。SMTP<p.103>はメール転送・送信用のプロトコル。

正解：ア

便利なメールの宛先指定

電子メールでは、宛先の指定方法を変えることで、同じメールを複数のメンバーに送って情報を共有したり、同じメールを他のメンバーに送ったことを隠す使い方もできます。

同報メールの使い分け

出題率**超高**

まったく同じ内容のメールを複数の宛先に送ることを同報メールといい、メールソフトを使う場合、次の3つの方法がある。

❶ **To（トゥ）欄に複数のメールアドレスを並べる**（「宛先」とだけ表記しているメールソフトもある）
To欄で複数の宛先を指定するには、各アドレスの間にカンマ「，」を入れて、送り先のアドレスを列挙する（複数のTo欄が用意されているメールソフトもある）。受信者全員にTo欄に書かれた複数の宛先アドレス情報が送られるため、受信者は複数の人に同じメールが送られたことがわかる。メールアドレスの流出につながる恐れがあるので要注意！

❷ **Cc（Carbon copy：シーシー）欄にメールアドレスを記入する**
To欄に書かれた宛先アドレスと共に、Cc欄に指定した他の人のアドレスも受信者全員に送られる。そのため、受信者はCcで複数の人に同じメールが送られたことがわかる。本来、Cc欄で指定した送信は「参考程度にコピーを送ります」という主旨で使われ、「あなたがメインの送り先ではないですよ」という意味もあるので、相手に失礼になる場合もある。Toとの使い分けが重要。

❸ **Bcc（Blind carbon copy：ビーシーシー）欄にメールアドレスを記入する**
To欄やCc欄に書かれた宛先アドレスは受信者全員に送られるが、Bcc欄で指定した宛先のアドレスは含まれない形で送信される（Bccで指定された受信者自身は、ToやCcが自身のアドレスではないため、間接的に自分宛てのメールがBccで送られて来たことがわかる）。
Toで指定した受信者に複数箇所へ送ったことを隠したい場合や、Bccで指定した人のアドレスをToやCcで送った他の受信者に知らせたくない場合にBccを使う。

同報メールの宛先指定

Aさんは電子メールの宛先を次のように設定して送信した。この電子メールを受信したYさんは，電子メールに記載されていた送り先全員と送信者に返信の電子メールを送信した。Aさん，Xさん，Zさんの3人のうち，Yさんの送信した電子メールが届く人を全て挙げたものはどれか。

〔Aさんの電子メールの宛先設定〕 To：X　Cc：Y　Bcc：Z

ア A　　イ A, X　　ウ A, X, Z　　エ X, Z

解説 To・Cc・Bccの違いをしっかり区別しよう

AさんがYさんに送った宛先の指定方法はCc。Yさんは、送信者であるAさんのアドレスと、To欄の宛先となっていたXさんのアドレスを見ることができる（AさんがBcc欄で指定したZさんのアドレスの情報はYさんには送られない）。そのため、Yさんが返信できるのはAさんとXさんのみ。

正解：イ

4-3-2 電子メールに関する問題に出る用語

メール転送機能	あるメールアドレスに送られてきたメールを、あらかじめユーザーが設定しておいた別のアドレスに自動的に送る機能（メールサービスを行っているプロバイダのメールサーバや所属組織のメールサーバなどが持つオプション的な機能）。業務用のアドレスに送られたメールを、プライベート用のアドレスに送るときなどに使われている（業務で扱う情報をプライベートなメールと一緒に扱うことになるため、転送禁止にしている企業もある）。
メーリングリスト	グループ用のアドレスとグループのメンバーのアドレスを登録しておき、グループ用アドレスにメールを送ると、登録されたメンバー全員に同じメールが送られてくるサービス。SNSの掲示板やグループLINEなどが普及したため個人ユーザーは減っているが、企業が登録会員に情報を提供したり、業務のグループメンバー間の連絡用などに使われるケースがある。
Webメール	メールソフトがなくても、Webブラウザ<次項>でメールの受信→閲覧や作成→送信ができるサービス。GoogleやYahoo!などのポータルサイトが、フリーメール用にサービスを提供。
テキスト形式とHTML形式	通常のメールはテキスト形式でメール本文が送られるため、文字の大きさなどは単一（メールソフトの表示設定で変更可）で、文字のみのシンプルな表示となる。これに対して、Webページの記述に使われるHTML形式<p.106>で記述されたメールは、レイアウト情報が付加されているため、文字の大きさや色、文字位置などに変化があり、画像なども表示される多彩なレイアウトを再現できる。さらに、ハイパーリンク機能<次項>も使えるので、文字列や画像にリンクを設定して、リンク先に飛ぶことも可能。上項のWebメールと混同しやすいので要注意！
チェーンメール	受信者から他の人へのメール転送を強く煽る文言などが書かれ、情報の拡散を目的として送られてくるのがチェーンメール。転送を繰り返しているため元の発信者がわかりづらく、内容の正確さに欠ける情報や、悪意のある偽情報であることも多い。SNSでの情報発信も同じ問題点が指摘されているが、偽の情報を拡散させることで、転送者が善意の加害者となることもある。

WWWの仕組み

WWW（ダブリュダブリュダブリュ：World Wide Web）は、インターネット上にあるWebサーバに保存された情報を、Webブラウザ（ソフトウェア）を使って閲覧するための仕組みのことです。WWWの大きな特徴は、Webページからリンクされた別のWebページへと簡単に移動できることですが、この機能をハイパーリンクといいます。

Webブラウザには、閲覧しているWebページのデータの所在を示すURLを表示する欄（アドレスバー）がありますので、このURLを手がかりにWWWの仕組みを見ていきましょう。

URLの構成

URL（ユーアールエル：Uniform Resource Locator）は、閲覧するデータが保存されているWebサーバと、目的のファイルを指定するための情報。Webブラウザの設定によっては、URLの一部分しか表示されない場合もある。

※ 実際のURLには、ホスト（Webサーバ）のルート～ファイルまでフルのパス＜p.021＞や、閲覧者側でそのファイルを扱うアプリケーションを指定するポート番号＜p.100＞が入っていることもある。

4-3-3　URLの各部の意味

❶プロトコル　❷ホスト名（この例はWebサーバ）　❸ドメイン名＜p.097＞　❹閲覧しているファイル名

http:// www . tanaka . co . jp / abc.html

❶ 使用するプロトコル＜HTTP＞

HTTP（エイチティーティーピー：Hypertext Transfer Protocol）は、WebサーバとWebブラウザ間のデータの送受信に使われるプロトコル。「やり取りにはHTTPのプロトコルを使います」という指定になる。セキュリティ対策が必要な場面では、HTTPS＜右ページ＞が使われる。

❷ ホスト名

Webページの表示用のデータ提供をしているホストはWebサーバ。一般的には、Webサーバだとすぐ判るように「www」という名称になっていることが多い。

❸ ドメイン名

Webサーバが所属しているドメイン＜p.097＞を表す。

❹ 閲覧しているファイル名

ファイル名の拡張子「.html」は、ファイル形式がHTML＜次項＞であることを表す。

古い習慣の名残で、拡張子が「.htm」と3文字になっている場合もある

HTMLファイルの特徴

HTML（エイチティーエムエル：Hyper Text Markup Language）は、Webページの記述用に用いられる言語で、この言語仕様で記述されたデータをHTMLファイルといいます。テキストで記述されており、タグと呼ばれるマークを入れておくことで、見出しや本文などの文書構造を示したり、文字の色や大きさ、背景の色などのレイアウト指定ができるようになっています。

WWWのハイパーリンク＜p.105＞に対応しており、クリックで別のWebページへ飛ぶための飛び先URLのタグを設定したり、Webページ上で画像や音声などを表示・再生させるために、表示中のHTMLファイルとは別ファイルのマルチメディアデータを指定するタグを挿入することも可能。

端末やOSの種類に関わらず、表示用のWebブラウザさえあれば、ほぼ同じレイアウトで閲覧できるので、HTMLファイルは情報提供の手軽な手段として、企業でも広く使われています。

動的なWebページ

Webページでは、閲覧者が文字列を入力して検索したり、掲示板にコメントを書き込んだり、ネットショップで商品の購入決済を行うなど、閲覧者の操作によっていろいろな処理を加えることもできる。

このように、閲覧者の操作などで得られた情報によって、表示内容や動作が変化するようなWebページを動的なWebページという。これらの機能は、入力や操作などに応じてWebサーバがプログラムを呼び出し、処理を実行して、その結果を表示用のHTMLファイルに反映させることで実現している。

反対に、予め作られたHTMLファイルの内容を変えることなく、表示内容や動作に変化を起こさないWebページは静的なWebページという。

HTTPとHTTPS

Webサーバとwebブラウザの間でやり取りされるデータは、多少の知識があれば第三者が盗聴することも可能。例えば、ネットショップでクレジットカード番号などをWebページに書き込んで送るような場面では、セキュリティ上の危険もある。HTTPS（エイチチティーティーピーエス：Hypertext Transfer Protocol Secure<p.126>）は、Webサーバとwebブラウザ間の通信を暗号化する機能を持つプロトコル。HTTPSを使って通信している場合、URL冒頭のプロトコルは「https://」と表示される。現在、Webページでのやり取りは、そのほとんどがHTTPSで行われるようになった。

4-3-4 Webページ関連の出題用語

RSS (アールエスエス：Rich Site Summary)	Webサイトの見出しや内容の要約など（これらをメタデータという）を記述する文書形式のこと。Webサイトの更新情報の配信に利用されることが多く、わざわざ個々のWebページを閲覧しなくても、RSSリーダに閲覧先を設定しておけば、自動的に更新情報が収集され、一覧表示させることができる。
トラックバック	自身のブログで他者のブログに関連する事柄を書き、相手記事のURLを参照元として掲載するようなケースで、参照元に関連記事を作成した旨を通知する機能。参照元から承認されれば、参照元のブログにも自身のブログのURLを掲載してもらえる。他者のブログから自身のブログへと閲覧者を誘導したい場合に使われる。
cookie (クッキー)	Webページを閲覧しているユーザーの情報（閲覧履歴やログイン情報など）を、一時的にユーザー側の端末に保存する仕組み。Webサーバはこの情報を用いることで、表示させるWebページの内容を閲覧者ごとに変えたり、別ページへ移動しても同じ閲覧者であると認識することができる。便利な機能だが、保存されている閲覧者の情報が勝手に読み出される危険もある。一度閲覧したWebページの再読込時の時間短縮のため、ページの一部や画像などをユーザー側のPCに保存しておくキャッシュと混同しやすいので、要注意！
クローラ	公開されているWebページを巡回・閲覧して、掲載されている情報を自動的に収集するソフトウェア。主に検索サイト（Google、Yahoo! など）で、閲覧者の検索対象となるような事柄が記載されているWebページの情報を、検索データベースに登録したり更新するときなどに使われている。
CSS (シーエスエス：Cascading Style Sheets)	スタイルシートとも呼ばれ、複数のWebページの構造やレイアウトを統一したいときに、その仕様を記述するために使われる言語。通常のHTMLファイルでは、見出しや本文などの階層構造や文字の大きさ、色や位置などの指定を、そのHTMLファイル中に書き込んでおく。CSSを使う場合は、CSS側にこれらのレイアウト指定を記述して、HTMLファイル側にはCSSの指定を用いる指示を書いておく。
マークアップ言語	HTMLのように、文書の論理的な構造やレイアウトに関する情報をテキストファイルの中に入れ込んで記述する言語のこと。HTMLを含めて多くのマークアップ言語の祖先となったSGML（Standard Generalized Markup Language）や、ユーザーが自由にタグ（マーク）の定義を設定することができ、企業間の電子商取引の標準形式として使われるXML（Extensible Markup Language）などがある。

インターネットを使ったその他のサービス

電子メールやWebページ以外にも、インターネットの機能を活用したサービスが提供されていますが、ここでは一般ユーザー向けに広く使われているサービスを説明します<企業向け：p.212>。

オンラインストレージとIP電話

オンラインストレージとは、インターネット上にそのユーザー専用のデータ（写真・動画など）の保管場所（ディスク領域）を提供するサービス。スマートフォンなどPC以外の端末を使ったデータの保管（アップロード）や読み出し（ダウンロード）も可能で、他のユーザーとのデータ共有もできる。自社の顧客向けの無料サービスや、保管するデータ容量に応じて課金する有料のストレージなどがある。

VoIP（ヴォイプ：Voice over Internet Protocol）は、デジタルデータ化した音声をパケットに分割して、インターネットやイントラネットなどのTCP/IPを使ったネットワーク経由で送信し、音声通話を行うためのプロトコル。IP電話は、このプロトコルを利用している。

商用としては電話会社やプロバイダがサービス提供しており、回線の利用効率が高いので通話料金は低く設定され、特に遠距離通話や国際電話は安い。また、通話品質は高くないが、アプリケーション（Skypeなど）を用いてインターネット経由で通話を行うIP電話は、無料で手軽に使えるため、企業内の内線通話などにも用いられている。

ネット接続のための通信サービス

オフィスや家庭でインターネット常時接続は当たり前、通勤・通学途中や屋外でネットを使うこともごく普通の光景になりました。このような便利な仕組みは、ユーザーとプロバイダ(ISP)までの間を通信回線で結ぶ、通信事業者のサービスによって支えられています。

接続サービスと通信回線

一般の企業やユーザーがインターネットに接続するには、インターネット接続サービス事業者(インターネットサービスプロバイダ：Internet Service Provider：ISP)の接続サービスを利用します。また、接続のための通信回線を提供する通信事業者(電話会社など)自身が、プロバイダを兼ねて運営しているケースもあります。

ユーザー⟷プロバイダを結ぶ通信回線

企業が自身でグローバルIPアドレスを取得し、ネットワークホストなどを設置している場合、プロバイダは主にインターネットへの接続機能のみを提供する※。また、一般ユーザー向けには、インターネット接続のためのグローバルIPアドレスの一時割り当て<p.099>や、電子メール機能の提供（プロバイダのメールサーバを利用）などのサービス<p.102>を提供している。

※一般企業が自身で直接インターネットに接続することはできないため。

● **FTTH(エフティーティーエイチ：Fiber To The Home)**

FTTHは光回線を使った通信サービス。光ファイバケーブルは、メタル回線（いわゆる電線）に比べて信号の減衰がほぼなく、電磁波による影響も受けにくいため、数十km～数百kmの長距離間を中継無しで通信できるのが特徴。現在の接続速度は最大1G～10Gビット／秒前後と超高速。

4-4-1　FTTHの構成図

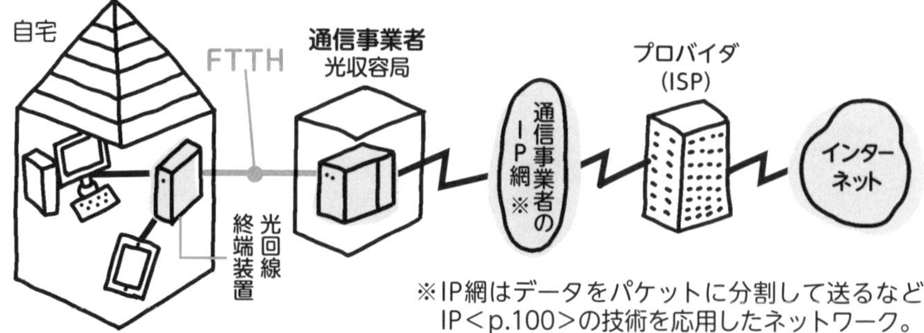

※IP網はデータをパケットに分割して送るなど、IP<p.100>の技術を応用したネットワーク。

仮想的な専用回線でLANどうしを繋ぐVPN

プライベートネットワークとは、外部（インターネット）と接続しない閉じたネットワークのこと。内部のみで完結しているため、自由度の高い独自のネットワークを作ることができ、外部からの不正アクセスなどを防止する効果もある。プライベートネットワークの形態を保ったまま、本社と支社のネットワークを常時接続するような場合、安全対策のため外部ネットワーク（インターネット）を介さず、通信事業者が提供する専用回線を用いる方法が用いられる。

しかし、専用回線の使用はコストが嵩むため、送信するデータの暗号化やカプセル化（パケットの外側に別の情報を付加して包み込む）などのセキュリティ対策を施した上で、公衆網（複数のユーザーで共用するネットワーク）を使い、仮想の専用回線に見立てる方法を使う。これをVPN（バーチャルプライベートネットワーク：Virtual Private Network）という。

VPNには、通信事業者が持つ独自のIP網＜左ページ図中参照＞を利用したIP-VPNや、インターネットを利用することでコストを削減したインターネットVPNなどがある。IP-VPNでは、提供する通信事業者により通信品質が保証されているが、インターネットVPNではパケットの遅延や未着などで通信品質が下がる場合もあり、さらに盗聴や不正アクセスなどが起こる可能性も0にはならない。

移動体通信システムの利用

移動体とは、スマートフォンやモバイルルーターなどモバイル環境用の端末のことです。ユーザーは常に移動しており、移動の範囲も広いことを前提にした通信サービスを提供するためのシステムが移動体通信システムです。

移動体通信システムのサービスを提供する事業者

- **MNO（エムエヌオー：Mobile Network Operator）**
  移動体通信事業者。移動体通信に必要な通信網を自社で保有し、自社ブランドで通信サービス（音声・データ）を展開したり、MVNOに通信網を貸し出すサービスの提供を行う。

出題率超高

- **MVNO（エムブイエヌオー：Mobile Virtual Network Operator）**
  仮想移動体通信事業者。自社では移動体通信用の通信網を持たず、MNOから借りたり、MVNEからのサービスを受けて、自社ブランドで通信サービス（音声・データ）を提供する。設備投資を抑えることで、通信料を安く設定できるのが強み。
- **MVNE（エムブイエヌイー：Mobile Virtual Network Enabler）**
  仮想移動体サービス提供者。通信網を持たないMVNOのために、通信網を調達する代理業務を行ったり、MVNOが使う課金システムの構築などの支援サービスを行う。

SIMカード

スマートフォンなどのモバイル端末には、移動体通信事業者（MNO）や仮想移動体通信事業者（MVNO）が貸与するSIMカード（シム：Subscriber Identity Module）が挿入されている。SIMカードには、加入者を識別するID番号や端末の電話番号が記録されており、通信時にこの情報を読み出すことで通信事業者は加入者とその契約内容を特定し、SIMカードが挿入された端末に対して通信サービス（音声・データ）を提供する。以前は、モバイル端末と同じ通信事業者のSIMしか使えなかったが（SIMロック）、2015年のSIMロック解除原則義務化により、端末は元のまま通信料の安い別の仮想移動体通信事業者のSIMを使ったり、SIMフリーの端末を使うユーザーも多い。

SIMに関連した用語としてPINコード（ピン：Personal Identification Number）も出題されている。PINコードは、携帯電話のSIMカードをロックするための暗証番号。SIMカードを抜き差しした場合、または携帯の電源を入れるたびにロック解除用の暗証番号を入力させることで、盗難・紛失時の不正使用を防ぐことができる。

モバイルルーターとテザリング

モバイルルーターはルーター<p.098>の一種で、SIMカードの装着により通信事業者の通信回線経由でプロバイダに接続する。そのため、外出先でもノートPCやタブレットなどの端末を、モバイルルーター経由でインターネット接続させることが可能。モバイルルーター←→端末の通信には、Wi-Fi<p.094>やBluetooth<p.017>が使われる。

またテザリングは、スマートフォンをモバイルルーターのようにインターネットとの接続中継に利用して、別の端末からスマートフォン経由でインターネット接続を利用することができる機能。

テザリングを使った接続方法

テザリング機能をもつスマートフォンを利用した，PCのインターネット接続に関する記述のうち，適切なものはどれか。

ア　PCとスマートフォンの接続は無線LANに限定されるので，無線LANに対応したPCが必要である。

イ　携帯電話回線のネットワークを利用するので安全性は確保されており，PCのウイルス対策は必要ない。

ウ　スマートフォンをルーターとして利用できるので，別途ルーターを用意する必要はない。

エ　テザリング専用プロトコルに対応したPCを用意する必要がある。

解説　**モバイル環境のインターネット接続をまとめておこう**

ア：もしPC側が無線LAN（Wi-Fi）に対応していなくても、多くのスマートフォンにはBluetooth<p.017>が備えられているため、PC側にこの通信機能があれば接続可能。また、PCとスマートフォンの両方にUSBのコネクタがあれば、USB接続する方法もある。

イ：通信事業者が行っているのは、携帯電話の通信網を利用した音声やデータ通信サービスの提供。基本的にウイルスを排除する機能はないので、ウイルス対策ソフトは必須。

ウ：正解。

エ：スマートフォン←→PCはWi-FiやBluetoothの接続規格を使い、インターネット接続のためのPC側の処理は、通常どおりOS等の機能を使う。そのため、「テザリング専用のプロトコル」というものは存在しない。

正解：ウ

4-4-2　通信サービス・接続サービスに関する用語

用語	説明
ローミング	通信事業者やプロバイダなどが、自社のサービスエリア外であっても、提携している事業者のエリア内であれば、同様の接続機能をユーザーに提供するサービス。
LTE（エルティーイー）	携帯電話用の通信回線規格。理論上の最大通信速度は150Mビット／秒。規格に微細な違いはあるのだが、一般には4G（第4世代移動通信システム）とも呼ばれる。
5G（ファイブジー）	上項4G（LTE）に続く、第5世代移動通信システムの規格。LTEに比べて通信速度が高速で遅延が少ないため、大容量な動画データの即時転送なども可能（ドコモの場合、理論上のダウンロード時最大6.6Gビット／秒、アップロード時最大1.1Gビット／秒）。LTEより多数の端末の同時接続が可能なため、家電などのモノ（装置）とネットワークを接続するIoTシステム<p.026>での利用も期待されている。
ローカル5G	通信事業者ではない企業や自治体などの組織が構築・運用しており、その企業の敷地内や自治体の行政区域内でのみ接続できる5Gネットワークのこと。空港施設や町村内など、Wi-Fiではカバーしきれない広いエリアの通信が可能になる。
キャリアアグリゲーション	周波数の異なる電波を束ね、1つの通信回路としてデータ通信を行う移動体通信の技術。広い帯域を使うことで、より高速で大容量のデータ通信が可能になる。
公衆LAN	商業施設や交通機関など公共の場で、無線LANを使ったインターネット接続を提供するサービス（有料のものと無料のものがある）。Wi-FiスポットやホットスポットなどとGも呼ばれる。

Chapter 5
セキュリティ技術

攻撃の種類と対策

ITに支えられた生活や業務環境は便利で快適ですが、その裏側にはITを悪用する攻撃者から狙われるリスクも隠れています。コンピュータウイルスによる無作為な攻撃だけでなく、特定の相手を狙って不正アクセスを繰り返し、情報の抜き取りやシステムの破壊を行うなど、攻撃の規模も受ける被害も大きな事例が発生しています。

攻撃者の侵入口「バックドア」
WANTED
ウラ口さえ出来ちまえば、
後は自由に入り放題サ!

攻撃の種類と対策

このテーマでは、ITを悪用した攻撃の種類と、それを防ぐ技術的な対策を説明します。まずは、コンピュータウイルスの説明から始めましょう。

マルウェアとワーム

ユーザーの意図しない動作を行って被害をもたらす不正なプログラムをマルウェアといい、その代表がコンピュータウイルス。ウイルスは、侵入したコンピュータに保存されているプログラムに取りついて部分的に書き換え、そのプログラムが動作すると自分の複製が作られるというパターンで増殖する。これに対して、ワームと呼ばれるマルウェアは単体で増殖（寄生先は不要）するところが異なる。一般にはこちらもウイルスと総称されるため、ここでは一括してウイルスとして扱う。以前は、便利な無料ソフトに見せかけ、実はウイルスが仕込まれているトロイの木馬と呼ばれるタイプが多く見られたが、現在はメールを開くだけで感染したり、閲覧したWebページから勝手にダウンロードされる（ドライブバイダウンロード）など、知らないうちにウイルスがインストールされてしまうケースがほとんどだ。

ウイルス対策ソフトの役割と注意点

ウイルス対策ソフトはウイルスの検出と駆除を行うソフトウェア。ウイルスのプログラムが持つ特徴を記録したウイルス定義ファイル（パターンファイル）と、コンピュータに保存されているプログラムやデータを照合して検出と駆除を行う。定義ファイルが古いと新種のウイルスに関する情報がないため、検出・駆除ができない。ウイルス対策ソフトのベンダーが提供する新しい定義ファイルをその都度ダウンロードするか、「定義ファイルの自動更新」に設定しておき、常に最新のものにすることが重要。

ウイルス感染防止のための対策

ウイルスはメールに添付されることも多い。発信者に心当たりがないメールの受信（ダウンロード）は慎重に判断しよう。プロバイダが提供するメールのウイルスチェックサービスを使う対策も有効だ。また、無料のソフトウェアやアプリには、ウイルスが混入していたり、個人情報を密かに取得する機能を持つものもあるので要注意。メールやWebページに記載されたリンク先へ飛ぶときは、ドライブバイダウンロードが仕掛けられていたり、個人情報を入力させて盗み取る「偽ページ」かもしれないことを考え、クリックしてしまう前に危険性を冷静に判断することが必要だ。

5-1-1　試験によく出るウイルスと行う動作

ランサムウェア	感染すると、システムをロックしたり、データを勝手に暗号化するなど、ユーザーが使用できない状態にしてしまう。その上で、ロックの解除やデータの復号と引き替えに金品を要求。身代金を支払っても、解除や復号が行われる保証はない。一般的な感染対策だけでなく、いち早く復旧するためにシステムやデータの日頃からのバックアップが重要。
ボット (BOT)	感染したコンピュータをネットワーク経由で操作することを目的とする遠隔操作型ウイルス。ボットネットは、C&Cサーバ（攻撃を指示するサーバ）と、複数のゾンビコンピュータ（ボットに感染して遠隔操作されているコンピュータ）から構成されるネットワークのことで、標的となったシステムへの一斉攻撃などに使われる。
スパイウェア	システム内に潜伏し、個人情報などを探して特定のサイトに勝手に送信するなど、情報の盗みだしを行う。
マクロウイルス	マクロ機能<p.067>は、一連の操作手順を記録して簡単な操作で再現する機能で、ワープロソフトや表計算ソフトなどに備えられている。VBAという簡易言語でマクロを記述すると、オフィスツールの機能範囲を超えた多様な操作が実行できるが、マクロウイルスはこの機能を悪用している。このウイルスが仕込まれた文書ファイルを開いたり、マクロ機能を有効にすると実行を開始。データやシステムを破壊したり、アドレスリストを見つけて自身のコピーをメールに添付し、勝手に送信するなどの動作を行うマクロウイルスが発見されている。
RAT（ラット：Remote Access Trojan）	特定の相手を狙う標的型攻撃<p.115>に使われ、攻撃対象のコンピュータをネットワーク経由でリモート操作するウイルス。感染してしまうと、ファイルを送る・データやシステムを改変／破壊する・内蔵のカメラを操作して勝手に映像を撮影する…などの多様な操作を外部から行わせることが可能になる。

ウイルスが狙っているもの

攻撃者が他人のPCにランサムウェアを感染させる狙いはどれか。

ア　PC内の個人情報をネットワーク経由で入手する。

イ　PC内のファイルを使用不能にし，解除と引換えに金銭を得る。

ウ　PCのキーボードで入力された文字列を，ネットワーク経由で入手する。

エ　PCへの動作指示をネットワーク経由で送り，PCを不正に操作する。

解説　ウイルスの出題頻度トップは、ランサムウェア！

それぞれのウイルスの詳細は上記、表5-1-1を参照。

ア：こっそり情報を盗み取るのはスパイウェア。

イ：正解。金品を脅し取るのがランサムウェアの最終目的。

ウ：キーボードの操作を読み取り、入力された文字列（パスワードやクレジットカード番号など）を盗み出すウイルスは、キーロガーと呼ばれる。

エ：ネットワーク経由で遠隔操作するためのウイルスがボット。

正解：イ

ウイルス感染時の対応手順

PCの動作がおかしい、操作を受け付けない、見たこともない画面が表示される！など、ウイルス感染が疑われるときには、すぐに次のような対応をとろう。

❶ LANから切り離す

同じLANに接続している他の端末への二次感染を防ぐため、まずPCのLANケーブルを抜く、無線LANをOFFにするなど、ウイルスの感染が疑われる端末をただちにLANから切り離す。

❷ システム管理者に連絡

すでにLAN経由で他の端末に感染が広がっていたり、同じ経路で感染した端末が他にもある可能性もある。すぐにシステム管理者に連絡し、他のユーザーに周知するなどの対策を取ってもらおう。

さまざまな攻撃手法

セキュリティホールとは、システムやソフトウェアのセキュリティ上の弱点のことで、設計上の不備やプログラミングのミスなどが原因で発生します。セキュリティホールがあると、本来は権限のあるユーザーにしか許可されない操作が可能になってしまうことがあります<対策はp.116>。

各種の攻撃とその対策

攻撃者はセキュリティホールを悪用して、クラッキング（不正侵入や破壊）をしかけてくる。どのような手法の攻撃があるのか、試験によく出るものを見ていこう。

よく出る用語

5-1-2　試験によく出る攻撃の一覧

DoS攻撃 (ドスこうげき：Denial of Service attack)	攻撃目標のサーバ（Webサーバやメールサーバなど）に大量のデータや処理要求を送りつける攻撃。過大な負荷をかけ、本来のサービスを提供不能にさせることが目的。ボット<p.113>に感染した多数のゾンビコンピュータ<p.113>を踏み台にして、一斉に1つの攻撃目標へ送り付けるDDoS攻撃もある。 **対策**：攻撃元のIPアドレスを特定して、そのIPアドレスが送信元となっているパケットの受信を遮断。
EDoS攻撃 (イードスこうげき：Economic Denial of Service attack)	クラウドサービス<p.216>の費用は、ユーザーのアクセス数やダウンロードされたデータ容量による課金制であることが多い。EDoS攻撃は、標的となる組織が利用しているクラウドサービスに、DDoS攻撃の手法を使って大量のアクセスをしかけ、経済的（Economic）な損失を与える目的で行われる。例えば、Webサイトの運営管理を外部委託している組織のWebページに、ゾンビコンピュータから大量の閲覧要求を出させた事例などがある。対策はDoS攻撃と同じ。
SQLインジェクション	SQL<p.082>は、データベースを操作するための言語。例えば、Webページの検索ボックスにユーザーが文字列を入力してデータベースを検索する機能は、Webサーバで動作しているプログラムがSQL文を組み立ててデータベースに問合せをしている。SQLインジェクションは、悪意のある文字列を入力し、有害なSQL文（データ削除やでたらめな更新など）を作らせることで、データベースを不正に操作する攻撃。 **対策**：入力できる文字種や記号、文字数を制限することで、入力された文字列をサニタイジング（無効化）。
クロスサイトスクリプティング(XSS)	Webサイトの掲示板などの書込みに、悪性スクリプト（害を及ぼすプログラムの一種）が埋め込まれていると、そのスクリプトが含まれたまま表示用データとして閲覧者のWebブラウザに送られ、閲覧者のPCでスクリプトが実行されてしまう脆弱性を利用した攻撃。 **対策**：入力できる文字種や記号、文字数を制限することで、入力された文字をサニタイジング（無効化）する。
クロスサイトリクエストフォージェリ(CSRF：リクエスト強要)	登録制でサービスを行うWebサイトにログインしたままの状態で、この攻撃が仕掛けられたWebサイトを閲覧すると、ログインしているWebサイトへ勝手に悪意のある要求が送られてしまう攻撃。例えば、掲示板が設けられたSNSにログインしたままにしていたら、そのユーザーからの投稿として、勝手に悪口や嘘の情報を書いた文章などが送られた例などがある。 **対策**：別のWebサイトへの移動は、面倒でもログアウトを済ませてから。
ゼロデイ攻撃	ソフトウェアのセキュリティホールが発見され、ベンダーからソフトウェアの不具合を修正するセキュリティパッチが配布されるまでのごく短期間（＝ゼロデイ）を狙って行われる攻撃。 **対策**：ソフトウェアがアップデートされたらすぐに更新できるよう、自動更新に設定しておく。
バッファオーバーフロー	プログラムが設計上想定しているメモリ容量を超える大容量のデータが入力されると、メモリに記憶されたデータが破損してしまうバグを利用して、意図しない動作を行わせる攻撃。 **対策**：入力できるデータ容量の制限を設ける。
IPスプーフィング	攻撃者が自身のIPアドレスを隠蔽するため、偽の送信元IPアドレスを付加したパケットを送ること。
ポートスキャン	インターネットサーバが提供するサービス（メールやWWWなど）に使われるポート（各サービスやアプリケーションを使うためのインターネットからの出入り口<p.099>）を順番にアクセスして、利用可能なポートを探すこと。攻撃の踏み台（中継に利用するコンピュータ）を探す場合に使われる。 **対策**：サービスの提供に使われていないポートは停止する。
DNSキャッシュポイズニング	DNSサーバ<p.097>に保存されているドメイン名とIPアドレスを対応付ける情報を書き換え、DNSサーバから偽IPアドレスを受け取ったユーザーに偽のWebサイトを閲覧させる攻撃。例えば、ネットショップの偽サイトへ誘導し、クレジットカード番号と暗証番号を入力させて盗み取るなどフィッシング詐欺の被害が報告されている。

パスワードの割り出しを狙った攻撃

正当な利用者の識別（ユーザー認証<p.119>）のため、ユーザーIDとパスワードを入力させる方法がよく使われている。もし、メールアドレスをIDとして使うサイトに、誰かのアドレスを入力して、その人の誕生日や電話番号をヒントにパスワードを割り出せれば、ログインしてなりすますことも可能だ。

パスワードの割り出しを狙った攻撃に共通するシステム側の対策としては、ログイン時にある回数以上間違ったパスワードが入力された場合は、そのIDの利用を停止させたり、一定時間を置かないとログイン操作を許可しないロックアウトが効果的。

5-1-3　パスワードの割り出しや不正取得を狙う攻撃

パスワードクラック	コンピュータに保存されているデータや、インターネット経由で送られるメールの本文などから、パスワードを探し出す攻撃。 **対策**：パスワードを保存したり送信する場合は、データを暗号化しておく。
ブルートフォース攻撃	文字や数字の組合せを変えながら手当たり次第に何度も入力して割り出す行為。総当たり攻撃とも呼ばれる。
パスワードリスト攻撃	同じパスワードを使い回すユーザーが多いことを利用して、不正に入手したパスワードのリストを使い、ユーザーが登録していると予想されるWebサイトやシステムに不正ログインしようとする攻撃。 **対策**：Webサイトやシステムごとに、異なるID・パスワードを登録する。
辞書攻撃	辞書に掲載されている単語を手当たり次第に入力して、パスワードを割り出す攻撃。 **対策**：パスワードに意味のある言葉を使わない。

「人」をターゲットとした攻撃

特定の「人」が標的となったり、騙されて何らかの行為を行うことで成り立つ攻撃をまとめておく。闇市場となっているダークウェブについても知っておこう。

5-1-4　「人」を狙う攻撃

フィッシング	メールに書かれた偽URLや、Webページの不正に細工されたジャンプボタンから偽サイトに誘導し、クレジットカード番号などを入力させて盗み取る行為。
MITM攻撃（エムアイティーエム：Man In The Middle attack）	バケツリレー攻撃や中間者攻撃とも呼ばれる。攻撃者は、インターネット経由でやり取りしている2人の間に割り込んで、送られたメッセージをすべて横取りする。取得したメッセージを書き換えて送ったり、送信されていないメッセージを勝手に作って送るなどの攻撃を行う。
MITB攻撃（エムアイティービー：Man In The Browser attack）	マルウェアに感染したPCでオンラインバンキングなどの取引を行ってしまったときに、マルウェアがWebブラウザの機能を乗っ取り、偽サイトを表示してアカウント情報を入力させて盗んだり、偽の振込先に書き換えて送金させるなどの攻撃のこと。まるで、攻撃者自身がWebブラウザに潜んでいるように（Man in The Browser）、いくつものステップで巧みに騙していくことから命名された。
ワンクリック詐欺	Webページ上に置かれたURLの表記やボタンをクリックしただけで、了承していないサービスや商品を購入したとして、不当に高額な料金を架空請求する詐欺。
水飲み場攻撃	他者のWebページを勝手に改ざんし、閲覧にきたユーザーがウイルス感染するよう仕掛けておく攻撃。水飲み場に集まった動物を狙って、肉食獣が襲う様子に例えて命名された。
標的型攻撃	まず最初は、標的となった組織のメンバーに偽メールが送られ、添付されたファイルを開くことでウイルス感染が起こる。偽メールは取引先からの依頼や顧客からの問合せなどに見せかけてくるため、見分けることが難しい。ウイルスは、機密情報を見つけて勝手に送信する、システムやデータを破壊するなどの攻撃を実行する。
BEC（ビーイーシー：Business Email Compromise）	ビジネスメール詐欺とも呼ばれ、なりすましメールで偽の口座への送金を促す攻撃。実際の事例：①取引先の担当者になりすまし、事情があって通常とは異なる振込先口座へ変更してほしいと要望。②会社の役員になりすまして、極秘案件で至急資金が必要なので指定口座へ内密に送金するよう指示。
ソーシャルエンジニアリング	ネットワークやコンピュータを使わずに行われる不正行為。社員になりすまして電話でパスワードを聞き出す、担当者が廃棄した書類を拾って情報を盗み出すなどの行為がある。
ショルダーハック	ソーシャルエンジニアリングに分類される攻撃で、人の肩越しに後ろからのぞきこむなど、相手にわからないように情報を盗み出す行為。外出先で使うPCは、のぞき見防止用シートを貼っておくと予防になる。
ダークウェブ	一般的に使われているWebブラウザ（Google ChromeやSafariなど）では閲覧できず、検索サイトにも結果表示されない隠されたWebサイト。これらのサイトは、不正に取得された個人のクレジットカード情報や企業の機密情報の販売、麻薬の取引などの犯罪行為を行うための闇市場となっている。

ハードウェア・ソフトウェアの対策

セキュリティバイデザインとは、システムやハードウェア・ソフトウェアを構築・運用する場合に、企画・設計の段階から情報セキュリティを確保するための方策を講じていくことです。

攻撃の対象となるのは、システムやコンピュータだけでなく、周辺機器<p.014>やIoTデバイス<p.027>などのハードウェアでもセキュリティ上の脆弱性が指摘されており、実際の被害も発生しています。ここでは、実際に起こった攻撃の事例とセキュリティ対策をまとめておきましょう。

PCやデバイスの盗難対策

IoTデバイスは、ネットワークへの接続機能を活用して、管理者から離れた場所に設置されることが多い。そのためデバイス自体を盗まれる危険性もあり、例えば監視用のWebカメラなら人の手が届かない高い位置に設置するなどの盗難対策が必要だ。

モバイルPCなどを外出先で使うことがある場合、万一盗まれたときにもデータを不正利用されないように、HDDやSSDに保存しているデータは暗号化しておくことが望ましい。データの暗号化と復号を行う際には、鍵と呼ばれる文字列が必要になるが<p.121>、鍵の作成と保管にはマザーボード上に実装されているTPM（ティーピーエム：Trusted Platform Module）が使われる。TPMはセキュリティチップやセキュアプロセッサ<p.007>とも呼ばれる半導体で、鍵はチップの内部に記憶されており、外部から読み出せないように作られているため、盗んだPCのデータを復号することは難しい。

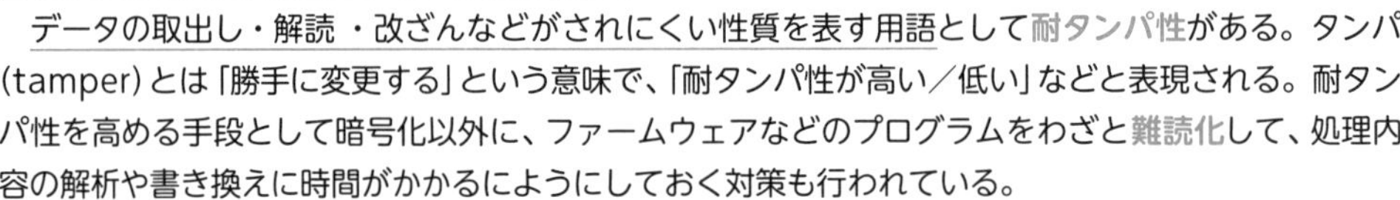

データの取出し・解読・改ざんなどがされにくい性質を表す用語として耐タンパ性がある。タンパ（tamper）とは「勝手に変更する」という意味で、「耐タンパ性が高い／低い」などと表現される。耐タンパ性を高める手段として暗号化以外に、ファームウェアなどのプログラムをわざと難読化して、処理内容の解析や書き換えに時間がかかるようにしておく対策も行われている。

ファームウェアへの攻撃

HDDなどの周辺機器やWebカメラなどのIoTデバイスにも、専用の制御用ソフトウェア（ファームウェア<p.019>）が内部に保存されており、これにもウイルス感染や不正書き換えの危険性がある。

実際に、HDDのファームウェアの更新用データが置かれたベンダーのWebページが書き換えられ、ウイルスを含んだ更新データが配布された事件が起こっている。また、IoTデバイスであるWebカメラの映像データの送り先アドレスが書き換えられ、盗撮が行われていた事例もあった。

ユーザーが行う正当な更新と、不正な書換えをどう区別するのかなど課題も多く、技術的な対策が進められている段階なため、具体的な対応策がないのが現状だが、周辺機器やIoTデバイスにも、セキュリティ上のリスクがあることを知っておこう。

OSやアプリケーションのセキュリティ対策

攻撃者は、ソフトウェアのセキュリティホール<p.114>を狙うことが多いため、アップデート（更新処理）は小まめに行うことが肝心。OSやアプリケーションのアップデートでは、機能の改善とともに、セキュリティパッチが適用されている。パッチはソフトウェアの不具合を修正するためのデータのことで、セキュリティパッチはセキュリティホールを塞ぐためにベンダーから配布される修正用のデータだ。

インターネットに常時接続しているPCなら、アップデートされた際にお知らせなどが表示されるので、タイミングを逃さず更新しよう。「自動更新」に設定しておくと、アップデートデータのダウンロード→インストールを自動的に行うので、手間がかからず便利。

BIOS（バイオス：Basic Input/Output System）は、PCの出荷時にあらかじめ書き込まれている起動用プログラム。PCの電源がONになり、CPUの動作チェックが終わるとBIOSが読み込まれ、そのプログラムにしたがって各装置がチェックされる。続いてBIOSはOSのプログラムを起動して、デバイスドライバ<p.015>の読み込みを行わせ、以降の制御はOSが引き継ぐ。

BIOSには起動時に読み込むソフトウェアが、正当なベンダーによって作成され、認証局<p.124>によって認められた本物かを検証する仕組みを持っている。これをセキュアブートといい、BIOSにはあらかじめ認証局が発行した証明書<p.126>が保存されており、ソフトウェアから読み出したデジタル署名<p.124>を証明書を使って検証し、正当であると見なしたもののみを起動させる。

WAF(Webアプリケーションファイアウォール)

Webアプリケーションとは、wwwの仕組みを応用して動的な機能（操作によって表示や動作が変わる<p.106>）を持たせたWebサイトのこと（例：ネットバンキング、SNSサイト など）。

これらのサイトには、サービスへの正常な要求を装ったさまざまな攻撃（例 ：SQLインジェクション、バッファオーバーフロー<p.114>など）が行われている。アクセスの方法や要求の仕様自体は正常なため、IDS・IPS<次項>や通常のファイアウォール<次ページ>では、この攻撃を防ぐことは難しい。

WAFは、Webアプリケーションへの攻撃を防御する専門のシステムやソフトウェア。送られてきた要求内容を詳細にチェックし、Webアプリケーションごとにあらかじめ細かく定義されたリストと照合して、Webアプリケーションに「渡す／破棄する」を判断する機能を持つ。

攻撃への全般的な対策

未知の攻撃手段に対抗するためにも、個々の攻撃に対する対策だけでなく、システムやデータを守る総合的な対策としてのセキュリティ管理が必要になります。万一、攻撃を防げなかったときに備えて、システムやデータは定期的にバックアップをとっておきます。

なお本書では、人的な対策を含めた組織全体での取り組みや、リスク管理 ・情報セキュリティ管理の詳細については、7-4「リスク管理とセキュリティ管理」<p.159>で解説しています。

不正侵入の検知と侵入防止策

不正侵入した攻撃者は、システムのセキュリティホールを利用して専用のプログラムを送り込み、システムの一部を書き換えるなどの手段で、継続的に不正侵入を続けるためのバックドア（裏口）を作る。また、ルートキットはシステム侵入後に攻撃者が仕掛けるツール群のこと。侵入した形跡を隠すために、システムを書き換えたり、ウイルス対策ソフトなども書き換えて検出不能にしてしまう。侵入者は、以後もバックドアを使って侵入を繰り返すが、アクセスの形跡（ログ）も隠してしまうので検知されにくい。

いったん侵入されてしまうと上記のように発見や排除は困難なため、不正侵入自体を防ぐことが重要になる。そのため、次のような対策・システムが用いられている。

● ペネトレーションテスト

「ペネトレーション（penetration)」は、貫通や浸透という意味。ペネトレーションテストとは、システムのセキュリティ上の弱点を発見するためにわざと侵入や攻撃を試みるテストのこと。擬似アタック試験とも呼ばれる。ペネトレーションテスト用のソフトウェアを利用したり、セキュリティ診断を専門に行っている企業に依頼するなどの方法がある。

● IDS（アイディーエス：Intrusion Detection System)

IDSは侵入検知システムと呼ばれ、ネットワークを流れるパケットやコンピュータ内部の挙動を監視して（振る舞い検知）、不正な侵入を検知するもの。

● IPS（アイピーエス：Intrusion Prevention System)

IPSは侵入防止システム。IDSは侵入検知だけだが、IPSは検知と同時に侵入を防止する（接続を遮断する）。また、攻撃の詳細を定義した検出パターン（ブラックリスト）により、さまざまな種類の攻撃（OSの脆弱性を悪用した攻撃、サーバが提供するサービスへの攻撃など）を防御することができる。

不正アクセスを防ぐ技術

前テーマではさまざまな攻撃への対策方法を解説しましたが、最大の防御方法は、まず攻撃者の不正なアクセスを許さないことです。試験では、LAN内部への侵入防止対策としてファイアウォールが、不正アクセスを拒否するアクセス制御の方法としてアクセス権の設定と認証技術が出題されています。

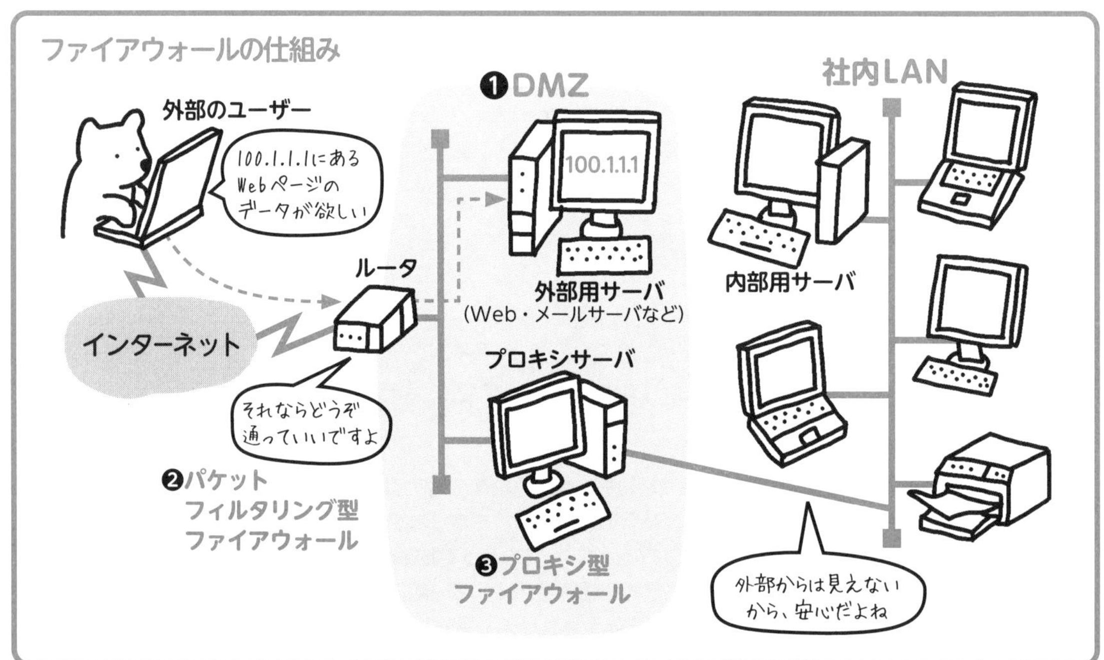

LANを守るファイアウォール

インターネット経由の不正侵入や攻撃から、LANの内側にあるシステムやデータを守る仕組みをファイアウォール（防火壁）と呼びます。どのような技術の組合せで防御しているのか、その仕組みを知っておきましょう（上図の丸付き数字は、見出しの数字と対応）。

ファイアウォールの構成要素

❶ DMZ（ディーエムゼット：De-Militarized Zone）

元々の意味は「敵対する地域の中間に設ける非武装中立地帯」。Webサーバやメールサーバなど、外部へサービスを提供したり、外部からのデータを受け取る必要があるインターネットサーバは、このDMZのセグメント（ネットワーク上の階層）に置いて、社内のネットワークと隔離しておく。さらに、外部からDMZの内側にある社内LANへの直接アクセスは禁止とする。

❷ パケットフィルタリング型ファイアウォール

パケット（<p.091>分割された通信データ）に付加された、宛先IPアドレスや送信元IPアドレス、ポート番号（<p.099>インターネットサーバに要求しているサービスの種類がわかる）などを確認し、あらかじめ設定したルールにしたがって、パケットの通過／廃棄を判断する。

❸ プロキシ型ファイアウォール（アプリケーションゲートウェイ）

社内LANとインターネットの間にプロキシサーバ（代理サーバ）を置き、インターネットとのやり取りは、すべてプロキシサーバが中継する。LAN内部ではプライベートIPアドレス<p.096>を使い、インターネットへはプロキシサーバが持つグローバルIPアドレス<p.096>を使ってアクセスするため、インターネット側（外部側）からはプロキシサーバしか見えない。

また、ブラックリストに登録されたWebサイトの閲覧禁止、特定用語を含む電子メールの送受信禁止などの、コンテンツフィルタリングの機能も持つ。

アクセス管理の技術

社内の端末からの不正アクセス対策も必須です。内部の人員であっても、システムを無許可で操作したり、業務に不要なデータは読み書きできないよう、アクセス権の設定を行っておきます。アクセス管理は、サーバやPCのOSの機能や、データベースが管理するデータであればDBMSの機能を使います。

社内システムへのアクセス権設定の例

ファイルへの「削除（D：Delete）、書込（W：Write）、読込（R：Read）」を行うアクセス権を、ディレクトリ<p.020>単位で設定し、その設定値をビット列で表す出題があるので、例題を使って説明する。

設定されているルールの例：

- この会社では、職位と職種別に「営業実績集計ディレクトリ」へのアクセス権が設定されている。
- 「営業課長」は、「営業実績集計ディレクトリ」に保存されたファイルの「削除」「書込」「読込」が許可されている。
- 「営業課員」は、「営業実績集計ディレクトリ」に保存されたファイルの「書込」と「読込」が許可されているが、「削除」は不可。
- 「経理課員」は、「営業実績集計ディレクトリ」に保存されたファイルの「読込」のみ許可されている。
- 「総務課員」は、「営業実績集計ディレクトリ」に保存されたファイルへのアクセスは不可。

設定されたアクセス権の許可は1、不許可は0として「削除、書込、読込」の順に示したのが右の表。これを基に、それぞれの所属と役職のアクセス権をビット列で表すと次のようになる。

営業課長
1 1 1

営業課員
0 1 1

経理課員
0 0 1

総務課員
0 0 0

5-2-1
アクセス権の設定値を表すビット列

	D（削除）	W（書込）	R（読込）
営業課長	1	1	1
営業課員	0	1	1
経理課員	0	0	1
総務課員	0	0	0

ユーザーを識別する認証技術

ユーザーがアクセス権を持つ正当な利用者であるかどうかの確認には、各種の認証技術が使われている。一般的なのは、IDとパスワードを使ったパスワード認証だ。

出題頻度が高いのはバイオメトリクス認証（生体認証）で、生体情報のなかで個人による差が大きく、かつ変化しにくいものを認証の要素として利用する。目の網膜や虹彩・手のひらや指の静脈・指紋や声紋（身体的生体認証）、キーボード入力の際のキーストロークやタブレット端末での手書き文字の筆跡の癖（行動的生体認証）などのパターンを登録して利用する。

5-2-2 認証関連で出題される用語

用語	説明
本人拒否率、他人受入率、未対応率	バイオメトリクス認証の認証精度を表す用語として、「正当なユーザーなのにログインを拒否されてしまう確率」を本人拒否率、反対に「許可されていないユーザーなのにログインできてしまう確率」を他人受入率という。また、生体情報を認識できない割合を未対応率という。
パスワードポリシー	「どんなパスワードなら登録を許可するのか」という要件や、用いる文字種や文字列の長さなどを定めた方針がパスワードポリシー。パスワードに電話番号や生年月日、名前の一部などを使うと第三者にも推測可能なため、登録不可となっているシステムが多い。
ワンタイムパスワード	パスワード生成機（トークン）などを使い、認証の1回ごとにパスワードを変える方法。高い安全性が求められる金融取引などで用いられている。
シングルサインオン	1度ログインして認証を受けると、そのユーザーに許可されている複数のシステムやデータへのアクセスが一緒に許可される便利な機能。
CAPTCHA（キャプチャ）	コンピュータでは判読が難しいゆがんだ文字列の画像を表示して、その文字列を入力させる認証方法。アクセスや操作を行おうとしている者が、コンピュータではなく人であることを判別するために使われる。ロボット(ソフトウェア)を使った、不正ログインのためのパスワード入力の試行対策や、掲示板への広告の自動書き込み阻止などに用いられている。
リスクベース認証	いつもとは異なるデバイスやWebブラウザを使っていたり、別の国や普段使わないLANからアクセスしているなど、利用者本人ではない不正アクセスの可能性がある場合に、追加で認証操作をさせて確認すること。
電子認証サービス	マイナンバーカード<p.227>には、その個人にのみに与えられるデジタル証明書と呼ばれる情報が記録されている<p.124>。電子認証サービスは、その情報を読み取って照合することで、カードを持つ者が本人であるとして認証を行う。現在は、住民票などをコンビニで取得するコンビニ交付などで使われている。

認証に用いる情報の種類と多要素認証

A社では，従業員の利用者IDとパスワードを用いて社内システムの利用者認証を行っている。セキュリティを強化するために，このシステムに新たな認証機能を一つ追加することにした。認証機能a～cのうち，このシステムに追加することによって，二要素認証になる機能だけを全て挙げたものはどれか

a　A社の従業員証として本人に支給しているICカードを読み取る認証　←所有情報

b　あらかじめシステムに登録しておいた本人しか知らない秘密の質問に対する答えを入力させる認証　←知識情報

c　あらかじめシステムに登録しておいた本人の顔の特徴と，認証時にカメラで読み取った顔の特徴を照合する認証　←生体情報

ア　a　　イ　a, b, c　　ウ　a, c　　エ　b, c

解説　認証要素の分類を覚えておこう

認証に使う要素（情報）は、次の3つの種類に分類される。

- 所有情報：IDカードなど「物」によって認証
- 知識情報：パスワードなど「人が記憶している情報」によって認証
- 生体情報：バイオメトリクス認証などで使う、人の身体や行動の特徴で認証

多要素認証は、複数種類の認証情報の組合せを使う方法で、より安全性が高い。二要素認証はこれら3種類の中から2つの分類に入る要素を用いる。

この問題では、すでに使われているIDとパスワードは知識情報に分類されるので、二要素認証にはそれ以外の所有情報（a：ICカード）、または生体情報（c：顔の特徴）の要素を追加すればよい。

「秘密の質問の答え（b）」を追加しても、IDとパスワードと同じ知識情報に分類される認証情報なので、二要素認証にはならない。（秘密の質問の例：お母さんの旧姓は？、ペットの名前は？　など）

正解：ウ

暗号化を使ったセキュリティ対策

ある演算処理を使って、元の意味が読み取れないように情報を変換することを暗号化といい、復号は元の情報に戻すことです。暗号化を用いたやり取りには、主に次の2つの方式が使われています。

共通鍵暗号方式：やり取りの相手ごとに鍵を変える（暗号化と復号は同じ1つの鍵）。

公開鍵暗号方式：暗号化と復号は異なるペアの鍵で、相手が違っても使う鍵ペアは同じ。

暗号化の基礎知識

インターネットを流れる情報は、技術的な知識があれば拾い上げることも可能です。インターネットでは送信されたデータの安全性は保証されないので、常に次のような危険が潜んでいます。

ココが基本

- 盗聴　：データの盗み読み（スニッフィング）
- なりすまし：別人が本人と偽ってやり取り
- 改ざん　：送られてきたデータを改変して宛先に転送

盗聴を防御する技術的手段として、意味が読み取れないようにデータを変換する暗号化が使われています。暗号化技術を応用すると、なりすましを防いだり改ざんを検知することも可能になります。

暗号化の手順

5-3-1
暗号化のデータと鍵

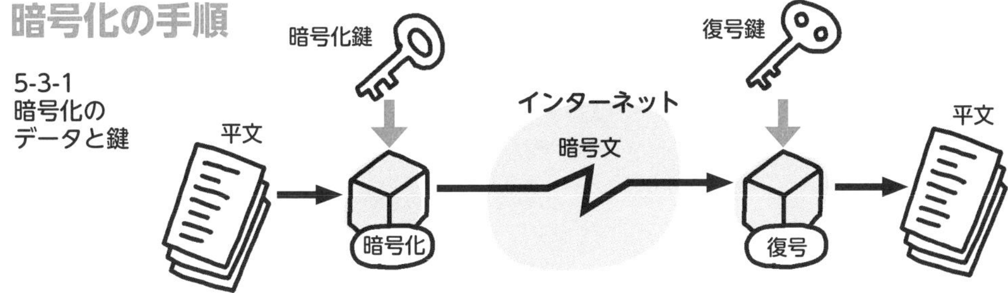

ココが基本

- 平文※　：暗号に変換する前の文書
- 暗号化　：平文を暗号に変換すること
- 暗号化鍵：暗号化に用いる情報
- 復号　：暗号を平文に戻すこと
- 復号鍵　：復号に用いる情報

※「ひらぶん・へいぶん」どちらの読み方でもOK

暗号化は、元のデータ（平文）を一定の長さのブロックに分割し、ブロックごとに処理のルールに基づいた演算を行って再度結合する。この演算の処理手順を暗号化アルゴリズムという。暗号化の鍵とは、演算処理に変化をつけるために用いる情報のこと。同じ平文・同じ暗号化アルゴリズムでも、鍵を変えることで行われる演算の内容が変わるため、違う暗号文が作成できる。逆に、同じ暗号化アルゴリズムを使っても、鍵が違えば平文には戻せない。

2つの暗号化方式

インターネットでやり取りを行う場合に使われる代表的な暗号化方式には、共通鍵暗号方式と公開鍵暗号方式の2つがあり、メールソフトやWebブラウザが自動的にこれらの暗号化方式を使い分けて処理しています。それぞれのメリットとデメリットに注意しながら仕組みを理解しましょう。

共通鍵暗号方式 <暗号化鍵＝復号鍵、相手ごとに異なる鍵>

暗号化と復号に同じ鍵を用いるのが共通鍵暗号方式(秘密鍵暗号方式)だ。この方式は、暗号化と復号の処理が速いが、相手の数だけ異なる鍵が必要。そのため、オンラインショップと顧客のように、やり取りの相手がたくさんいるケースでは鍵の管理が煩雑になる。さらに、もし鍵が漏洩すると、第三者が他人宛の暗号文を復号できてしまうため、メールなどで鍵をそのまま送るのは危険だ。

5-3-2　共通鍵暗号方式の特徴

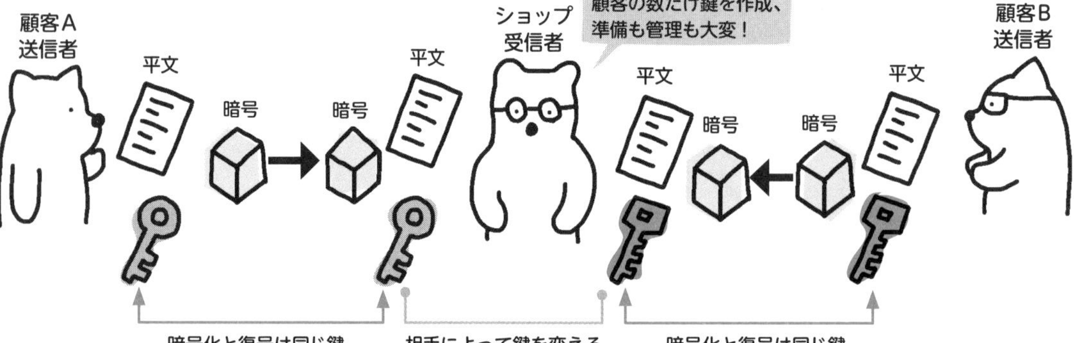

公開鍵暗号方式 <暗号化鍵≠復号鍵、どの相手とも同じ鍵ペア>

鍵の管理を容易にして、多数の相手と簡単にやり取りができるようにしたのが公開鍵暗号方式。その名前のとおり公開鍵は秘密にせず、だれに鍵を送っても安心な仕組みが作られている。

ある公開鍵で暗号化したデータは、その鍵とペアになっている秘密鍵でないと復号できず、逆に秘密鍵で暗号化したデータは、ペアの公開鍵でなければ復号できない。

顧客→ショップへのデータ送信では、顧客はショップから送られてきたショップの公開鍵で情報を暗号化して送り、受信したショップは公開鍵とペアになっている自分の秘密鍵を使って復号する。秘密鍵を持たない第三者はデータを復号できないので、ショップは秘密鍵だけを厳重に保管すればよい。

便利な方法ではあるが、共通鍵暗号方式に比べると暗号化と復号の処理に時間が掛かるのが欠点だ。

5-3-3
公開鍵暗号方式の特徴

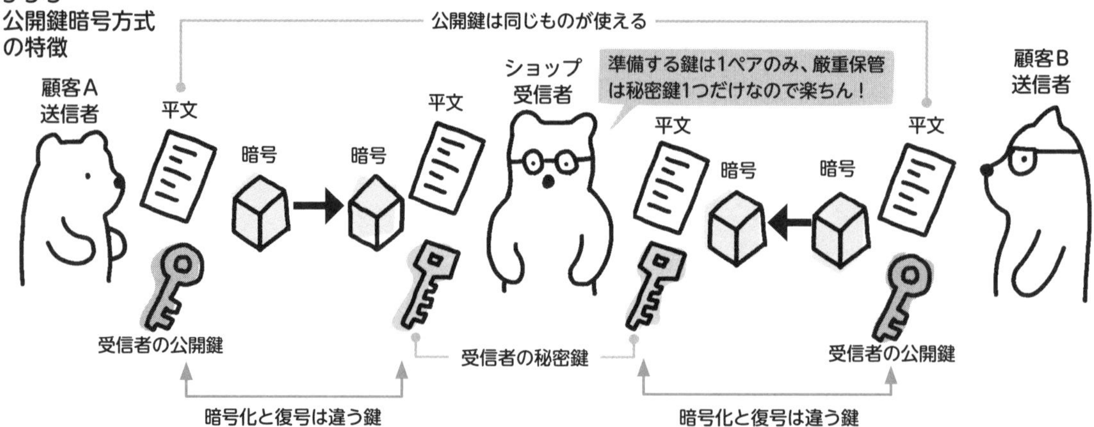

公開鍵暗号方式を用いたやり取りの手順

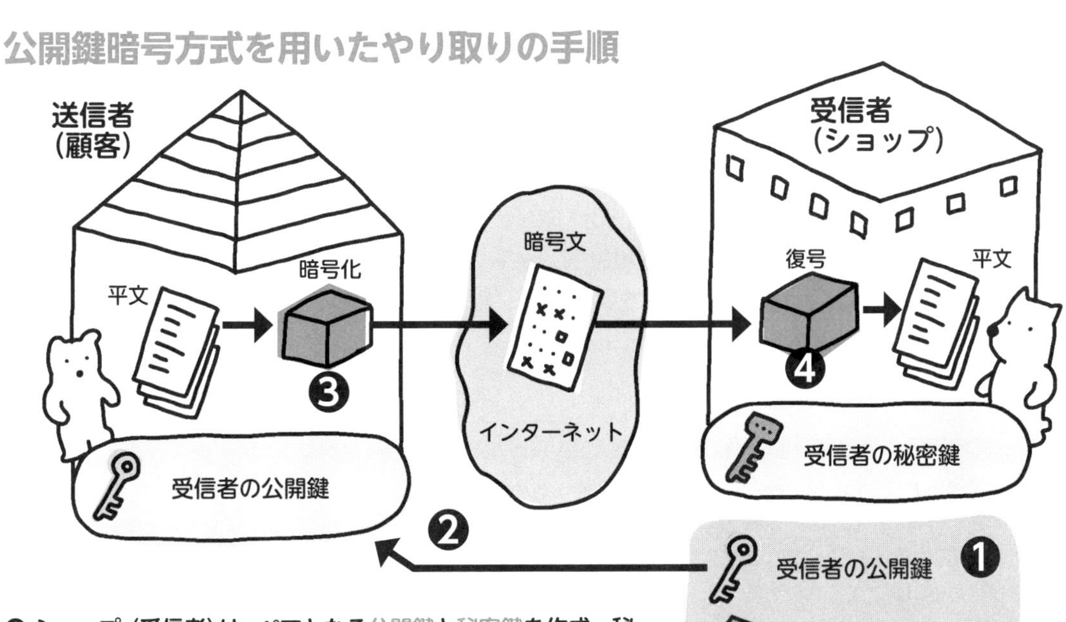

5-3-4　公開鍵暗号方式の手順

❶ ショップ（受信者）は、ペアとなる公開鍵と秘密鍵を作成。秘密鍵は漏洩しないようショップが厳重に管理！（公開鍵で暗号化したデータは、対となる秘密鍵でないと復号できない）

❷ ショップは、顧客にショップの公開鍵を送信（公開鍵の暗号化は不要）。

❸ 顧客はショップに送るデータを、ショップの公開鍵を使って暗号化。

❹ ショップは自身（ショップ）の秘密鍵を使い、顧客から送られてきたデータを復号。

ハイブリッド暗号方式

実際にインターネットを介して情報をやり取りする場面では、2つの暗号化方式のメリットを組み合わせたハイブリッド暗号方式を使い、安全で高速な通信ができる仕組みになっている。

① 受信者は、公開鍵暗号方式の自身の公開鍵を送信者に送る。

② 送信者は共通鍵を作成し、送る情報（平文）を共通鍵で暗号化。

③ さらに、送信者は受信者の公開鍵で②の共通鍵を暗号化（共通鍵は受信者の秘密鍵がなければ復号できず、共通鍵がなければ情報も復号できない）。

④ 送信者は「共通鍵で暗号化した情報」と「受信者の公開鍵で暗号化した共通鍵」を受信者に送る。

⑤ 受信者は送られてきた共通鍵を自身の秘密鍵で復号し、復号された共通鍵で送信者から送られた情報を復号する。

⑥ 以降のやり取りは、送信者・受信者共に共通鍵で暗号化・復号を行う。

5-3-5　共通鍵暗号方式と公開鍵暗号方式の違い

	共通鍵暗号方式	公開鍵暗号方式
暗号化／復号の鍵	同じ	異なる（暗号化鍵と復号鍵はペアで作成）
鍵の扱い	秘密	公開鍵は公開、秘密鍵は厳重に保管
不特定多数との通信	相手ごとに異なる鍵が必要なため、適さない	同じ公開鍵を使えるので、適する
暗号化／復号処理の効率	仕組みが単純なので処理が速く、効率がよい	仕組みが複雑なため共通鍵暗号方式に比べて処理が遅く、効率が悪い
用いられる暗号化方式	AES：米国商務省標準局が制定した暗号化方式の1つ	RSA：大きな桁数の素因数分解が困難であることを応用した暗号化方式

共通鍵暗号方式の特徴

公開鍵暗号方式と共通鍵暗号方式において，共通鍵暗号方式だけがもつ特徴として，適切なものはどれか。

ア　暗号化に使用する鍵を第三者に知られても，安全に通信ができる。

イ　個別に安全な通信を行う必要がある相手が複数であっても，鍵は一つでよい。

ウ　デジタル証明書によって，鍵の持ち主を確認できる。

エ　復号には，暗号化で使用した鍵と同一の鍵を用いる。

解説　**公開鍵暗号方式と共通鍵暗号方式の特徴と使い方の違いを明確に意識しよう**

ア：共通鍵暗号方式では、暗号化と復号は同じ鍵を使うため、鍵を第三者に知られた場合は、復号される恐れがあるため危険。この説明は、公開鍵暗号方式の特徴。

イ：複数の相手とのやり取りでも鍵が1つ（正確には1ペア）でよいのは、公開鍵暗号方式の特徴。

ウ：デジタル証明書によって鍵の持ち主を確認できるのは公開鍵暗号方式<次項参照>。

エ：正解。共通鍵暗号方式では、復号にも暗号化で使用した鍵と同一の鍵を用いるのが大きな特徴。

正解：エ

なりすまし・改ざんを防ぐ技術

公開鍵基盤（PKI：ピーケーアイ：Public Key Infrastructure）とは、インターネット上で行われるやり取りを狙った盗聴・なりすまし・改ざんなどを、公開鍵暗号方式や認証局の仕組みを使って防ぐ仕組みのことです。

デジタル署名の使用

デジタル署名（電子署名）は公開鍵暗号方式を応用した技術で、送信者の正当性の確認やデータ改ざんの検出などに使われる<詳しい手順は右ページ図5-3-6を参照>。

この場合、図5-3-4<p.123>の公開鍵暗号方式で行った鍵の使い方とは逆に、送信者は自身の秘密鍵で暗号化し、受信者は送信者の公開鍵で復号する使い方になる。

受信者が送信者の公開鍵で復号できたということは、暗号化を行ったのがペアになる秘密鍵を持っている本人であること、さらにデジタル署名を使うことで送信の途中でデータの改ざんがなかったと証明することにもなる。

認証局の証明書

ただし、上記の方法では、送信者が現実に実在する本人かどうかまでは保証できない（ニセ者かもしれない）。そこで、認証局（CA：シーエー：Certificate Authority）が発行するデジタル証明書（電子証明書・公開鍵証明書）を用いる。

デジタル証明書は、Webページや電子メール、送られてきた文書データなどが、現実に存在する組織や個人が作成したことを確認するための電子的な証明書。認証局は、証明書発行依頼者（被証明者）を事前に調査し、依頼者の身元と依頼内容が正しいことを確認してデジタル証明書を発行し、公開鍵が本物の本人のものであることを証明する。デジタル証明書には、証明書番号・発行依頼者の公開鍵・発行依頼者の登録者情報・有効期限などが含まれている。

この方法は、相手側の意思表示の証拠資料として使うこともできる。例えば、商品の発注書が電子メールで送られてきた場合、もし送信元（発注者）が発注依頼を否認しても、送信者のデジタル証明書とデジタル署名が付いていれば、送信者自身が発注書を送ったことを受信側（受注者）が主張できる証拠にもなる。

デジタル署名を用いたメールでのやり取り

送信者の確認と改ざんの検出を行う処理は、通常はメールソフト※が自動的に行っている。そのため、特にユーザーが自身で操作する場面はないが、その仕組みに関する出題があるので理解しておこう。

※ 送信側・受信側の両方のメールソフトがS/MIME＜p.126＞に対応している必要がある。

5-3-6　デジタル署名を用いたやり取りの仕組み

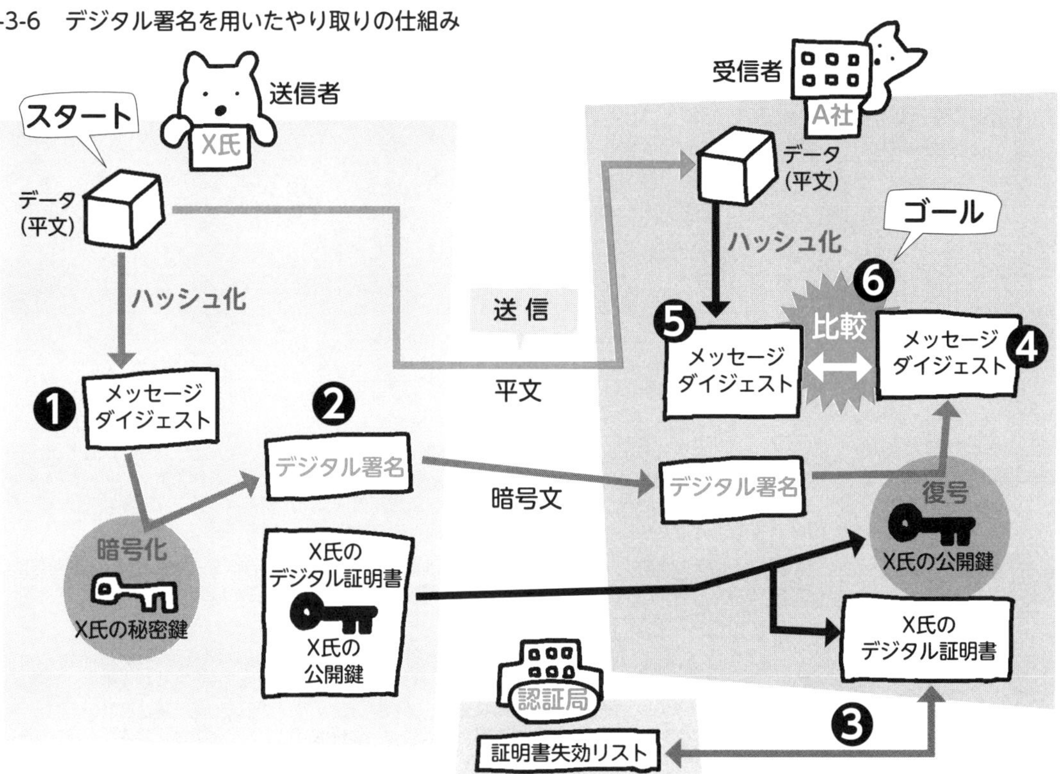

❶ **送信者は平文からハッシュ関数を使って（ハッシュ化）、メッセージダイジェストを作成する。ハッシュ関数とは、任意の長さのデータから指定した固定長のデータ（ハッシュ値）を作り出す関数。元のデータの内容が異なっていれば、作られるメッセージダイジェストも異なる。**

❷ **メッセージダイジェストを送信者の秘密鍵で暗号化したもの（デジタル署名という）と、認証局が発行した送信者のデジタル証明書（送信者の公開鍵が含まれる）を、平文と一緒に送信。**

❸ **受信者は送信者のデジタル証明書の有効性を確認するために、認証局から証明書失効リスト（CRL：Certificate Revocation List）をダウンロードしてチェック。また、発信者のデジタル証明書自体も暗号化されているので、認証局の公開鍵で復号できれば、認証局が正当性を認めて暗号化した、正しい証明書であることがわかる。（⇒発信者は実在のX氏本人）**

❹ **送信されてきたデジタル署名を、送信者の公開鍵で復号してメッセージダイジェストに変換。このとき、送信者の公開鍵でなければ復号できないことから、正常に復号できれば送信者本人が送っていることが証明される。**

❺ **受信者は送信されてきた平文から、送信者と同じハッシュ関数を使ってメッセージダイジェストを作成する。**

❻ **両方のメッセージダイジェストが一致すれば、平文が改ざんされていないことが確認できる。**

発信者の公開鍵が使われるタイミング

文書をAさんからBさんに送るとき，公開鍵暗号方式を用いた暗号化とデジタル署名によって，セキュリティを確保したい。このとき，Aさんの公開鍵が使われる場面はどれか。

ア　Aさんが送る文書へのデジタル署名の付与
イ　Aさんが送る文書の暗号化
ウ　Bさんが受け取った文書に付与されたデジタル署名の検証
エ　Bさんが受け取った文書の復号

解説　「どのタイミングで誰の鍵を使うか」を再確認

試験で出題される「公開鍵暗号方式」を使ったやり取りには、2つの種類がある。

①**普通のやり取り**　p.123　図5-3-4
送信者は受信者の公開鍵を使って、データを暗号化して送信。

②**デジタル署名(電子署名)付きの場合**　p.125　図5-3-6
送信者は自身の秘密鍵を使って暗号化、受信者は送信者の公開鍵を使って復号。

この問題は②の場面。送信者Aさんの公開鍵が使われるのは、受信者Bさんが受け取った文書に付与されたデジタル署名を検証するとき(ウ)。デジタル署名を用いたやり取りの詳細を再確認しておこう。

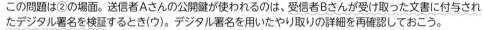

5-3-7　暗号化を用いたセキュリティ技術

コードサイニング証明書、コード署名	どちらもインターネット経由で配布されるソフトウェア(コード)を利用する場合に、配布元の正当性やコードの改ざんの有無の確認に使用。認証局が発行する配布元のコードサイニング証明書は、本物の配布元であることを証明し、配布元の公開鍵が含まれている(デジタル証明書の一種)。配布元はコードからハッシュ関数を用いてハッシュ値を求め、秘密鍵で暗号化するが、これをコード署名という(デジタル署名の一種)。<配布元の正当性やコード改ざんの検証の仕組みは、デジタル署名を使ったメールのやり取りとほぼ同じなため、詳細はp.125 図5-3-6参照>
電子透かし	コンテンツのデータやプログラムなどに埋め込まれる情報のことで、著作者名や課金情報、複写可能な回数の制限などが記録されている。データを複写・改変した場合もこれらの情報が残るため、動画サイトなどへ無許可でアップロードされたデータの検出にも使われている。
アクティベーション	ソフトウェアの不正コピーや、契約台数を超える利用を防ぐためのライセンス認証の一種。インストール時に入力するシリアル番号と、検知したPCの情報(MACアドレスなど)をハッシュ化<p.125>した情報がユーザーのPCからベンダーへ自動的に送信される。ソフトウェアの起動時は自動的にハッシュ値が確認され、ベンダーが保存している値と一致しない場合は「ソフトウェアを起動させない、一部機能の操作を不可にする」などの制限がかかる。
SSL/TLS(エスエスエル/ティーエルエス：Secure Sockets Layer/Transport Layer Security)	デジタル証明書<p.124>と証明書に含まれる公開鍵を用いて、暗号化通信を行うための通信プロトコル。証明書によって発信者の正当性を確認し、公開鍵とデジタル署名<p.124>を用いて受信したデータの改ざんの有無をチェックする<詳しくはp.125 図5-3-6参照>。実際に使われているプロトコルはTLSだが、TLSはSSLを元に作られており、SSLの方が知名度が高いため、名称にSSLが残された。
HTTPS(エイチティーティーピーエス：Hypertext TransferProtocol Secure)	SSL/TLSを用いて、WebサーバとWebブラウザ間の通信を暗号化するための通信プロトコル。やり取りには、ハイブリッド暗号方式<p.123>が使われている。
S/MIME(エスマイム：Secure / Multipurpose Internet Mail Extensions)	暗号化して送受信する電子メールの標準方式<メールの暗号化についてはp.125 図5-3-6参照>。送信側と受信側の両方のメールソフトがS/MIMEに対応している必要があるが、現在使われているPC用メールソフトはほとんどが対応済み。
ルート証明書	デジタル証明書を発行する認証局自体の正当性の検証には、上位の認証局が発行したその認証局のデジタル証明書を確認する方法がとられる。より上位の認証局が発行した証明書へと順にたどっていくが、最上位にある最も信頼のある認証局(大手認証局や公的な認証局など)のことをルート認証局という。ルート認証局が発行する証明書をルート証明書といい、下位局発行の証明書からたどって確認し、ルート証明書へ行き着いたら、そこで元の認証局は正しく検証されたと判断する。
サーバ証明書、クライアント証明書	サーバ証明書(SSL証明書)は認証局が発行し、そのWebサイトを提供しているサーバの運営者が本物であることを証明し、さらにWebブラウザとの間で暗号化通信を行うためのサーバ側の公開鍵が含まれている。クライアント証明書は、サーバからのサービス提供を受けようとしているクライアント(のデバイス)の正当性を証明するもので、認証局が発行し、サーバと暗号化通信を行うためのクライアントの公開鍵が含まれている。

Chapter 6

システムの開発

Chapter 6-1

システム開発 1 (企画プロセス～要件定義プロセス)

システムを使って業務を行うユーザーにとって役立つ使いやすい仕組みを作るには、システム構築を依頼するユーザー側と構築するエンジニア側の両者で意思疎通を図ることが重要。エンジニアはユーザーの要望をていねいに聞き取り、ユーザーもシステム開発の基礎知識を知っておくなど、お互いを理解するための情報を共有することが必要です。

「システム開発」って何？

システム開発とは、業務内容や手順の再検討も含めて、必要な仕組みを人・ソフト・ハード・データベース・ネットワークなどを組み合わせて構築することです。新システムの完成後は、業務で稼働させる運用、メンテナンスを行う保守を経て、破棄したり、さらに新たなシステムへの再構築を行うというライフサイクルを辿ります。

6-1-1 システム開発のプロセス

企画プロセス	→	要件定義プロセス	→	開発プロセス	→	運用プロセス	→	保守プロセス	→	廃棄プロセス
新システムの選択と計画		求められる「要件」の定義		新システムを設計・構築 <p.131>		実装・稼働し、業務に使用 <p.135、150>		不具合の出た箇所を修正 <p.135>		システムの処分 <p.135>

共通認識のための「共通フレーム」

システムの設計・構築には、専門的で高度な技術が必要なため、専門の企業に委託するケースが多い。主にIT技術を使った製品やサービスを提供する企業はITベンダーと呼ばれ、特にシステム開発を業務の中心としている企業をSI（システムインテグレータ：Systems Integrator）やシステムベンダーという。

出題率超高

システム開発を円滑に進め、ユーザー（システムの発注者・使用者）のニーズを最適なシステムとして実現するには、ユーザーと開発者（システム開発の受注者・エンジニア）が共通の認識を持つ必要がある。そのため、開発の各工程で行われる作業内容とその目的、それらの名称や使われる用語などについて定義した共通フレーム（現版は「共通フレーム2013」）が、ガイドブックとして参照されている。

企画プロセス（システム化計画）

企業では、経営目標を達成するために策定された経営戦略<p.188>に基づき、その中でどのようにIT技術を活用していくのかを検討して情報システム戦略<p.199>を立案します。

システム開発の最初の工程となる企画プロセス（システム化計画）では、情報システム戦略に従ってどのようなシステムが必要なのかを検討し、新システムの構想を形にしていきます。

❶ システム化構想の立案

新規事業の場合にはその構想内容、既存業務の改善であれば現状を分析、業務の担当者から要望を聞き取って課題を抽出し、経営上の優先度の高いものから対策を検討。対策後（変更後）の業務内容や組織体制も含めて検討を行い、システム化が必要な場合は新システムの大まかなイメージも作成。新システム構築に用いる技術の動向、開発期間や人員体制、費用や予想されるリスクなどの概要を把握する。

費用を検討するときは、システムの構築費用など最初にかかる初期コストだけでなく、稼働後に必要な運用コストや保守・廃棄の費用など、総合的にかかる費用（TCO：ティーシーオー；Total Cost of Ownership）を考慮しなければならない。概算した費用は、新システムの運用によって得られる効果と比較・評価し（投資効果）、どのシステムを優先して構築するのかを検討。

システム化の目的、システム化対象の業務とシステム導入後の全体像、成果目標と予想される投資効果などの検討結果を文書化し、経営者の承認を得る。

❷ システム化計画の立案

システム化構想により、開発対象となったシステムをさらに検討し、右のような項目を記載したシステム化計画を策定して、経営者の承認を得る。

また、システム開発を外部委託する場合は、委託する作業の項目やスケジュール等の概要をこの段階で明らかにしておく<調達 p.147>。

- システム化の目的と求められる成果
- システム化の対象となる業務の範囲とその課題
- 新システムの全体像と構成内容（ハード・ソフト）
- 新システムに求められる品質、発生が予想されるリスク
- 開発や導入のスケジュールおよび必要な費用
- 開発に求められる技術と必要な資源（ソフト・ハードなど）
- 開発プロジェクトの推進体制の構築と要員確保、要員の教育

ちょこっとメモ

実際の企業ではすでに何らかのシステムが導入されており、業務全体に関わる大規模なシステムをゼロから構築するケースは少ない。システム開発も、旧システムを一部リニューアルしたり、新たな業務に使う部分だけを追加で作るケースがほとんどだ。また、経理システムや人事管理システムなど、業種の異なる企業であっても必要な機能が共通するような業務用のシステムは、すでにパッケージ化して販売されている業務パッケージを導入し、カスタマイズして利用する場合が多い。

要件定義プロセス

企画プロセスで決定されたシステム化計画を基に、より具体的に「新システムに必要な機能」について分析していくのが要件定義プロセスです。

このプロセスの目的は、ユーザーからの要望を元に検討を行い、改善後の業務内容や業務の流れ、業務上の制約事項、新システムの範囲・仕様・機能などを明確にし、開発の受注者と、発注者やシステムのユーザー（使用者）との間で合意を得ることにあります。

この段階で、ユーザー側の意図・要望が適確に反映された「3つの要件（業務要件・機能要件・非機能要件）<次ページ>」が定義できないと、作られたシステムは役立たずで使いづらいものになってしまう可能性もあります。ある要件の例を3つの要件のどれかに分類させる出題もあるので、それぞれの要件の違いと分類のコツも覚えておきましょう。

❶ 業務要件（業務で行うべきコト、必要なモノ）

まず、インタビューやアンケートなどの手法を使い、発注者や新システムのユーザー（業務の担当者など）となる人たちから、業務上のニーズや新システムへの要望を聞き取り調査する。さらに、現行の業務に用いているデータや帳票、業務マニュアル（仕様書）や業務規定などの資料の調査を行う。収集した情報は内容を整理し、業務遂行に必要な条件として、次のような項目を業務要件として定義する。

業務要件として定義する事項

- 業務の詳しい手順
- その業務を行うために必要な情報（データ）
- 業務を行った結果、出力される情報（データ）
- 業務上の制約事項やルール
- その業務にかかわる組織（部や課など）での責任と権限の範囲

→ **機能要件に反映**
業務要件を満たす新システムの機能

❷ 機能要件と非機能要件

上記の業務要件を満たすために必要な、新システムが備えるべき機能を機能要件として定義する。

機能要件の例

- 管理者チェックが完了していない報告書には「保留中」マークを表示させる機能
- 金額欄の入力では、数値以外の入力を受け付けないように制御する機能
- 集計データは、CSV形式のファイルに出力する機能
- 毎日午前0時に、前日変更があったすべてのファイルのバックアップを取るための機能

また、次のような事項を非機能要件として定義する。機能要件と非機能要件を分ける問題で、選択肢を見て判断するときの基準は、「新システムが実現する"機能"に関する事柄は機能要件、それ以外の要件は非機能要件」と覚えておけばよい。

非機能要件として定義する事項

- システム化を行う業務の範囲
- 新システムが備えるべき品質（信頼性や効率性、性能など）
- システムの開発方式（開発に用いるプログラム言語など）
- 開発後の新システムへの移行や運用の方法と必要なコストや人員

定義した3つの要件（業務要件・機能要件・非機能要件）は、新システムの発注者や開発後にシステムを使うユーザーと共に検証を行い、要件定義書にまとめて合意と承認を得る。

要件定義プロセスの不備

要件定義プロセスの不備に起因する問題はどれか。

ア　システム開発案件の費用対効果の誤った評価
イ　システム開発案件の優先順位の誤った判断
ウ　システム開発作業の委託先の不適切な選定手続
エ　システムに盛り込む業務ルールの誤った解釈

解説　要件定義プロセスで検討すべき事項を整理しておこう

ア・イ：「費用対効果」と「優先順位」は、企画プロセス<p.128>の検討事項。

ウ：システム開発作業を外部に委託する場合は、企画プロセスの段階で作業項目やスケジュール等を明らかにし、委託先の選定と契約を行うことが多い。そのため、この不備は企画プロセスに起因すると考えられる。

エ：正解。「システムに盛り込む業務ルール」は要件定義プロセスの検討事項。

マネジメント系　ストラテジ系

システム開発 2 (開発プロセス～保守プロセス)

最も古典的で広く採用されてきた開発モデルがウォーターフォールモデルです。このモデルは、設計段階でシステムを段階的に小さく分解していき、小さなパーツとして個々のプログラムを作成したら、構築段階ではそれらのパーツを組み上げて、システム全体を作り上げていく手法が使われています。

ウォーターフォールモデルの工程の流れ
❶ 要件定義書の内容を把握
こんな機能が必要なんだな
❷ 分割して設計・制作
このパーツを頼むね！
❸ パーツごとにテストして、組み上げる
このパーツはチェックOK！
❹ 組み上がったら全体の動作をチェック
できたよ～！
ありがとう！
❺ 稼働させてユーザーに引き渡し

開発プロセスの各工程

開発工程でどんな順序で何をすればスムーズにシステムを完成できるか、そのお手本となる開発モデルにはいろいろな種類<p.136>があります。これらの基になった古典的なモデルがウォーターフォールモデルで、次ページから解説する開発プロセスもこのモデルを応用した開発方法になります。

開発モデルの超古典「ウォーターフォールモデル」の技法

ウォーターフォールモデルは、開発作業をいくつかの工程に分け、前半の設計工程の要件定義書や設計書に書かれた内容を、後半の工程で実際に作って実現という手順でシステムを構築する。手前の工程の完了後に、その成果物を元にして次の工程の作業を行うため、原則的に後工程から前工程へと遡ることはしない。そのため、上流→下流へと水が流れる滝に喩えて「ウォーターフォール」と名付けられた。

前半＝細分化：要件定義と設計「必要な機能を確定して、システム全体をハードウェアや設備を含めて大まかに設計 → 機能を単位としてコンポーネントに分割し、それらの結合部分も含めて設計 → さらに細かく分割して、限られた機能のみを担当するユニットを設計」

後半＝結合　：実装・構築・テスト「ユニットをプログラミング → 複数のユニットを結合し、まとまった機能を担うコンポーネントを構築 → さらにそれらを結合して組み上げたソフトウェアと、ハードウェアや設備などを統合してシステム全体を構築」

●ウォーターフォールモデルの特徴

過去に何度も出題実績があるので、ウォーターフォールモデルの特徴を覚えておこう。

- 工程管理や進捗管理がしやすい：必ず前工程が完全に完了してから後工程に進むので、全体の進捗状況を把握しやすい。そのため、大規模な開発プロジェクトに向いている。
- システムの全体像が掴みにくい：全体が組み上がるまでは、ユーザーが確認できる成果物は定義書や設計書しかない。そのためユーザーは完成が近づくまで機能や操作性の良し悪しなどをチェックできない。
- 仕様変更に弱い：テストは後半に集中して行われるので、不具合の発見が遅れがち。また、システムのイメージが掴みづらいため、後からユーザーの追加・変更要求が入ることも多い。工程が進んでしまってから修正のための後戻りが発生するので、リカバリには多大な時間と費用がかかる。

開発プロセスの作業の流れ

システムの構築作業は、社内のエンジニアが担当する場合と、外部のITベンダに委託する場合があるが、ここではどちらも「開発者」とする。また、開発の依頼者（発注者）や、新システムを使って業務を行う人を「ユーザー」と呼ぶ。下図は、定義・設計の工程と、作成・構築する工程、さらにそれらをテストする工程の関係を表している（→は工程の順序）。例：「ソフトウェア詳細設計書」に基づいてユニットを「プログラミング」し、作ったユニットは「単体テスト」でチェック。

6-2-1　設計定義工程・実装構築工程・テスト工程の関連

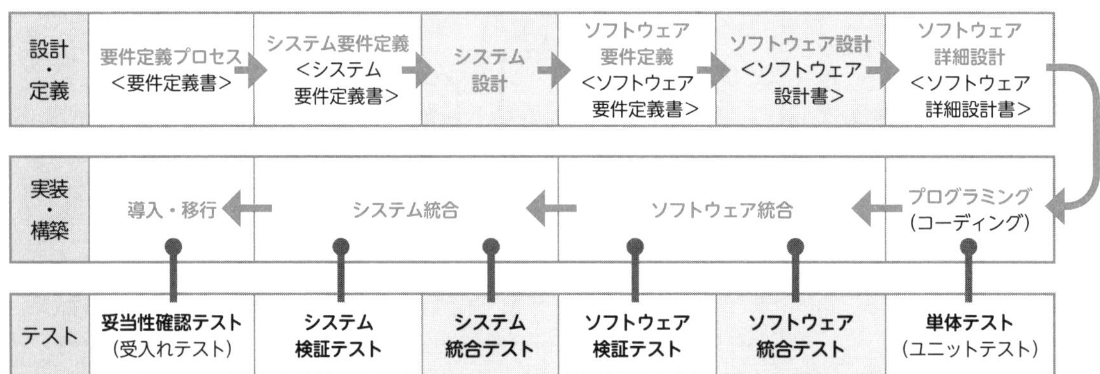

上記の工程には「システム～」「ソフトウェア～」という名前の付いた工程があるが、「システム」はハードウェアやネットワークなども含めた全体のことを指し、「ソフトウェア」はシステムの中のソフトウェア（プログラム）のことを指している。各工程の終盤には、成果物を検証して問題点を洗い出すレビューが行われ、結果によっては工程をやり直すこともある。レビューは、作業担当のエンジニアが行うことが多いが、客観的な判断を行うために担当外のエンジニアが参加する共同レビューが行われることもある。また、ユーザー側の要求を正しく満たすかを確認するため、ユーザーも一緒に参加する共同レビューもある。

● システム要件定義・ソフトウェア要件定義

システム要件定義：要件定義プロセス<p.129>で策定した要件定義書に基づき、さらにユーザーへのヒアリングを行うなどして検討を進め、以下のような項目を含むシステム要件を定義。ユーザーも参加して共同レビューを実施し、システム要件定義書を作成。

- システム化の目的と、対象とする業務範囲、システムが備えるべき機能
- 求められる品質特性（機能性・効率性・信頼性など）と評価基準、セキュリティ対策や障害対応
- 開発期間と開発に用いる環境、新システムへの移行と運用<p.134>の手順と作業内容
- 対象業務の処理手順、ユーザーの操作イメージ（ヒューマンインタフェース）
- システム構成（ソフトとハードの機能の切り分け）、データベースやネットワークの仕様
- 新システムで実際の業務を行う要員構成と教育訓練　など

ソフトウェア要件定義：システム要件定義で振り分けられたソフトウェアの機能要件や、ソフトウェアに求められる品質<p.146>、性能の基準を定義する。業務の手順を、ソフトウェアで行う処理手順やデータの流れとして捉え、分析図法（DFD<p.183>・E-R図<p.081>・UML<p.139>）などを使ってモデル化。そこから、作成するソフトウェアに求められる機能・能力・インタフェースなどを決定する。以下のような項目を含むソフトウェア要件を定義し、ユーザーも参加して共同レビューを行い、ソフトウェア要件定義書を策定。

- ソフトウェアに求められる機能と品質・性能
- 用いるデータとその処理内容、保存形式
- 画面や操作方法、帳票・伝票などのインタフェース　など

● 設計

システム設計：システム要件定義書で要求された機能を、作業負荷や業務効率を考慮しながらハードウェア・ソフトウェア・手作業のどれで実現するのか機能分割を行う。これに基づいて、ハードウェアの構成、ソフトウェアパッケージ（市販のパッケージソフト）を利用する場合はその選択など、システムの構成品目を洗い出す。

また、システムの処理形態（バッチ／リアルタイム処理<p.028>）、システム構成（分散／集中処理<p.024>、障害発生時用の予備システム<p.029>の構築）などを検討。さらに、用いるネットワークの方式やデータベースの種類（モデル）<p.077>なども決定する。ユーザーも参加して共同レビューを実施し、システム統合テストの準備（テスト仕様の決定：テスト方法・範囲・評価基準、テスト計画の策定 など）を行う。

ソフトウェア設計：ソフトウェア要件定義書を基に、開発者側の視点でソフトウェアの機能と処理内容を設計する（機能設計）。操作画面や出力帳票などのヒューマンインタフェースもこの工程で具体的に設計。ソフトウェアを機能ごとのコンポーネント、さらに最小単位であるソフトウェアユニットに順次分割して、ユニットどうしの関係やユニット間で行われる処理手続きなどを決定。レビューを実施して、ソフトウェア設計書を策定する。また、ソフトウェア統合テストのための準備を行う。

ソフトウェア詳細設計：個々のユニットに持たせる機能の詳細や、それを実現するアルゴリズムを決めていき、レビューを実施、ソフトウェア詳細設計書を策定する。また、単体テストのための準備を行う。

● 実装・構築

プログラミング（コーディング）：ソフトウェア詳細設計書で定義したアルゴリズムを、プログラム言語<p.043>を用いて記述するプログラミングを行い、個々のユニットを作成。その際は、コーディング標準と呼ばれるルール（変数名やファイル名などの命名規則、プログラム行頭を下げるインデントの規則、使用禁止の命令の制限など、現場ごとにルールが決められている）を遵守することが求められる。

完成したユニットは、プログラムの内容がソフトウェア詳細設計書どおりになっているか、コーディング標準が守られているかなどを、作成担当以外のエンジニアも一緒にチェックするコードレビューなどを行って検証。なお、プログラムのバグ（誤り）を発見・修正する作業をデバッグといい、プログラムを査読して確認する机上デバッグや、実際にプログラムを動作させてみるデバッグもある。

単体テスト（ユニットテスト）：ソフトウェア設計書に策定した単体テストの仕様にしたがって、各ユニットが必要な機能・性能を満たしているか、ユニットをひとつずつテストしていく。不具合が見つかれば、プログラミングの作業に戻って修正。テストの実施後には、レビューを行う。

● 統合・テスト

ソフトウェア統合：単体テストに合格したユニットを組み合わせ、ユニット間のインタフェース部分を作成してユニット→コンポーネント→ソフトウェアへと組み上げるソフトウェア統合を行う。レビューを実施し、ソフトウェア統合テストおよびソフトウェア検証テストのための準備を行う。

ソフトウェア統合テスト：結合したコンポーネントやソフトウェアが、ソフトウェア設計で定めた仕様通りの動作を行うかを、テスト仕様に従って確認。テストで実施した内容や結果についてレビューを実施。

ソフトウェア検証テスト：コンポーネントやソフトウェアが、ソフトウェア要件定義で定義した機能要件や求められる性能を満たすことを検証。テストで実施した内容や結果についてレビューを実施する。

システム統合：ストレージ（記憶装置）やサーバ機（データベースサーバなど）、ネットワーク機器なども設定・起動して統合し、ハードウェアや設備も含めたシステム全体を構築する。レビューを実施し、システム統合テストおよびシステム検証テストのための準備を行う。

システム統合テスト：システム設計で定義したテスト仕様に従い、ソフトウェア・ハードウェア・人による手作業など全てを統合したシステム全体が、定められたとおりに正しく動作するかを確認する。

システム検証テスト：ソフトウェア・ハードウェア・手作業のすべてを統合したシステムが、システム要件定義で定めたユーザーの求める機能・性能を満たすか検証。テストの実施内容や結果についてレビューを行う。

● 導入・受入れ支援

新システムを業務の現場に展開することを導入、新システムを用いた業務へと切り替えることを移行という。また、ユーザー側の了承を得た上で開発者側が新システムを納入し、ユーザー側が引き取ることを受入れといい、受け入れの可否を判断する目的で、ユーザー側が行うチェックは検収と呼ばれる。

開発側は導入・移行作業を技術面からユーザーをサポートすると共に、教育訓練や操作方法・手順を解説した利用者マニュアルの作成など、ユーザーが操作スキルを修得するための支援も行う（受入れ支援）。

移行：移行に必要な作業内容とスケジュール、人員・機材の手配、業務手順書や操作マニュアルの用意、ユーザーのトレーニング、新システムに移行するデータの準備、不具合発生時の対処法などを含めて事前に検討、綿密な**移行計画書**を策定して、それに従って移行を実施する。
稼働中のシステムを置き換える場合、トラブルが発生すると業務に多大な影響が生じる。そのため、旧システムを運用したまま新システムを立ち上げて並行して稼働させ、新システムの正常な稼働を確認（**妥当性確認テスト**）した後に**完全移行**を行う。また、不具合発生による影響範囲を最小限に抑えるため、部や課などの組織単位ごとや、システムやソフトウェアの機能単位（コンポーネント）ごとに**順次移行**する方法も採用されている。

妥当性確認テスト：実稼働させる環境（またはそれにごく近い環境）で、実データ（または実データに近い仮データ）を使い、ユーザー側主体で新システムを動作させてチェックするテスト。一般に、検収のために妥当性確認テストを行う場合は**受入れテスト**と呼ぶことが多い。要件定義プロセス<p.129>で要件定義書にまとめた「業務要件・機能要件・非機能要件」を基に策定した**受入れ基準**を満たすかどうかをユーザー自身が確認する。

ちょこっとメモ　本書は「基本情報技術者試験」のシラバスに従い、工程の名称と作業を説明している。実際の現場では、より大まかな分け方になっていたり、旧来からの工程名を使っている所も多い。試験でも古いタイプの工程名で問われことあるので、工程名や区分けの仕方、テスト工程との対応関係も頭の片隅に置いておこう。

6-2-2　旧工程名称

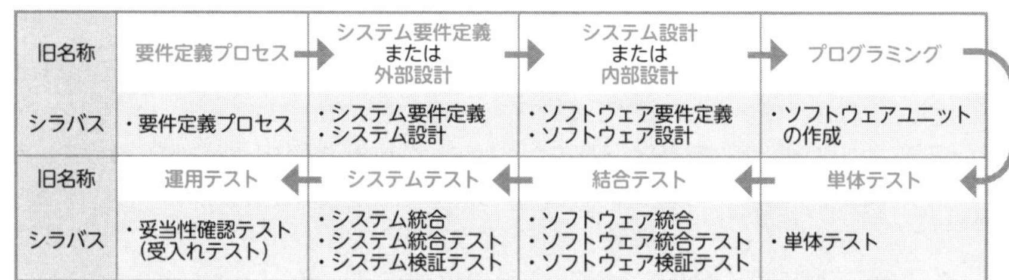

旧名称	要件定義プロセス →	システム要件定義 または 外部設計 →	システム設計 または 内部設計 →	プログラミング
シラバス	・要件定義プロセス	・システム要件定義 ・システム設計	・ソフトウェア要件定義 ・ソフトウェア設計	・ソフトウェアユニットの作成
旧名称	運用テスト	← システムテスト	← 結合テスト	← 単体テスト
シラバス	・妥当性確認テスト（受入れテスト）	・システム統合 ・システム統合テスト ・システム検証テスト	・ソフトウェア統合 ・ソフトウェア統合テスト ・ソフトウェア検証テスト	・単体テスト

さまざまなテスト技法

テスト工程ではさまざまなテスト技法が用いられており、「何を対象に、どんな事柄をチェックしたいのか」によって使い分けています。ここでは、出題頻度が高いものをピックアップして解説します。

システムやソフトウェアの機能や能力を検証するテスト技法

下表は、システムやソフトウェア・コンポーネントの機能や性能を確認するときに使われるテスト技法。主に、ソフトウェア統合テスト～システム検証テストの工程で使われる。

6-2-3　機能や能力を検証するテストの種類

機能テスト	必要な機能がすべて含まれ、正常に動作するかを検証する
性能テスト	要求される処理能力や応答時間などの性能を満たしているかを検証する
負荷テスト	大きな負荷（大量のデータ処理など）をかけても、正常に動作するかを検証する
セキュリティテスト	セキュリティ上の問題点となり得るバグなど脆弱な部分はないか、アクセス制御の仕組みは正しく機能するかなどを検証する

場面によって使い分けるテスト技法

● **リグレッションテスト**（**回帰テスト**）
プログラムの一部を書き換えたときに、変更のない（未修正の）部分が正常に動作するかを確認するテスト。修正箇所があるプログラムだけをチェックするのではなく、そのプログラムが処理した値を受け取って使うなど、関連のある別のプログラムに不具合が生じることもあるので、それらのプログラムも含めてテストが行われる。**ソフトウェア検証テスト**でよく使われるテスト方法。

● **ホワイトボックステスト/ブラックボックステスト**

ホワイトボックスは
中身の構造をすべてチェック

ホワイトボックステストはプログラム作成者の視点で行うテスト。プログラムを「内容が見える箱=ホワイトボックス」と考え、記述されている処理手順(ロジック)を、処理が分岐(選択処理や繰返し処理)した先まですべて追って、正しく処理できるかをチェック。単体テストで使われる技法。

一方、ブラックボックステストは第三者的な視点で行うテストで、プログラムを「内容が見えない箱=ブラックボックス」と考える。箱に入れるデータ(入力)と、処理されて箱から出てきた結果のデータ(出力)だけを見て、正しい結果が出せているかをチェックする。ソフトウェア検証テストやシステム検証テストで用いられる技法。

運用プロセス・保守プロセス

新システムが導入され完全移行が完了すると、ユーザーが実際に新システムを動かして業務を行う運用に入ります。運用管理を外部に依頼する場合もあり、開発を行ったITベンダーが引き続きサービスを提供したり、運用管理を専門に行うITベンダーを利用するケースなどもあります。なお本書では、システムの運用管理やITサービスは、「Chapter 7 システムの運用管理<p.149>」で説明します。

保守は、システムの要件に定められている機能や性能を維持するために行う活動のことです。ハードウェアであれば経年劣化による性能の低下や故障がありますし、ソフトウェアも関連法規や業務内容の変化による変更や、技術の進歩への対応のための改修が必要になります。変更や改修では対応ができず、置き換えを行う場合には、システムやハードウェア・ソフトウェアの廃棄が行なわれます。

保守の分類

保守を行う対象によって、ソフトウェア保守:ソフトウェアの変更や改修(例:稼働中のプログラムの不具合を修正)と、ハードウェア保守:装置や設備の変更や改修(例:故障したHDDを交換)に分類される。また、保守を実施するタイミングで分類すると、次の3つに分けることができる。

6-2-4　タイミングで分類する保守作業

保守の種類	説　明	保守作業の例
事後保守	障害が発生した後に、障害を取り除くために行われる。	障害が発生したソフトウェアの修正や、故障した部品の交換。
予防保守	システムの故障や障害発生を予防するために行われる。	定められた使用時間を超えたら、故障がなくても部品を交換。
定期保守	あらかじめ計画され、定期的に行われる保守。	毎月、決められた日にハードウェアの点検や清掃を行う。

廃棄を行う際の注意点

ハードウェアや設備などの廃棄は、条例や法律に則った処分方法で行おう。PCは資源有効利用促進法に基づき、ベンダーによる回収が義務付けられている。

HDDやSSDを処分する際に、「ソフトウェアのアンインストール、ファイルの消去、記憶媒体のフォーマット(初期化)」をしても、データを保存した位置の情報が消されただけで、実際のデータ自体は残っている。データ消去用ソフト(データをランダムに書換えて上書き)で処理する方法の他、HDDなら強力な磁気を加えてデータを壊す磁気消去、SSDであればSecureErase(セキュアイレース)と呼ばれるデータそのものを消去する機能を使う方法がある。

ソフトウェアの開発技法

旧来型の「システム全体を一気に作る」手法は開発期間が長く、その間にユーザーの要望が変化しても、途中段階で仕様変更を行うのはとても困難でした。アジャイル開発は、システムを細かい機能ごとに分割し、部分ごとに短期間で作成・リリースを繰り返すことで、ニーズの変化をシステムに反映させながら作っていく開発手法です。ユーザーと開発者が少人数のチームを組んでプロジェクトを進め、ユーザーの要望に柔軟に対応していきます。

ソフトウェアの開発モデル

このテーマでは、6-2<p.131>で説明したウォーターフォールモデル以外の開発モデルを説明していきます。どれも、柔軟性とスピード感に欠けるウォーターフォールモデルのデメリットを改善しようと考え出されたモデルです。なかでも、次ページで説明するアジャイル開発は、新たな開発手法として注目されており、試験でもよく出題されるようになりました。

プロトタイピングモデル

早い段階で試作品（プロトタイプ）を作成し、ユーザーに完成イメージを見せることで具体的な要求を明らかにしてから開発を進める手法。使い捨て型（プロトタイプとは別に本番用システムを作る）と進展型（プロトタイプを改良して本番用を完成させる）の2つの方法がある。

プロトタイピングモデルの特徴

- ユーザーの要求を明確化できる：ユーザーはプロトタイプを試すことで完成形をリアルにイメージできるので、機能や操作性などの要望を開発者へ具体的に伝えることができる。
- 工程管理が難しい：ユーザーの要望には柔軟に対応できるが、ユーザーのOKが出ないままプロトタイピングが何度も繰り返されて、期間とコストが増大しがち。

6-3-1　プロトタイピングモデルの概念

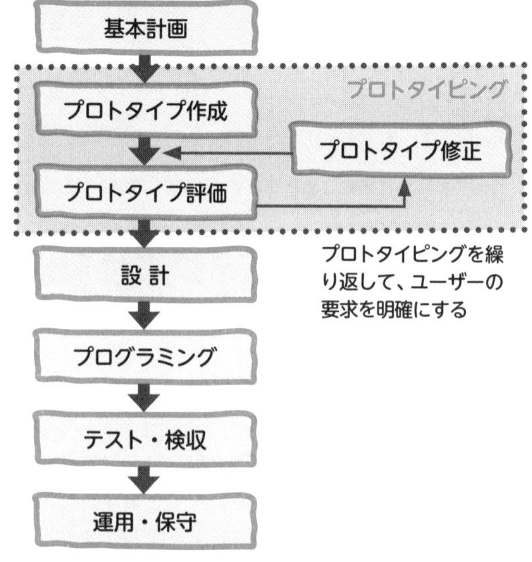

スパイラルモデル

システムを機能で分割し、機能ごとに「要件定義（計画段階）、設計～プログラミング、テスト、評価」を行って作成し、これを繰返しながらシステム全体を段階的に完成させていく開発モデル。

● スパイラルモデルの特徴

・短期間で本稼働用ソフトウェアを確認できる：部分的ではあるが、システムの実物を早い段階で確認できるため、要求の明確化や問題点の把握がしやすい。

・工程管理が難しい：大規模なシステムの開発では、日程と費用が予測しにくい。1回の繰り返しでどこまでの範囲を作成するかといった切り分けが難しく、繰り返し回数が増えてしまうこともある。

オブジェクト指向の開発モデル

ここからは、新たなシステム開発やソフトウェア設計の「考え方」としてオブジェクト指向アプローチを用いた、アジャイル開発という開発モデルを説明します。

オブジェクト指向アプローチとは？

オブジェクト指向アプローチは、システムを構成している要素を単純な「モノ=オブジェクト」と考え、部品化することで、簡便で迅速なシステム構築ができるようにしていこうという設計技法だ。

このアプローチでは、「データ(属性)と動作（メソッド・手続き）」を1つのまとまりであるオブジェクトとして扱う（カプセル化）。このオブジェクトを部品と考え、必要な機能を持つオブジェクトをいくつも組み合わせ、システム全体を構築する(部品化)。

中身が伏せられていて(隠蔽)わからなくても、そのオブジェクトが「何を対象にどんな動作(振る舞い)を行うのか」さえ知っていれば、システムを作ることが可能だ。

また、オブジェクトのなかで、共通する性質（共通する機能）を持つ「オブジェクトの仲間」のことをクラスという。似たような性質のクラスを作るときには、元のクラスを流用・改変すればよいため(継承)、作成時間が短縮でき、作り込み時の間違いも起こりづらい。

ちょこっと
メモ

システム開発やソフトウェア設計の概念(考え方)として、まず業務で行う「処理の内容と手順」に注目し、業務処理ごとに独立したシステムを作り、必要なデータは各システムが個々に保有する、**プロセス中心アプローチ**が考案された。しかし、各所のシステムで同じ処理が別々に行われて非効率な上、同一のはずのデータに矛盾が生じるなどの欠点があった。
そこで、使われる「データ」に注目する、**データ中心アプローチ**が考え出された。データベース（DB）を構築してデータを共有化し、処理用のデータはDBから読み出し、処理結果はDBへ保存する。処理済みデータがDBに保存してあるので、同じ処理を重複して行う事も無くなり効率的で、データの矛盾も生じない。また、データと処理を切り離して扱うため、業務の変更で処理内容が変わっても、DBは使い続けることができる。
ところが、技術や市場の変化が激しくなり、短い期間でビジネスの内容が大きく変わるようになると、以前の業務用に作られたDBでは内容構造を変えないと対応ができなくなってきた。DBは多くのデータを扱うため変更は大規模で、改修は時間と費用の負担が大きい。そのため、変化スピードに追従できる新たな概念として、**オブジェクト指向アプローチ**が考案された。

ユーザーと開発者が協力しあって作る＝アジャイル開発

アジャイル開発は、オブジェクト指向アプローチの代表的な開発モデル。ユーザーの要求に応えて柔軟に仕様変更や機能追加を行いながら、できるだけ早いリリース（導入・稼働）を行うことを目的とした、小規模システム向けの開発技法。設計書などのドキュメント作成にこだわるより、ユーザーとの対話を重視して協力関係を築き、ユーザー満足度の高いシステムを作ろうというのが根本的な思想。

アジャイル開発では、構築するシステムを機能単位で小さく分割して、優先度の高いものから作成する。分割した機能ごとに、要件定義→設計→構築→テストと開発を進めて、数週間というごく短期間でリリース（導入・稼働）まで行う。このサイクルをイテレーションといい、イテレーションを繰返し、機能を足し合わせていくことでシステムを拡張させていく。

スパイラルモデルに似ているが、スパイラルモデルは工程を繰り返すごとに品質に高めて、実稼働に耐える品質を得た段階でリリースする。一方、アジャイル開発では最初（1回目）のイテレーションで作成した1本目のソフトウェアから、即リリースできる品質で作られることが両者の違いになっている。

● **アジャイル開発の特徴**

・理想と完成品とのギャップが少ない：常にユーザーの意見を取り入れて仕様変更を行っていくため、ユーザーの理想に近いシステム（ソフトウェア）を作成することができる。
・工数やスケジュールの予測とコスト管理が難しい：ユーザーの変更要求にその都度対応するので、必要な工数の予測やスケジュールの作成・管理が難しい。さらに、コストが増大しやすい傾向がある。

XP（エクストリーム プログラミング）

XP（Extreme Programming）は、アジャイル開発の代表的な開発手法。ユーザー側と開発者側が共有すべき5つの価値（コミュニケーション、シンプル、フィードバック、勇気、尊重）に基づいて協力関係を築き、プラクティスと呼ばれる「お手本とすべき手法」を使いながら開発作業を進めていく。

● **XPの代表的なプラクティス**

ペアプログラミング：1台のコンピュータで、書き手とチェック役の二人がプログラムを書く方法。作成者とは別のチェック役がいることでバグを減らし、プログラム品質を向上させることが目的。

リファクタリング：ソフトウェアの外部から見える動作（振る舞い）を変えないように、プログラム（内部構造）を書き換えて改善すること。処理効率やメンテナンス性の向上を目的に行われる。

テスト駆動開発（TDD：Test Driven Development）：先にテストケースを作成してから、プログラム（ソースコード）を書く手法。作成したテストケースに合格させるために必要最低限のプログラムを書くことで、プログラムに実装すべき機能が明確になり、テストも効率的に行うことができる。さらに、リファクタリングを行い、これを繰り返すことで完成形へ近づけていく。

小さなチームで役割分担しながら開発する「スクラム」

スクラムはラグビーの「スクラム」から名付けられたアジャイル開発の手法の1つで、数人のチームで開発を担当する。プロダクトオーナーと呼ばれる管理責任者は、開発の依頼者の要求をシステムに必要な機能として定義し、プロダクトバックログにまとめる。作成するシステムを細かい機能単位に分割して優先順位を付け、分割した機能ごとにスプリントとよばれる開発作業の工程を計画する。他のアジャイル開発と同様、スプリントが完了するごとに作成したソフトウェアをリリース（導入・稼働）する。

スクラムマスターはチームの調整役で、スプリントが円滑・確実に進むようメンバーをサポートし、指導やスプリントレビュー（下表）の開催も行っている。また、スプリントの進行の責任者でもある。

6-3-2 スプリントの手順（スクラムイベント）

①スプリント計画	プロダクトバックログの中から、次のスプリントで行う範囲や機能（スプリントバックログという）を、チーム全体の合意により決めていく。
②スプリント	スプリント計画に基づいて、最長1か月程度の短い単位で開発を行う。
③デイリースクラム	チームが日々行う15分程度のミーティング。スプリントの作業内容や進捗をチェックし、問題点を早期に発見する。
④スプリントレビュー	スプリントの終了時に、開発したソフトウェア（成果物）をプロダクトオーナーが評価し、リリースの可否を判断。追加・修正が必要な場合は、プロダクトバックログを見直し、次のスプリントの優先順位を決めていく。
⑤ふりかえり	各スプリントの終了時に行ったプロセスをふりかえることで課題を見いだし、チームの技術的・精神的な成長を促す。

6-3-3 その他の開発技法

DevOps（デブオプス）	アジャイル開発の技法の1つ。開発側（Development）と運用側（Operations）が常に情報の共有を図って協調し、さらにテストツールなどの開発用のソフトウェアを積極的に取り入れて開発環境を整えていくことで、システムの構築や改変（テストやリリースも含む）を迅速に行うための取組み。
RAD（ラド：Rapid Application Development）	少人数の開発者が短期間にソフトウェア作成を行うための開発モデルで、プロトタイピングの一種。専用の開発ツール（RADツール）を使い、ツールが持つひな形や部品（よく使われる機能が予め作られている）、プログラムコードの入力支援機能などを駆使して、効率よく作成していく。
リバースエンジニアリング	既存のソフトウェアを解析して構造や仕様などの設計情報を導き出す開発手法。設計書が残っていないソフトウェアの保守や再構築に有効な手段。ただし、市販のパッケージソフトの解析は知的財産権の侵害となる。
マッシュアップ	マッシュアップは「混ぜ合わせる」という意味で、他の事業者が公開しているサービスを自社のサービスと組み合わせて提供する手法。自社のWebページに、地図サイトのサービスを使って案内図を掲載するなどの例がある。

オブジェクト指向の図法「UML」

UML（ユーエムエル：Unified Modeling Language）は、オブジェクト指向アプローチの設計手法で、対象となる業務やシステムの機能や構成をモデル化して表現するときに使われる図法の総称です。

UMLの図法の特徴

「何をモデル化して表現したいか」によって図を使い分けるため、UMLには数多くの図法が含まれる。代表的な図法は、クラス図・シーケンス図・ユースケース図の3つだが、試験にはアクティビティ図の簡単な読み取りも出題されているので、問題を見ながら理解しておこう。

6-3-4 UMLの代表的な図

❶ クラス図：クラス<p.137>の型やクラス間の関係を表現

クラスの型や属性、クラス間の関係を表現。E-R図<p.081>に似ているが、データと振る舞い（処理内容）の両方を定義するところが異なる。

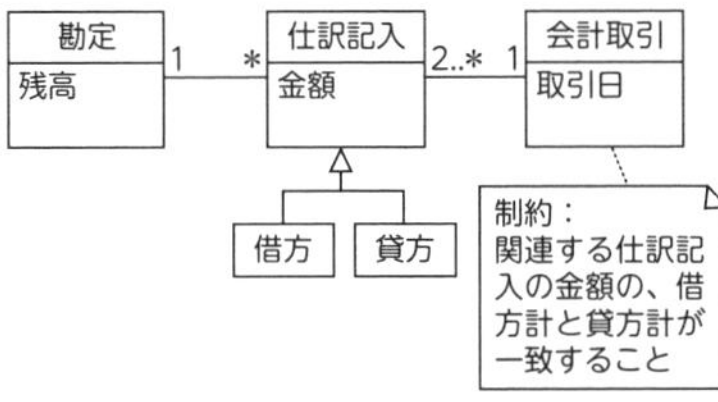

❷ シーケンス図：オブジェクト間の動作を時系列で表現

オブジェクトどうしの間に生じるメッセージ（行う処理や情報）のやりとりを時系列で表現。

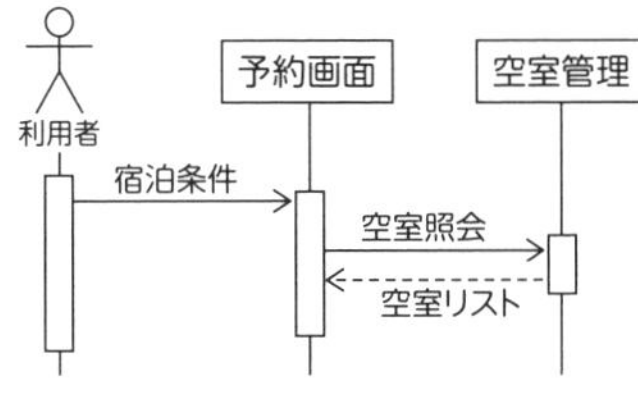

❸ ユースケース図：ユーザーの視点でシステムの機能を表現

システムとユーザー（利用者やソフトウェア）とのやりとりを整理し、ユーザーの視点でシステムの機能を表す図法。

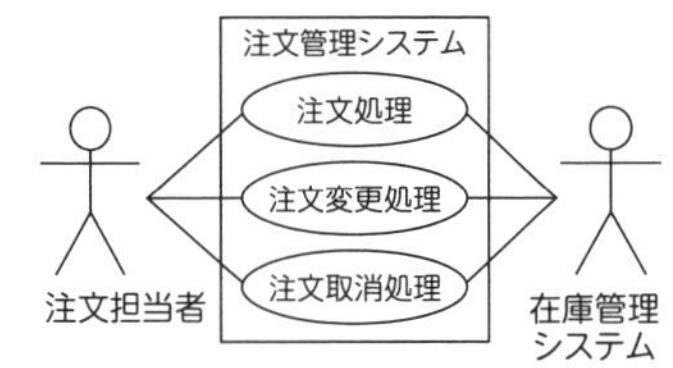

アクティビティ図の読取り

業務プロセスを，例示するUMLのアクティビティ図を使ってモデリングしたとき，表現できるものはどれか。

ア 業務で必要となるコスト

イ 業務で必要となる時間

ウ 業務で必要となる成果物の品質指標

エ 業務で必要となる人の役割

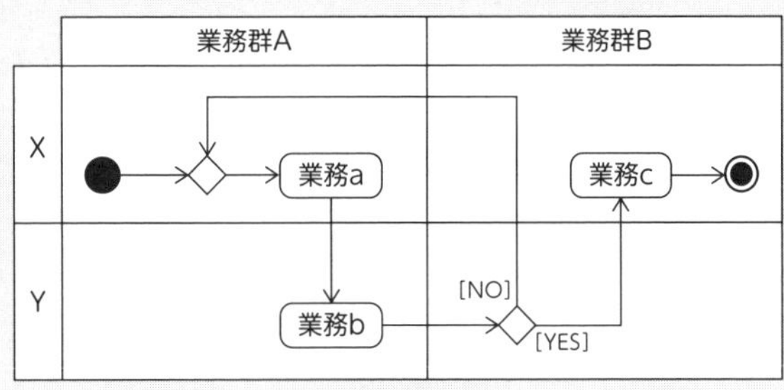

解説 アクティビティ図の用途を知っておこう

アクティビティ図はプロセス（処理の手順）を表す図法で、読み方は流れ図<p.044>とよく似ている。▭はアクションといい、行う処理を示す(→は進む方向、◇は分岐)。表組みのような区切りはパーティションと呼ばれ、アクションを分類するための区切りで、処理の役割で分類したり、処理を担当者別に振り分けるときなどによく使われる。

問題の図では、列（横）方向のパーティションは処理の種類、行（縦）方向のXとYは担当者を表していることが推測できる。そのため、正解はエの「業務で必要となる人の役割」。

<このアクティビティ図から読み取れるプロセスの流れ>
担当者X：業務aを処理 → 担当者Y：業務aの結果を使って業務bを処理 → 担当者Y：業務bの結果を判断して、NOであれば担当者Xに業務aの再処理を依頼、YESであれば担当者Xに業務bの結果を渡す → 担当者X：業務bの結果を使って業務cを処理

正解：エ

開発プロジェクトのマネジメント

システム開発のプロジェクトには、ユーザーの代表者やシステム部門のエンジニア、さらには開発の委託先エンジニアなど、所属や役割の違う人たちがプロジェクトメンバーとして参加します。多様なメンバーで構成されるプロジェクトチームで円滑に活動を進めるには、プロジェクト管理のための専門知識とノウハウが必要です。

プロジェクトマネジメントの基本

プロジェクトとは、特定の目的のために必要な人員を集めて行う活動のことで、期間限定であり、目標達成とともにチームは解散します。プロジェクト支援のための専門部署としてPMO（プロジェクトマネジメントオフィス：Project Management Office）が設置されているところもあります。

プロジェクトマネジメントの手引き書＝JIS Q 21500

どのような活動をどんな順序で行っていけばスムーズにプロジェクト目標を達成できるのか、その手引きとなるのがJIS Q 21500だ。プロジェクトマネジメントに必要な知識を体系化しており、プロジェクトの管理活動で行うべき項目を10の対象群に分けている（図6-4-2）。さらに、各対象群ではプロジェクトの進行に沿って、どの段階で何を行うのかを5つのプロセスに区切って示している。

立ち上げ：プロジェクトの目標を定義、プロジェクトマネージャが任命され、プロジェクト開始の許可を得る
→ **計画**：各対象群で行うべき活動を、日程・コスト・資源などを含めて計画する
→ **実行**：計画に従って、各対象群の活動を実施する
→ **終結**：各対象群の活動が完了したことを確認し、報告書等を作成する

管理：計画どおりに成果が出ているかを監視・測定し、もしプロジェクト目標の達成に支障がありそうなら、是正措置や変更要求を行う

6-4-1
各対象群で行うプロセス

①統合（プロジェクト統合マネジメント）

ここからは各対象群で行う活動と、よく出題される項目を解説します。統合では、活動が複数の対象群にまたがる領域を扱います。プロジェクトの始まりと終わりも、この対象群の活動になります。

6-4-2　JIS Q 21500の10の対象群と5つのプロセス群

対象群＼プロセス群	立ち上げ	計画	実行	管理	終結
① 統合 <p.140>	プロジェクト憲章の策定	プロジェクト全体計画（プロジェクト計画＋プロジェクトマネジメント計画）の策定	プロジェクト作業の遂行を指揮	○プロジェクト計画に基づく進捗管理 ○変更管理（変更要求事項の登録、評価、承認）	○成果物提供と完了の検証、資源の解放 ○終結報告書、教訓文書作成
② ステークホルダ <p.142>	ステークホルダの特定とステークホルダ登録簿作成	—	ステークホルダが持つニーズ等の把握と、ステークホルダ間で対立する課題の調整	—	—
③ スコープ <p.142>	—	○スコープの定義とスコープ規定書の作成 ○WBS<p.142>の作成 ○WBSで定義した活動（アクティビティ<p.142>）を活動リストとして文書化	—	スコープ規定書に基づくスコープの管理と、必要なスコープの変更要求	—
④ 資源 <p.143>	プロジェクトチームの編成	○プロジェクトに必要な資源（人員・機材など）の見積り ○プロジェクト組織の定義（役割・責任・権限）	プロジェクトチームのパフォーマンス向上のための評価と関係改善	○資源の確保と管理 ○プロジェクトチームのマネジメントと変更要求	—
⑤ 時間 <p.143>	—	○活動（アクティビティ<p.142>）の順序付けと活動期間の見積り ○スケジュールの作成	—	スケジュール管理と変更要求	—
⑥ コスト <p.145>	—	○総コストの見積り（予想コスト） ○予算編成（配分）の作成	—	進捗データと実コストに基づく、コスト管理と変更要求	—
⑦ リスク <p.145>	—	○発生の可能性があるリスク特定とリスク登録簿の作成 ○リスク評価と対応の優先順位付け	リスク対応策の決定と緊急時対応計画の作成、およびリスク対応	リスク管理（対応の効果と進捗状況の評価、新たなリスクの特定と分析）と変更要求	—
⑧ 品質 <p.146>	—	品質計画の策定（品質目標と規格を検討・決定し、ステークホルダの合意を得る。さらに達成に必要なツール・技法・資源を決定し確保する）	計画に基づく活動を遂行、品質を保証するための監査を行う	品質管理の遂行（成果物の欠陥の発見と原因分析、予防・是正のための処置）および変更要求	—
⑨ 調達 <p.146>	—	調達計画の策定（内製or調達の一覧、調達方法の規定と調達仕様書の策定、推奨供給者リストの作成）	候補供給者（調達先）からの情報入手、評価→調達先の選定→契約	調達の運営管理（進捗情報の把握、品質やパフォーマンスの監視）および変更要求	—
⑩ コミュニケーション <p.146>	—	コミュニケーション計画の策定（ステークホルダが必要とする情報の把握と配布方法の決定）	配布する情報の作成と配布	コミュニケーションのマネジメント（コミュニケーション上の問題が生じた場合の解決など）	—

ちょこっとメモ　**JIS Q 21500**はプロジェクトマネジメント協会発行の**PMBOKガイド**を規格化したもので、一般では引き続きPMBOKガイドが参照され続けている。両者は**対象群**（PMBOKでは「**知識エリア**」）などの名称が違うだけで、活動内容はほぼ同じ。以降のページでは、各対象群の見出しにPMBOKでの名称を併記しておく。

開発プロジェクトのスタートとゴール

スタート時には、プロジェクトを公に認定し、プロジェクトの目標・成果物・達成基準、プロジェクトで行うべき範囲などを定めた**プロジェクト憲章**を定め、経営陣の承認を得る。プロジェクトの責任者である**プロジェクトマネージャ**はプロジェクト憲章により正式に任命され、プロジェクト全体の管理の方針や管理体制などを記載した**プロジェクトマネジメント計画書**を策定する。

プロジェクトの終結時には、各対象群の活動が完了していることを確認し、プロジェクトの成果物を提出、**終結報告書**を作成する。また、今後のプロジェクトに役立てるため、活動を通して得た教訓を**教訓文書**に残しておく。

変更要求への対応

機能追加などの変更要求は、複数の対象群での調整が必要なため、「統合」の活動項目。予め、変更要求を承認する条件や優先順序、変更対象の範囲などを決め、ユーザーや発注者と合意しておくことが重要。

6-4-3　変更要求の処理手順　例：システムの機能変更

変更で得られるメリット・効果を評価

変更によって対象群が受ける影響を査定

変更の可・不可を総合的に判断

承認を得て変更を実施

・変更が実現されれば、効率が格段にUP！

・スコープ（作業の範囲③）が拡大
・開発日程の延長（時間⑤）とコストの増大（コスト⑥）
・延長分の人員・機材の確保（資源④、調達⑨）など

・決定事項を利害関係者（ステークホルダ②）に通知

②ステークホルダ（プロジェクトステークホルダマネジメント）

ステークホルダとは利害関係者のことです。システム開発の場合は、発注者（スポンサー）、受注者（委託先企業）、プロジェクトマネージャ、プロジェクトメンバー、開発するシステムのユーザーなどが主なステークホルダとなります。それぞれの役割や立場の違いから、ステークホルダどうしの利害が対立し、プロジェクトの進行に重大な支障をきたす場合もあります。そのため、各ステークホルダへの小まめな情報の伝達・説明・共有、ステークホルダ間の意見の調整はこの対象群の重要な活動になります。

③スコープ（プロジェクトスコープマネジメント）

6-4-4　WBSの例

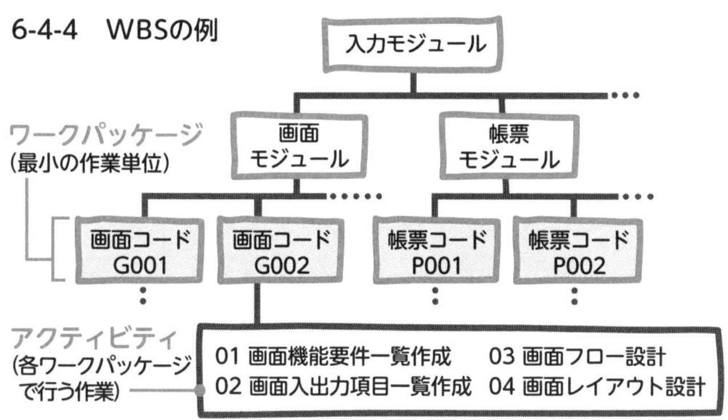

WBSの補助文書：作業内容と目的を明確にする文書としてWBS辞書を一緒に作成する。この辞書には、WBSの構成要素ごとに「作業内容と成果物の詳細、担当組織、スケジュールとコスト、完了を判断する基準」などが記載される。

スコープとは作業や成果物の範囲のことです。この対象群では、まずプロジェクトで行うべき範囲と除外する項目を見定め、成果物の完成に必要な作業を過不足なく洗い出してプロジェクトスコープ記述書に記載します。

必要な作業項目を、階層的に順次分割していくことで明らかにする方法がWBS（ダブリュービーエス：Work Breakdown Structure）です。WBSの最下層となる一番小さな作業単位（ワークパッケージ）ごとに、要求される品質や必要な作業要員のレベル、費用、工数などを検討します。

プロジェクトスコープに影響が及ぶ事象

プロジェクトのスコープにはプロジェクトの成果物の範囲を表す成果物スコープと，プロジェクトの作業の範囲を表すプロジェクトスコープがある。受注したシステム開発のプロジェクトを推進中に発生した事象a～cのうち，プロジェクトスコープに影響が及ぶものだけを全て挙げたものはどれか。

a 開発する機能要件の追加　b 担当するシステムエンジニアの交代　c 文書化する操作マニュアルの追加

ア　a, b　　イ　a, c　　ウ　b　　エ　b, c

解説　どんな対処が必要なのかを想像しよう

a：機能要件を追加するため、要件定義や設計の作業範囲が追加される（プロジェクトスコープ変更）
b：要員が交代しただけで、成果物や作業の範囲は変わらないため、スコープは変化しない
c：「操作マニュアル」という成果物とそれを作る作業範囲の追加（成果物・プロジェクト両スコープの変更）

正解：イ

④資源（プロジェクト資源マネジメント）

この対象群の「資源」が示すのは、プロジェクト活動を行うために必要な、施設・機器・ツール（ソフトウェア）・電源設備などのことです。いつから・どんな資源が・どれくらい必要になるのか、計画のプロセスで資源の見積を行い、実行のプロセスで配置や管理を行います。また、プロジェクトメンバーなど人員の確保や配置、管理・教育もこの対象群で対応します。人員の不足が予想されたり、専門技術者の協力が不可欠な場合は、エンジニアを派遣してもらうこともあります。プロジェクト外（社内であっても）から人や資材を得るケースは、「⑨調達<p.146>」の対象群で対応します。

増員が必要な新メンバーの数

システム開発作業を実施するに当たり，生産性が同じメンバー6名で20日間掛けて完了する計画を立てた。しかし，15日間で終わるように計画を変更することになり，新たなメンバーを増員することとした。新メンバーの生産性は当初予定していたメンバーの半分であるとき，15日間で作業を終わらせるために必要な新メンバーは最低何人か。

ア　1　　イ　2　　ウ　4　　エ　6

解説　工数を表す「人日」問題の計算パターンを知っておこう

❶ **日程短縮で足りなくなる工数**
20日間－15日間＝5日分不足　5日×6人＝30人日（「人日」は1人の作業者で作業した場合の工数）

❷ **新メンバーに必要な作業工数**
30人日×2倍＝60人日（新メンバーの生産性は現メンバーの半分→倍の工数が必要）

❸ **必要な新メンバーの人数**
60人日÷15日間＝4人

正解：ウ

⑤時間（プロジェクトタイムマネジメント・プロジェクトスケジュールマネジメント）

対象群「時間」は、スケジュールの策定と進行管理を対象としています。この項目で頻出しているのは、PERT（パート：Program Evaluation and Review Technique）と呼ばれるプロジェクトの日程計画を行うための手法です。

作業日数を求めるアローダイヤグラム

PERTはプロジェクトに必要な日数を計算するための手法。プロジェクトではいくつもの作業が同時に行われるが、前の作業が終わらないと開始できない作業もあり、並行作業ができるとは限らない。

そこで、作業の手順を矢印で表したアローダイアグラム（Arrow Diagram：矢線図）を使い、どの作業が終わってから、どの作業に取りかかるのかを整理する。このアローダイアグラムはPERT図とも呼ばれる。

PERT図（アローダイヤグラム）の読み方

結合点：作業の着手点および完了点を表す（図中の○）。
作業：矢線と、そのそばに作業名と作業日数や工数を記述する。
ダミー作業：作業順序だけを表すための記号。実際には作業を行わないので、作業日数はゼロ。

作業を順に行うだけなら、単純に作業日数を合計すれば全体日数が計算できるが、並行作業がある場合は、最も長くかかる経路（図中の色付き矢印→）が全体の作業日数になる。

6-4-5　PERT図の読み方

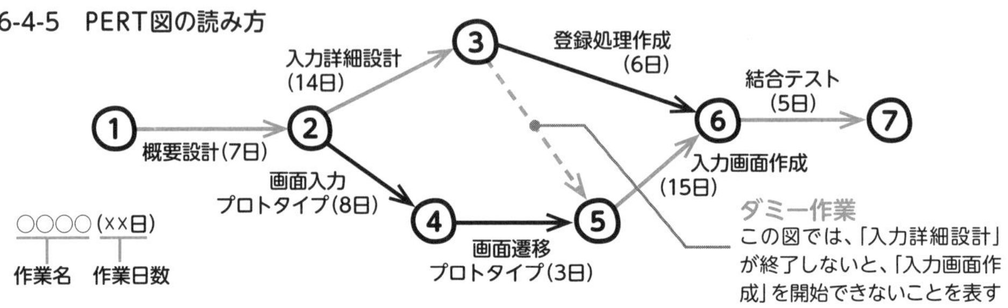

③→⑤はダミー作業と呼ばれ、作業順序のみを表すもの（日数は0で計算）。⑤を開始するには、手前の④だけでなく③の終了も待たなくてはならないことを表す。

この図では①→②→③→⑤→⑥→⑦＝41日という経路が最も長いが、このように最も作業日数が多い経路をクリティカルパスと呼び、この日数が全体の作業日数ということになる。

（クリティカルパス以外の経路：①→②→③→⑥→⑦＝32日、①→②→④→⑤→⑥→⑦＝38日）

作業が遅れた場合の日数の計算

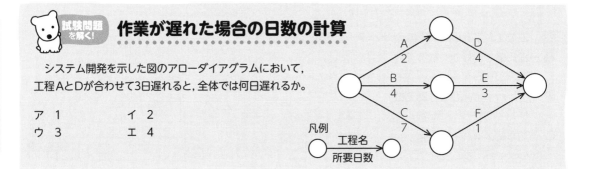

システム開発を示した図のアローダイアグラムにおいて，工程AとDが合わせて3日遅れると，全体では何日遅れるか。

ア　1　　　　イ　2
ウ　3　　　　エ　4

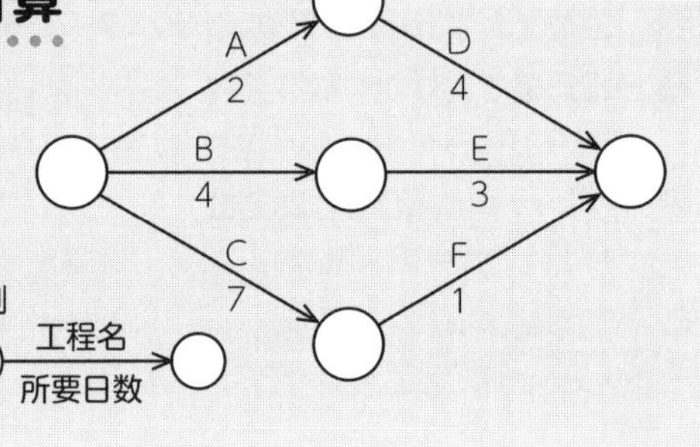

解説　日程が変わればクリティカルパスも変わる！

❶ 遅れが無い場合の作業日数

A→D ＝ 2日＋4日 ＝ 6日　　B→E ＝ 4日＋3日 ＝ 7日
C→F ＝ 7日＋1日 ＝ 8日
一番長い経路C→Fがクリティカルパスで、全体の作業日数は8日になる。

❷ A→Dに3日遅れが出た場合

A→D＝2日＋4日＋3日＝9日　　B→E＝4日＋3日＝7日
C→F＝7日＋1日＝8日
一番経路が長いクリティカルパスはA→Dとなり、全体の作業日数は9日に。

❸ 全体の遅れ

❶は8日、❷は9日なので、A→Dに遅れが出た場合の全体の遅れは 9日－8日＝1日。

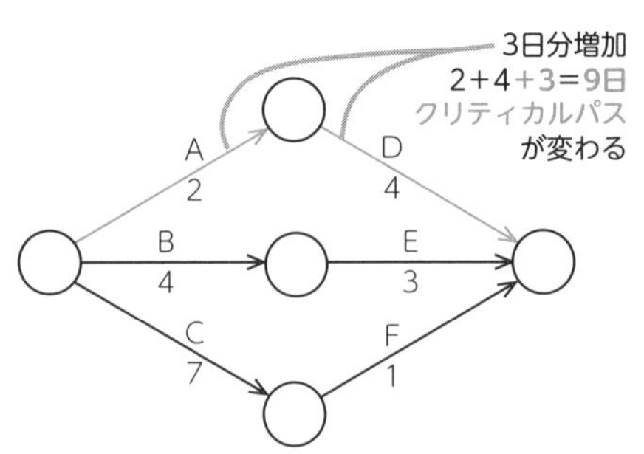

正解：ア

ガントチャート・マイルストーンチャート

プロジェクトの進捗管理では、PERT図からガントチャートを作る。ガントチャートは、縦軸に作業項目、横軸に日付などの時間軸をとり、作業項目の開始～終了の予定期間と実績（実際に作業した期間）を線の長さで表し、両者を対比しながら進捗状況を把握する。

工程上の重要なポイントとなる日付をマイルストーンというが、下図はガントチャートにマイルストーン（◆印）を書き込んだマイルストーンチャート。

6-4-6　ガントチャート
マイルストーンチャート

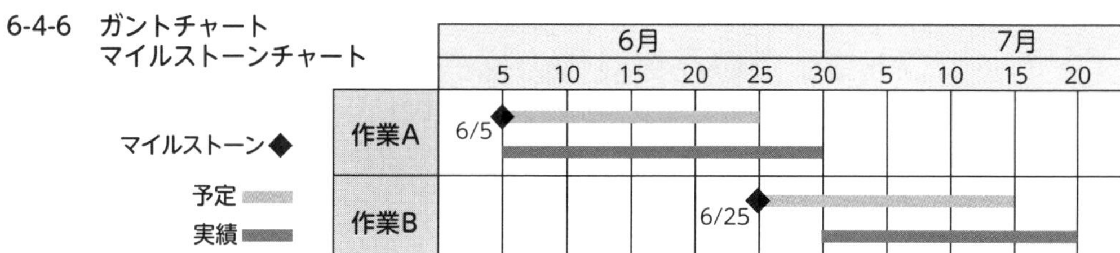

⑥コスト（プロジェクトコストマネジメント）

対象群「コスト」では、費用の見積りとコスト管理を行います。試験では、作成するシステムの規模(工数やコスト)を見積もるための手法について問われています。

システムの工数・コストの見積手法

それぞれの見積手法は、どんな方法で見積もっているのかが想像しやすい名前が付けられているので、これがヒントになる。それぞれの名称・方法・特徴を整理しておこう。

6-4-7　システム規模の見積手法

ファンクションポイント法	FP法（Function Point Method）は簡便で、開発者だけでなくユーザーにもシステム規模を見積もることが可能な見積手法。データの入出力や機能（ファンクション）を洗い出し、それぞれの難易度による重み付けを行ってポイントを算出。ポイントの合計にシステムの特性を評価した補正値を掛けて全体の工数やコストを見積もる。
ボトムアップ見積法（標準タスク法）	まず個々の作業を洗い出して最小単位まで分解（←これがボトム）。これに、あらかじめ単位作業ごとに基準を決めておいた工数とコストを掛け合わせて合計することで、システム全体にかかる工数やコストを算出する手法。
類推見積法	過去に行った類似するシステムの開発例を基に、過去の例と新システムとの相違点などを分析して、必要な工数とコストを見積もる手法。この方法であれば、まだシステムの詳細が決定していない初期段階でも、概算的な見積りが可能。
積み上げ法	開発に必要な作業を洗い出して細かく分解し、一つひとつにかかる工数を見積り、それらを積み上げて全体の工数とコストを見積もる方法。

⑦リスク（プロジェクトリスクマネジメント）

開発プロジェクトにも、「設計工程の完了後に大幅な変更要求があった」、「開発拠点としていた施設が大雨で浸水した」など、さまざまなリスクの発生が考えられます。対象群「リスク」では、プロジェクトの活動中に起こる可能性があるリスクの予測と、それらのリスクへの対応を行います。なお、具体的なリスク管理のための活動は7-4<p.159>と重複するため、そちらでまとめて解説します。

⑧品質（プロジェクト品質マネジメント）

対象群「品質」の計画プロセスでは、成果物の品質に関する要求事項や品質方針を定め、その達成に必要な技法やツール、手順などを明らかにします。このとき、品質向上に必要なコストと、向上によって得られる効果を比較検討して、品質計画を立てる必要があります。

ソフトウェアの品質評価の指標

システムやソフトウェアの品質を評価する時に、指標のひとつになるのがJIS X 25010の「製品品質モデル」だ。ここでは、代表的な4つの品質特性を解説しておく。

6-4-8　ソフトウェアの品質特性

使用性	ユーザーの満足度や使いやすさの度合い。ユーザーの習得のしやすさ、操作性の良さやインターフェースの快適さなどが評価の対象。
信頼性	ある条件の中で、定義された機能をどのくらい遂行できるかの度合い。稼働率や障害に対する耐性などが評価の対象。
保守性	修正や改変のしやすさの度合い。修正やバージョンアップの容易さや修正後の再利用率の高さなどが評価の対象。
移植性	別の環境や他のシステムに移すときの容易さの度合い。異なる環境への適応性の高さや、導入・移行のしやすさなどが評価の対象。

⑨調達（プロジェクト調達マネジメント）

対象群「調達」では、プロジェクトの外部（社内の場合も）から取得する資源（人・物・サービス）の調達と管理を行います。システムの構築に必要なコンピュータや開発ツールの確保、インターネット接続のためのプロバイダ契約なども調達に含まれます。

さらに、エンジニアの派遣やITベンダーへの委託のための契約内容の調整なども、この対象群の活動です。なお、調達の詳しい内容については次テーマ6-5で説明します。

⑩コミュニケーション（プロジェクトコミュニケーションマネジメント）

対象群「コミュニケーション」の活動は、ステークホルダ間の情報共有によりプロジェクトを円滑に進めることを目的として行われ、プロジェクトで扱う情報の作成・配布の方法についてルール化することで明確にしておきます。また、各対象群で作成される計画書や報告書、議事録など公式文書の管理も、この対象群の活動に含まれます。

試験では、コミュニケーション方法の分類として、特定の受け手に限定して「情報を送る」1対1の伝達手段（電子メールなど）であるプッシュ型コミュニケーションと、受け手自身が蓄積された情報の中から必要なものを「選んで取り出す」1対多の伝達手段（Webページなど）であるプル型コミュニケーションが出題されています。

ITサービスの調達

組織の外部から製品やサービスを得る活動を**調達**といいます。試験では「ITベンダーに新たなシステム構築を委託する」ケースを想定した問題が出ています。契約に至るまでの流れと、各段階で発注者と受注者でやり取りされるドキュメントに注目しましょう。

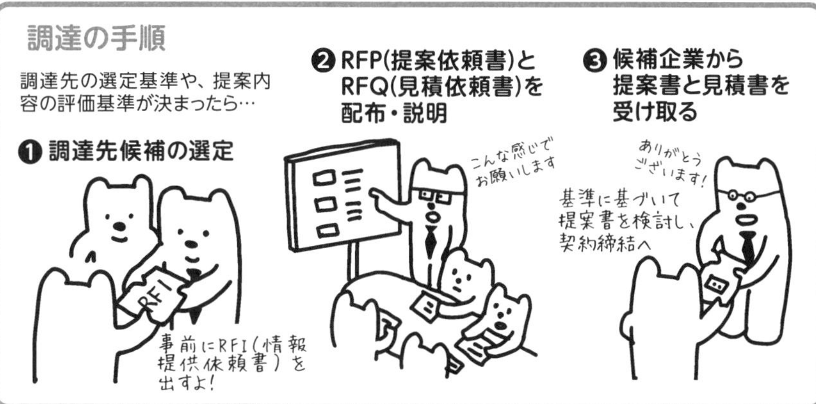

調達の手順
調達先の選定基準や、提案内容の評価基準が決まったら…
❶ 調達先候補の選定
事前にRFI(情報提供依頼書)を出すよ!
RFI
❷ RFP(提案依頼書)とRFQ(見積依頼書)を配布・説明
こんな感じでお願いします
❸ 候補企業から提案書と見積書を受け取る
ありがとうございます!
基準に基づいて提案書を検討し、契約締結へ

調達を行う場合の留意点

調達の手順と、各段階で行うべき事柄については、次ページにまとめて説明しています。先に、調達を行う場合に留意しておかなければならないポイントを知っておきましょう。

著作権の移転条項と守秘義務契約

外部に委託してソフトウェアを作成した場合、著作権法上はそのソフトウェアは委託された側（受託者）に著作権がある<p.221>。そのため、委託契約には作成したソフトウェアの著作権は完成後に発注元に移転する旨の条項を含めておくのが一般的。

情報漏洩などのリスクが懸念される場合は、**守秘義務契約**<p.230>を交わす、作業場所やデータ・資料の保管方法について契約に含めるなどの措置が必要。また、受託者は受託した業務を外部へ再委託することも法律上は可能なため、再委託を禁止する場合は契約書に条項を設けておく。

調達に用いられるドキュメント

システム開発において作成されるRFPに記載される情報に関する記述として，最も適切なものはどれか。

ア　ITベンダーが発注側企業に，開発期間の見積りを示す。
イ　ITベンダーが発注側企業に，調達条件を示す。
ウ　発注側企業がITベンダーに，導入システムの概要を示す。
エ　発注側企業がITベンダーに，開発体制を示す。

解説　「誰が作って」「誰に渡すのか」混乱しないように要注意！<各用語の説明は次ページ>

ア　ITベンダー ⇒ 発注側企業　「開発期間の見積り」：提案書
イ　発注側企業 ⇒ITベンダー　「調達条件」：RFP
ウ　正解。発注側企業 ⇒ITベンダー　「導入システムの概要」：RFP
エ　ITベンダー ⇒ 発注側企業　「開発体制」：提案書

6-5-1　調達の流れとドキュメント

発注元企業（依頼者）

❶ システム要求事項の策定
開発するシステムに求められる要件（システム化の範囲・必要な機能や性能など）をまとめる。

❷ RFP・RFQの作成
導入を計画しているシステムの概要を記載し、提案を求める事柄や調達条件などを明示して、ベンダー企業に提案書と見積書の提出を依頼するために、RFP（アールエフピー：Request For Proposal：提案依頼書）とRFQ（アールエフキュー：Request For Quotation：見積依頼書）を作成。

❸ 調達先選定基準の作成
ベンダー企業からの提案書や見積書を検討する際に、何を重視して調達先の選考を行うか、考慮する項目と選定の基準などをあらかじめ決めておく。

❹ 調達先候補の選定
事前に、ベンダー企業にRFI（右上参照）を配布し、ベンダー企業から提供された情報を基に、先行して候補企業を絞り込んでおくこともある。

❺ RFP・RFQの配布と説明
調達先候補の企業にRFPとRFQを配布、説明を行う。

❼ 提案書・見積書の評価
提案書から、候補ベンダー企業が提案してきた開発方法や、機能実現のために用いる技術が適切か、今回の開発に必要な作業項目が過不足なく含まれているかを分析・検証。また、見積書から見積金額などは妥当かを検討する。

❽ 調達先の選定
提案書の評価と見積書の金額を踏まえ、選定基準（❸）に基づいて、調達先のベンダーを決定する。

⓿ RFI：情報提供依頼書
システム要求事項を策定する際に、開発の手段や技術の動向について、事前にRFI（アールエフアイ：Request For Information：情報提供依頼書）を作成し、候補となりそうなベンダー企業に情報提供を依頼する場合がある。RFIには、システム化の目的や、業務の概要などを明示しておく。

ベンダー企業

❻ 提案書・見積書作成
ベンダー企業では、RFPの情報を基に、開発するシステムの構成や開発手法などを検討して、提案書を作成。また、RFPに記載された範囲の作業に必要な費用を計算し、RFQに記載された納期や発注スケジュール、支払い方法などを検討して見積書を作成する。

❾ 契約締結
決定した調達先ベンダー企業と契約を交わす。発注金額や作業内容・納期だけでなく、完成したシステムの著作権の移転<p.221>や、作業上の守秘義務<p.230>などについても契約に含めておく。

6-5-2　社会的責任に配慮した調達先の選定

グリーン調達（グリーン購入）	調達に際して、環境への負荷に配慮した製品作りや原材料調達を行っている企業を優先するなどの調達基準を設けて調達先を選ぶことで、環境保全に貢献すること。
CSR調達（シーエスアール：Corporative Social Responsibility）	CSRは「企業の社会的責任」のこと。調達先企業が、社員や外注先の人員の人権や労働条件を守り安全にも配慮しているか、自然環境への負荷軽減への配慮を怠っていないかなどを調達基準に盛り込み、これを示すことで、調達先にCSRへの配慮を求めていくこと。

Chapter 7

システムの運用管理

Chapter 7-1

ITサービスの提供管理 サービスマネジメント

ITサービスとは、IT技術を用いてユーザーにサービスを提供することですが、一般にはシステムの運用管理のことを指し、システムライフサイクルでは運用と保守のプロセスになります。試験では、企業の情報システムの運用管理をITベンダーが請け負っていることを想定して、問題が出ています。

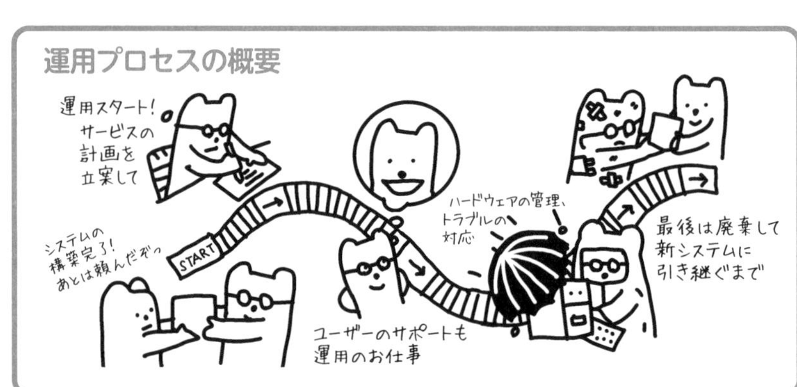

サービス内容の約束「SLA」

一定以上の品質を保ちながらトラブルなくシステムを運用しユーザーのサポートをしていくには、システム開発とは異なる技術やノウハウが必要です。ここでは、運用管理を担当する側を「ITベンダー」、システムを使う側（運用管理を委託している側）を「ユーザー」として解説していきます。

ユーザーとベンダーの約束「サービスレベル合意書」

出題率超高

このテーマの中で、ダントツに出題率が高いのがSLA（エスエルエー：Service Level Agreement：サービスレベル合意書）だ。サービスの提供者（ITベンダー）とユーザーはサービスの内容と範囲を定め、達成すべきサービスレベル（サービス品質）を数値で表した合意書を交わして契約を行う。

たくさんの機能を高品質で提供すれば、提供価格は高額になる。サービスの内容は「機能・品質・価格」の3点のバランスを考慮して検討し、提供者とユーザーが十分な協議を行った上で合意書を作成する。

SLAに含まれる具体的な項目の例

- サービスの提供時間
- サービスデスクを開設する曜日や時間帯
- オンライン処理の応答時間
- 業務用サーバの稼働率
- 不正アクセス検知やシステム不具合の発見後にユーザー側担当者に通知するまでの時間

SLAに記載する内容

オンラインモールを運営するITサービス提供者が，ショップのオーナとSLAで合意する内容として，適切なものはどれか。

ア　アプリケーション監視のためのソフトウェア開発の外部委託及びその納期

イ　オンラインサービスの計画停止を休日夜間に行うこと

ウ　オンラインモールの利用者への新しい決済サービスの公表

エ　障害復旧時間を短縮するためにPDCAサイクルを通してプロセスを改善すること

解説 **判断材料…それは「誰の仕事？」「運用に関するサービス内容やレベルの話？」**

ア・ウ：これらの業務は、運営を担当するITサービス提供者が行うサービスの範囲外。

イ：正解。計画停止とは、メンテナンス等のためあらかじめ予定してシステムの機能を停止させること。

エ：PDCAサイクルとは、計画→実行→点検→処置を繰り返して業務等を改善していく手法<p.161>。この例のPDCAサイクルは、サービス品質向上のための「手段」であり、具体的なサービス内容やそのレベルを示していないため、SLAの内容には該当しない。

正解：イ

「SLM」と「ITIL」

次の2つの用語は過去には頻出していたが、最近は（正解ではない）選択肢に含まれることが多い。ごく簡単に用語の意味を知っておこう。サービスレベル管理（SLM：エスエルエム：Service Level Management）は、SLAに記載されたサービス内容を漏れなく提供し、合意したサービスの品質レベルを効率よく保っていくための管理活動。この活動では、サービスの提供状況を常にモニタリングし、SLAで合意した目標が達成されているかどうかレビューを行う。

ITIL（アイティーアイエル：Information Technology Infrastructure Library）は、ITサービス提供の実践方法を示すベストプラクティス（お手本）がまとめられており、現在でもサービス提供のガイドブックとして広く使われている。ITILが大元になって、サービスマネジメントシステムに関する規格JIS Q 20000シリーズ<次項>が作られた経緯があり、試験でITIL自体が問われることはなくなった。

サービスマネジメントシステムの管理項目

システムの維持管理やユーザーサポートなどのITサービスを提供するために必要な組織や、活動のプロセス（サービスの計画立案→設計→移行→提供）を適切に管理する活動をサービスマネジメント（ITサービスマネジメント）といいます。

また、サービスマネジメントシステム（SMS：Service Management System）とは、この管理活動を支援し、効率化していくための仕組みのことで、具体的な管理活動の内容は、JIS Q 20000シリーズとして規格化されています。

SMSの主な管理項目

7-1-1　よく出題されるSMSの管理項目

構成管理	ハードウェアの種類・台数・設置場所、ソフトウェアのライセンスやバージョンなど、サービス提供のために必要な情報システム資源の構成内容を把握・記録して、適切に管理。
変更管理	顧客や利用者からのITサービスに対する変更要求に対して、変更によって得られるメリットや優先度などを勘案し、SLAで定められた基準を満たすことを検証して、変更承認の可否を検討する。変更管理の目的は、ITサービスに関わるすべての変更を一元管理することで、変更に伴って起こるリスクを低減させること。
リリース及び展開管理	ITサービスで用いるシステムへのハードやソフトの新規導入・追加・修正の実施に関する管理を行う。リリース（導入・移行）の実行には、あらかじめ変更管理での承認を得る必要がある。リリースの方法や日程について計画を立て、関係者に周知した上で稼働環境への実装を行う。
インシデント管理	SMSでのインシデントとは、「サービスの中断や品質低下の発生（またはこれらを引き起こす可能性のあるトラブル）」のこと。インシデント管理はインシデント発生時に、素早く回復することを目的とする。優先度（緊急性）の高いものから対応を行い、インシデントの内容と行った対応を記録しておき、問題管理<次項>に利用。インシデント管理では原因の追究は行わない。
問題管理	インシデントの記録を分類・分析して傾向を読み取り、トラブル発生の原因を追究し、変更や修理などを行うことで問題を根本から取り除くことがこの活動の目的。
サービス可用性管理	顧客や利用者が必要とする機能やサービスを、常に使える状態にあるように管理しておくための活動。サービスの提供状態を監視し、SLAや顧客・利用者の要求事項を満たしているか評価を行う。

SMSには管理すべき項目としてさまざまなものが定義されているが、前ページ表7-1-1では出題実績のある主な項目をまとめて解説している。

インシデント管理と問題管理は混同しやすいので要注意！ ITサービスで起こるインシデントとは、「サービスの品質低下や中断を招く出来事」のこと。インシデント管理は、インシデントの発生時に原因追求は後回しにして、迅速にサービスを回復するための管理活動。例えば、フリーズしたPCのリセットボタンを押し再起動によって正常に動作すれば、インシデント管理は完了。しかし、なんらかの原因があってトラブルが起きるのだから、次の段階としてその原因を追究して取り除く問題管理が必要になる。

可用性管理の目的となる項目

ITサービスマネジメントにおける可用性管理の目的として，適切なものはどれか。

ア　ITサービスを提供する上で，目標とする稼働率を達成する。　←サービス可用性管理（正解）

イ　ITサービスを提供するシステムの変更を，確実に実施する。　←リリース及び展開管理

ウ　サービス停止の根本原因を究明し，再発を防止する。　←問題管理

エ　停止したサービスを可能な限り迅速に回復させる。　←インシデント管理

解説　正解を見分けるキーワードを覚えておこう！

行われた対応から該当する管理項目を見分けるためのキーワードを覚えておこう。

- 提供しているサービスの「稼働率」→可用性管理
- 変更を「実施」→リリース及び展開管理
- 根本から解決→問題管理
- 迅速に回復→インシデント管理

また、このテーマの問題文にはITILとJIS Q 20000シリーズの用語が混在している。主なものを挙げておくが、多少言葉が違うだけで、どちらの規格でもほぼ同じ意味で使われているので悩む必要はない。

ITIL／JIS：ITサービスマネジメント／サービスマネジメント、可用性管理／サービス可用性管理、リリース管理／リリース及び展開管理、要求管理／サービス要求管理

正解：ア

ユーザーのお助け窓口「サービスデスク」

サービスデスク（ヘルプデスク）は、サービスのユーザーが、操作方法やトラブルへの対処方法などを問合せできる窓口のこと。サービスデスクとして問合せ窓口を一本化することで、ユーザーの利便性をはかり、さらにトラブルの発生状況など、後の問題解決に必要な情報をまとめて収集し、一元管理することができる。

サービスデスクで行う対応は、障害原因の究明ではなく、サービスの回復を優先し、既知の対応策があれば回答するところまでに限られているため、インシデント管理に分類される。

7-1-2　サービスデスク関連の用語

FAQ（エフエーキュー：Frequently Asked Questions）	ユーザーからよく問合せが来る質問と、その対処法などをまとめたもの。聞きたい内容に該当する項目がFAQにあれば、ユーザーが自身で問題解決の手がかりを見つけることができる。また、FAQと次項のチャットボットをサービスデスクの機能に追加しておけば、サービスデスクの受付時間外であっても、ユーザーに情報を提供することができる。
チャットボット	音声やテキストを用いた問いかけに対して、コンピュータがその内容を解釈（キーワードとなる言葉を拾って判断）し、適切な答えをリアルタイムで返していく会話形式の自動応答システム。
エスカレーション	サービスデスクやコールセンターなどで、受付の担当者では対応できない問合せ（専門性が高い、高度な判断が必要など）の場合に、より専門的な担当者やより上級の責任者が替わって対応すること。
ワークアラウンド	その場しのぎ的な応急処置のこと。一時的に例外処理としてトラブルを回避させるための措置を行うことが多く、後で根本的な問題を解決するための対応が別途必要になる。

性能評価の指標（稼働率）

システムの性能やサービスの評価値として、稼働率がよく使われます。複雑な構成のシステムや、MTBFとMTTRの値を使う稼働率計算など、多少ひねりがある問題も出てきます。例題の数字を追って、計算方法をしっかり理解しておきましょう。

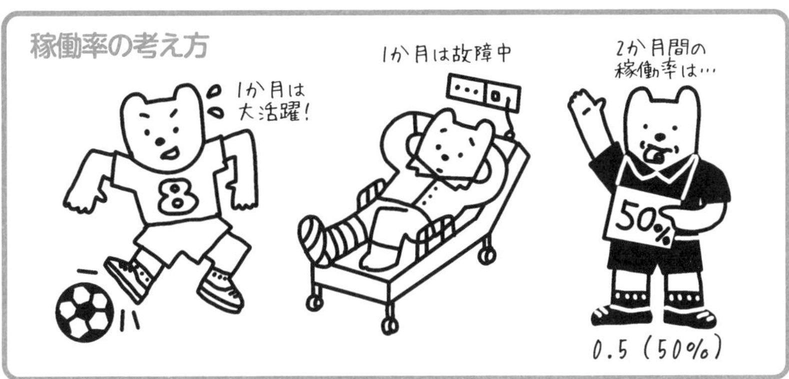

「稼働率」は何を表す値か？

ある期間のシステムの稼働状況を見ていると、ソフトウェアの不具合やハードウェアの故障などによって、稼働を停止している時間があります。運用していた全時間の中で、稼働していた時間の割合を稼働率と呼び、システムの性能を示す評価値として用いられています。

稼働率と不稼働率

稼働時間と不稼働時間をすべて合計したものを全運用時間と呼ぶ。

7-2-1
全運用時間

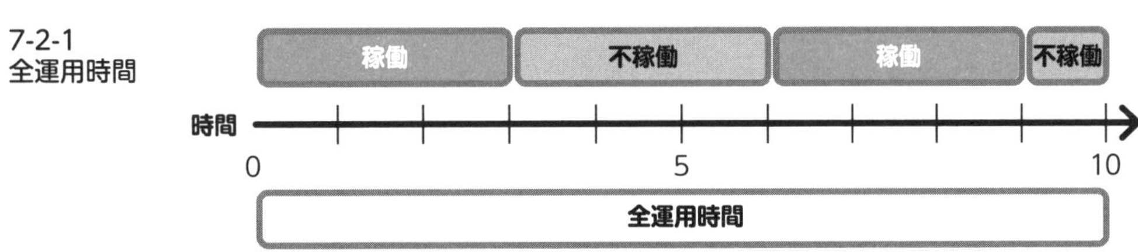

全運用時間の中で、システムが稼働している割合を稼働率、故障などによる不稼働の状態の割合を不稼働率といい、稼働率や不稼働率は次式で表すことができる。

$$稼働率 = \frac{稼働時間の合計}{全運用時間} \qquad 不稼働率 = \frac{不稼働時間の合計}{全運用時間}$$

例として、図7-2-1の稼働率と不稼働率を計算してみよう。

全運用時間：10時間、稼働時間：6時間　→　稼働率：6÷10 = 0.6　(60%)

全運用時間：10時間、不稼働時間：4時間　→　不稼働率：4÷10 = 0.4　(40%)

さらに、稼働率と不稼働率の間には次の式が成り立つことも覚えておこう。

$$1 - 稼働率 = 不稼働率 \qquad 1 - 不稼働率 = 稼働率$$

図7-2-1の例：1－ 0.6（稼働率）= 0.4（不稼働率）　1－ 0.4（不稼働率）= 0.6（稼働率）

故障間隔（MTBF）と修理時間（MTTR）

MTBF（エムティービーエフ：Mean Time Between Failures：平均故障間隔）は、故障が直ってから次に故障が起きるまでの平均時間のこと。これは、稼働が続いている時間の平均値になる。

MTTR（エムティーティーアール：Mean Time To Repair：平均修理時間）は、故障が起きてから、修理して再び利用できるようになるまでの平均時間のこと。これは、不稼働時間の平均値になる。

7-2-2
MTBFとMTTRの計算

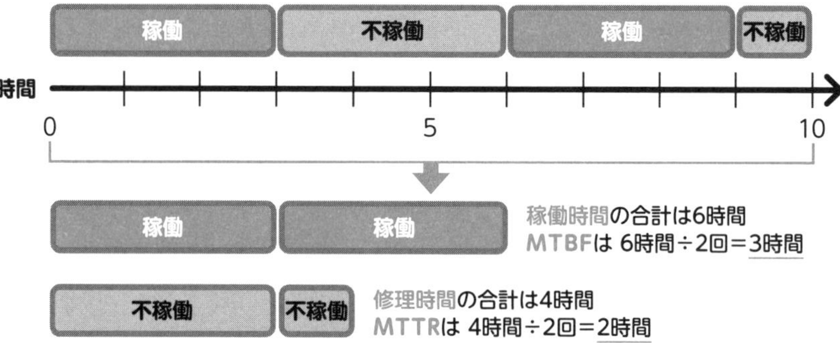

稼働率は、MTBFとMTTRを使って次のように計算して求めることもできる。

$$稼働率 = \frac{平均故障間隔}{平均故障間隔+平均修理時間} \Rightarrow 稼働率 = \frac{MTBF}{MTBF+MTTR}$$

例として、図7-2-2の稼働率を計算してみよう。

稼働率 ＝ MTBF÷（MTBF＋MTTR）＝ 3時間÷（3時間＋2時間）＝ 0.6（60％）

システム全体の稼働率計算

稼働率を計算する問題では、AとBの２つの装置が接続されているとき、「どちらか一方でも故障するとシステム全体が不稼働になるもの」を直列システム、「どちらか一方が稼働していればシステムが稼働するもの」を並列システムと定義されます。これらの問題では、問題文中に各装置の稼働率が与えられ、その稼働率を使ってシステム全体の稼働率を計算します。

7-2-3
直列システムと並列システム

直列システム

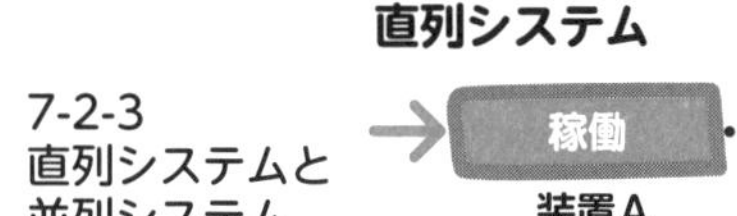

並列システム

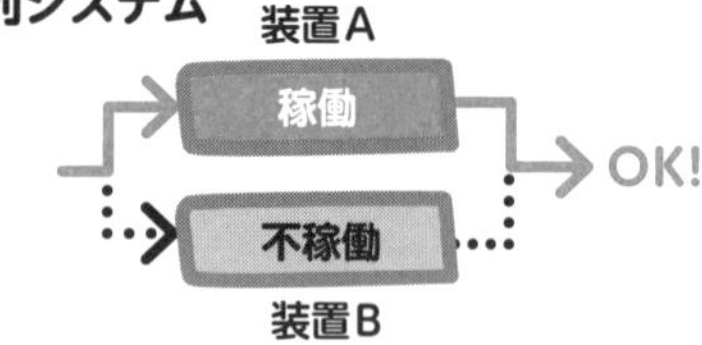

直列システムの稼働率計算

装置Aの稼働率をa、装置Bの稼働率をbとすると、直列システムの稼働率は次式になる。

全体の稼働率 ＝ 装置Aの稼働率 × 装置Bの稼働率 ＝ a × b

右図の例で計算してみよう。

全体の稼働率 ＝ 0.9 × 0.8 ＝ 0.72

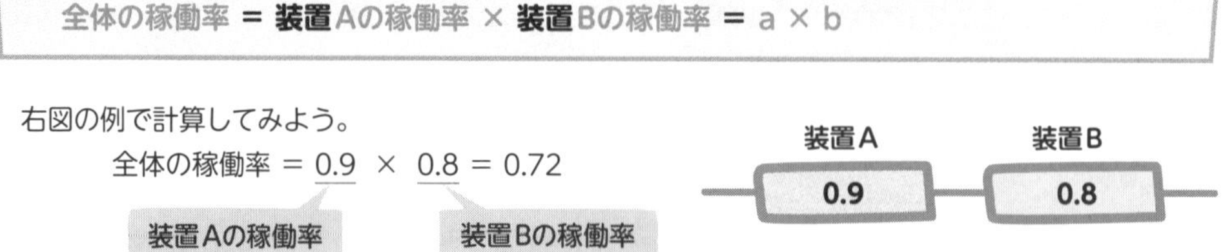

並列システムの稼働率計算

並列システムでは、すべての装置が同時に故障しない限り稼働し続ける。このルールを計算式で考えると、すべての装置が不稼働である確率を求めて、これを1から引くと、システム全体の稼働率が計算できる。なお、両方の装置が稼働していない場合の確率は、それぞれの装置の不稼働率を掛け合わせることで計算できる。下図の例を使って、実際に計算してみよう。

全体の稼働率 ＝1－（Aの不稼働率）×（Bの不稼働率）
＝1－（1－a）×（1－b）

❶ **装置Aの不稼働率を求める**
装置Aの不稼働率 ＝ 1－ 0.9 ＝ 0.1

❷ **装置Bの不稼働率を求める**
装置Bの不稼働率 ＝ 1－ 0.8 ＝ 0.2

❸ **装置AとBが両方とも稼働していない確率を求める**
0.1×0.2 ＝ 0.02 ←システム全体の不稼働率

❹ **1から❸の不稼働率を引き、システム全体の稼働率を求める**
1－ 0.02 ＝ 0.98 ←システム全体の稼働率

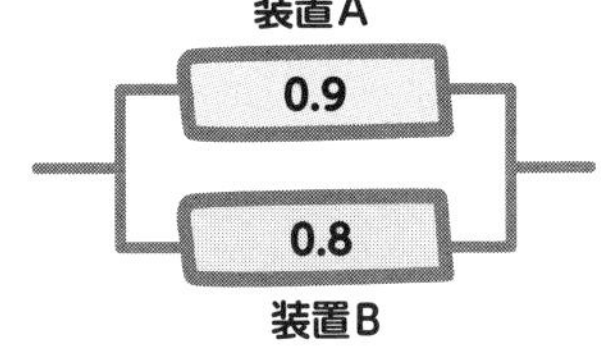

複雑なシステムは分解して計算

右図のような複雑なシステムでも、直列の部分と並列の部分に分割して考えれば、システム全体の稼働率を計算できる。

❶ **まず並列部分（装置AとB）の稼働率を先に求める**
1－（1－0.9）×（1－0.8）
＝ 1－0.1×0.2 ＝ 1－0.02 ＝ 0.98

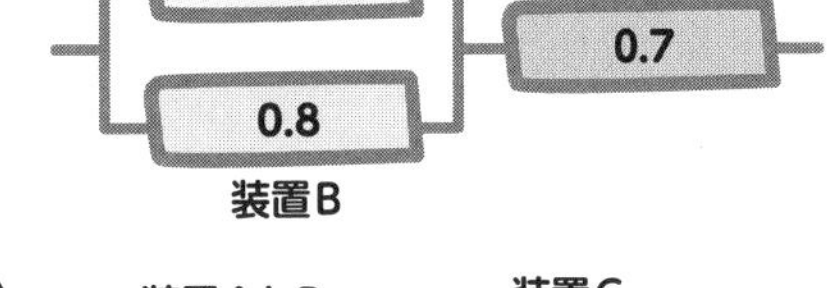

❷ **❶で計算した値を使い、右図のような直列システムだと考えて稼働率を計算**
全体の稼働率 ＝ 0.98×0.7 ＝ 0.686

ITサービスの指標MTBSI

ITサービスの品質の指標として、MTBSI（エムティービーエスアイ：Mean Time Between Service Incidents）が用いられることがある。これは、左ページのMTBF（平均故障間隔）と意味合いがよく似た値で、ITサービスが利用できなくなるインシデントの発生間隔の平均時間のこと。この値が大きい（インシデントの発生間隔が長い）ほど、サービスの中断が発生しにくいことを表す。

7-2-4　システムの性能評価で出題される用語

レスポンスタイム	コンピュータシステムに対して問合せや要求の終わりを指示してから、端末に最初の処理結果のメッセージが出始めるまでの時間。即時に結果が求められるリアルタイム処理<p.028>で用いられる指標。
スループット	与えられた時間内に処理できる仕事量によって、処理能力を評価する指標。バッチ処理<p.028>ではジョブ数、オンライントランザクション処理（ネットワーク経由でやり取りされるトランザクション処理<p.087>）ではトランザクションの数を目安にする。
ベンチマークテスト	システムを評価するテスト用の計測プログラムを実行して、処理にかかった時間を測定し、その結果でシステムの性能を評価するためのテスト。
スケールアウト、スケールアップ	利用者の増加など、処理負荷の増大への対応として、スケールアウトは「装置の台数を増やして」対応する方法、スケールアップは「個々の装置の性能を上げること」で対応する方法。
ダウンサイジング	技術の進歩によるコンピュータやソフトウェアの高機能化・多機能化に伴って、大がかりな装置や大規模なソフトウェアから、よりシンプルな装置や小規模なソフトウェアへと代替えしていくこと。例えば、以前は高価な大型コンピュータで行っていたような会計処理も、現在は手頃な価格・サイズのノートPCとオフィスソフトで処理することが普通になっている。

設備管理とデータの管理

システム運用の管理対象には、コンピュータルームや電源装置などの施設や設備も含まれています。ハードウェアの障害発生の予防対策や、システムやデータのバックアップは、万一のときに事業存続の可否を左右することもある重要なポイントです。

ファシリティマネジメント

ファシリティには施設や設備という意味があります。ファシリティマネジメントとは、建物や設備が安全で快適な状態で、効率のよい業務ができる環境となるよう、監視・改善する管理活動のことです。

例えば、停電に備えて自家発電装置を備える、不正アクセスを防ぐためコンピュータルームやデータの保管場所にはゲートを設けて関係者以外立ち入り禁止にするなど、適切な維持管理を行います。

故障率を表すグラフ(バスタブ曲線)

装置や設備などのライフサイクルの進行(稼働開始からの時間経過)による故障率の推移を表したグラフ(バスタブ曲線)は、浴槽の形のように高→低→高という曲線を描くことが知られている。この曲線を目安として、保守の時期や維持管理に必要なコストを予測したり、廃棄の時期などを検討していく。

7-3-1
故障率の変化

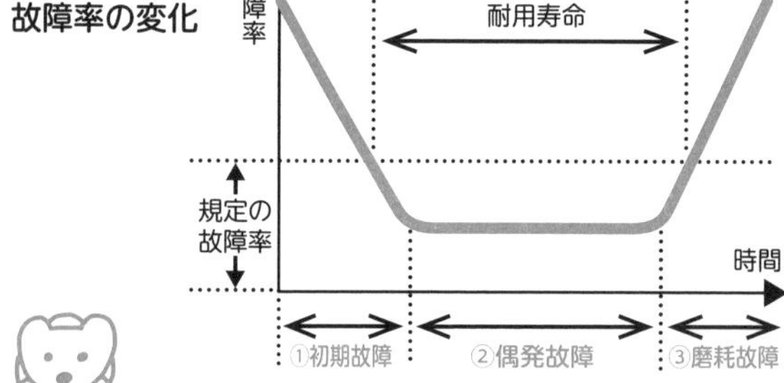

①初期故障	設計や製造工程での不具合、利用環境との不適合などが原因の故障。交換や調整などで次第に減っていく。
②偶発故障	安定した稼働状況になり、偶発的な故障だけが発生する。
③摩耗故障	部品の経年変化や摩耗による故障、利用環境に合わなくなるなどの要因による故障。修理や保守に多大な費用がかかる場合には廃棄される。

7-3-2　ファシリティマネジメントの用語

UPS(ユーピーエス:Uninterruptible Power Supply)	無停電電源装置とも呼ばれる。停電や瞬断(電源供給が一瞬途絶える現象)に対応するため、内部にバッテリを備えた装置。停電時には数十分間程度の電源が供給されるため、その間に作業中のデータを保存する、動作中の処理を停止させるなど、安全にシステムを終了させる。
自家発電設備	災害等により電力会社からの供給が途絶えたときに、エンジンやタービンを使って発電する設備。数十分間〜数日間に渡る発電が可能だが、すぐには供給を開始できないため、UPSなどと組み合わせて利用する。
SPD(エスピーディー:Surge Protective Device)	サージ防護デバイスとも呼ばれ、落雷などによる一時的な過電流や過電圧の発生からコンピュータや通信機器を守るための装置。UPSにも雷サージ対策機能を持つ機種がある。施設用の大掛かりな機器は、避雷器(ひらいき)やアレスタなどと呼ばれる。

ファシリティマネジメントの施策

情報システムの施設や設備を維持・保全するファシリティマネジメントの施策として，適切なものはどれか。

ア　自家発電装置の適切な発電可能時間を維持するために，燃料の補充計画を見直す。
イ　自社のソフトウェアを一元管理するために，資産管理ソフトウェアを導入する。
ウ　PCの不正利用を防止するために，スクリーンセーバの設定方法を標準化する。
エ　不正アクセス防止を強化するために，ファイアウォール<p.118>の設定内容を見直す。

解説　**管理対象が「施設・設備」ならファシリティマネジメント**

それぞれの選択肢の管理対象は…。

ア　正解。管理対象：施設・設備
イ　管理対象：ソフトウェア
ウ　管理対象：ソフトウェア（OS）
エ　管理対象：ネットワーク（システム）

正解：**ア**

データのバックアップ方法

システムやデータのバックアップは、夜間や休日など業務への影響の少ない時間帯を選んで作業を行います。すべてのデータを保存するフルバックアップと、データを部分的にバックアップする差分バックアップ・増分バックアップを組み合わせて、効率よくバックアップ作業をしていきます。

全データを対象とする「フルバックアップ」

フルバックアップは、対象となるすべてのファイル（システムやデータ）をバックアップする。一般的には、週に1度または月に1度ほどの割合で定期的に実施する。

● **フルバックアップの特徴とデータのリストア方法**

・バックアップ対象のデータ容量が大きいため、かなりの時間と手間がかかる。そのため、差分バックアップや増分バックアップと組み合わせて行うことが多い。
・障害発生時には、フルバックアップデータを使えば1回のリストア（復元）で復旧できる。

7-3-3
フルバックアップからのリストア

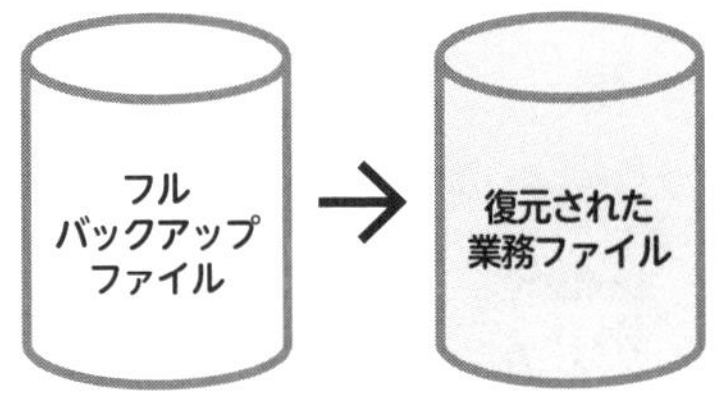

フルバックアップからの更新箇所だけ：差分バックアップ

データが更新された部分だけをバックアップする方法が差分バックアップ。差分バックアップでは、直近のフルバックアップ以降に更新された、すべてのデータをバックアップする。例えば、下図の水曜日の差分バックアップファイルには、月曜日＋火曜日＋水曜日の3日分の更新データが記録されている。

7-3-4
差分バックアップのバックアップデータ

フルバックアップは毎週日曜日、差分バックアップは毎日業務終了後に行う場合

日曜日

月曜日

火曜日

水曜日

7 システムの運用管理

● **差分バックアップの特徴とデータのリストア方法**

- 前回のフルバックアップ以降に更新されたデータをすべて保存するため、フルバックアップから日にちが経つにつれ、保存対象となる更新データの量が多くなり、作業時間がかかるようになる
- 前回のフルバックアップファイルと直前の差分バックアップファイルの2つを使うだけで、短時間にシステムやデータをリストア（復元）することが可能

<バックアップデータの容量計算の例>

図7-3-4の例で、1日に更新されるデータが500Mバイトだとすると、水曜日の夜にバックアップの対象となるデータの容量は月・火・水の3日分なので、以下の計算になる。

500Mバイト×3日分 ＝ 1,500Mバイト ＝ 1.5Gバイト

7-3-5
差分バックアップを使ったリストア

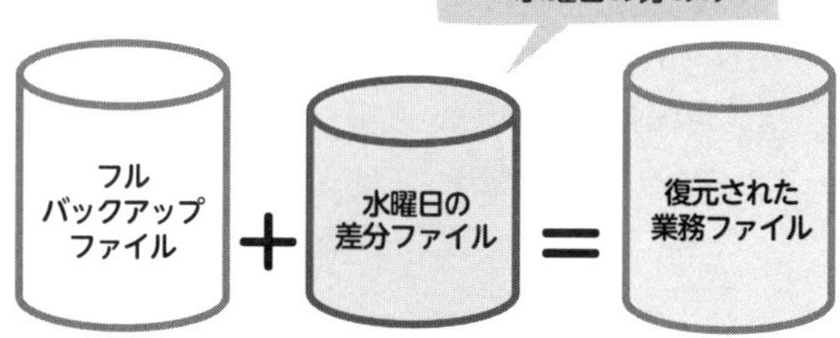

ちょこっとメモ　実際の現場では、月曜日と火曜日で2回更新されたファイルもあるはずなので、これらの例外をどう計算をするのかな？と迷いそうな問題だ。こんな時は、問題に記載がなければ、例外的なケースは無視して、単純に3日分を計算しよう。

前回バックアップからの更新箇所だけ：増分バックアップ

前回のバックアップ以降に更新されたデータだけをバックアップする方法が**増分バックアップ**。各バックアップファイルには、その一日分のみの更新データが記録される。例えば水曜日の増分バックアップファイルには、水曜日に更新された分のデータのみが保存されている。前ページの図7-3-4との違いを見ておこう。

7-3-6　増分バックアップのバックアップデータ

● **増分バックアップの特徴とデータのリストア（復旧）方法**

- 前回からの変更分のみを記録すればよいので、1度のバックアップで対象となるデータの量は少なく、バックアップ作業は短時間で済む。
- 前回のフルバックアップから間隔が開くほど増分バックアップの本数が増える。そうなると、障害発生時に復元に使うバックアップファイルの本数も増え、復元完了までには時間と手間がかかる。

<バックアップデータの容量計算の例>

図7-3-6の例で、1日に更新されるデータが500Mバイトとすると、水曜日の夜にバックアップの対象となるデータの容量は以下の計算になる。

500Mバイト × 1日分（水曜日の分）＝ 500Mバイト

7-3-7　増分バックアップを使ったリストア

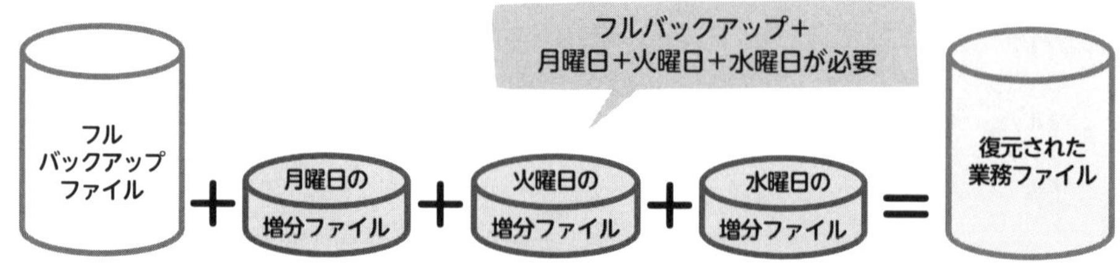

リスク管理とセキュリティ管理

企業が抱えるリスクには、災害の発生や原材料費の高騰など、色々なものがあります。なかでも、顧客情報の流出などセキュリティ上の不備が原因となるリスクは、万一発生すると社会的信用を損ねる大きなダメージとなります。試験では、リスク管理と情報セキュリティ管理の2分野から問題が出ており、出題数の多いテーマです。

リスク対応の考え方
守るべき資産やリスク発生で受ける影響の大きさ、リスクの発生頻度によって対応を考える
大切なモノがあるし、いつ泥棒が来るかわからないし…
…できる限りの対策をしておこう!
盗まれても構わないモノしか置いてないし、泥棒なんてめったに来ないから対策はしないよ～

リスク全般に備えるリスク管理

リスクマネジメント(リスク管理)は、起こる可能性のあるリスクを予測し、それらのリスクへの適切な対応を行うための管理活動です。

リスクマネジメントの手順

出題率超高

JIS Q 31000「リスクマネジメントー指針」では、リスク管理の活動を大きく2つの段階に分けている。リスクアセスメントでは、どんなリスクが発生する可能性があるのかを予測し、それが起こる頻度や起こったときのダメージの大きさなどを分析していく。さらにリスク対応では、リスクの発生を防ぐための対策や、リスクが発生した場合の対応策を検討・決定し、これらに従って管理活動を行う。

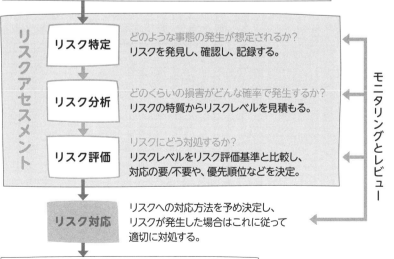

まず、「リスク管理を行う範囲」「現在の状態」「リスク管理に用いるルールやリスクを評価するための基準(リスク評価基準)」などを確認する。

リスクアセスメント
- リスク特定:どのような事態の発生が想定されるか? リスクを発見し、確認し、記録する。
- リスク分析:どのくらいの損害がどんな確率で発生するか? リスクの特質からリスクレベルを見積もる。
- リスク評価:リスクにどう対処するか? リスクレベルをリスク評価基準と比較し、対応の要/不要や、優先順位などを決定。

リスク対応:リスクへの対応方法を予め決定し、リスクが発生した場合はこれに従って適切に対処する。

モニタリングとレビュー

行った活動の記録や、かかった費用、得られた効果などを文書にまとめて報告を行う。

7-4-1 リスク管理の手順

ちょこっとメモ

リスクという言葉には、**好機**となる(チャンスを招く)「**プラスのリスク**」と、**脅威**になる(ピンチを引き起こす)「**マイナスのリスク**」の両方が含まれている。リスク管理が主な対象範囲としているのは、マイナスのリスクだ。

リスクの評価で行う作業

ISMSにおける情報セキュリティリスクアセスメントでは，リスクの特定，分析及び評価を行う。リスクの評価で行うものだけを全て挙げたものはどれか。

a　あらかじめ定めた基準によって，分析したリスクの優先順位付けを行う。
b　保護すべき情報資産の取扱いにおいて存在するリスクを洗い出す。
c　リスクが顕在化したときに，対応を実施するかどうかを判断するための基準を定める。

ア　a　　イ　a, b　　ウ　b　　エ　c

解説　アセスメントの手順の「ドコで何を行っているか」を確認！

ISMSについては、右ページを参照。

a：リスクの優先順位付けは、リスクアセスメントの「リスク評価」。正解はア。

b：リスクの洗い出しは、リスクアセスメントの「リスク特定」。

c：リスク対応の要・不要を判断する基準（リスク評価基準）の策定は、リスク管理活動の初期（リスクアセスメントのプロセスより手前）で行う。

正解：ア

リスクへの対応戦略

リスクは、その発生頻度や発生時に予想される影響の大きさ、対応方法による作業負荷や費用金額の違いなどによって、どう対応していくのかを検討する。

7-4-2　リスク対応

	対応戦略	事　例
リスク回避	リスクを避けるための対策を行う	・プロジェクトそのものを中止 ・リスクのある機材を使わずに作業できるよう、作業方法を変更
リスク共有 （リスク移転 リスク分散）	リスクの発生時に被るマイナスの影響を第三者と共有する	・情報漏えいの発生で被る損害に備えて、サイバー保険（サイバー攻撃などの発生時に保険金が支払われる）に加入 ・作業そのものを、外部の専門企業に委託してしまう
リスク低減 （リスク軽減）	リスクの発生確率や、発生した場合のマイナスの影響を、許容できるレベルに抑える	・故障の発生を避けるため、古い機材は使用しない ・作業進行の遅延を防ぐため、作業要員を増やす
リスク受容 （リスク保有）	リスクの発生や、そこから受ける影響を容認する（積極的な対応は行わない）	・トラブル発生によるプロジェクトの遅れが生じても影響が出ないように、予め予備期間を設けておく

リスク共有の例

システム開発プロジェクトにおけるリスク対応には，回避，共有，低減，受容などがある。共有の事例として，適切なものはどれか。

ア　財務的なリスクへの対応として保険を掛ける。
イ　スコープを縮小する。
ウ　より多くのテストを実施する。
エ　リスク発生時の対処に必要な予備費用を計上する。

解説　例を見て、対応の違いを理解

ア：正解。保険を掛ける（保険会社とリスクを共有している）←共有

イ：スコープ<作業の範囲 p.142>を縮小←低減 または 回避

ウ：より多くのテストを実施（できるだけ不具合を見つけて修正しておく）←低減

エ：予備費用を計上（積極的な対応はせず、発生時の費用のみ確保）←受容

正解：ア

情報セキュリティマネジメントシステム

情報資産とは守るべき資産として価値のある情報のこと。技術情報や顧客情報などはもちろん、ハードやソフトなど情報システムを構成するもの、さらに人（保有技能や資格も含めて）も含まれます。情報セキュリティマネジメントシステムは、これらの情報資産を適切に守ることを目的とした管理活動です。

ISMSの管理活動

情報セキュリティマネジメントシステム（ISMS：アイエスエムエス：Information Security Management System）とは、トップマネジメント(経営陣)を頂点として、組織全体で情報セキュリティを確保し、維持・運用するための長期的な管理活動。活動のお手本とされるのは、JIS Q 27001「情報セキュリティマネジメントシステム－要求事項」というJIS規格だ。この規格には、適切な情報セキュリティ管理を行うための方法や手順などが定義されている（国際規格は、ISO/IEC 27001）。

ISMS適合性評価制度は、その組織が構築した情報セキュリティ管理の仕組みが、JIS Q 27001に定められた基準を満たすことを、第三者機関の審査を経て認証するための制度。ISMS認証を取得することは、その組織が適切な情報セキュリティ対策を行っていることの証明になる。これに加えてISMSクラウドセキュリティ認証という制度もある。クラウドサービス<p.216>では、インターネット経由でサービスやリソースを提供するため、クラウド固有のリスク対策が必須。取得した事業者はクラウドサービスに適合したセキュリティ管理が行われていることが証明される制度となっている。

情報セキュリティ方針（情報セキュリティポリシー）

ISMSのスタート時には、トップマネジメント自らが自社の情報資産の保護に関する基本的な考え方や取り組みを情報セキュリティ方針として公式に文書化して、社員および外部の関係者にも周知する。

IPAが示すセキュリティポリシー

- **基本方針**：情報セキュリティの目標と達成のためにとるべき行動をトップマネジメントが宣言
- **対策基準**：何を実施しなければならないか、対策を行うためのルール集
- **実施手順**：どのように実施するか詳細な手順を記述したマニュアル

ISMSで採用されているPDCAサイクル

ISMSでは実施の手順を4段階に分け、各段階で行うべき活動を示している。活動にはPDCAサイクルが採用されており、セキュリティ管理が継続的に実施されていく仕組みが作られていく。

7-4-3 ISMSのPDCAサイクル

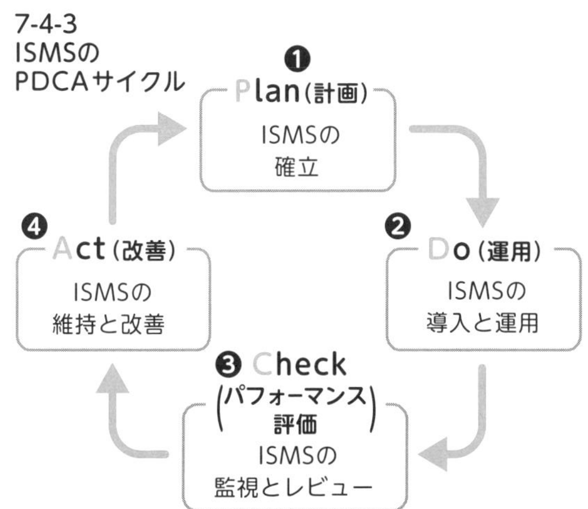

❶ **Plan－計画**：基本方針に従い、情報セキュリティの目標と達成のためのプロセス（作業・手順）を確立する。

活動の例：リスクアセスメント（特定・分析・評価）を行い、各リスクへの対応方法と対応計画を決定した。

❷ **Do－運用**：❶の手順に従ってプロセスを導入し、実際の実行・運用を行う。（運用のための計画策定は、PlanではなくDoに含まれるので要注意！）

活動の例：運用手順に従い、ソフトウェアの更新プログラム（セキュリティパッチ）の有無を毎日確認した。

❸ **Check－パフォーマンス評価**：❷で行ったプロセスの効果を測定・検証し、結果を評価する。

活動の例：定められた基本方針や手順にそって運用されたか、内部監査（組織内部の人員が監査する）を行った。

❹ **Act－改善**：評価の結果から、不具合が発生しており改善が必要な点について是正処置を行う。

活動の例：運用結果の測定で判明した不備や不具合を見直す是正措置を実施した。

情報セキュリティの脅威と対策

ここからは、情報資産を危険にさらす可能性がある脅威にはどんなものがあり、それらから防御するためにどんな対策が必要なのかを、具体的に説明していきます。

情報セキュリティの7大要素

情報セキュリティ管理では、情報資産を守るために必要になる要素（制約）と、業務を行う場合の利便性（自由度）が両立するように対策を考えなければならない。試験に頻出している情報セキュリティを保持するために必要とされる要素は下記の3つ。

7-4-4　試験によく出る3大要素

機密性	許可された利用者だけが情報資産にアクセスでき、許可されていない者は使用できないこと。情報資産の漏えいがないこと。　**対策例**：アクセス制御に二要素認証<p.120>を採用する。
完全性	正しいデータを用いて正確に処理を行うことで、情報資産の正確さや完全さを保護していること。悪意を持つ者に改ざんされないこと。　**対策例**：電子メールにデジタル署名<p.124>を付与する。
可用性	正当な利用者から要求があったときには、情報資産（情報システムやデータ）を確実に利用できるようにすること。　**対策例**：通信に専用回線を使う場合、通信障害に備えて2系統の回線を準備しておく。

上記以外にも、「真正性：システム（Webサーバなど）や発信者などが名乗っている通りの本物であること、信頼性：意図した通りの動作を行い結果も意図どおりであること、責任追跡性：行った操作等を後から追跡できるように情報の生成・更新・削除の履歴をたどれること、否認防止：事実と異なる主張（否認）をされないよう必要な情報を取得・保存するなどの防止対策ができること」という特性も定義されており、情報セキュリティの7大要素とも呼ばれている。

完全性が保たれなかった事例

情報セキュリティにおける機密性・完全性・可用性に関する記述のうち，完全性が保たれなかった例はどれか。

ア　暗号化して送信した電子メールが第三者に盗聴された。
イ　オペレータが誤ってデータ入力し，顧客名簿に矛盾が生じた。
ウ　ショッピングサイトがシステム障害で一時的に利用できなかった。
エ　データベースで管理していた顧客の個人情報が漏えいした。

解説　その影響が3つの要素の「どれにダメージを与えるのか」を判断

ア：盗聴された←機密性
イ：正解。誤って、矛盾が生じた←完全性
ウ：利用できなかった←可用性
エ：個人情報が漏えいした←機密性

人的脅威－人が原因となる脅威

人的脅威は人が直接原因となる脅威のこと。ミスなどで起こる偶発的なものと、悪意をもって危害を加える意図的なものがある。偶発的なものの例としては、ノートPCやUSBメモリの紛失、誤操作によるデータの消去などがある。意図的なものとしては、組織内からの情報漏洩がある。例えば、顧客情報が名簿業者に売られたり、ネット上の掲示板に機密情報を含む社内情報が投稿されたりといったことが挙げられる。社員が不正行為を行うケースでは、「不正のトライアングル」と呼ばれる3要素がすべて揃ったときに発生すると考えられている。

> **不正のトライアングル**
> **動機：** 不正を行う引き金となるもの（例：自分の待遇に不満がある）
> **機会：** 不正行為を行えるチャンス（例：管理者が不在、チェック体制がない）
> **正当化：** 不正行為を行っても大丈夫だと思う考え方（例：他の社員もやっていた）

● **内部不正の防止**

情報の持ち出しなど意図的な内部不正に対して、IPA（ITパスポート試験の実施組織）が作成・公開している「内部不正防止ガイドライン」では、基本5原則を次のように提示している。

- 犯行を難しくする（対策強化でやりにくくする）
- 捕まるリスクを高める（管理や監視を強化）
- 犯行の見返りを減らす（利益を得にくくする）
- 犯行の誘因を減らす（その気にさせない）
- 犯罪の弁明をさせない（行為の正当化理由を排除）

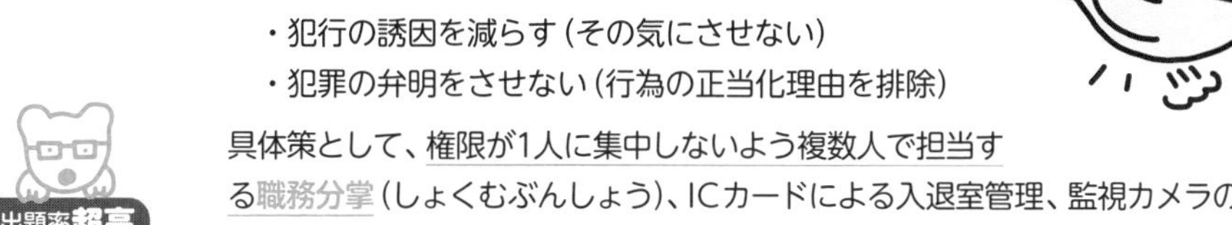

具体策として、権限が1人に集中しないよう複数人で担当する職務分掌（しょくむぶんしょう）、ICカードによる入退室管理、監視カメラの設置などが効果的。

7-4-5　人的セキュリティ対策で出題される用語

用語	説明
サイバーキルチェーン	ターゲットを定めて攻撃する標的型攻撃を行う攻撃者の行動パターンを分析し、7つの段階に分類したのがサイバーキルチェーン。攻撃者への対策を各段階ごとに分けて考えるときに使われる。　**攻撃者の行動パターン**：①偵察：攻撃対象を調査、②武器化：攻撃用のウイルスなどを準備、③配送：標的にウイルスなどをメールで送ったり、Webサイトからダウンロードさせる、④攻撃：ウイルスを起動・実行させる、⑤インストール：標的がウイルスに感染し、バックドア<p.117>を作る、⑥遠隔操作：送り込んだルートキット<p.117>の機能を使って感染したコンピュータを遠隔操作、⑦目的実行：勝手にデータを外部へ送信して盗む、システムやデータを破壊する
ゾーニング	そのエリアで取り扱ったり保管している情報資産の重要性に応じて、オフィスの中をオープンエリア（部外者の立ち入りもOK）やセキュリティエリア（部外者立入り禁止）などに区分し、ドアロックシステムやセキュリティゲート<次項>などを設けて、エリアへの入退出を制限・管理すること。
サークルゲート（サークル型セキュリティゲート）	セキュリティゲートは、駅の改札のようなゲートを設けて、ICカードや生体認証によるチェックで通過の可／不可を物理的に管理するシステム。ただし通常のゲートだと、人のすぐ後ろについて通過する「共連れ」や、同時に逆方向から通過する「すれ違い逆通行」を防止できない。そこで、より厳格な管理が必要なエリアには、2か所のドアを持つ筒状の設備（ドアは1か所ずつしか開かない）を設け、画像センサや重量センサ（筒内にいる人の重さを計量）を用いて、複数人が一度に通過できない仕掛けを持つサークルゲートが使われている。
アンチパスバック	IDカードなどのパス（許可証）を使ったセキュリティゲートで、1人がパスを使ってゲートを通った後に、もう1人にパスを手渡して（パスバック）不正に通過する共連れ（上項）を防ぐための技術。入室と退出の記録を残し、「入室の後に退出の記録が無い場合には、再度の入室は許可しない」という方法を使っている。
クリアデスク、クリアスクリーン	クリアデスクは、業務の終了時や退社時には必ず、使った書類・資料などをすべて鍵がかかる場所にしまい、デスク上には何もない状態にしておくこと。書類の紛失・盗難などからの情報漏洩を防ぐ目的で行われる。クリアスクリーンは、離席するときはスリープモードなどに設定して画面に何も映らないようにしておくこと。表示された画面を盗み見たり、勝手に操作されてしまうことを防ぐ。

● **セキュリティ教育と事前のトレーニング**

業務に関わる全員に対策の重要性を認識させるには、情報セキュリティ方針の周知徹底を図り、社外の関係者にもセキュリティ教育を実施する。また、情報資産の取扱いに関するルールを定め、それらを遵守するように啓発を行う。

さらに、例えばビジネスメール詐欺<p.115>が疑われるメールを受信した際の対応など、高い頻度での発生が予想されるリスクに対しては、事前に実践的な対応手順を訓練をしておく必要がある。

● **リモートワーク（テレワーク）のセキュリティ対策**

セキュリティ対策を施して、リモート管理用のMDMツール<次ページ>を設定したノートPCを社員に貸与する企業もあるが、個人所有のPCやスマートフォンなどのデバイスを業務に用いるBYOD（ビーワイオーディー：Bring Your Own Device）を許容しているところも多い。

リモートワークでは、インターネット経由で社内LANにアクセスするが、不正アクセスを防ぎながら（ファイアウォール p.118）、多数の社員からの長時間アクセスに耐えられる仕組みを作るには、設備の増強やシステムの対応が必要だ。また、在宅側のインターネット接続にセキュリティ上の問題がある場合もある（管理者不明の野良Wi-Fiを使うなど）。
なかには、管理者が把握していないデバイス（PCやスマートフォンなど）や、ITサービス（オンラインストレージなど）をこっそり陰（シャドー）で業務に使うシャドーITが横行しているケースもある。
管理者の目が届く社内とは異なり、セキュリティ管理が難しい社外で業務を安全に行うには、ルール作りと共に、関係者のセキュリティに関するスキルと意識向上のための研修などの対策が必須だ。

技術的脅威－サイバー攻撃など

技術的脅威はコンピュータやネットワークを介した不正行為や攻撃が原因となる脅威のこと。不正アクセスや盗聴、なりすまし行為、データの改ざんなどを行うクラッキングなどが該当する。

● **技術的セキュリティ対策**

スマートフォンやノートPCなど、モバイル環境のセキュリティ対策にはMDMツール（エムディーエム：Mobile Device Management）を用いる。このツールは複数台のモバイル端末を一括して遠隔管理するソフトウェアで、「OSやアプリケーションの自動的なインストールや更新」「セキュリティ設定の一括管理」、さらに盗難・紛失時の遠隔操作を使った「デバイスのロック・保存データの消去・システムの初期化」などの機能を持つ。
なお、個々の技術的脅威への対策はChapter5＜p.114＞を参照。

物理的脅威－災害など

物理的脅威は、情報システムなどの情報資産が物理的に利用できない状態に陥る脅威。ハードウェアの故障や停電、地震・水害などの自然災害や火災による被災、テロによる破壊活動などがある。

● **物理的セキュリティ対策**

故障や障害の発生に対しては、システムやネットワーク回線を二重化する、停電に備えてUPS（無停電電源装置）を設置するなどの対策を行っておく＜ファシリティマネジメントp.156＞。災害に対しては、建物自体の耐震化や防災用設備を設置する、遠隔地にバックアップのための拠点を作るなど、業務やシステム・データの重要度に応じた対策を行う。

セキュリティ対策のための組織・制度と発生時の証拠保全

CSIRT（シーサート：Computer Security Incident Response Team）は、コンピュータセキュリティに関するインシデント（事件・事故）に対応する組織の総称。社内の情報システム部門の中に専門組織が構成されていたり、総務部など他部署のメンバーも含めて発生時にのみ活動を行うCSIRTチームが作られている企業もある。

発生時には、報告の受付、対応の支援、手口の分析、被害の拡大防止活動などを行う。また、デジタルフォレンジックスは、システムやデータを狙った犯罪被害に遭った場合に、アクセスログなど残った記録を分析して、法的証拠となるデータを割り出して収集する技術や活動のこと。

7-4-6　セキュリティ対策をサポートする組織・制度

※IPAは、ITパスポート試験の実施団体。

名称	説明
SOC（ソック：Security Operation Center）	顧客の持つシステム・デバイス・ネットワークなどを24時間365日監視して、サイバー攻撃を受けていないか分析・検出し、対応策のアドバイスを行う組織のこと。複雑化・巧妙化する攻撃に対処するため、高度な専門技術を持つSOC専業のITベンダーに監視を依頼する企業も増えている。
J-CRAT（ジェイ・クラート：Cyber Rescue and Advice Team against targeted attack of Japan）	J-CRAT（サイバーレスキュー隊）は、標的型サイバー攻撃（特定の組織を狙った攻撃）を受けた相談者に情報提供や対策支援を行う組織で、被害の低減と攻撃の連鎖（被害者が次の攻撃先への経路になる）の遮断を目的にIPA※内に設立された。相談窓口が設置されており、相談者への攻撃が疑われる場合は、ログ等の情報を基に感染の経路や感染範囲を分析し、レスキュー活動へと移行する。
J-CSIP（ジェイシップ：Initiative for Cyber Security Information sharing Partnership of Japan）	J-CSIP（サイバー情報共有イニシアティブ）は、サイバー攻撃を受けると広く一般市民にも被害が出ることが予測される重要インフラ企業（電力・交通・ガス・物流など）が参加し、互いにサイバー攻撃に関する情報を共有（企業固有の機密情報は匿名化）することで、高度なサイバー攻撃への対策に繋げていくことを目的とする組織で、IPA※内に拠点が置かれている。
SECURITY ACTION制度	中小企業自らがセキュリティ対策に取り組むことを宣言して「中小企業の情報セキュリティ対策ガイドライン」を実践することで、中小企業のセキュリティ対策の普及促進を図ることを目的にIPA※が創設した。

テクノロジ系
マネジメント系

第三者がチェックする システム監査

ルールに則って適切に業務が行われているかを、第三者が検証することを「監査」といいます。システム監査は、情報システムの構築や運用管理の中で、発生する可能性があるリスクに対して、適切に対応しているかどうかを客観的にチェックするための監査です。

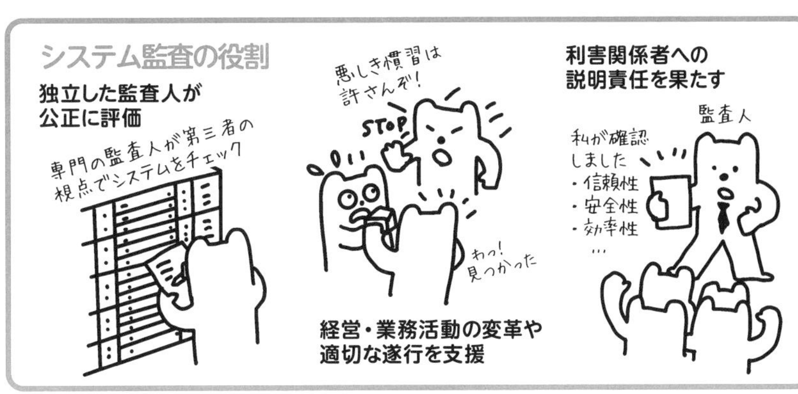

システム監査の役割
独立した監査人が公正に評価
専門の監査人が第三者の視点でシステムをチェック
悪しき慣習は許さんぞ!
STOP
わっ!見つかった
経営・業務活動の変革や適切な遂行を支援
利害関係者への説明責任を果たす
監査人
私が確認しました
・信頼性
・安全性
・効率性
…

システム監査の概要

監査業務の中でも、会計監査<p.172>については上場企業に実施が義務付けられており、監査の内容も法規等で定められています。システム監査の場合、実施の法的な義務付けはありませんが、システムの不備が情報漏洩などを招く事件が多発しているため、企業が自発的にシステム監査を行うことが推奨されています。

システム監査のガイドライン

システム監査を行う際に、システム監査人が用いるガイドラインとなるシステム監査基準（経済産業省が策定）では、情報システムが持つべき機能や要件として、下記の事項を定めている。

- 経営方針や経営目標<p.168>の実現に貢献している
- 経営戦略<p.188>やビジネス戦略<p.196>を実践できる有効な機能を持ち、さらに安全で効率的である
- 社内外に報告する情報（財務諸表 p.172 など）の信頼性を保つ機能を持つ
- システムの処理内容や処理手順が、法律や社内規定などに準拠している

ちょこっとメモ
システム監査基準以外にも、システム監査人が監査に用いる判断の基準（**判断尺度**という）として、経済産業省が策定している次のような基準がある。
- **システム管理基準**：システムの企画・開発・運用・保守に関する基準
- **情報セキュリティ管理基準**：ISMS<p.161>実践のための規範
- **情報セキュリティ監査基準**：情報セキュリティリスクが適切にコントロールされているかを監査するための基準

システム監査人の役割と適性

システム監査を実施するシステム監査人は、システムに関することだけでなく、監査対象業務の内容やリスク対策・セキュリティ管理など幅広い分野の専門知識と、監査の対象者から調査を行ったり結果について助言するなどコンサルティングの能力が必要だ。また、監査人は守秘義務を負っており、監査証拠に基づいて公正で客観的に監査判断を行わなければならない。さらに、監査結果に影響が出るのを防ぐため、監査対象となるシステムとは利害関係があってはならない（独立性）。そのため、監査するシステムの開発や運用に関わっているメンバーなどは、監査人として適切でない。

被監査部門の役割

被監査部門とは、監査を受ける側の立場にある部門のことを指す。システムを開発・管理・運用している情報システム部門だけでなく、経理システムのユーザーである経理部や、顧客データを扱っている営業部などの一般部門も被監査部門になる。被監査部門では、システム監査人が監査のために必要な資料や情報を提供し、監査対象となっている業務に関する運用ルールなどをシステム監査人に説明する。

システム監査の結果、監査人から改善勧告を受けた場合、改善が必要な業務の責任者は業務改善のための計画を策定・実施し、経営者に対して改善実施状況の報告を行う責任を負う。例えば、営業部門で顧客データの扱いが不適切だと指摘された場合、その改善計画の策定および実施の責任者は、営業部門の責任者（営業部長など）となる。

システム監査の大まかな手順

❶ **監査計画**
監査の内容、範囲、時期などを計画する。

❷ **予備調査**
監査対象の概要を把握するために、文書などの資料を集め、アンケート調査なども行う。

❸ **本調査**
システム監査基準に基づいて、関連文書や聞き取り調査などで、監査の評価を裏付けるのに十分な監査証拠を入手する。

❹ **評価・結論（監査報告）**
十分な監査証拠に基づいて評価を行い、監査報告書としてまとめ、経営者に報告する。報告書には「指摘事項」「改善提案」「その他特記すべき事項」を記載。

❺ **改善提案のフォローアップ**
改善提案を報告書に記載した場合は、監査人が改善状況のモニタリングも行う。

改善の有効性評価に必要な情報

業務処理時間の短縮を目的として，運用中の業務システムの処理能力の改善を図った。この改善が有効であることを評価するためにシステム監査を実施するとき，システム監査人が運用部門に要求する情報として，適切なものはどれか。

ア　稼働統計資料
イ　システム運用体制
ウ　システム運用マニュアル
エ　ユーザーマニュアル

解説　**特定の事柄だけを対象としたシステム監査もある**

このテーマでは、業務に用いられるシステム全体を監査するときの流れを中心に説明したが、この問題の例のように特定のシステムや業務だけを対象に監査を実施することもある。4つの選択肢はどれもシステムを評価するときには必要になる資料。

問題文には「処理能力の改善を図った」「この改善が有効であることを評価するために」との文言があるため、この場合の正解はア。稼働統計資料（稼働統計情報）とは、ある期間に行われた処理の総数や処理内容、単位時間あたりの処理数などが記録されている情報だ。

正解：ア

Chapter 8

企業の業務活動

Chapter 8-1 企業活動の基礎知識

このテーマでは、まず「企業とは何か」を確認するところから始めましょう。
続いて重要な経営資源である「人」を中心にした、企業活動の基礎を説明します。どのような人材を用いて、どんな組織形態を選択し、どう仕事を分担するのかは、企業の戦略実現に大きく関わってきます。

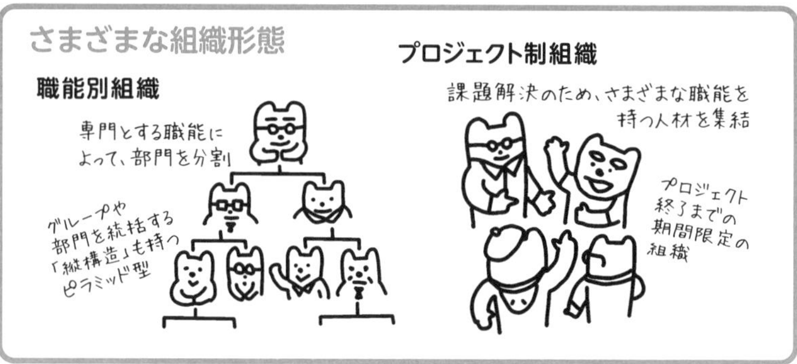

企業の経営理念と責任

ココが基本

企業とは、資本を使って製品やサービスを提供するための企業活動を行い、利益をあげることを目的とする事業体のことです。経営理念は、企業活動の指針となる考え方であり、社員・顧客・社会に対して、その企業の使命や存在意義を示すものです。この経営理念を基に経営目標を立て、どのように経営の舵取りをしていくのかを経営戦略<p.188>として策定し、この経営戦略にしたがって事業計画やビジネス戦略<p.196>など、より具体的で詳細な計画や戦略が立てられていきます。

8-1-1　経営理念に基づく戦略

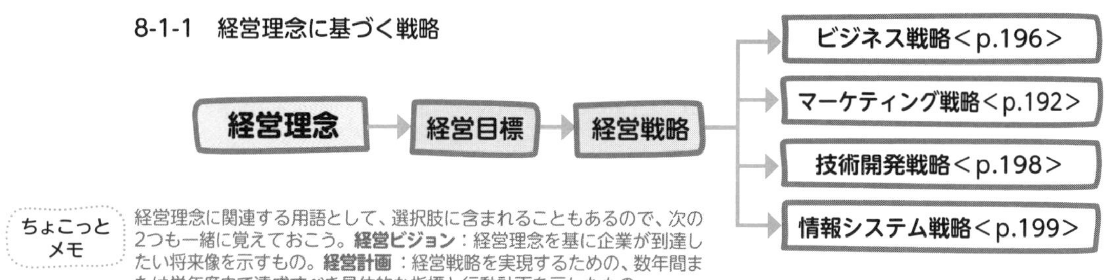

ちょこっとメモ　経営理念に関連する用語として、選択肢に含まれることもあるので、次の2つも一緒に覚えておこう。**経営ビジョン**：経営理念を基に企業が到達したい将来像を示すもの。**経営計画**：経営戦略を実現するための、数年間または単年度内で達成すべき具体的な指標と行動計画を示したもの。

企業に求められる責務

企業には、社会の中で企業活動を行っていく上で課せられる社会的責任があり、これをCSR（シーエスアール：Corporate Social Responsibility）という。CSRには、雇用の創出（例：地元の人材を雇用）、税金の納付（例：所在地の自治体に事業税を納付）、地域社会への貢献（例：地域のボランティア活動への参加）などが含まれている。また、SRI（エスアールアイ：Socially Responsible Investment：社会的責任投資）とは、投資対象を選ぶ際に、得られる利益（配当金など）だけでなく、投資先が社会的責任を果たしている度合いを投資基準に含めること。例えば、環境問題に取り組む企業に投資することで、その活動を支援するケースなどがある。

さらに、企業には従業員の雇用を継続し、顧客や取引先に製品やサービスを提供し続ける責務もある。BCM（ビーシーエム：Business Continuity Management）は事業継続マネジメントと訳され、災害発生などの緊急事態に、適切な対処を迅速に行うことで被害を最小限に抑え、事業の継続や早期復旧を目指す管理プロセスだ。BCP（ビーシーピー：Business Continuity Plan）は、トラブル発生時にどう対処するのか、その手順をあらかじめマニュアル化しておくもので、事業継続計画とも呼ばれる。

被災を想定したBCPの内容

全国に複数の支社をもつ大企業のA社は，大規模災害によって本社建物の全壊を想定したBCPを立案した。BCPの目的に照らし，A社のBCPとして，最も適切なものはどれか。

ア　被災後に発生する火事による被害を防ぐために，カーテンなどの燃えやすいものを防炎品に取り替え，定期的な防火設備の点検を計画する。

イ　被災時に本社からの指示に対して迅速に対応するために，全支社の業務を停止して，本社から指示があるまで全社員を待機させる手順を整備する。

ウ　被災時にも事業を継続するために，本社機能を代替する支社を規定し，限られた状況で対応すべき重要な業務に絞り，その業務の実施手順を整備する。

エ　毎年の予算に本社建物への保険料を組み込み，被災前の本社建物と同規模の建物への移転に備える。

解説　イジワル問題には要注意！

常識だけで考えると、どの選択肢も正解に見えてしまうイジワル問題だ。BCPは「トラブル発生後の具体的な行動計画」だということを前提に、細かく内容を見ていこう。

アとエは、トラブル発生前の予防的な対策なのでBCPではない。また、イは「本社建物が全壊」している状態なのに「本社からの指示」を待つことは適切な対応にはならない。そのため、正解は「本社機能を代替する支社を想定」しておくウになる。

正解：ウ

サステナビリティやSDGsへの取組み

前項のような責務に加えて、サステナビリティやSDGsの達成に向けた取組みなど、現代の企業にはより長期的で国際的な視点からの社会的活動も求められている。

サステナビリティは「持続可能性」と訳され、現在の地球環境・社会システム・経済活動などが将来に渡って継続していけるかどうかを示す概念。環境の変化（温暖化など）や、資源（例：原油、金属材料となる鉱物、魚類などの水産資源）の枯渇など、企業活動に直接関わる課題が多く含まれており、企業には資源の再利用や再生可能エネルギーの利用促進などが強く求められている。

SDGs（エスディージーズ：Sustainable Development Goals）は「持続可能な開発目標」と訳され、2015年の国連サミットで採択された国際目標。世界の人々が安全で健康的な生活を送り、持続可能な経済成長を続けていくために、2030年までに達成すべき17の目標（飢餓や貧困、ジェンダー、資源、気候変動などの諸問題を解決・軽減するための目標）が掲げられている。

人材の管理・育成と企業の組織構成

企業経営に必要な要素のことを経営資源といいます。従来から認識されていた「人・物・金」に、「情報（顧客情報や技術情報など）」を加えた4つの要素を指しますが、なかでも「人」は最も重要な資源だといわれています。

重要視される「人」の管理と育成

HRM（エイチアールエム：Human Resource Management）は、人的資源管理や人材マネジメントと訳されている。人事管理や労務管理を統合し、採用や配置、報酬や福利厚生、教育訓練など、「人」に関わる機能を連携させて管理し、経営戦略に沿った人材活用を行うための仕組みがHRMだ。また、社員のスキルや業務経験などの情報を管理・分析して、教育訓練や人事配置に用いる仕組みを、タレントマネジメントシステムといい、要員計画や採用管理、後継者の育成プラン作成などにも用いられている。

人が行っていた業務の一部（または全部）を、IT技術を使って行う仕組みのことを、○○Techと表現する。HR Tech（エイチアールテック）のHRは人的資源のこと。人事管理や労務管理をITを使って効率的・客観的に行い、将来に渡って必要な人材を安定的に確保・育成するための技術・サービスだ。

さらに、これまで担当者の勘や経験に頼ってきた人材育成なども、社員の経歴データなどからAIが育成すべきニーズに合った人材像を描き、最適な研修内容の提案を行うシステムなども開発されている。FinTechやEdTech<下表>も出題されているので、ここで一緒に覚えておこう。

8-1-2　人の採用・管理・育成に関連する用語

FinTech、EdTech	FinTech（フィンテック）のFinは金融（Finance）を表し、「キャッシュレス決済の実現、顧客データを分析し個々の顧客に合った金融商品を提案」などの例がある。EdTech（エドテック）のEdは教育（Education）のことで、「タブレット端末等を用いたネット経由での教育サービスの展開、受講頻度や講座の視聴時間などを使った受講者の進度管理と継続支援」などが実用化されている。
e-ラーニング（イーラーニング）	タブレットやPC、スマートフォンなどのデバイスを使い、インターネット経由（一部DVD教材等を使う場合もあり）で実施される教育や研修の形態のことで、最近はEdTech（上項）の技術が取り入れられるようになってきた。"e"はelectronic（電子的な）が語源。
アダプティブラーニング	各受講者の進捗状況や確認テストの正誤情報などを分析し、それぞれの受講者の進度や理解度に合わせて、適切な教材を提供する教育方法。e-ラーニングなどの教育システムに採用されている。
DE & I	ダイバーシティ・エクイティ&インクルージョン　単語の意味は　Diversity：多様性、Equity：公平性、Inclusion：包括性。「性別や年齢、体格や障がいの有無、人種や経歴など、多様な背景を持つ人材を差別せずに受容し、個々の違いに配慮した環境と公平な機会を提供することで、個人の能力が活かされ、共に成長できる組織になる」という考え方。
コンピテンシ（competency）	業務において高い業績や大きな成果を発揮する人（ハイパフォーマーという）が共通して持つ行動特性のこと。このような特性を持つ社員を観察して、コンピテンシの有無を従業員の評価基準として取り入れたり、同様のコンピテンシを持つ人材を採用するなどの活用方法がある。

企業の組織形態

企業では、人員を適材適所に配置して組織化を行っており、一般的には経営管理者の下に営業や総務など職種ごとに人員を組織した職能別組織が採用されている。

この組織は「経営陣－管理者－部下」というピラミッド構造で、「指揮（上司）⟷報告（部下）」という指揮命令系統を持つタテの構造が備えられている。問題文中では、経営に関する責任を負う経営陣（社長や取締役など取締役会のメンバー）のことを、トップマネジメントと表現していることがある。

8-1-3　職能別組織の例

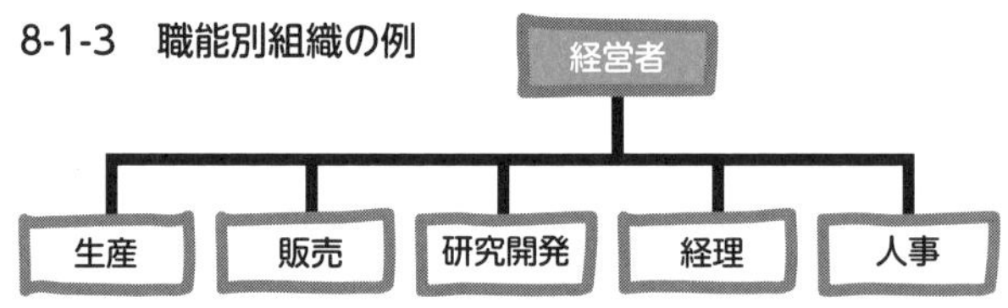

● CxOで示す最高責任者の職務

事業の国際化に伴って、米国企業のように業務の責任範囲を示す呼称を使う企業もある。特に、日本企業では取締役社長を指すことが多いCEO（最高経営責任者：シーイーオー：Chief Executive Officer）と、情報部門のトップであるCIO（最高情報責任者：シーアイオー：Chief Information Officer）はよく出題されている。CIOは、経営戦略との整合性をとりながら、情報システム戦略<p.199>を立案し、実行する責任を負っている。CIOと間違いやすい選択肢として、CTOが含まれていることがある。CTO（シーティーオー：Chief Technical Office）は最高技術責任者と訳され、技術開発戦略<p.198>の策定・実行の責任者。CIOが情報技術に特化した分野を担当するのに対して、CTOはその企業の技術部門（例：製品の研究開発部門など）のトップ。

● **プロジェクト組織**

特定の目的を持つプロジェクト＜p.140＞の遂行のために、必要な人材を各部門から集めて編成する組織のことで、プロジェクトごとにプロジェクトチームが編成される。プロジェクトには期間や目標が定められており、プロジェクトが完了した際にはプロジェクトチームも解散する。

● **事業部制組織**

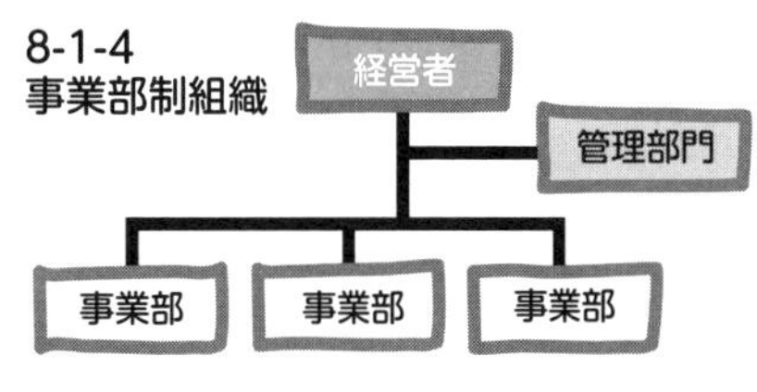

8-1-4 事業部制組織

事業規模の大きな企業では、製品分野や市場、地域などの単位で組織を事業部に分けた事業部制組織も採用されている。各事業部はそれぞれに職能別組織を持ち、1つの独立した企業のように活動する。事業部には大きな権限が与えられる代わりに、事業部ごとの独立採算制で利益責任が明確になっている。

一般的な事業部制の組織では、間接部門※も各事業部ごとに置かれている。シェアードサービスは、これらの間接部門をひとつに統合し、すべての事業部の間接業務を担当することで、効率化とコストの削減を図る事業形態。

※直接部門：その企業のメイン部門で直接売上を生み出す部署（例：製造業の製造部や営業部）。
　間接部門：直接部門の支援にあたる部署（例：総務部・経理部・人事部など）。

● **マトリックス組織**

職能別組織に属しながら、製品別のグループにも所属していたり、プロジェクトチームに参加するなど、複数の組織に所属する形態を、マトリックス組織という。

構成が柔軟で組織を活性化しやすい反面、指揮命令系統が複雑になり、人の管理や人事評価がしづらいという欠点もある。

8-1-5　マトリックス組織

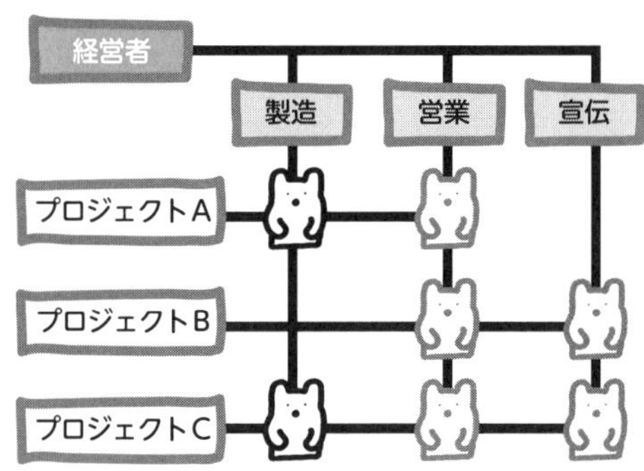

図に示された組織形態の名称

図によって表される企業の組織形態はどれか。

ア　事業部制組織
イ　職能別組織
ウ　カンパニー制組織
エ　マトリックス組織

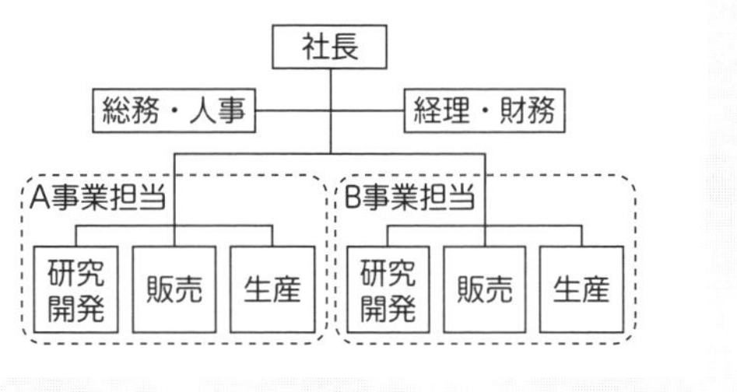

解説　**ヒントは「事業ごとの組織」**

業務遂行に必要な職能別組織が各事業に備えられているため、この図は事業部制組織。

ウのカンパニー制組織は、各カンパニーが独立して事業を行い、それぞれ職能別組織を持つため、事業部制組織と似ている。しかし、重要案件の決定に本社経営陣の審議は不要で、カンパニー内の人事権もカンパニー側にあるため、事業部制組織よりさらに強い独立性を持っている。

正解：ア

企業の会計業務

企業の財務状態を明らかにする活動のことを企業会計といいます。株主など外部の関係者へ会計情報を報告するための活動は財務会計と呼ばれ、企業の正しい財務状態が示されるように、計算処理や報告の方法などが、商法・会社法・金融商品取引法などの法律によって定められています。

財務諸表は企業の成績表
貸借対照表
損益計算書
設備投資が
売上増に直結したねえ
この会社の株、
買い足そうかな…
今期は順調に
利益が出てるゾ

1年間の業績発表 = 決算

ちょこっとメモ

社外へ情報提供する**財務会計**に対して、経営陣が経営判断に必要な情報を得るための内部用の活動は**管理会計**と呼ばれる。

企業は、一定期間ごと（会計期間 ：1年1回、上場企業では3か月ごと）に財務状態を明らかにする決算を行い、財務諸表（一般には決算書と呼ばれている）を作成・公開することが義務付けられています。さらに、親会社と子会社などが連携しているグループ企業では、グループ全体の決算（連結決算）も必須です。グループ企業全体の収支を表す決算書類は連結財務諸表といいます。

また、規模の大きな企業では、決算で作成した財務諸表などに関して、会計監査人（外部の公認会計士や監査法人）が、その内容が適正であるかどうかを確かめる会計監査を受けることが、会社法や金融商品取引法などによって義務付けられています。

情報公開の制度

財務諸表は、投資家や取引先など、社外の利害関係者（ステークホルダ）にとっても重要な情報源。日本では投資家（株主）の保護を目的として、大企業には経営や財務の状態などを公開することが、法律（金融商品取引法・会社法）により定められており、この情報開示のこと（または情報開示制度のこと）をディスクロージャという。

さらに一歩進んで、Webサイトなどを使い、これらの経営や財務に関わる情報を積極的に開示する広報活動（IR：アイアール：Investor Relations）を行う企業も増えてきた。

会計活動の流れ

企業内では、その活動によって「原材料を購入する」「製品を販売する」「従業員に給与を支払う」などの取引が、日々発生している。それぞれの取引は、発生した日付順に仕訳帳という帳簿に記載し、「原材料費」「売上」「人件費」などの勘定科目ごとに分類（仕訳：しわけ）して、内訳と金額を記載する。

仕訳帳に記載した取引は、さらに勘定科目ごとの総勘定元帳に漏れなく転記。決算処理では、総勘定元帳の金額を勘定科目ごとに束ねて集計し、試算表を作成して、決算書類となる財務諸表が作成される。

決算の内容を示す財務諸表（決算書）

財務諸表は、決算時に作成する文書の総称で、試験で問われるのは貸借対照表・損益計算書・キャッシュフロー計算書。この3つの財務諸表を見ればその企業のおおよその財政状態を知ることができる。

財産の状態＝貸借対照表

貸借（たいしゃく）対照表は、決算日（会計期間の最終日）時点で、その企業の財産がどのような状態になっているのかを示す財務諸表です。

貸借対照表の構成

貸借対照表の右側を貸方（かしかた）といい、「企業活動のための資金をどのように調達したか」を表す。左側は借方（かりかた）といい、「調達した資金をどのような企業活動に使ったのか（使った結果、どのような財産が得られたのか）」を表す。貸方と借方の合計金額は必ず等しくなるため、貸借対照表はバランスシート（B/S）とも呼ばれる。

8-2-1　貸借対照表の構成

借方	貸方
資産の部 流動資産 固定資産 繰延資産	**負債の部** 流動負債 固定負債
	純資産の部 資本金 余剰金
資産	資本

資産：所有する財産

流動資産：1年以内に現金化可能な資産（現金、預金、売掛金、商品など）

固定資産：短期間（1年以内）には現金化できない資産（土地、建物、機械、営業権、特許権など）

繰延資産：将来、収益を生み出すもの（開業費、研究開発費など）

負債：将来の支払い義務があるもの（他人資本とも呼ばれる）

流動負債：1年以内に支払い義務あり（支払い手形、買掛金など）

固定負債：1年を超えた後に支払い義務あり（社債、長期借入金など）

純資産：返済義務のない自分自身の資産（自己資本とも呼ばれる）

資本金、利益余剰金など（資産には借入金で購入したものも含まれているが、純資産は純粋に自分が所持している資産のみ）

貸借対照表から計算する自己資本比率

右の貸借対照表から求められる，自己資本比率は何％か。

ア　40　　イ　80

ウ　125　　エ　150

単位は百万円

資産の部	負債の部
流動資産合計　100 固定資産合計　500	流動負債合計　160 固定負債合計　200
	純資産の部 株主資本　240

解説　「資産・負債・純資産」の各部に含まれる勘定科目の意味を考えよう

自己資本比率は、資産の合計値の中で純資産（自己資本）が占める割合を示す<p.177>。つまり、返済義務のない、自分自身が持つ財産の割合のこと。貸借対照表の貸方（右側）の合計値と純資産の部の合計額の割合が、自己資本比率を表す値になる。

$$自己資本比率 = \frac{240}{160+200+240} = 0.4 = 40\%$$

純資産

貸方（右側）の合計額

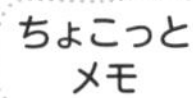

貸借対照表の左右の合計額は同じになるため、借方（左側）の資産の部の合計値（100＋500＝600）を分母にして計算しても結果は同じ。手早く合計できる方で計算すればよい。

正解：ア

8 企業の業務活動

利益は出たか＝損益計算書

損益（そんえき）計算書は、会計期間の収支結果を表す財務諸表で、「どんな活動により、どのくらいの利益が得られたのか（または損失が発生したのか）」を示します。貸借対照表と同様に、勘定式（左右で借方・貸方に分ける）で表す方法もありますが、ここでは試験で出題される報告式で例示します。

損益計算書の構成

一番上にある売上高の値から、順に下へ向かって計算をしていく。費用・損失となる項目の値は減算し、利益・収益は加算する（図の左側の演算記号は著者が付加）。

8-2-2　損益計算書の構造

⊕	売上高
⊖	売上原価
	❶ 売上総利益
⊖	販売費及び一般管理費
	❷ 営業利益
⊕	営業外収益
⊖	営業外費用
	❸ 経常利益
⊕	特別利益
⊖	特別損失
	❹ 税引前当期純利益
⊖	法人税・住民税及び事業税
	❺ 当期純利益

売上高：製品やサービスを提供して得た収益。

売上原価：原材料や仕入などの費用（製造業では生産部門の人件費も売上原価）。

❶ 売上総利益（粗利 あらり）：**製品やサービスを提供して得られた利益（掛かった費用は除かれている）**

販売費及び一般管理費：販売手数料や家賃、間接部門（経理・総務など）の人件費など、間接的に掛かる費用。

❷ 営業利益：**営業活動から生み出した利益（この「営業」は、その企業本来の事業活動という意味）**

営業外収益：営業活動以外で得られた収益のこと。受取利息や受取配当など。

営業外費用：営業活動以外で掛かった費用。支払利息や有価証券売却損など。

❸ 経常利益：**通常の事業活動全体で得られた利益**

特別利益：イレギュラーな出来事で得られた利益。固定資産の売却など。

特別損失：イレギュラーな出来事で出た損失。災害によって生じた損失など。

❹ 税引前当期純利益（税金等調整前当期純利益）：**イレギュラーな出来事も含めて、今期得られた利益**

法人税・住民税及び事業税：企業が納めるべき義務を負っている税金。

❺ 当期純利益：**支払った税金を除いて残った純粋な利益**

8-2-3　損益計算書の計算方法の考え方

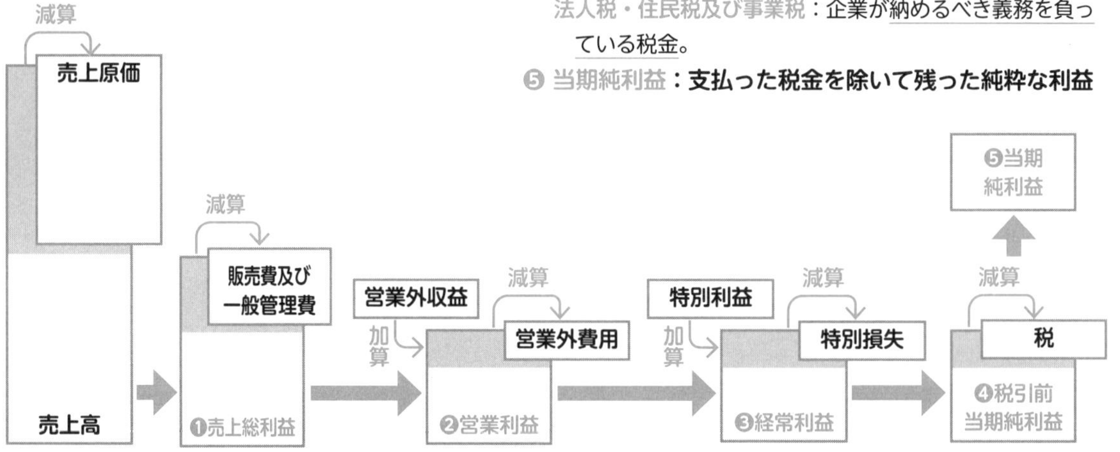

損益計算書の「5つの利益」の計算式

損益計算書は各項目を順に計算していけばよいので、項目の並び順さえ覚えておけば、簡単に計算できる。左ページ図8-2-2の損益計算書と照らし合わせてみよう。

❶ 売上総利益 ＝ **売上高 － 売上原価**

❷ 営業利益 ＝ **売上総利益❶ － 販売費及び一般管理費**

❸ 経常利益 ＝ **営業利益❷ ＋ 営業外収益 － 営業外費用**

❹ 税引前当期純利益 ＝ **経常利益❸ ＋ 特別利益 － 特別損失**

❺ 当期純利益 ＝ **税引前当期純利益❹ － 法人税・住民税及び事業税**

損益計算書の数字の読み方

前期と当期の損益計算書を比較したとき，前期から当期における変化の説明として，適切なものはどれか。

ア　売上総利益が1,500百万円増となった。

イ　営業利益が50％増となった。

ウ　経常利益が2倍となった。

エ　当期純利益は増減しなかった。

単位は百万円

科目	前期	当期
売上高	7,500	9,000
売上原価	6,000	7,000
販売費及び一般管理費	1,000	1,000
営業外収益	160	150
営業外費用	110	50
特別利益	10	0
特別損失	10	0
法人税・住民税及び事業税	250	500

解説　**5つの利益がドコに入るか、順番を思い出そう**

問題の表のように、損益計算書の「5つの利益」が示されないイジワルな問題もあるが、ここで求められているのは、これらの利益を計算して、選択肢の説明と合っているかを確認すること。5つの利益の名前と順番は覚えておこう。

「5つの利益」が入る場所は科目名の頭の数文字が変わるところだ。「売上高 売上原価、❶、販売費及び一般管理費、❷、営業外収益 営業外費用、❸、特別利益 特別損失、❹、法人税・住民税及び事業税、❺」の5箇所になる。

ちなみに筆者は、5つの利益の名前と順番を「**瓜**（うりあげだか）**選り**（えいぎょうりえき）、**ケリー**（けいじょうりえき）**にゼリー**（ぜい～じゅんりえき）**が当たる**　（瓜を選んでいたケリーさんにゼリーが大当たり！）」と、語呂合わせで覚えている。

科目	前期	当期
売上高	7,500	9,000
売上原価	−6,000	−7,000
❶ 売上総利益	**1,500**	**2,000**
販売費及び一般管理費	−1,000	−1,000
❷ 営業利益	**500**	**1,000**
営業外収益	+ 160	+ 150
営業外費用	−110	−50
❸ 経常利益	550	1,100
特別利益	+ 10	+ 0
特別損失	−10	−0
❹ 税引前当期純利益	**550**	**1,100**
法人税・住民税及び事業税	−250	−500
❺ 当期純利益	**300**	**600**

前ページ❶〜❺の計算式を全て覚えるのが正統派のやり方だが丸暗記は難しい。そのため、一番上にある売上高から計算をスタートして、費用・損失にあたる項目は減算、「5つの利益」以外の利益・収益は加算するルールを使い、5つの利益を順に計算していけばよい。

表は、問題で提示された損益計算書に、5つの利益が入る場所、計算方法、計算結果を入れたもの。例えば、前期の売上総利益は「売上高7,500−売上原価6,000」を計算すればよいことを示している。

×ア：売上総利益❶が1,500百万円増 → 2,000百万円なので500百万円しか増えていない。

×イ：営業利益❷が50％増 → 前期の500百万円を100％と考え、さらに50％増になるため、250百万円増の750百万円のはず。

○ウ：経常利益❸が2倍 → 550百万円が1,100百万円になっているので2倍。

×エ：当期純利益❺は増減しなかった → 300百万円から600百万円に倍増している。

正解：ウ

現金＝キャッシュフロー計算書

「キャッシュ」とは、現金や現金同様に扱える預金などのことです。キャッシュフロー計算書では、販売代金の回収や銀行からの借入れなどで入ってきたキャッシュから、仕入れ代金や給与の支払いなどで出て行ったキャッシュを引いて、キャッシュの期末残高を計算します。

未収（まだ回収していない）や未払い（まだ支払っていない）など、手元にあるキャッシュと食い違う項目は記載されないため、キャッシュフロー計算書の値を見ると、企業の現実的な支払い能力の有無を推測することができます。

キャッシュフロー計算書の3つの区分

キャッシュフロー計算書では「お金の流れ」を企業活動の分野ごとに分け、「営業活動（営業収入、商品の仕入代金、人件費の支払いなど）」、「投資活動（設備投資、余剰資金運用のための融資など）」、「財務活動（借入金、社債の発行、配当金の支払いなど）」の3つの区分で記述する。それぞれの活動のキャッシュフローの値から、その企業の現状や今後の動向を読み解くことも可能だ。

営業活動によるキャッシュフロー：本業が順調かどうかを示す値
投資活動によるキャッシュフロー：今後の企業活動の維持・発展のために、必要なお金をかけているかを示す値
財務活動によるキャッシュフロー：不足する資金の調達や、余剰金の扱いをどうしているかを示す値

各区分には、キャッシュが増える要素（キャッシュイン）と減る要素（キャッシュアウト）の両方があることに注意。例えば、「財務活動によるキャッシュフロー」では、借入金は収入（キャッシュが増える）、配当金（株主に支払う利益の還元）は支出（キャッシュが減る）になる。

財務指標や会計処理に用いる計算

財務指標は、企業の財政状態や活動の成果（業績）を評価するための値です。財務諸表の値から計算するこれらの指標は、自社の状態を把握したり、株主が投資先の企業を評価するときなどに使われます。このテーマでは、財務指標だけでなく、業務で計算が必要な場面に関する問題をまとめて解説していきます。

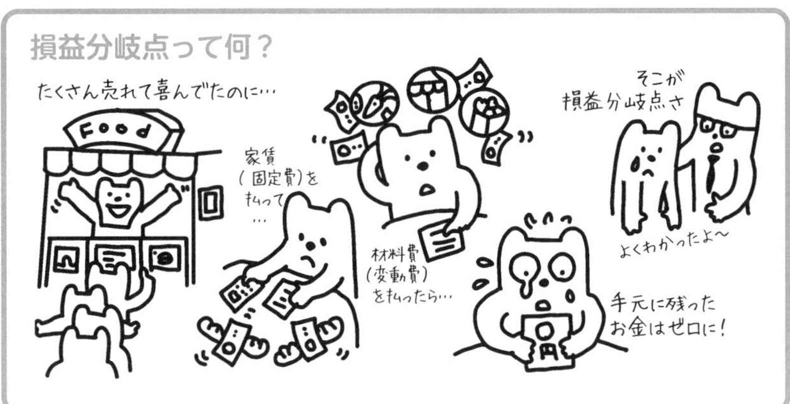

財務指標を示す値

売上高が1千万円の企業と1億円の企業のどちらかに投資をしようと考えたとき、単に財務諸表の金額を見ただけでは、両社の財務状態や業績を比べることはできません。財務指標は、値の「比率」を計算することで、事業規模の異なる企業どうしを同じ基準で比較できるようにするための指標です。

どんな要素を分析したいのかによって、さまざまな種類の指標が使われますが、もし指標の内容を知らなくても、その名称を見ると財務諸表のどの値を使って計算するのかを推測することができます。

財務の安定度を示す自己資本比率と流動比率

出題率**超高**

● 自己資本比率

自己資本比率とは、貸借対照表の総資産（「資産の部」の合計額、「負債の部」と「純資産の部」の合計額も同じ値になる）のうち、自己資本（「純資産の部」の合計額）の割合を示す値。この値が低い場合は、他人資本（借金）が多く、財政的には不安要素が大きいことを表す<計算の例は p.173の例題参照 >。

自己資本比率 ＝ **純資産** ÷ **総資産** ×100　（%で表記するため）

- 純資産：貸借対照表の値
- 総資産：貸借対照表「資産の部（左側）」の合計値※

※貸借対照表「貸方（右側）」の合計も同じ値

● 流動比率

「流動」は、「おおむね1年以内」という意味を表している。

・流動資産：1年以内に現金化可能

・流動負債：1年以内に返済義務あり

流動比率は、流動負債に対する流動資産の割合のこと。流動比率の値が100%より大きければ、1年以内に支払わなければならない負債より現金化できる資産の方が多いことを表す。つまり、「この企業には支払い能力がある」と見なすことができる。

流動比率 ＝ **流動資産** ÷ **流動負債** ×100

- 流動資産：貸借対照表の値
- 流動負債：貸借対照表の値

どれだけ効率的に儲けたかを表す利益率

利益率とは、経営資源（資産）をどれだけ効率的に使って利益を上げたかを、割合で示す指標のこと。

● 売上高総利益率

売上高総利益率は、一般に粗利益率（あらりえきりつ）とも呼ばれ、その値が高ければ売上原価と販売価格の差が大きい（＝利幅が大きい）ことを表す。つまり、売上高総利益率の値が高ければ、製品の付加価値が高く、市場競争力も高いということ。

売上高総利益率 ＝ **売上総利益** ÷ **売上高** ×100

（売上総利益：損益計算書の値）（売上高：損益計算書の値）

ちょこっとメモ

売上高○○利益率
売上高との比率を求める場合、どの利益との比を求めるかで利益率の値が表す意味が変わってくる。

売上高営業利益率＝営業利益÷売上高：営業利益はその企業本来の業務から得られた利益。売上高営業利益率が高い企業は、「本業における」収益力が高い。

売上高経常利益率＝経常利益÷売上高：経常利益には本業以外の活動から得られた利益も含まれている（ただしイレギュラーな特別利益は含まない）。売上高経常利益率が高い企業は、「企業活動全体の日常的な」収益力が高い。

● 自己資本利益率（ROE）：Eは純資産（自己資本）

自己資本利益率（ROE：アールオーイー：Return On Equity）は、資本金など（社債など返済義務のある他人資本＝負債は含めない）に対して、どれくらいの利益を上げたのかを表す値。株主資本利益率とも呼ばれ、株の売買を行う投資家にとっては、配当金の多い少ないを予測する指標となる。

自己資本利益率 ＝ **当期純利益** ÷ **純資産** ×100

（当期純利益：損益計算書の値）（純資産：貸借対照表の値）

ちょこっとメモ

ROEと**ROA**の**R**（Return）は「戻ってくるお金」、つまり「**利益**」を表す。

<計算例>

- A社：純資産が1億円、当期純利益が1,200万円
- B社：純資産が8,000万円、当期純利益が1,000万円

ROEは、A社が12%（＝1,200÷10,000）、B社は12.5%（＝1,000÷8,000）となり、B社のほうが利益性は高い。

● 総資産利益率（ROA）：Aは総資産

総資産利益率（ROA：アールオーエー：Return On Assets）は、企業が所有している資産（返済義務のある他人資本も含まれている）に対して、どれくらいの利益が上げられたのかを示す値。ROEと同様に、投資家が指標とする値であり、企業に融資を行う銀行が注目する値でもある。
ただし、総資産には土地建物や設備なども含まれている。製造業などで大規模な建屋や製造機械などを保有していると、利益に対する総資産額が大きくなるため、ROAの値は小さくなりがち。そのため、ROEとは違って、業種ごとに目安となるROAの値は異なるという特徴を知っておこう。

総資産利益率 ＝ **当期純利益** ÷ **総資産** ×100

（当期純利益：損益計算書の値）（総資産：貸借対照表「資産の部（左側）」の合計値※）

※貸借対照表「貸方（右側）」の合計も同じ値

回転率

ある資源を使い、どのくらいの戻り（成果）を出せたかを示す値が回転率で、経営資源の活用の度合いを表す。「回転」を値の単位とするので、他の指標のように%ではなく、「X回」と回数で表すのが回転率の特徴。例えば、10席の飲食店で1時間に20人のお客が入れば、1時間あたりの席の回転率は2回。

● 総資産回転率

企業が持つ資産を、その会計年度中にどれくらい有効に活用できたかを表す指標。

総資産回転率 ＝ **売上高** ÷ **総資産**

（売上高：損益計算書の値）（総資産：貸借対照表「資産の部（左側）」の合計値）

ある計算式で求められる財務指標

右の計算式で算出される財務指標はどれか。

$$\frac{\text{当期純利益}}{\text{自己資本}} \times 100$$

ア　ROA　　イ　ROE　　ウ　自己資本比率　　エ　総資産回転率

解説　**問題で使われる用語から、その意味を想像しよう**

問題文中の用語が、財務諸表で使われる名称と異なることがある。知らない言葉が出てきても、焦らずにその意味を考えてみよう。

この問題の「自己資本」は、貸借対照表の「純資産（負債である他人資本を除く）」のこと。この式は、今期の純利益と自身が持つ資産の額の比率を計算しているので、自己資本利益率（ROE）を求める計算式だ。

正解：イ

固定費・変動費の計算

製品を製造するには、さまざまな費用が掛かります。費用から計算して「製品1個あたりの販売単価をいくらにすればよいか」を検討したり、「どれくらいの個数を販売しないと利益が出ないのか」を予測するときには、損益分岐点の値を使います。

固定費・変動費・損益分岐点

費用には、建物の賃貸料や人件費などのように売上高や販売数量に関わらず一定の金額が掛かる固定費と、原材料費など販売数量や売上高に連動して増加する変動費がある。

右のグラフを見てほしい。費用と売上高が一致する（費用＝売上高になる）点を損益分岐点という。この点より売上高が低いと損失が発生し、この点を超えて売上高を伸ばせば利益が生まれる、まさに分岐点だ。

8-3-1　損益分岐点のグラフ

売上高が増えると変動費も増えるが、固定費は常に一定のまま

売上高・費用 / 販売数量 / 売上高 / 変動費 / 固定費 / 損益分岐点 / 損益分岐点売上高 / 利益 / 損失

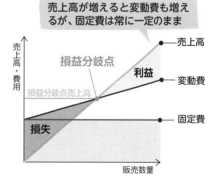

基本になる3つの公式

試験問題では固定費・変動費・売上高を使い、いろいろな値を求めさせる問題が出ている。そのため、公式を変形して値を求める応用力が必要になる。まず、ベースとなる3つの公式をしっかり理解しよう。

① 利益を計算する公式

売上高から掛かった費用（変動費と固定費）を引いて、残った金額が利益（売上総利益）。なお、試験問題の暗黙のルールとして、「作った製品はすべて売れた（製造個数＝販売個数）」「仕入れた商品は

すべて売れた（仕入個数＝販売個数）」と考える。また、変動費は1個あたりの費用が示されている場合と、変動費全体の合計額が示されている場合の両方があるので、注意しよう。

利益 ＝ 売上高 － 変動費の合計 － 固定費

販売単価 × 販売個数　　変動費 × 製造個数

② 変動費率を計算する公式

変動費の値は売上高に連動（比例）しており、売上高が増えれば変動費も増える。例えば、販売価格100円で1個あたりの変動費が30円なら、10個売れた時の売上高は1,000円で変動費の合計は300円（30円×10個）、100個売れた時の売上高は10,000円で変動費の合計は3,000円（30円×100個）、両者の比は10：3で常に同じになる。そのため、売上高に対する変動費の割合は比で表すことができ、これを変動費率という。

変動費率 ＝ 変動費 ÷ 売上高

例題1：ある製品の売上高が1千万円のとき、変動費の合計は600万円だった。変動費率を求めよ。

変動費率　600万円 ÷ 1,000万円 = 0.6

例題2：例題1の製品の販売価格を10万円として、製品1個当たりの変動費を求めよ。

販売価格が10万円なら、例題1の売上高は1千万円なので、100個売れたことになる。変動費の合計は600万円なので、次式で1個当たりの変動費が求められる。

1個当たりの変動費（方法1）　1千万円÷10万円 ＝100個　600万円 ÷ 100個 = 6万円／1個

また、変動費率は「変動費の合計額：売上高」の比だが、この値は「1個あたりの変動費：1個あたりの販売価格」の比の値でもある。これを使えば、もっと手早く変動費を求めることができる。

1個当たりの変動費（方法2）　10万円 × 0.6 = 6万円／1個

③ 固定費と変動費率から損益分岐点売上高（費用＝売上高になる値）を求める公式

「損益分岐点では売上高と費用の値が一致する」「費用は固定費と変動費の2種類」この2つの条件から公式を考える。損益分岐点上では売上高から変動費を引いた残りが固定費になる。

損益分岐点上の固定費の比率 ＝ 1 － 変動費率

全体を「1」と考える

損益分岐点売上高の金額は、損益も利益も含まない固定費＋変動費のみの金額

上式は、損益分岐点上の固定費の割合（固定費率）を計算している。ということは、固定費の金額がわかれば、固定費を固定費率で割ると損益分岐点売上高が計算できるはず。例えば固定費が50万円で、（損益分岐点上の）固定費率が0.5（50%）なら、損益分岐点売上高は100万円（＝50÷0.5）になる。

$$損益分岐点売上高 = \frac{固定費}{1 - 変動費率}$$

（1 － 変動費率：固定費率）

例題3：変動費率が0.6、固定費が400万円のとき、「損益分岐点売上高」と「損益分岐点上の変動費の合計額」を求めよ。

・固定費の金額は400万円
・変動費率が0.6なら、損益分岐点上の固定費率は 1－0.6＝0.4 になる

$$損益分岐点売上高 = \frac{400万円}{1 - 0.6} = 400万円 \div 0.4 = 1{,}000万円$$

計算結果の1,000万円から固定費の400万円を除いた残りが、損益分岐点上の変動費になるはず。

損益分岐点上の変動費 ＝ 1,000万円－400万円 ＝ 600万円

変動費率は0.6（6割）なので、1,000万円の6割は600万円。上記計算と合致する。

売上高と変動費から計算する固定費

ある商品を5,000個販売したところ，売上が5,000万円，利益が300万円となった。商品1個当たりの変動費が7,000円であるとき，固定費は何万円か。

ア　1,200　　イ　1,500　　ウ　3,500　　エ　4,000

解説　①の公式を変形して、固定費を求めよう

❶ 与えられた4つの値を見ると「①利益を計算する公式」が使えそう

固定費の金額を仮にxとして、①の公式に値を当てはめてみる。

利益　＝　売上高　－　変動費の合計　－　固定費
300万円 ＝ 5,000万円 －（0.7万円 × 5,000個）－　x

❷ 上の式を変形して、固定費xを求める

300万円 ＝ 5,000万円 － 3,500万円 － x　　x＋300万円 ＝ 5,000万円 － 3,500万円
x ＝ 5,000万円 － 3,500万円 － 300万円 ＝ 1,200万円

正解：ア

損益分岐点売上高の計算

ある商品の1年間の売上高が400万円，利益が50万円，固定費が150万円であるとき，この商品の損益分岐点での売上高は何万円か。

ア　240　　イ　300　　ウ　320　　エ　350

解説　「損益分岐点」が出てきたら、③の公式が使えないか考えてみる

❶ まず変動費の合計額を求める（①の公式を変形して計算）

この問題で示されている売上高は、損益分岐点売上高ではないので要注意！。
変動費を求めるには、売上高から利益と固定費の2項目を減算する必要がある。

①と②の公式は、損益分岐点上の値でなくても使えることに注目！

変動費の合計　＝　400万円（売上高）－ 50万円（利益）－ 150万円（固定費）　＝　200万円

❷ 変動費率を求める（②の公式で計算）

売上高400万円のときに変動費の合計は200万円なので、変動費率は次式。

変動費率 ＝ 200万円 ÷ 400万円 ＝ 0.5

❸ 損益分岐点売上高を求める（③の公式で計算）

損益分岐点上では、1から変動費率を引いた値は固定費率になる。

損益分岐点売上高 ＝ $\dfrac{150万円（固定費）}{1 - 0.5（固定費率）}$ ＝ 150万円 ÷ 0.5 ＝ 300万円

正解：イ

8 企業の業務活動

その他の計算問題

ここでは、さまざまな業務の場面で、計算が求められる項目をまとめて解説します。

在庫管理（発注管理）

例えば、製造業なら原材料が不足すれば製造に支障が生じる。反対に過剰な在庫を抱えれば倉庫代が高み、かといって頻繁に発注すると輸送費も馬鹿にならない。そのため、常に適正な在庫量を維持できるよう、仕入れ先への発注のタイミングや発注量をコントロールする在庫管理を行なっている。

発注の管理に使われる用語として、発注してから納入されるまでの待ち時間をリードタイム（調達期間）、需要推定量は次の発注で納入されるまでの間に予想される需要（使用）量、安全在庫は万一の需要増を考えて需要推定量に上乗せしておく在庫量、発注残はすでに発注済だがまだ納入されていない残量のこと。在庫管理には以下の2つの方法がある。

定量発注方式：ある決められた量（発注点）まで在庫量が減った時点で、一定量（毎回同量）の発注を行う方式。仕入れ単価が低いため1回の発注量が多く、大まかな管理で問題ないものの在庫管理に向く。

定期発注方式：あらかじめ発注間隔を定めておき、発注のつど発注量を計算して発注する方式。仕入れ単価が高く、在庫不足は許されない、厳密な管理を必要とするものの在庫管理に向く。

定期発注方式の発注量 ＝ **需要推定量 － 発注残 － 現在の在庫量 ＋ 安全在庫量**

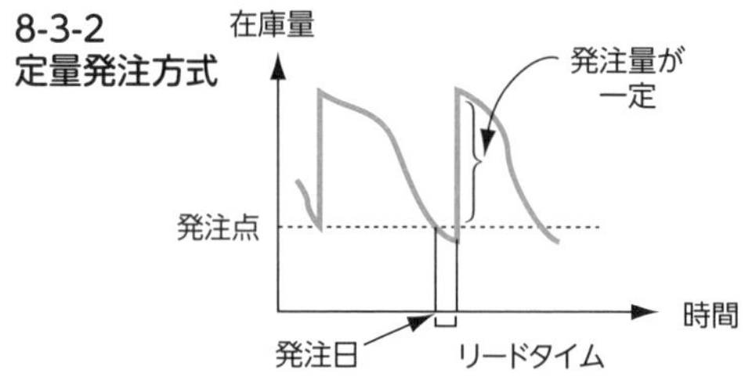

8-3-2 定量発注方式

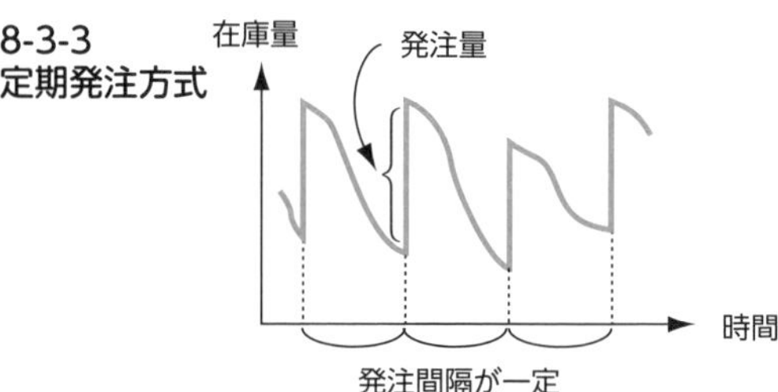

8-3-3 定期発注方式

減価償却

業務のために購入した物品などは、経費として購入に関わる費用（取得価額）を計上する。ただし、コンピュータや生産機械などは何年にも渡って使用することが前提。そのため、購入年度に全額を経費に繰り入れるのではなく、取得価額を複数年（耐用年数）に分けて計上するルールが決められている※。

これを減価償却といい、年度ごとの原価償却額の計算方法には、2つの種類がある。

※物品の種類によって、省令で耐用年数・償却率（定率法で使う）が定められている。例：PC サーバ機は5年・0.5、それ以外のPCは4年・0.625

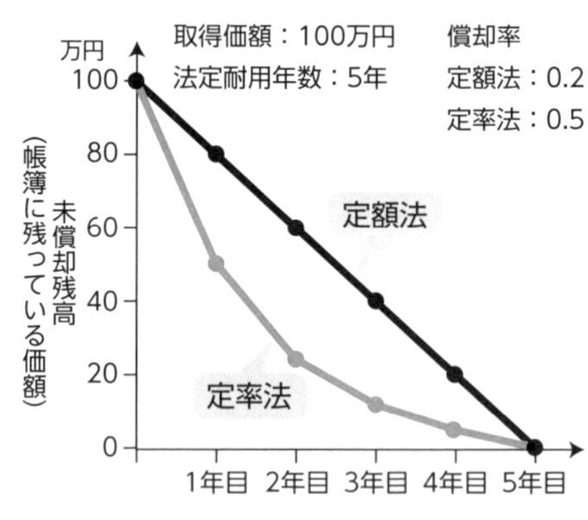

8-3-4 定額法と定率法

定額法：取得価額を耐用年数で割って、毎年同じ金額を計上する方法。

定額法の各年度の減価償却額 ＝ **取得価額 ÷ 耐用年数**

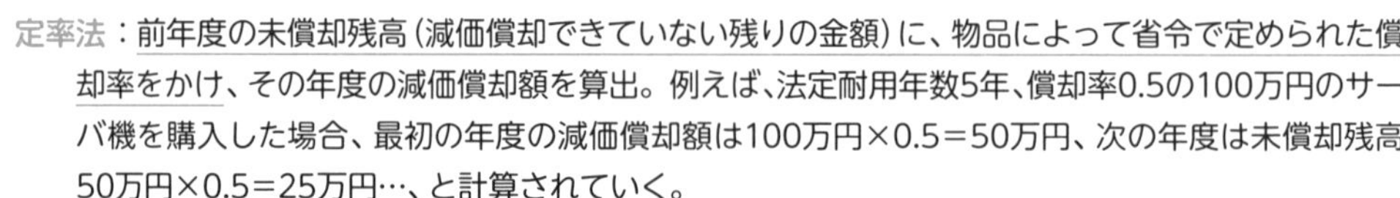

定率法：前年度の未償却残高（減価償却できていない残りの金額）に、物品によって省令で定められた償却率をかけ、その年度の減価償却額を算出。例えば、法定耐用年数5年、償却率0.5の100万円のサーバ機を購入した場合、最初の年度の減価償却額は100万円×0.5＝50万円、次の年度は未償却残高50万円×0.5＝25万円…、と計算されていく。

定率法のある年度の減価償却額 ＝ **前年の未償却残高 × 償却率**

8-4 分析のための手法とプロセス改善手法

次のChapter9からは企業の経営戦略や情報戦略などを説明しますが、効果的な戦略を立案するには、正確な現状分析が必須です。試験では、分析方法として各種の図法が出題されます。また、戦略に合わせて業務内容や手順を見直す、改善のための手法も覚えておきましょう。

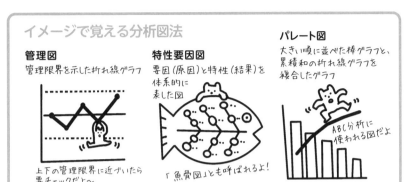

イメージで覚える分析図法

管理図
管理限界を示した折れ線グラフ
上下の管理限界に近づいたら要チェックだよ～

特性要因図
要因（原因）と特性（結果）を体系的に表した図
「魚骨図」とも呼ばれるよ！

パレート図
大きい順に並べた棒グラフと、累積和の折れ線グラフを複合したグラフ
ABC分析に使われる図だよ

分析に使われる各種の図法

試験では、さまざまな業務に幅広く使われている代表的な分析図法が出題されています。図の用途と特徴を覚えておきましょう。このテーマで解説する以外にも、E-R図<p.081>・UML<p.139>・流れ図<p.044>などが問われていますので、今一度確認しておいてください。

業務を「データの流れ」で表すデータフロー図（DFD）

出題率超高

業務プロセスの分析を行うときに、業務の手順を「データの流れ」と捉えてモデル化するのが、データフロー図（DFD：ディーエフディー：Data Flow Diagram）。名前のとおりに、「データ（Data）がどこからどこへ流れていくのか（Flow）」を「図解（Diagram）」したもの。業務を客観的に見直したいときに使われる図法だが、DFDでは必要な工数など時間の概念を表すことはできない。

下図の例は、取引先からの注文を受けて、受注処理と在庫の引当て（受注した商品の在庫を確認し、確保しておく）を行い、出荷して納品書を送付するまでのプロセス（処理）とデータの流れを示したもの。

8-4-1　DFDの例

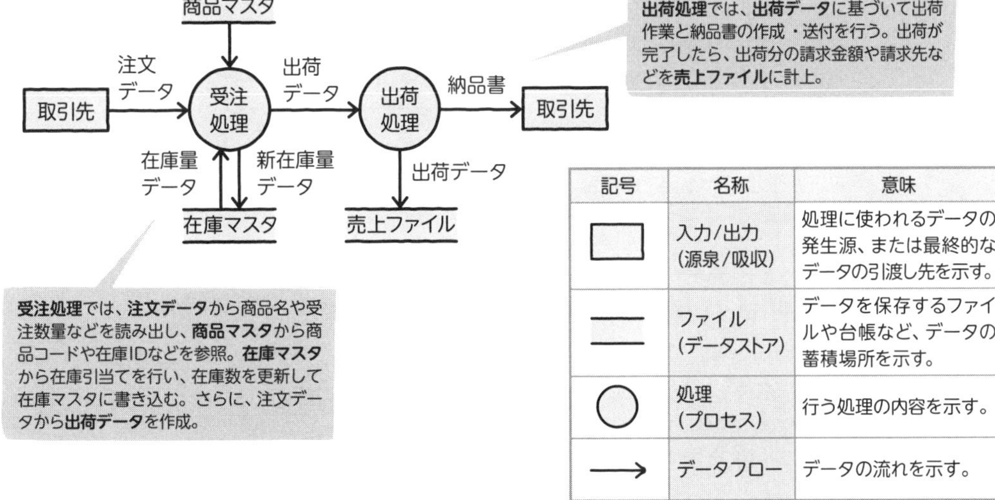
商品マスタ
注文データ
取引先
受注処理
出荷データ
出荷処理
納品書
取引先
在庫量データ
新在庫量データ
在庫マスタ
出荷データ
売上ファイル
出荷処理では、**出荷データ**に基づいて出荷作業と納品書の作成・送付を行う。出荷が完了したら、出荷分の請求金額や請求先などを**売上ファイル**に計上。
受注処理では、**注文データ**から商品名や受注数量などを読み出し、**商品マスタ**から商品コードや在庫IDなどを参照。**在庫マスタ**から在庫引当てを行い、在庫数を更新して在庫マスタに書き込む。さらに、注文データから**出荷データ**を作成。

記号	名称	意味
□	入力/出力（源泉/吸収）	処理に使われるデータの発生源、または最終的なデータの引渡し先を示す。
＝	ファイル（データストア）	データを保存するファイルや台帳など、データの蓄積場所を示す。
○	処理（プロセス）	行う処理の内容を示す。
→	データフロー	データの流れを示す。

品質管理などで使う管理図

管理図は製品の品質管理などに用いる図法。管理限界の上限および下限を明示し、値の変動を折れ線グラフで表したもの。例えば、「9mm以上 ・10mm以下」という大きさの規定がある製品なら、上限は10mm、下限は9mmと設定する。

グラフの形状から対策が必要だと判定する状態として、「❶折れ線が管理限界を示す線に接近した、または外側に出た。❷中心線の上側（または下側）に7点以上連続している（数は場合による）。❸連続して上昇または下降する傾向が見える。❹折れ線が周期的に同じ変動を繰り返す」などがある。

8-4-2　管理図の例

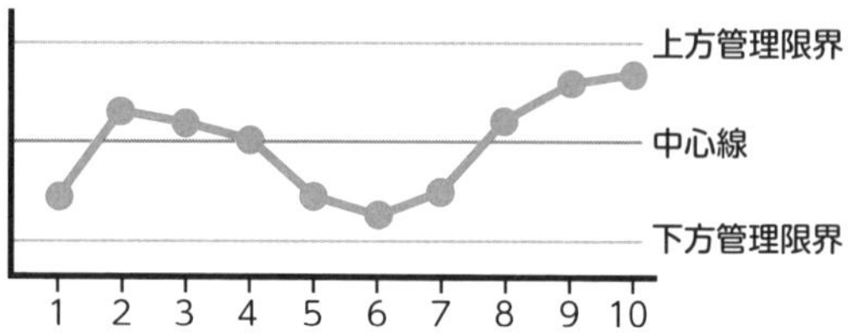

複雑な問題を読み解く特性要因図

特性要因図は、多くの要因（原因）が複雑に入り組んだ問題を、特性（結果）と各要因の関係を整理することで読み解くために用いられる図法。魚の骨のような形をしていることから、フィッシュボーンチャート（魚骨図）とも呼ばれている。

8-4-3　フィッシュボーンチャート

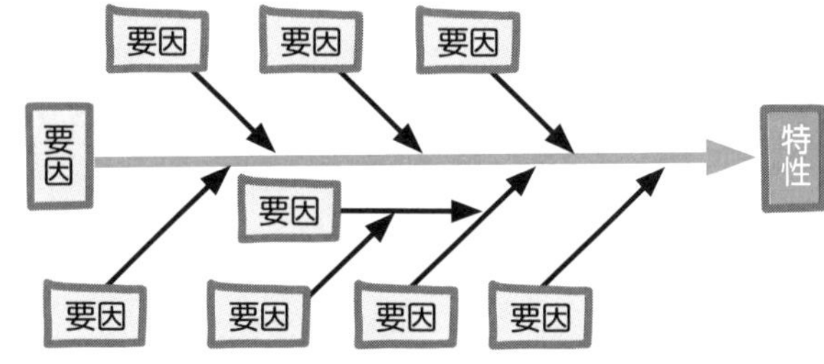

相関関係を読み取る散布図

散布図は、2つの特性（例えば身長と体重など）を縦軸と横軸にとり、データをプロット（打点）したグラフ。点のまとまり具合によって、2つの特性の間に相関関係があるかどうかを判断できる。点のまとまりが右上がりなら正の相関、右下がりなら負の相関という。

8-4-4　散布図の正の相関と負の相関

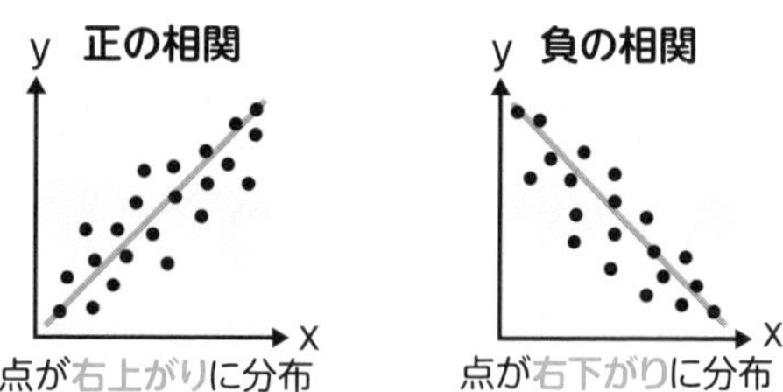

正の相関では、1つの特性の値が上がるにつれて、もう1つの特性の値も上がる傾向がある。逆に負の相関では、1つの特性の値が上がるにつれて、もう1つの特性の値は下がる傾向がある。

試験では、相関関係に着目する2つの分析手法も出題されているので、一緒に覚えておこう。相関分析は2つの特性の間の相関の強さを数値化する分析手法。回帰分析は、相関関係にある2つの変数の数値的な関連を分析して、一方の変数からもう一方の変数の値を予測する方法。例えば、上図左の「正の相関」の例であれば、プロットした点はほぼ45度の右上がりになっており、XとYの値の関係はX=Yであることが予想できる。この場合、もしXの値が1ならば、Yの値も1と予測できる。

決定木（デシジョンツリー）

ある問題が結果に至るまでの間で、どのように判断していくのか、その論理的な仕組みを、条件によって枝分かれしていく木構造で分析していく手法。機械学習<p.205>で用いられる。

8-4-5　決定木の例

天気 →晴れ→ 気温 →25℃以上→ プールへ
気温 →25℃未満→ 遊園地へ
天気 →雨→ 自宅で映画鑑賞

形で特徴を表すレーダーチャート

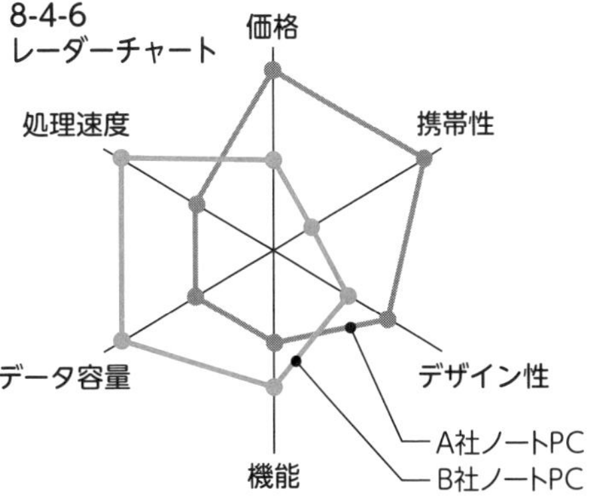

レーダーチャートは、ある要素が持つ複数の特性を、放射上に広げたそれぞれの軸上にプロットすることで、1つのグラフにまとめて表すときに用いられるグラフ。

その形からクモの巣グラフとも呼ばれ、特性ごとにプロットした図が描く形によって、その要素の特徴を視覚的に表すことができる。

棒グラフを応用した図法

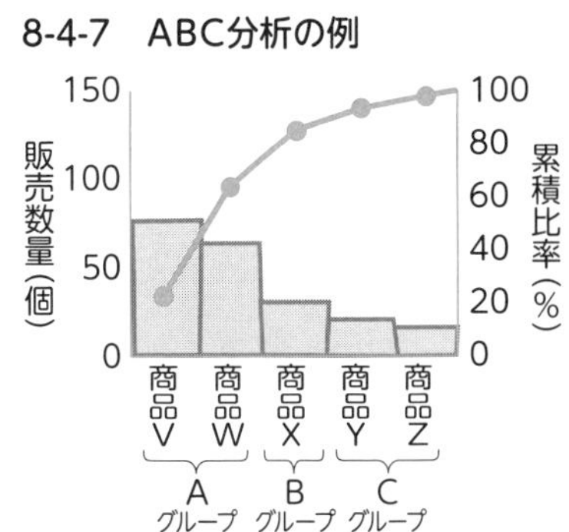

ヒストグラム(度数分布図)は、縦軸に度数(個数や人数など)、横軸に該当する項目の名称(例：商品名)や値の幅(例：身長 140～150, 150～160, …)をとった棒グラフの一種。

パレート図は、分類項目ごとに度数の大きい順(降順)に並べた棒グラフと、度数の累積和(そこまでの値を足し込んだ合計値)を示す折れ線グラフを重ねて示した図。

パレート図を用いるABC分析は、重点項目を選び出すための図法で、在庫管理や品質管理、販売管理などに用いられる。売上金額や販売数量などの値を用いて、全体に占める割合の高いもの(＝重要度が高い)から順にA・B・Cの3つのグループに分ける。重要度の高いグループは厳密な管理を行い、低いグループは簡素な管理方法で効率化するなど、項目分けの判断に使われる。

図法以外の分析手法

出題率超高

ブレーンストーミング：新しいアイデアをより多く生み出すための会議方法。批判禁止(発言の良し悪しに関する評価禁止)、質より量(つまらないアイデアでも、より多く出すことを重視)、自由奔放(話の脱線も許容)、結合と便乗OK(他人のアイデアへの結合・便乗も歓迎)といったルールで行う。

A/Bテスト：Webページや広告などでどのような表現が適しているのかを分析するときに使われる手法。ある要素のみが異なる2つのパターン(例：Aは画面の背景色が赤、Bは緑)を用意し、どちらの方がより多くのユーザーにアクション(例：会員登録を行う、商品を購入する)を起こしてもらえたかを比較する。

主成分分析：多くの特性を持つデータから、明らかにしたい傾向などに合わせて特性を集約することで、よりわかりやすい結果を導き出す分析手法。例えば、年齢別に値を分析するより、中学生・高校生というように特性を統合した方が、より傾向が明らかになる。

クラスター分析：多くの要素を、それらが持つ特性が似ているものどうしを集め、グループにまとめて分けて傾向をつかむ分析手法。このグループ(集団)のことをクラスターと呼ぶ。機械学習<p.205>でも使われている手法のひとつ。

デルファイ分析：まず複数の専門家に意見を聞き、その結果をまとめたものを回答者(意見を聞いた専門家)にフィードバックした上で、再度回答を求める手法。フィードバックによって回答者の再検討が促され、繰り返すことで次第に意見が集約されていく。

ちょこっとメモ　分析作業の中で「評価」は重要なプロセスだ。評価はその対象となる項目によって大きく定量的評価と定性的評価に分けられる。**定量的評価**とは数値を尺度として表すことができる評価のこと。金額、長さ・重さ・速度、回数、時間など、数値で測ることができるため客観的な評価結果を得やすい。
これに対して**定性的評価**は、数値では表しにくいため尺度の設定が難しい評価で、代表的な例として人事評価などがある。評価を行う側の主観などが評価値に影響を与えてしまうため、あらかじめ細かく具体的な評価基準を決めておかないと、公正な評価が行えない。

業務プロセスの改善手法

市場のニーズや技術の変化が早い現代のビジネスでは、提供する製品やサービスを変えるだけでなく、企業内部の業務内容やその手順（業務プロセス）も常に変革していく必要に迫られています。

RPA（アールピーエー：Robotic Process Automation）

RPAは、AI<p.205>などの技術を用いて、主に事務作業を自動化するための仕組み。RPAツールは、ツールがアプリケーションを認識し、例えばメールソフトを操作してメールを作成し送信するなど人間と同じように動作を行うことが可能。行わせる動作は、ウィンドウ上で流れ図に使われるような記号アイコンを順に並べていくなど、簡単な操作で設定できるように工夫されている。

8-4-8　業務プロセスの改善で出題される用語

BPR（ビーピーアール：Business Process Re-engineering）	社内全体で仕事の内容や手順をゼロから見直すことで、業務プロセスを再構築し、業務の合理化やコスト削減を目指す企業改革。
BPM（ビーピーエム：Business Process Management）	PDCAサイクル<p.161>を用いて、最適な業務プロセスを設計・適用し、継続的に監視・改善していく活動を指す。
BPMN（ビーピーエムエヌ：Business Process Model and Notation）	流れ図に似た図法を使い、ビジネスのプロセス（手順）をわかりやすく表現することで、プロセスの分析や改善に用いる目的で作られ、現在はISO/SEC 19510として規格が定められている。ビジネスプロセスモデリング表記法とも呼ばれており、イベント（処理を行うきっかけ：○）、アクティビティ（行うべき作業：□）、シーケンスフロー（アクティビティの実施順序を示す：→）などの要素で構成される<下図参照>。

8-4-9　社内報の制作プロセスを表現したBPMN

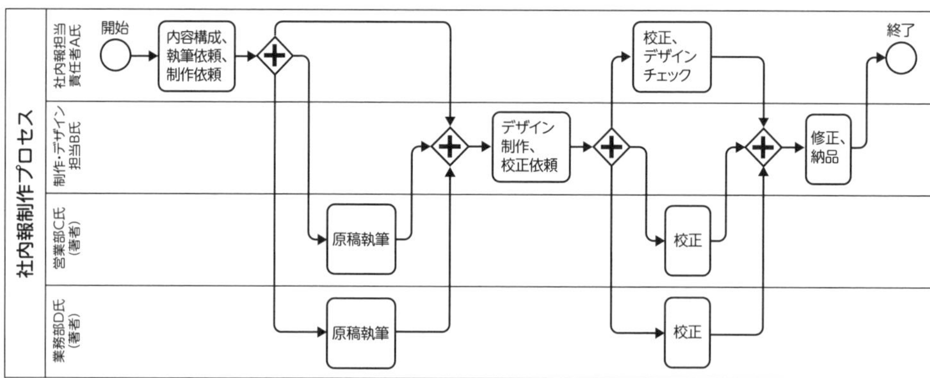

Chapter 9

企業の戦略

●経営戦略

経営戦略と経営分析

経営戦略では経営目標達成のために、どのように事業を展開していくのかを戦略として策定し、その実現のための施策を行っていきます。経営戦略の立案は、さまざまな手法を使って現状を分析・把握するところから始めます。

SWOT分析の4つのカテゴリ

①強み(内部要因) 自社の強いところ

業界トップの技術力

②弱み(内部要因) 自社の弱いところ

…なのに生産設備が貧弱

③機会(外部要因) 市場・環境・競合他社

競合相手が

④脅威(外部要因) 市場・環境・競合他社

ハジメマシテ〜
海外の大手が
市場参入!

経営分析の手法

このテーマで出題頻度が高いのはSWOT分析とポートフォリオ分析です。ただし、これらは経営分析のみに使われる分析手法というわけではなく、実際にはマーケティングなどさまざまな場面でも使われています。

多角的な現状分析手法 — SWOT分析 —

SWOT(スウォット)とは、「Strengths(強み)、Weaknesses(弱み)、Opportunities(機会)、Threats(脅威)」の頭文字で、多角的な現状分析を基に戦略を立てるために用いる分析手法。

まず、外部要因(コントロールできない要因)である「機会」「脅威」、内部要因(コントロール可能な要因)である「強み」「弱み」を表の見出し項目に配置し、それぞれに該当する事柄を記入する。

さらに、「脅威」「弱み」の欄にはその対策を、「機会」「強み」の欄にはそれをどう活かしていくのかも記入して、戦略を検討する。

9-1-1
SWOT分析の例

「あるアパレルメーカーが、新開発の繊維を使ったアンダーウェアの販売戦略を検討する」場合を想定したもの。

		外部要因	
		機会(Opportunities) 温暖化の影響で気温が上昇しているが、省エネのため、エアコンの設定温度は下げられない。	脅威(Threats) ブランド力のあるアンダーウェア専門の大手A社が、流行を取り入れたデザインの夏用アンダーウェアを発売。
内部要因	強み(Strengths) 着ると涼しい新繊維を自社開発。生産体制も整い、価格を抑えることが可能。	機会を捉え、強みを活かす戦略 室温を下げなくても、このアンダーウェアなら涼しいため、「エコ+快適」であることを消費者にアピール。	強みによって、脅威を克服する戦略 アンダーウェア選びのポイントは機能であり、弊社製品は画期的新機能を持ち、しかも低価格であることをPR。
	弱み(Weaknesses) 今まで、Tシャツなどアウターを専門に製品作りをしてきたため、アンダーウェアでの知名度はない。	機会を捉え、弱みを克服する戦略 Tシャツでも同素材の製品を作り、アンダーウェアとの組合せで、より涼しく着られることをPR。さらに、Tシャツとアンダーウェアのセット商品も販売。	弱み+脅威によって最悪の結果になることを回避するための戦略 アンダーウェア専門ショップではなく、弊社Tシャツを取り扱うショップに置く。既存顧客へ直接アピールできるため、購入につながる可能性が高い。

SWOT分析の「機会」に該当する例

ある業界への新規参入を検討している企業がSWOT分析を行った。分析結果のうち,機会に該当するものはどれか。

ア　既存事業での成功体験　　イ　自社の商品開発力
ウ　業界の規制緩和　　エ　全国をカバーする自社の小売店舗網

解説　「機会」と「脅威」は外部からやって来る!

ア：内部要因・強み　　イ：内部要因（開発力が高ければ強み、低ければ弱み）
ウ：正解。外部要因・機会　　エ：内部要因・強み

ポジションから読み解くポートフォリオ分析

ポートフォリオ分析とは、分析対象の要素をそれぞれ2つの評価項目で評価し、それら要素の評価値が示すポジションによって、特徴や問題点をつかむ分析手法。バブルチャートを使うことが多い。

この図法は、縦軸と横軸で2つの評価項目を表し、さらにバブル（円）自体の大きさでその要素が持つ値の大小を表現することで、それぞれの要素の特徴や問題点、その要素の影響力の大きさなどを視覚的に表すことができる。

また、展開している事業をポートフォリオの手法を使って分析し、今後の方向性を明らかにする手法を事業ポートフォリオマネジメントという。

9-1-2　バブルチャート

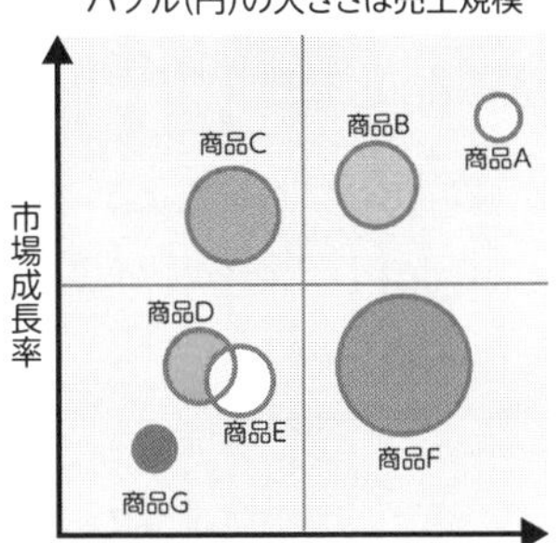

● PPM（プロダクトポートフォリオマネジメント）

出題率**超高**

PPM（ピーピーエム：Product Portfolio Management）は、市場成長率とマーケットシェア（市場占有率）の評価値の高低で4つの領域に分けた図を使って、製品の現状分析と今後の戦略の検討を行う分析手法。経営資源をどの事業・製品に配分するのが適切なのかを判断するときに用いる。

9-1-3　PPM

図9-1-2のバブルチャートの商品A～Gを4つの領域に区分けしてみると、「問題児：商品C、花形：商品A B、負け犬：商品D E G、金のなる木：商品F」となる。
売上を商品Fに頼る商品構成になっており、シェアも売上も低い商品D E Gが脚を引っ張る形になっていることが読み取れる。

市場成長率	低（市場占有率）	高（市場占有率）
高	**問題児** 成長市場なのに売れていない。大きな投資を行えば、花形になる可能性がある。	**花 形** 成長市場なので常に新しい投資が必要で、あまり儲からないが、いずれ金のなる木になる可能性がある。
低	**負け犬** 市場成長率が低いので投資しても大きな効果は期待できず、シェアも低いので撤退すべきである。	**金のなる木** 市場成長率が低いので投資は少なくて済み、高いシェアを持つため利益は大きい。安定した稼ぎ頭である。

低 → 高　市場占有率（マーケットシェア）

9-1-4　経営分析の手法

ベンチマーキング	優れた他社の製品・サービス・業務プロセスなどを指標（ベンチマーク）として設定し、自社のそれと比較すること。ベストプラクティス<次項>を見つけ出すための参考にする。
ベストプラクティス分析	他社の優れた事例を徹底的に研究して、自社に最適な実践方法（ベストプラクティス）を見つけ出す方法。
VRIO分析 （ブリオぶんせき）	企業の競争優位性<p.190>は、その企業が持つ経営資源<p.169>が源になっていると考え、「Value（経済的な価値）、Rarity（希少性）、Inimitability（模倣困難性）、Organization（組織）」の4つの視点から、自社の経営資源の「強み」と「弱み」を評価する分析手法。

さまざまな経営戦略手法

経営戦略とは将来を予測して、どの事業に経営資源（人・モノ・金・情報）を配分するのかを決める戦略だといってもよいでしょう。他社製品にはマネできない機能・品質・価格などで差別化を図り、競合他社に対して優位な状態にあることを「競争優位性が高い」といいます。

集中戦略とコアコンピタンス経営

集中戦略は、特定の事業範囲に経営資源を集中してつぎ込み、競争を優位に進める戦略。事業の中で、他社より優れた技術やノウハウを持つ分野をコアコンピタンスと呼ぶ。コアコンピタンス経営とは「得意分野の事業に経営資源を集中することで、効率よく利益を上げる」という経営戦略のこと。

アライアンス戦略

企業どうしが共同で事業を行うことをアライアンスといい、販売提携、技術提携、生産提携など、さまざまな形態がある。互いの技術や設備、市場を補完することで、短期間に大きな市場を取り込める反面、提携解消時にノウハウや顧客が流出するリスクもある。

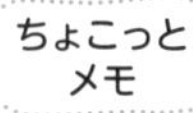

さらに強力な提携関係には、資本提携やM&Aがある。資本提携は、一方の企業が他方の企業の株式を取得する形で資金を提供（出資）したり、お互いの株を持ち合って安定した株主となることで、より強固な関係を構築する。M&A（エムアンドエー：Mergers and Acquisitions）は企業の合併・買収のことで、異なる分野の企業どうしが合併して新たな市場や製品の開発を目指したり、競合製品を持つ企業を買収して自社製品の市場の優位性を高めるケースもある。

また、アライアンスの新しい形態として、複数の企業が共同出資して新たなベンチャー企業を立ち上げて経営するジョイントベンチャー、親会社の出資を受けてベンチャーとして独立した後も親会社とベンチャー企業が相互に資本関係（親子関係）を継続させるスピンオフなどもある。

● 株式の売買による戦略

M&Aのために、株式公開買付が行われることがある。TOB（ティーオービー：Take-Over Bid）とも呼ばれ、買取価格・買取株数・買取期間などを表明した上で、目的の企業の株式を不特定多数の株主から買い取り、一気に株を取得する方法。大株主となり株主総会での議決権を得ることで、その企業の経営をコントロールできるようになる。敵対的な（買収される側の企業の同意を得ない）M&Aが仕掛けられることを防ぐため、経営陣が自社の株式を株主から買い取り、実質的なオーナーとなる場合があり、これをMBO（エムビーオー：Management BuyOut：経営陣買収）という。

IPO（アイピーオー：Initial Public Offering）は新規株式公開とも呼ばれ、資金調達のために企業が初めて株式市場に公開して売り出すこと。IPOの直後は、株価が大きく上がる可能性がある。VC（ベンチャーキャピタル：Venture Capital）は、株式未公開のベンチャー企業に出資する投資会社。出資と引き換えに未公開株を取得し、IPO後に値上がりした株を売却することで利益を得ている。VCと似ているが、本業が別にある企業がファンド（投資会社）を作り、本業と関連する事業を展開するベンチャー企業に出資を行うCVC（コーポレートベンチャーキャピタル：Corporate Venture Capital）もある。株の売却益を目的とするVCとは異なり、本業にプラスとなるベンチャーの支援を行うことが目的。

> ちょこっとメモ
>
> **MBO**
> (Management by Objectives and self-control)
> 英略語は本文のMBOと同じだが、こちらは「社員が自ら目標を設定し、その達成度によって評価を行う**目標管理**」のこと。

事業展開の領域を絞る戦略

事業領域を絞ったり、特定の領域を選んだりすることで、収益性の高い事業を展開する戦略もある。ブルーオーシャン戦略は、競合他社がしのぎを削る分野や市場（レッドオーシャン）を避け、未開拓分野や市場に経営資源を投入する戦略。発想の転換と、多角的なニーズ分析が必要。ニッチ戦略は、大企業が進出してこない狭い市場に特化した製品を作り、小規模の市場を独占することで、高い利益を維持する戦略で、いわゆる「すき間戦略」のことだ。

事業展開における垂直統合の事例

企業の事業展開における垂直統合の事例として，適切なものはどれか。

ア　あるアパレルメーカーは工場の検品作業を関連会社に委託した。

イ　ある大手商社は海外から買い付けた商品の販売拡大を目的に，大手小売店を子会社とした。

ウ　ある銀行は規模の拡大を目的に，M&Aによって同業の銀行を買収した。

エ　多くのPC組立メーカーが特定のメーカーの半導体やOSを採用した。

解説　「垂直」とは、工程の上流・下流のこと

垂直統合：仕入れ→製造→販売など、製品や商品が買い手に渡るまでに行われる工程の中で、自社で行っている工程の上流や下流の工程を行う企業を買収して、統合することで収益性を上げる戦略。イの企業は「買い付け」が自社の業務で、下流工程にあたる「販売を行う小売店」を買収しており、垂直統合に該当する。

水平統合：同じ業務（工程）を行っている他社を買収し統合することで、事業規模拡大を狙う戦略（ウ）。

アの外部委託はアウトソーシング<p.216>。エのように、特定の製品やその仕様が事実上の標準となっていることをデファクトスタンダードという。

正解：イ

イノベーション

イノベーション（innovation）は、まったく新しい技術の開発や、従来とは異なる考え方など、新しい価値の創造を意味する言葉で、「変革」「革新」と訳される。製品の新たな製造方法を開発したり、製造工程を改良するプロセスイノベーションや、大学やベンチャー企業・異業種の企業など社外の技術やアイディアを取り入れて、新たな事業や製品を作り出すオープンイノベーションなどが出題されている。

革新的なイノベーションを産み出し、それを実現することで、競争優位に立つ戦略をイノベーション戦略という。ただし、イノベーションの創出と実現には、それができる人材や環境の確保と、資金の投入が必要。さらに、他で実現された前例のない新たな方法・技術であるため、失敗の危険も伴うハイリスクな戦略だ。

9-1-5　経営戦略でよく出る用語

コーポレートブランド	企業やその企業の製品に対して、製品のユーザーや株主などの関係者が持つイメージや認識のこと。コーポレートブランドの認知度・好感度を高め、イメージを向上させることが、投資家へのアピールや、ユーザーの購買意欲を高めるきっかけとなる。
カニバリゼーション	Cannibalizationとは「共食い」のこと。ビジネスの世界では、自社の製品が別の自社製品の市場や売上を喰い合ってしまう状態を指す。異なるターゲット層に向けて発売したつもりの新製品が、既存の自社商品の顧客を奪ってしまうケースなどがある。
コモディティ化	同じ分野・用途の製品どうしの違いが少なくなり、均一化していくこと。例えば、今までにない機能を持つ製品が開発・販売されても、後続メーカーが類似製品を発売することで、優位性が失われていく現象などを指す。結果として、シェアの喰い合いや価格の低下に繋がることが多い。
同質化戦略	競合他社が製品やサービスの差別化を図る戦略をとってきた場合に、それを真似して違いを無効化してしまう戦略。
ファブレス	自社では生産設備を持たず、製品の設計開発や販売のみを行う製造業の一形態。製造は他社に依頼する。アライアンス戦略の方法のひとつ。
ロジスティクス	原材料の調達～製品の製造～製品の販売までの物の動き（物流）を一貫して管理し、調達・出荷のスケジュールや、運搬・保管などの費用を適切にコントロールするための考え方。
ナレッジマネジメント	それぞれの社員が持っている知識やノウハウを、社内全体で管理・共有し活用することで、他の社員のレベルアップを図り、業務の効率化や生産性の向上に繋げる経営手法。
TOC	TOC（ティーオーシー：Theory Of Constraints）は、「制約理論」や「制約条件の理論」とも呼ばれ、「どんなシステム（仕組み）も、問題の原因となっている制約条件が必ずある」という考え方。「この制約条件の改善に集中することで、問題を解決する」という管理手法。

Chapter 9-2

売り方を考えるマーケティング戦略

マーケティングとは、顧客の特徴を理解し、求めている製品やサービスを調査することで、「売れるモノ」「売れるための仕組み」を作り出すことです。このテーマでは、市場や顧客分析のための手法と、その結果を基に策定するマーケティング戦略について説明していきます。

マーケティングの分析手法

製品やサービスには、消費者の動向が変化することで、市場デビューから撤退までの間に経営資源の投入度合いが変化する4つのステージが想定されており、これをプロダクトライフサイクルといいます。

9-2-1 プロダクトライフサイクル

製品ラインは、同一メーカー・同一ブランド・同一シリーズなどに属する製品群のこと。販売チャネルとは、販売方法や販売経路(販路)のこと。

❶ 導入期
需要は部分的で認知度も低い。製品が市場に認知されるように、費用を投じて広告宣伝を行っていく。

❷ 成長期
市場が成長して需要が伸びていく時期。製品ラインや販売チャネルの拡大など、多大な投資が必要になる。

❸ 成熟期
需要のピークを迎える時期。他社製品との競争が激化するため、差別化やコストダウンが必要となる。

❹ 衰退期
需要が減っていく時期。追加投資は控えて、撤退や別の市場への切替えを検討する。

9-2-2 マーケティングのプロセス

① 環境分析 →
まず、経営状況や組織体制など社内の内部環境と、市場や競合他社など外部環境を分析。

② STP →
❶S（セグメンテーション）：市場や顧客をその特徴によっていくつかに分ける。
❷T（ターゲティング）：分割した市場や顧客から、ターゲットとするセグメンテーションを決定。
❸P（ポジショニング）：ターゲットとして狙う市場や顧客から、どんなブランドとして位置づけられる（例：高級ブランド、カジュアル系）ことを目指すかを設定。

③マーケティングミックス <右ページ> →
4Pと4Cを検討し、具体的なマーケティング戦略を決定。

④ 戦略の実行
マーケティング戦略を実行。

市場や業界の環境や顧客の分析手法

●ミクロ環境とマクロ環境

企業を取り巻く外部の環境は、ミクロ環境とマクロ環境に分けて分析する。ミクロ環境とは、企業が働きかければ影響を与えること(統制)が可能な環境要因で、市場の動向や他社との競合など、その企業にとって近場の環境のこと。これに対してマクロ環境はミクロ環境のさらに外側にあり、人口動態要因（少子高齢化など）や政治要因(独占禁止法など影響のある法律の成立や規制緩和)、経済要因（経済成長率や物価変動)、自然環境（温暖化や災害）など、企業単独では統制が難しい環境要因のこと。

●消費者心理を考えるAIDMA（アイドマ）

AIDMAは、消費者が商品やサービスを購入するまでの購買決定プロセスのモデルで、プロセスごとに消費者の心理状態を考え、どうアプローチすれば購入を促す効果が高いかを分析・検討する。

<製品に対する消費者の心理状態>

注目して（Attention）→ 興味を持ち（Interest）→ 欲しくなり（Desire）
→ 覚えて（Memory）→ 購買行動に至る（Action）

●顧客を分類するRFM分析

RFM（アールエフエム）分析は、購買行動の分析から顧客を分類するための手法。例えば、「その製品の収益の5%を占める顧客」「毎月特定の消耗品を購入する固定客」などの優良顧客の分類を行うときに用いる。分析には、名前の由来となっているR・F・Mの3つの指標を用いる。

Recency（最新購買日）：最後の購入からどれくらい時間が経っているか
Frequency（購買頻度）：どのくらいの頻度で購入しているか
Monetary value（購買金額）：どのくらいの金額を使っているか

9-2-3　市場や顧客の分析手法

PEST分析	マクロ環境を「政治（Politics：規制緩和など）・経済（Economics：金利や物価、経済成長率など）・社会（Society：働き方の変化など）・技術（Technology：イノベーションの進展）」の4つの観点から分析する手法。
コーホート分析	生まれた時期によって顧客を3つの観点でグループ分けし、それぞれのグループの消費行動の特徴を分析する手法。3つの観点は①年齢効果（乳児期、高齢期など人生のステージによる要因）、②時代効果（戦時中、バブル期など社会的要因）、③コーホート効果（団塊世代、さとり世代など、同時期に同じ社会環境にいたことから発生する特性）。
3C分析	3つの視点から分析を行い、戦略目標を達成するために重要な要件を見つけ出す手法。3つの視点は、「顧客（Customer）」「競合（Competitor）」「自社（Company）」で、どれも頭文字がCであることから、3C分析と呼ばれる。SWOT分析<p.188>と同じように、各視点から見た「強み」「弱み」を洗い出す。

戦略の検討

マーケティングミックス

4Pとは売れる仕組みを作るために考慮すべき要素のこと。4Pの要素を満足させる手段を組み合わせて、最適な戦略を立てることをマーケティングミックスという。4Pは「売り手側の視点」から考慮すべき要素だが、「買い手側の視点」である4Cも戦略上重要な要素になる。4Pと4Cの各要素はそれぞれ対応関係にあり、例えば売り手が商品に設定する「価格」は、買い手にとっては負担が発生する「コスト」となる。

9-2-4　4Pと4Cの各要素

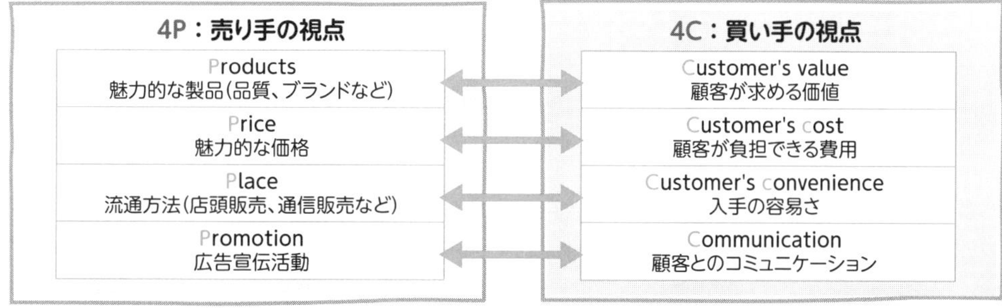

戦略の検討に用いる手法

マーケティングミックスの検討に用いる考え方の一つであり，売り手側の視点を分類したものはどれか。

ア　4C　　イ　4P　　ウ　PPM　　エ　SWOT

解説　「マーケティングミックス」ときたら「4Pと4C」と覚えておこう

ア：4Cは買い手側視点から考慮すべき要素。
イ：正解。4Pは売り手側視点から考慮すべき要素。
ウ：PPMは市場成長率と市場占有率で自社製品の現状分析を行う手法<p.189>。
エ：SWOTは「強み・弱み・機会・脅威」の4つの視点から現状分析を行う手法<p.188>。

正解：イ

アンゾフの成長マトリクス

成長マトリクスは、ロシアの経済学者イゴール・アンゾフが提唱した、市場の成長・拡大の方向性を探り、マーケティング戦略を検討するための手法。

「市場」と「製品」、「既存」と「新規」の2つの軸を持つ表を作り、「市場浸透」「新製品開発」「市場開拓」「多角化」の4つの方向性を検討し、取り得る戦略を当てはめて分析を行う。

9-2-5　アンゾフの成長マトリクス

	既存製品	新規製品
既存市場	市場浸透戦略 (既存市場＋既存製品)	新製品開発戦略 (既存市場＋新規製品)
新規市場	市場開拓戦略 (新規市場＋既存製品)	多角化戦略 (新規市場＋新規製品)

成長マトリクスを用いた分類

製品と市場が，それぞれ既存のものか新規のものかで，事業戦略を“市場浸透”，“新製品開発”，“市場開拓”，“多角化”の四つに分類するとき，“市場浸透”の事例に該当するものはどれか。

ア　飲料メーカーが，保有技術を生かして新種の花を開発する。
イ　カジュアル衣料品メーカーが，ビジネススーツを販売する。
ウ　食品メーカーが，販売エリアを地元中心から全国に拡大する。
エ　日用品メーカーが，店頭販売員を増員して基幹商品の販売を拡大する。

解説　成長マトリクスの要素は「製品と市場」「既存と新規」の掛け合わせ

ア：飲料メーカーが異業種である園芸分野で新商品を開発するのは、「新規市場＋新規製品」になるので“多角化”。
イ：既存市場向けに新たな製品「ビジネススーツ」を開発するのは“新製品開発”。
ウ：既存商品の販売エリアを地元中心→全国に拡大（新規市場に進出）するのは“市場開拓”。
エ：正解。既存製品の既存市場での販売拡大は“市場浸透”。

正解：エ

マーケティング戦略

ちょこっとメモ

価格戦略には、安さをアピールして多くの消費者に広く買ってもらう戦略や、高価格によるプレミア感を製品が持つ魅力のひとつにする戦略などがある。

代表的なマーケティング戦略には、どんな製品を作るべきかを見極める製品戦略、価格設定を考える価格戦略、低コストで迅速な流通経路を確保する流通戦略、消費者に認知してもらうための広告宣伝、販売促進を目的としたプロモーション戦略などがあります。

Webを使ったマーケティング戦略

Webページや電子メールを活用したマーケティング戦略をWebマーケティングという。主に製品やサービスに関する情報発信に使われているが、自社から情報を発信するケースと、他者が情報を発信してくれるケースがある。製品紹介用のWebページを公開、他者のWebページにバナー広告を掲載、既存顧客に電子メールを送るなどの方法は自社発のケース。

これに対して、他者が自身のコンテンツやSNSに製品紹介記事を書いてくれるケースもある。オピニオンリーダーやインフルエンサーは、ある集団の中で発信力があり、影響力が強い人のこと。マーケティングの分野では、早い時期に新製品を購入し、感想や意見を掲示板などの商品レビューに書いたり、SNSで商品情報を発信するなど、他の消費者に影響を与え、市場に大きな影響力を持つ人を指す。

企業側の戦略としては、ブロガーや動画配信サイトの投稿者に自社製品を提供して、評価や使い方を発信してもらったり、製品のユーザーサイトを作り、ユーザーから投稿される意見を製品作りの参考にするなどの使い方がある。

9-2-6　マーケティング戦略で出題される用語

用語	説明
マルチチャネル、オムニチャネル	マルチチャネルとは複数の販売ルートや販売方法を持つこと。オムニチャネルはその進化形で、実店舗とECサイト（ネットショップ）をシームレスにつなぎ、顧客は場面に応じた販売ルートから購入可能であり、在庫管理や顧客情報も一元化して、さらにSNSなどで常時情報を発信することで販売機会を増やす販売戦略。
イノベータ理論	消費者が新たな商品を購入するときの態度の特徴を、購入時期の順に5つに分類したもの。①イノベータ（革新者）：好奇心が強く、新しいものを好み、ごく早い時期に新製品を購入。②アーリーアダプタ（初期採用者）：早い時期に興味を示すが、新商品のメリット・デメリットを自分なりに検討してから購入。オピニオンリーダーやインフルエンサーはこの層に分類される。③アーリーマジョリティ（前期追随者）：新製品の購入には慎重だが、アーリーアダプタに影響されやすく、流行遅れになりたくないという意識から購入に至ることが多い。④レイトマジョリティ（後期追随者）：新しいものに対する抵抗が大きく、周りの購入者などから情報を得て、納得してからでないと購入しない。⑤ラガード（遅滞者）：商品が世の中に広く普及して、持っていることが当たり前という段階にならないと購入しない。
キャズム	イノベータ理論では、各段階の消費者へ購入が広がる中で、②アーリーアダプタから③アーリーマジョリティにはなかなか進まないという傾向がある。場合によっては、②より先の層へ購入が広がらず、新製品の導入が失敗することもあり、この②と③の間にあるギャップ（溝）のことをキャズムという。キャズムは、①②の消費者は製品の「目新しさ」に魅力を感じるが、③以降の消費者は「役立つ・機能や性能が優れている」という実利性に価値を見いだすという違いによって生じるといわれている。そのため、新製品を市場に導入する際は、製品の機能・性能などの実用的な面での情報もしっかりと消費者に伝える必要がある。
マスマーケティング、セグメントマーケティング	マスマーケティングは、市場全体に幅広く受け入れられる製品を大量生産で作って販売していくマーケティング戦略。これに対してセグメントマーケティングは、消費者をその特徴や指向によってグループに分け（セグメンテーション）、特定のグループに向けた（ターゲティング）製品を作る戦略をとる。
アウトバウンドマーケティング、インバウンドマーケティング	アウトバウンドマーケティングは、広告を出したり電話で勧誘するなど、企業側から積極的に消費者に購入を働きかける手法。これに対して、インバウンドマーケティングは、消費者にとって有用なコンテンツをSNSや動画サイトなどにアップし、消費者から能動的に商品の情報に触れてもらうことで、購入に繋げる手法。
スキミングプライシング、ペネトレーションプライシング、ダイナミックプライシング	この3つは、代表的な価格の設定手法。スキミングプライシングは、新製品の開発費用や製造設備への投資の回収を目的として、発売からしばらくの間は高めに価格を設定する価格戦略。ペネトレーションプライシングは、市場のシェアを奪うことを目的に、赤字覚悟で低価格に設定する戦略。ダイナミックプライシングは、需要と供給のバランスを見て価格を変動させる価格戦略。「需要>供給」なら価格を上げ、「需要<供給」なら価格を下げる。

Chapter 9-3

ビジネス戦略と技術開発戦略

マーケティング戦略と同様に、ビジネス戦略や技術開発戦略も「経営戦略を基に、それぞれの領域で行う施策を、より具体化・明確化した戦略」です。戦略に沿って現場で実際の業務を進めていくには、具体的な目標の設定と、成果を評価するための指標が不可欠になります。

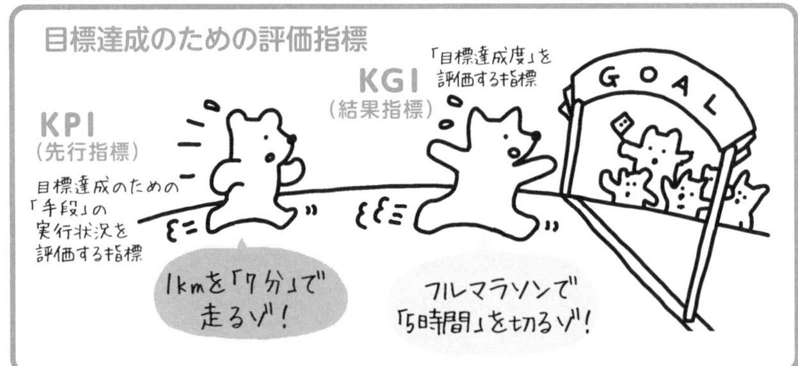

ビジネス戦略の策定・評価の手法

ビジネス戦略は、一般には事業戦略とも呼ばれています。経営戦略を成功させるために、それぞれの事業をどう進めていくのか具体的な戦略を策定します。

戦略の実行は、「目標の設定と成果を評価するための基準の策定→目標達成のために必要な施策の洗い出し→施策を実施して→結果を基準によって評価」というプロセスで行っていきます。

目標設定と評価のための手法「BSC」

BSC（Balanced Score Card：バランススコアカード）は、「将来のビジョン（目指す姿）とそうなるための戦略を立案し、それらを業務で行う施策（アクションプラン）に落とし込み、実行結果としての業績の評価」という一連の流れをサポートするための手法。特徴は、従来から用いられてきた「①財務の視点（売上高など）」だけでなく、「②顧客の視点（市場占有率など）」「③業務プロセスの視点（手順の改善など）」「④（従業員の）学習と成長の視点」の4つの視点から全体（立案〜評価）を検討すること。

具体的には、①〜④のそれぞれに「戦略」「重要成功要因<次項>」「評価指標」「目標値」「アクションプラン」を記載したスコアカードを作成し、実行結果の評価値を記入。各現場に明確なアクションプランが示され、結果が評価されることで、一丸となって目標達成に取り組む体制を作ることができる。

9-3-1 「財務の視点」のスコアカードの例

戦略目標	重要成功要因	評価指標	目標	アクションプラン	スコア
収益の増加	既存製品の売上増加	既存製品売上高	前年比1.2倍	毎週末の店頭販売応援	10p
	新規取引先の獲得	新規取引先売上高	30%増	見込み客先への訪問営業：5件／1週間	20P

CSF・KGI・KPI

● CSF（重要成功要因）

CSF（シーエスエフ：Critical Success Factor）とは、「競争優位を確立し、事業を成功させるために必須の重要な要因」のこと。まず、戦略目標達成のために重要度の高い要因から優先順位を付け、必要な要因だけをピックアップする。選択した要因を実現する施策の実行に、経営資源(資金や人材)を集中して投入することで、目標達成をより確かなものとする。

● **KGI(重要目標達成指標)**

「目標達成度」を評価する指標を結果指標といい、KGI(ケージーアイ:Key Goal Indicator)は、ゴール(目標)達成の結果指標。左ページの図9-3-1の例なら、「収益の増加」という最終的な戦略目標に対して「売上高1億円到達」などの具体的な数値目標を設定する。

● **KPI(重要業績評価指標)**

目標達成のための「手段(施策)」の実行状況を評価する指標を先行指標という。KPI(ケーピーアイ:Key Performance Indicator)は、目標の達成に向けた活動の実施状況を計るために設定する重要な業績の先行指標。左ページの図9-3-1の例なら、アクションプラン「毎週末の店頭販売応援」で達成したい既存製品の売上高目標「前年比1.2倍」がKPIに該当する。

視点による戦略目標の分類

航空会社A社では，経営戦略を実現するために，バランススコアカードの四つの視点ごとに戦略目標を設定した。bに該当するものはどれか。ここで，a～dはア～エのどれかに対応するものとする。

ア　学習と成長の視点
イ　業務プロセスの視点
ウ　顧客の視点
エ　財務の視点

四つの視点	戦略目標	
a	利益率の向上	←財務の視点
b	競合路線内での最低料金の提供	←顧客の視点
c	機体の実稼働時間の増加	←業務プロセスの視点
d	機体整備士のチームワーク向上	←学習と成長の視点

正解:ウ

バリューチェーン分析

バリューチェーン(Value Chain:価値連鎖)とは、「製品の価値は、製造、販売、アフターフォローまで含め、企業活動の各工程で付け加えられる」という考え方。バリューチェーンでは、「価値」を「その製品が持つ機能」と、その機能を持たせるために「必要なコスト」の関係として捉える。

バリューチェーン分析は、この考え方を用いて企業の組織能力を分析するための手法。付加価値を加える直接的な活動を主活動、主活動をサポートする活動を支援活動としている。製造業であれば製造・販売・アフターサービスなどの担当部門は主活動、人事・総務・経理などの部門は支援活動を行っている。

● **バリューエンジニアリング**

バリューエンジニアリング(Value Engineering:VE)は製品価値を上げるための手法。バリューチェーンの分析結果を基に、顧客の視点で「必要な機能は何か」を追求。さらに、製品開発から製造～物流に渡りコストを削減して価格を抑えることで、機能と価格の両面から製品の価値を上げていく。

技術への先行投資＝技術開発戦略

技術開発戦略では経営戦略に基づき、将来、経済的な価値を生み出す有望な技術の開発に向けて、どの技術に経営資源を投資するのかを決めていきます。

技術開発戦略の策定には、まず現在保有している技術を客観的に把握します。これには、ポートフォリオ分析<p.189>の一種で、技術水準や成熟度を2軸に置いたグラフに、自社の水準をプロットする技術ポートフォリオなどの手法が使われます。技術開発戦略に基づいて、技術開発を具体化していくための道筋を示すのが技術開発計画です。

技術開発戦略の考え方

MOT（エムオーティー、モット：Management Of Technology）は、特殊な技術や高度な技術で他社との差別化を図っている企業が、さらに技術開発に経営資源を集中させることで、自社の価値をより高めていく経営戦略のことで、技術経営ともいう。新技術による新規事業の創出、価値の高い特許の取得などの戦略方法が考えられる。

目標達成までの具体的な施策を示すシナリオとして作成するドキュメントには、各種のロードマップがある。技術ロードマップは、将来の技術分野の進展を予測し、「どんな技術が、いつ実現されるのか、その実現によってどのような影響（効果）がもたらされるのか」を、時系列で表現したロードマップのこと。今後の事業への投資計画の立案や、人員配置・人材の育成計画の検討材料としても利用される。

9-3-2　技術開発戦略でよく出題される用語

用語	説明
ハッカソン	ごく短期間のみソフトウェアの開発者やシステムの設計者が集まり、目的達成や課題解決のための共同作業を集中的に行い、成果を競い合って評価を受けるイベント。エンジニアのモチベーション維持や技術向上を目的として行われる。
デザイン思考	デザイナがデザインを考えるプロセスを応用した問題解決の手法。ユーザーの本質的ニーズを考えてクリアすべき問題点を定義し、解決のために複数の案を出して試行、検証してさらに改善…、という工程を繰り返していく。
イノベーションのジレンマ	ある時点で競争優位にあった優良企業が、技術的なイノベーション<p.191>の追究よりも、既存技術の向上に経営資本を投入した結果、市場ニーズの変化や技術革新に追従できずに失敗すること。
APIエコノミー	API（エーピーアイ：Application Programming Interface）とは、あるソフトウェアから別のソフトウェアの機能を使うためのインタフェースとなるプログラムのこと。APIエコノミーは、ネット上で展開しているサービスを他社のサービスからも利用できるようにAPI（WebAPI）を公開すること。Webページ上で所在地の案内のために、GoogleMapの地図表示機能を利用する例などがある。提供する側は自社のサービスの普及を促進でき、利用する側は新たな機能を容易に追加でき、より付加価値の高いサービスが提供できるというメリットがある。
クロスライセンス	自社が持つ特許技術の使用を無償で許諾することの引き替えに、相手が持つ特許技術を無償で使用できる契約のこと。自社が持たない技術を短期間で利用でき、使用料もかからないメリットがある反面、競合にもなり得る相手に、無償で自社の技術を開示するリスクもある。
魔の川、死の谷、ダーウィンの海	研究開発プロジェクトから新製品発売に至るまでの「研究→開発→事業化→産業化（市場へ）」というプロセス間にある障壁を指す用語。魔の川：行われた研究を基に、製品化を目指す開発プロセスに進めるかどうかの関門。製品化の見込みが立たず、使われた研究費が川に流れるイメージからの名前。死の谷：開発プロセスに進んだプロジェクトが、事業化に進めるかどうかの関門。事業化には巨額の資金が必要で、収益が見込めず、谷底に落ちてしまうプロジェクトも多い。ダーウィンの海：製品化され市場の海に船出した製品は、競合他社との争いや顧客からの評価などの嵐に巻き込まれるが、そこで生き残れるかどうかの関門。生物学者ダーウィンの自然淘汰論に例えて名前が付けられた。
リーンスタートアップ	リーン（lean）は「痩せた」「貧弱な」という意味。新たな事業を立ち上げたり、製品やシステムを開発するときに、まず短期間に低コストで最小限の機能のみを持つものを作る。ユーザーや顧客からの反応を分析し、それらを反映させる機能の追加と改善を行って、またユーザーの反応を見るというプロセスを繰り返すことで成功率を高めるというマネジメント手法。
ビジネスモデルキャンバス	現在行っている事業や、計画しているビジネスプランを「顧客セグメント（顧客対象層）、提供価値（顧客に与える価値）、チャネル（販売ルート）、顧客との関係性（販売の形態など）、収益の流れ（収入源）、キーリソース（必要な経営資源）、キーアクティビティ（取り組むべき活動）、キーパートナー（外部協力会社・取引先）、コスト構造（費用と費用項目）」の9つの要素に分解し、客観的に検討するためのフレームワーク。
バックキャスティング、フォアキャスティング	バックキャスティングは「未来のある時点」に目標を設定し、そこから現在を振り返って今すべきことを考える方法。フォアキャスティングは現時点を起点とし、現在＋過去の実績やデータを使って現状を明らかにすることで、「未来に向かって」今ある問題点をどのように改善すべきかを考える方法。
PoC、PoV	PoC（ピーオーシー：Proof of Concept）は概念実証と訳され、新しい技術やアイディアなどに実現の可能性があるかを試行して確かめる検証。PoV（ピーオーブイ：Proof of Value）は価値実証と訳され、それらの技術やアイディアを実現することで、どれくらいの価値が得られるかを確認する検証。PoV→PoCの順に検証する。

情報システム戦略とシステム活用

インターネットやスマートフォンなどのモバイル端末を活用したサービスの普及は、社会の仕組みや生活様式を大きく変えました。企業内で使われるシステムの役割も変化しています。ここでは、そのような流れ中で、技術やシステムを企業がどう活用して収益を上げようとしているのかを説明します。

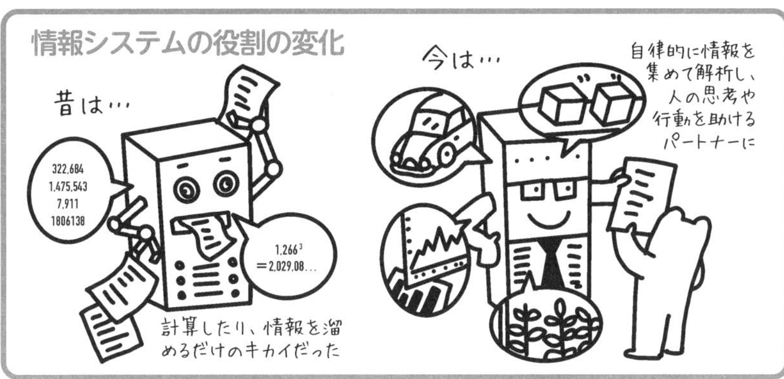
情報システムの役割の変化
昔は…
322,684
1,475,543
7,911
1806138
1,266³
=2,029,08…
計算したり、情報を溜めるだけのキカイだった
今は…
自律的に情報を集めて解析し、人の思考や行動を助けるパートナーに

情報システム戦略の実現

情報システム戦略は、経営資源を最大限有効に活用するために、業務でどのように情報技術を活用していくのかを具体的に示すことで、経営戦略を実現することを目的としています。Chapter6で説明した新システムの構築などは、情報システム戦略にしたがって実行されます。

出題率超高

機能範囲による情報システムの分類

Chapter10では、より具体的に業務システムを紹介するが、ここではもう少し広い概念として、システムが担う機能の範囲から分ける方法を説明する。

- **SoR（エスオーアール：Systems of Record）←Rは「記録」**
  「記録のシステム」とも呼ばれ、企業の基幹業務システム（経理や生産管理など企業の業務の根幹となる旧来型のシステム<p.202>）のことを指す。社内向けの閉じたシステムで、主な機能は業務に必要な情報の処理と保存。システムには高い安定性と信頼性が求められる。
- **SoE（エスオーイー：System of Engagement）←Eは「約束と絆」**
  比較的新しいタイプのシステムで、「約束（絆）のシステム」とも呼ばれ、企業と顧客との連携や協業を行うために作られるシステム。ショッピングサイトのレコメンドシステムやSNSなどがSoEに分類される。システムには、ユーザーのニーズに敏感に反応する柔軟さとスピード感が要求される。

システム構築の効率化・省力化

- **エンタープライズアーキテクチャ（EA：Enterprise Architecture）**
  EAは、業務内容と業務に用いるシステムを統一的な手法でモデル化し、現在の状態を表す現状モデルと、改善後のあるべき姿を示す理想モデルの2パターンを作成して比較することで、解決すべき課題を発見するための手法だ。EAでは、業務とシステムを、次の4つの階層でモデル化する。
  - **ビジネス**：業務の内容やプロセス
  - **データ**：用いるデータと、データどうしの関係
  - **アプリケーション**：システムが担う機能
  - **テクノロジ**：ハード・ソフト・ネットワーク

  これらの項目のモデル化には、DFD<p.183>やクラス図<p.139>、E-R図<p.081>などの図法が用いられている。

- **SOA（エスオーエー：Service-Oriented Architecture：サービス指向アーキテクチャ）**
  情報システムの構築に用いられる設計手法のひとつで、「受注サービス」「在庫引当サービス」などのように、どの企業の業務にも使われる汎用的な業務機能をあらかじめ作り込み、部品化して用意しておく（これらの部品をサービスと呼ぶ）。顧客からシステム構築の要請があれば、必要なサービス機能を組み合わせてシステム全体を構成することで、素早くしかも費用を抑えて対応することができる。

EAの役割

エンタープライズアーキテクチャ（EA）の説明として，最も適切なものはどれか。

ア　企業の情報システムにおいて，起こり得るトラブルを想定して，その社会的影響などを最小限に食い止めるための対策

イ　現状の業務と情報システムの全体像を可視化し，将来のあるべき姿を設定して，全体最適化を行うためのフレームワーク

ウ　コスト，品質，サービス，スピードを革新的に改善するために，ビジネス・プロセスを考え直し，抜本的にデザインし直す取組み

エ　ソフトウェアをサービスと呼ばれる業務機能上の単位で部品化し，それらを組み合わせてシステムを柔軟に構築する仕組み

解説　EAのキーワードは「可視化」と「全体最適化」

ア：BCM（事業継続マネジメント＜p.168＞）やリスクマネジメント＜p.159＞の説明。イ：正解。EA（エンタープライズアーキテクチャ）。ウ：BPR（業務プロセス再構築＜p.186＞）。エ：SOA（サービス指向アーキテクチャ）。

システムの有効活用

コンピュータやアプリケーション、ネットワークなどを活用して、必要な情報を効率的に収集し、精査・分析するなど、情報技術を効果的に活用する能力をデジタルリテラシーといいます。

また、新たなIT技術の開発が、ITの世界だけでなく、一般社会の形態まで変革していくことをデジタルトランスフォーメーション（DX）といいますが、このような社会情勢の中では、社員ひとり一人が持つデジタルリテラシーが、企業全体の経営や業績にも大きな影響を与えます。

デジタルディバイド（情報格差）

デジタルディバイド（digital divide）とは、ITを利用する機会の有無やスキルの違いなどによって生じる情報格差のこと。また、経済的な要因やITに関する教育を受ける機会の有無、身体的・知的なハンディキャップなどが障害となって、情報技術から得られる恩恵から取り残されてしまう人々のことを情報弱者という。以前は、「IT技術の進展は情報格差の拡大に直結する」と言われていた。しかし、ネット接続やデバイスの低料金化、マニュアル不要で誰でも簡単な操作で多様な機能が使えるスマートフォンの出現によって、従来とは逆に、IT技術が格差を埋める役割を果たすようになってきている。

このような技術革新と社会変化の流れの中で、 日本政府（内閣府）は、これまでの情報社会では解決できなかった問題点（情報共有や連携のための仕組みの不備、地域課題や高齢者問題への未対応、ユーザーのデジタルリテラシーの不足による情報弱者の発生、高齢化や障害による労働環境の制約）を、AIやIoTを活用したサイバー空間（仮想空間）とフィジカル空間（現実空間）を融合するシステムを構築することで解決し、持続的に経済を発展させていく社会を目指すSociety5.0を提唱している。

Chapter 10

業務システムとITビジネス

経営管理システムとビジネスシステム

経営管理とは、生産管理・人事／労務管理・財務管理など企業の根幹となる業務を統括して管理を行うこと。経営管理システムは、これらの業務を統合して一元的に管理し、適切な経営資源の運用を図るためのシステムです。これに対して、ビジネスシステムとは特定の事業や業務を行うためのシステムを指します。

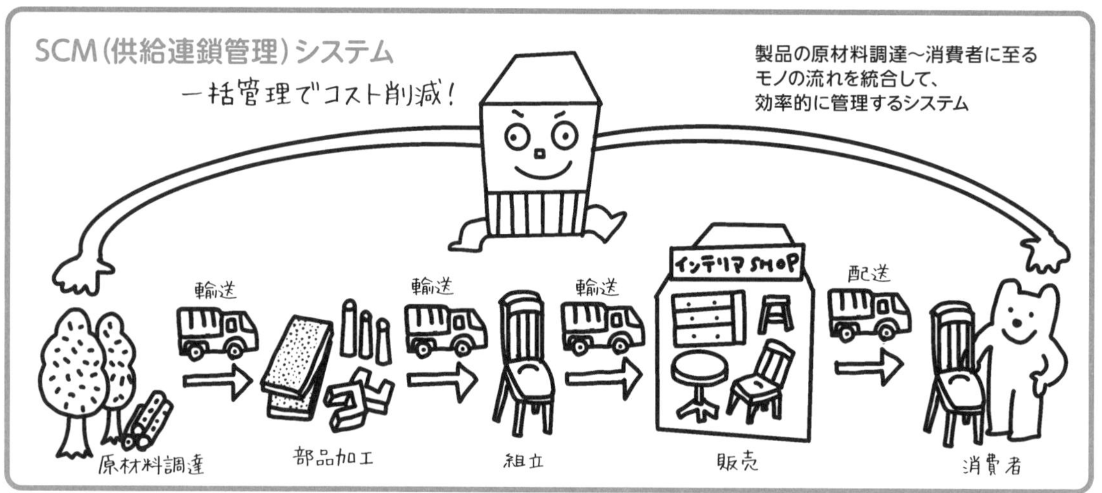

経営管理に用いるシステム

ここで説明するERP・SCM・CRMは、どれも管理手法の名称です。それぞれのシステムやパッケージは、この管理手法を実践するためのツール（ソフトウェア）になります。

ERP（企業資源計画）パッケージ

企業活動の根幹を支える業務を基幹業務と呼ぶ。ERP（イーアールピー：Enterprise Resource Planning）とは、生産管理・顧客管理・経理や人事管理など、企業の基幹業務を連携させて統合的に管理するための手法。ERPパッケージは統合業務パッケージとも呼ばれるパッケージソフトの総称で、基幹業務全般を一元的に管理・処理することで、経営資源を有効活用し経営効率を向上させるソフトウェア。

SCM（供給連鎖管理）システム

SCM（エスシーエム：Supply Chain Management：サプライチェーンマネジメント）は、仕入先や販売先など複数の企業間での物流を統合的に管理し、合理化・効率化・迅速化するための管理手法。SCMシステムは、部品や原材料の調達〜製品の生産〜販売に関わる物流工程までのモノの流れを管理して、余剰在庫や欠品の発生を抑え、在庫コストや流通コストの低減と資源やエネルギーの節減を図る。

CRM（顧客関係管理）システム

CRM（シーアールエム：Customer Relationship Management）は、顧客ごとのニーズに合わせた情報発信や購入後のフォローなどの細やかな対応で（ワントゥワンマーケティング）、顧客の満足度・信頼度を向上させ、優良顧客との関係を長く継続させるための管理手法。CRMシステムは、顧客のさまざまな情報を管理する顧客データベースを活用し、統合的に効率よく顧客管理を行うためのシステム。

SCMの説明

SCMの説明として，適切なものはどれか。

ア　営業，マーケティング，アフターサービスなど，部門間で情報や業務の流れを統合し，顧客満足度と自社利益を最大化する。

イ　調達，生産，流通を経て消費者に至るまでの一連の業務を，取引先を含めて全体最適の視点から見直し，納期短縮や在庫削減を図る。

ウ　顧客ニーズに適合した製品及びサービスを提供することを目的として，業務全体を最適な形に革新・再設計する。

エ　調達，生産，販売，財務・会計，人事などの基幹業務を一元的に管理し，経営資源の最適化と経営の効率化を図る。

解説　それぞれのシステムのキーワードを覚えておこう

ア：「営業・マーケティング・アフターサービス」の3つの業務で共通して扱うのは顧客情報。また「顧客満足度」というキーワードがあるので、用いるシステムはCRM。

イ：正解。モノの流れを見直し、「納期短縮と在庫削減」を図るシステムなのでSCM。

ウ：業務全体を最適な形に「革新・再設計」するのはBPR<p.186>。

エ：「基幹業務を一元的に管理」し、「経営資源の最適化と経営の効率化を図る」のはERP。

正解：イ

ビジネスに利用するシステム

ビジネスシステムは、それぞれのビジネスの場面や特徴、業務内容に合わせた機能を持つシステムです。企業が自社の業務用に独自に開発する場合もありますが、市販されているパッケージソフトをカスタマイズして使うケースが多い分野でもあります。

SFA（営業支援ソフト）

SFA（エスエフエー：Sales Force Automation）は、顧客との取引に関する情報や履歴、営業担当者の行動予定など、営業活動全般に関わる情報をデータとして蓄積し、営業部全体で活用するための営業支援システム。これまでは営業部員が個々に所有していた情報やノウハウを、営業部全体で共有することで効率のよい営業活動が可能になり、営業担当者の変更時もスムーズに引き継ぎが行える。

POS（販売時点情報管理）システム

POS（ポス：Point Of Sales）システムは、店頭でのバーコード読取りにより、販売された商品の情報を即時に収集するシステムで、小売りチェーンなどで利用される。

販売店は、商品を販売するたびにPOSレジからネットワーク経由で情報（商品名、個数など）を送り、本部ではこれらを使って在庫管理や発注管理を行う。また、販売された時節や時間帯、天気などの情報を分析することで、その種類の商品の正確な販売予測を行ったり、売れ筋商品の販売傾向を新商品開発の基礎資料とすることもできる。

10-1-1 POSシステムの仕組み

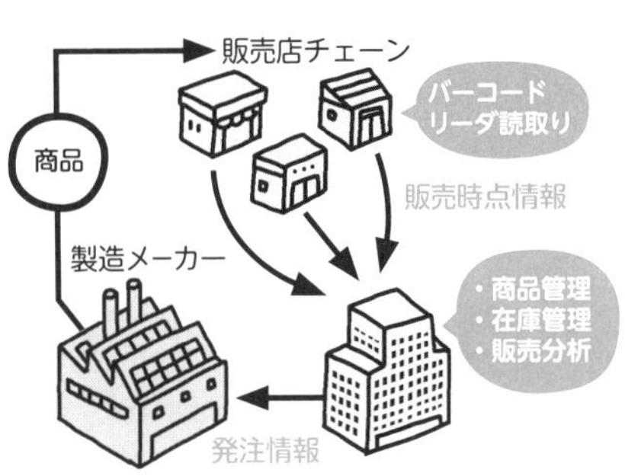

10 業務システムとITビジネス

グループウェア

グループウェアは、複数のメンバーが共同で業務を行うときに必要な、スケジュール管理や掲示板、電子会議（Web会議）用のツールや施設（会議室など）利用予約などの機能が備えられている便利なソフトウェア。グループメンバーの所属先が異なる場合にも情報を共有しやすい。試験では、稟議書などの申請業務（関係者の承認を得る手続き）をサポートするワークフロー機能についての問題も出ている。

マーケティングオートメーション（MA）

MA（Marketing Automation）とは、マーケティング活動や営業活動（の一部）を自動化するためのツールで、CRM<p.202>の進化形といってもよい。顧客データの一元管理だけでなく、購入の可能性が高い顧客を抽出するなどの機能もある。また、顧客（見込み客を含む）の情報を分析し、各顧客の興味や関心に沿った情報をメールで送ったり、Webサイトの閲覧を促すなど、インターネットメディアを活用した顧客とのコミュニケーション活動を自動的に行う機能を持つ。

無線通信を活用するビジネスシステム

出題率超高

- **GPS（ジーピーエス：Global Positioning System）**

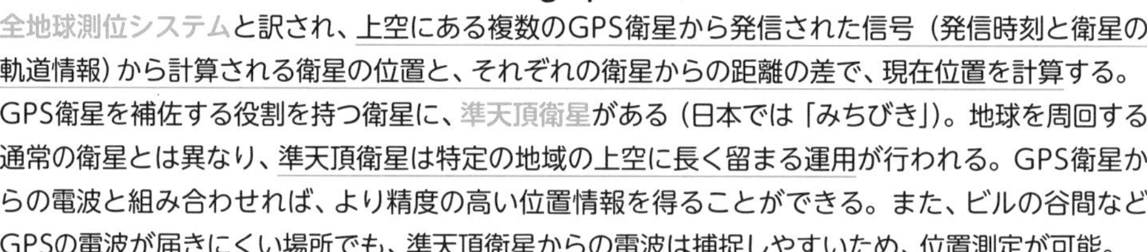

全地球測位システムと訳され、上空にある複数のGPS衛星から発信された信号（発信時刻と衛星の軌道情報）から計算される衛星の位置と、それぞれの衛星からの距離の差で、現在位置を計算する。GPS衛星を補佐する役割を持つ衛星に、準天頂衛星がある（日本では「みちびき」）。地球を周回する通常の衛星とは異なり、準天頂衛星は特定の地域の上空に長く留まる運用が行われる。GPS衛星からの電波と組み合わせれば、より精度の高い位置情報を得ることができる。また、ビルの谷間などGPSの電波が届きにくい場所でも、準天頂衛星からの電波は捕捉しやすいため、位置測定が可能。

- **ETC（イーティーシー：Electronic Toll Collection System）**

高速道路などの電子料金収受システムのことで、ETCゲートに車が近づくと、車載器とゲートに備えられた料金所のシステムの間で無線通信が行われ、ETCカードに書き込まれた車両やETCカードの所有者の情報、通行料金に関する情報などがやり取りされる。ETCカードはクレジットカードと紐付けされているため、後日、高速料金がカード所有者の指定口座から引き落とされる。

情報の検索や分析に使われるシステム

ビジネスの現場では意思決定の際の手がかりとなる情報を得るために、データの検索や分析が行われており、これらの処理にはビッグデータが使われている。文字通り「莫大な量のデータ」のことだが、一般的にはインターネット上に置かれた新鮮（リアルタイム）なデータのことを指し、企業や行政機関が公表しているデータやWebサイト、個人が発信しているSNSなどからデータが集められ、テキストデータだけでなく音声や動画も対象になっており、解析技術は日々向上している。

また、総務省のビッグデータの定義では、自社内の情報（顧客情報や技術情報など）や他企業から有償で提供される情報（AmazonなどECサイトの購買情報やGoogleなど検索サイトの検索情報など）も含まれており、実際にデータ分析に使われている。

10-1-2 データの検索・分析に関する用語

データマイニング、テキストマイニング	データマイニングは、データベースに蓄積されたデータを使い、統計的な分析手法を用いて、それまで認識されていなかった新たな傾向や規則性を見つけ出すこと。テキストマイニングはテキストデータを分析対象としたデータマイニング。文章を言語構造のルールに従って分解し、切り出した単語や文節を分析する技術が使われている。顧客からの問合せや、SNSに掲載された口コミの分析などに用いられている。
BIツール	経営戦略やビジネス戦略の策定など意思決定の際に用いるツールで、社内に蓄積された会計情報や顧客データなどを手早く検索し、専門知識がなくても目的に合った手法で手軽に分析を行うことができるソフトウェア。
エンタープライズサーチ	企業内のさまざまな場所に蓄積されているいろいろな種類のデータを、一括して横断的に検索するための社内システム。

AIのビジネス利用

AI（エーアイ：Artificial Intelligence）は人工知能とも訳され、「人の知的な振る舞いを真似て実行するソフトウェア」のことです。大量のデータを分析することで新たな傾向・特徴や法則を見つけたり、これを応用して人の代わりに物事を判断するなど、人にしかできないと言われていた知的活動を一部代替できるようになりました。

AIの仕組みと機械学習

古いタイプのAIシステムは、まず人がすべてのルールを記述して、そのルールに従ってAIシステムが判断を行う方法が取られていた（知識推論型AI）。この仕組みを使い、業務の習熟者の知識やノウハウを導き出して蓄積し、経験の浅い人員の業務サポートや判断場面でのアドバイスなどに用いるシステムをエキスパートシステムという。エキスパートシステムのように、定められたルールに従って結果を導き出す方法を、論理学では演繹推論（えんえきすいろん）という。

しかし、人が物事を判断するときは、多数の判断ポイントを経ていくつもの情報から推論して結論を出しており、それらを網羅するルール体系をすべて人が記述するには莫大な手間と費用が必要。そのため現在は、大量のデータを与えて、AIがその法則性を自分で見つけ出す方法の研究が進められている（データ学習型AI）。このように、コンピュータ（機械）がデータから自分で法則性を学習して、知識やノウハウを得ていく方法を機械学習という。論理学では、大量の事象から共通する特徴を見つけてルールを発見していく方法を帰納推論（きのうすいろん）という。

現在のAIシステムは、人の脳が持つニューロン（神経細胞）のネットワーク（ニューラルネットワーク）を真似て作られている。AIのネットワークでは、入口側のニューロンは受け取った値をある関数（活性化関数という）を使って処理を行い、結果をその先のニューロンに渡し、次のニューロンがさらに処理を行い…、といくつものニューロンを経て出口側のニューロンまで値が渡っていく（ニューロンの深層化）。

出題率超高

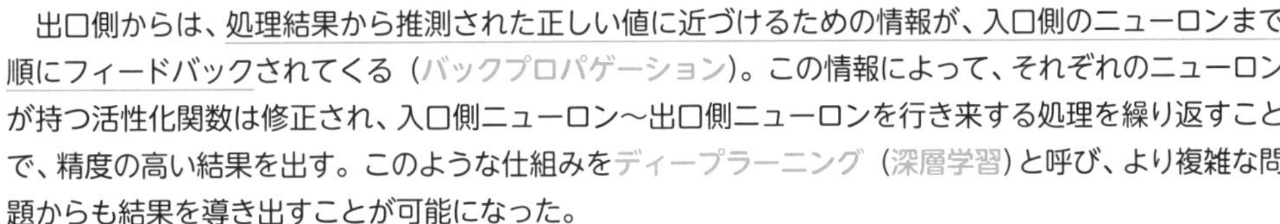

出口側からは、処理結果から推測された正しい値に近づけるための情報が、入口側のニューロンまで順にフィードバックされてくる（バックプロパゲーション）。この情報によって、それぞれのニューロンが持つ活性化関数は修正され、入口側ニューロン〜出口側ニューロンを行き来する処理を繰り返すことで、精度の高い結果を出す。このような仕組みをディープラーニング（深層学習）と呼び、より複雑な問題からも結果を導き出すことが可能になった。

ただし、このネットワークの中の処理はブラックボックスで、どんな処理（論理）でその結果が導き出されたのか人には判読できない。そこで、根拠を示す技術として「説明可能なAI」の研究が進んでいる。

機械学習の代表的手法「教師あり学習、教師なし学習、強化学習」

機械学習の学習手法は、次の3つの種類に分類されている。

- **正解を教える教師あり学習：予測が得意**

  教師あり学習では、AIに学習させるデータに人が予め正解となるラベルを付けておく（このラベル付けのことをアノテーションという）。AIは、どういうものが正解と判断されるのか、正解ラベルの付いたデータに共通する特徴を見つけて、その条件や法則を探していく。

  例えば、飲料の自動販売機の売上げが多い日のデータにラベルを付け、その日の気象情報と共に学習させると、AIは「気温や湿度が高いと売上が多い」という法則を見つけ出す。このAIに来週の各日の天気予報の情報を与えると、その日の売上の予測を行うことが可能になる。このように、教師あり学習ではデータから未来の結果や状態などを予測して導き出す場面などでよく使われている。

- **ノーヒントで学習させる教師なし学習：グループ分けが得意**

  これに対して教師なし学習では、ラベルのないデータが与えられ、AIは複数のデータに共通する特徴を見つけ出して、データをグループ分けしていく。

例えば、「街中に立っているもの」の写真画像を大量に与えてAIに学習させると、「赤い・横長の穴(投入口)がある・直方体…」「背が高い・灰色・円柱状…」など、共通する特徴を見つけ出して、同じ特徴をもつ画像をグループ(郵便ポスト、電柱)に分けることができる。

教師なし学習は、マーケティング戦略で消費者をその特徴で分けるセグメンテーション<p.192>などの作業にも使われている。思いもよらない視点からのグループ化が行われ、新しい切り口でターゲットを探す手がかりにもなっている。

●報酬を用意して学習させる強化学習

強化学習では、AIは判断が必要な分岐点の場面で、次にどう動くべきか試行を行い、行った結果の評価として報酬(人が定義)が得られる仕組みが作られている。分岐点では報酬がより多く得られる方向へ進んでいくことで、最善の結果を得るための方策が見つけ出されることになる。

例えば、迷路の脱出ルート探し(正解ルートは1本のみ)では、選んだ次の一歩が出口に近づけば1ポイント、行き止まりに近づけば−1ポイントという報酬を定義しておく。よりポイントが高くなるようにルートを選んで進んでいけば、出口という正解にたどり着けるわけだ。

強化学習は、莫大な数の判断(分岐点)が必要な課題を解決する方策を探す場合に用いられ、囲碁や将棋の対戦ゲームの開発や、ロボットの動きを制御するデータの作成などにも使われている。

AIを使ったシステムの区別

教師あり学習の事例に関する記述として，最も適切なものはどれか。

ア　衣料品を販売するサイトで，利用者が気に入った服の画像を送信すると，画像の特徴から利用者の好みを自動的に把握し，好みに合った商品を提案する。

イ　気温，天候，積雪，風などの条件を与えて，あらかじめ準備しておいたルールベースのプログラムによって，ゲレンデの状態がスキーに適しているか判断する。

ウ　麺類の山からアームを使って一人分を取り，容器に盛り付ける動作の訓練を繰り返したロボットが，弁当の盛り付けを上手に行う。

エ　録音された乳児の泣き声と，泣いている原因から成るデータを収集して入力することによって，乳児が泣いている原因を泣き声から推測する。

解説　どんなデータを使って、何を結果としているのかで区別しよう

ア：気に入った服の画像の特徴と、同じ特徴を持つグループの服から商品を抽出して提案しているので、これは教師なし学習の事例。

イ：あらかじめ判断に必要なルールが与えられているルールベースのプログラムなので、これはエキスパートシステムの事例。

ウ：盛り付けの訓練を繰り返して、より上手に盛り付けられるように動作を洗練させているので、これは強化学習の事例。

エ：正解。このシステムでは、「泣き声」と「泣いている原因(これがラベル)」をペアとしたデータを分析し、同じ原因で共通する泣き声の特徴を見いだすことで、泣き声の特徴と原因を結びつける学習を行っている。さらに「泣き声から原因を推測」しているので、これは教師あり学習の事例。

正解：エ

自然言語処理

自然言語とは、日本語や英語など人が使う言葉のことで、自然言語処理はAIを活用した技術の1つ。大量のテキストデータをコンピュータに与えて学習させ、文章の構造・言葉の意味・文と文の繋がりなどのルールを解析させることで、コンピュータが人の言葉を理解して、要求を聞き分けたり、文章などを自動で作成できるようにする技術のこと。

テキストのみで処理を行う自動翻訳やニュース記事の自動生成だけでなく、音声認識の技術を用いて声でデバイスに操作の命令が送れるスマートスピーカー（AmazonのAlexaなど）などが、自然言語処理の技術を使って実用化されている。

生成AI

生成AIとは、機械学習や自然言語処理などAIの技術を高度に応用し、「新たな成果物を作る」技術のこと。文書生成AIのChatGPTは、人がテキストで指示を入力すると、その要求を分析して、それらを満たす文章を回答する。他にも、画像生成AI、動画生成AI、3Dモデル生成AI、音楽生成AIなどがある。システム開発の分野では、文書生成AIを使ってプログラムを書かせたり、画像生成AIでE-R図や処理フローなどを書かせるなどの利用が検討されている。

生成AIの特徴は、人の自然な言葉で指示できること。そのため、プログラムのような専門的知識が必要なものも、一般の人が生成AIで手軽に作ることが可能になる。生成AIのシステムでは、過去のデータを大量に学習して（教師なし学習）、さらに新たなデータを追加学習することで（自己教師あり学習）精度を高め、様々な要望に応えられる汎用性を得ており、この学習によって得た「人の指示から成果物を作り出す仕組み」のことを基盤モデルという。

生成AIの問題点

生成AIで作られるのは、あくまでも過去のデータの分析結果から、指示に合うものを組合せて作り出したものにすぎない。例えば、文書生成AIで作られた文章の内容が、事実とは全く異なる誤情報になっていることもある。このように、正しくはないが「もっともらしい」答えとして作られてしまう現象のことを、ハルシネーションと呼ぶ。ディープフェイクとは、実際の画像や音声を加工して作られた偽情報のこと。生成AIで作った有名人の偽動画が動画投稿サイトに流された事例などがある。あたかも本人が話した意見のように解釈されて拡散するなど、偽物／本物を見分けるのは難しい。

生成AIにどのような学習用データを与えるのかも課題で、悪意や偏見（差別的表現など）の含まれたデータを学習すると、生成AIはそれらの情報を元に成果物を作ってしまう。また、人が生成AIをどう使うのかもルール作りが必要。学生が卒論を生成AIに書かせたり、アーティストが生成AIで作った作品を発表した場合にどう評価するかも問題だ。

AIを活用するためのルール作り

人の手を介さずに物事を処理できるというのが、AIの最大の利点ではあります。その反面、AIが行ったことの正誤を誰がどう判断するのか、また何かトラブルが発生したときに、誰が責任を負うのかといった課題については、現在もルール作りが行われている段階にあります。

七つの「AI社会原則」

「人間中心のAI社会原則」では、AIを活用して「人間の尊厳、多様性・包括性、持続可能性」の3つの価値を尊重した新しい社会（Society5.0 <p.200>）を構築することで未来の社会の姿を示している。

1.人間中心の原則

AIの利用は、基本的人権を侵すものであってはならない。

2.教育・リテラシーの原則

AIによって格差や分断が生じないよう、すべての人にデジタルリテラシーが学べる機会が提供されなければならない。また、AIは従来のツールより複雑で意図的な悪用もありえるため、以下のような素養が求められる。

政策決定者や経営者：AIの正確な理解と、正しい利用ができる知識と倫理を持つ。

AIの利用者：AIの概要を理解し、正しく利用できる素養を身につける。

AIの開発者側：AI技術の基礎だけでなく、AIを用いたビジネスモデル、規範意識を含む社会科学や倫理等に関する素養の習得が重要。

3.プライバシー確保の原則

AIを前提とした社会では、個人の行動などに関するデータから、政治的立場、経済状況、趣味・嗜好等が推定できる。そのため、これらのパーソナルデータの扱いは、単なる個人情報を扱う以上の慎重さが求められる。

4.セキュリティ確保の原則

まれな事故や意図的な攻撃に対して、AIが常に適切に対応することは不可能なため、新たなセキュリティリスクも生じる。AIを使う利点とリスクのバランスに留意し、全体として安全性や持続可能性が向上するよう務める。

5.公正競争確保の原則

AIに関する資源が特定の国や企業に集中した場合であっても、その優位的な地位を利用した不当なデータ収集や権利の侵害、不公正な競争、富や影響力の偏在があってはならない。

6.公平性、説明責任及び透明性の原則

AIの利用によって、その人の持つ背景による不当な差別や扱いを受けないよう、公平性と透明性のある意思決定と、その結果に対する説明責任が適切に果たされ、技術に対する信頼性が担保される必要がある。

7.イノベーションの原則

Society 5.0<p.200>を実現し、AIの発展によって継続的なイノベーションを目指すため、人種、性別、国籍、年齢、政治的信念、宗教等の垣根を越えて、幅広い知識、視点、発想等に基づき、国際化・多様化と産学官民連携を推進するべきである。

テクノロジ系

IoTを使ったビジネスシステム

IoTシステムとはインターネットを介したIoTデバイスとIoTサーバとのやり取りで一連の処理が行われる仕組みのことです<詳しくはp.027>。ここでは、ビジネスで実際に利用されているIoTシステムや、実用化が期待されている事例のなかで試験に取り上げられたものを紹介しておきます。

コネクテッドカーとCASE

車などの移動体に取り付けられた各種センサーからの情報をインターネット経由で送り、IoTサーバから運転支援のために様々な情報を提供するシステムをテレマティクス、この機能を搭載した車のことをコネクテッドカーという。ルートを予測して渋滞の回避情報を送る、事故発生を検知して緊急通報する、盗難時には車両位置を追跡する、異常を検知して対処方法のアドバイスを送りロードサービスに取り次ぎを行うなど、すでにさまざまな情報提供の仕組みが実用化されている。

車関連の問題として出てくる用語にCASE（ケース）がある。これは次世代の技術やサービスを意味する言葉で、「Connected（コネクテッドカー）・Autonomous（自動運転）・Shared & Services（カーシェアリング）・Electric（電気自動車）」の4つを表している。

ストラテジ系

遠隔管理や遠隔操作のためのIoTシステム

身近な所では、家庭のガスや電気の使用量を量るスマートメーターというIoTデバイスが使われている。使用状況を自動的に計測して送信する機能を持ち、送信された情報は料金計算のためだけでなく、地域ごとにエネルギー供給のバランスを調整したり、全体の供給量制御のためにも利用されている。また、スマートメーターを使ったシステムでは、PLC<p.092>の技術を応用して、電力を供給する送電線に通信用のデータを乗せて伝送する技術も使われている。

ちょこっとメモ

IoTサーバなどを介さずに、IoTデバイスどうしが直接やり取りすることを**M2M**（エムツーエム：Machine to Machine）という。デバイス間が遠距離の場合にはインターネットや**LPWA**<p.017>を使うこともあるが、M2Mと表現される場合には、近くにあるデバイスどうしが、Wi-Fiなどの無線通信や**BLE**<p.017>を使ってやり取りすることを指す場合が多い<p.027のIoTデバイスとIoTゲートウェイのやり取り参照>。

エンジニアリングシステムと生産方式

エンジニアリングシステムとは、製品の生産に用いられる支援システムのことです。このテーマでは、これらのシステムの種類とともに、各種の生産方式が問われています。さらに、原材料と生産個数の組合せを考える最適化問題が出ていますので、例題を使って解き方に慣れておきましょう。

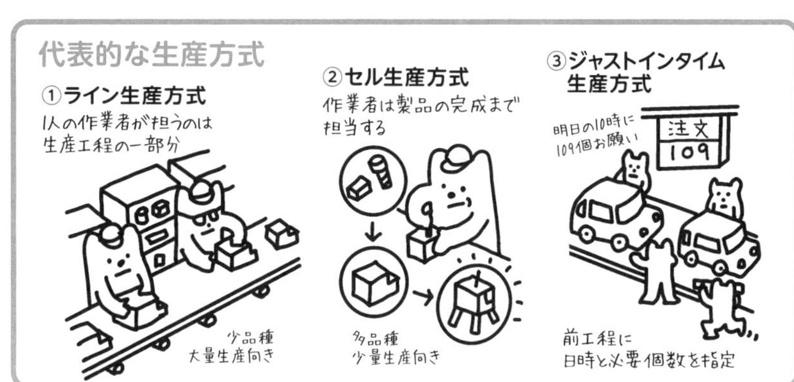

代表的な生産方式
①ライン生産方式
1人の作業者が担うのは生産工程の一部分
少品種
大量生産向き
②セル生産方式
作業者は製品の完成まで担当する
多品種
少量生産向き
③ジャストインタイム生産方式
明日の10時に109個お願い
注文 109
前工程に
日時と必要個数を指定

エンジニアリングシステム

エンジニアリングシステムには、設計工程を支援するもの、生産工程を支援するもの、生産に必要な資材を管理するものなど、いろいろなシステムがあります。

代表的なエンジニアリングシステム

- **MRP（資材所要量計画）**
  MRP（エムアールピー：Material Requirements Planning）は、製品の生産計画を基に生産管理を効率化するための手法。MRPシステムの目的は、必要な資材と期日、発注タイミングなどを予測することで、過剰在庫を抱えたり逆に資材不足で生産が滞るなどのトラブルを防止すること。
- **CAD（コンピュータ支援設計）**
  コンピュータを用いて製品の設計・製図を行うシステムをCAD（キャド：Computer Aided Design）という。データベース化された設計情報（部材のデータなど）を基に、ユーザーは対話的に操作できる。また、過去の設計データを保存しておき、再利用することで設計作業の効率化が図れる。
- **CAM（コンピュータ支援生産）**
  CAM（キャム：Computer Aided Manufacturing）は、自動化された加工機械や組立機械などをコントロールする制御プログラムを作成するためのソフトウェア。CADで作成した設計データに基づき、工作機械に対する指令データを作成して、加工・組立て工程の自動制御を行う。
- **FA（ファクトリオートメーション）**
  FA（エフエー：Factory Automation）は、生産工程の自動化を図るシステム。設計～製造に使われる情報のデータ化と生産の自動化を進め、生産性向上を目的とする。さらに進んで、生産計画の策定から、検査、梱包、出荷に至る全工程で自動化が実現すれば、多品種少量生産への対応が可能になる。
- **FMS**
  FMS（エフエムエス：Flexible Manufacturing System：フレキシブル生産システム）は、生産量の異なる多品種を効率的に同時生産するためのシステムでFAの発展形。生産ラインを固定せず、生産には単機能の加工機ではなく多機能な産業用ロボットを使うことで、生産ラインの工程数を極力減らして効率化する。また、必要な加工作業をシステムが自動的に最適な産業用ロボットに振り分けることで、人を介さない完全自動化が可能になっている。

どう作れば効率的か＝生産方式

代表的な生産方式

● **見込み生産方式と受注生産方式**

見込み生産方式は、受注予測に基づいて生産する方式。予測が不正確だと、過剰在庫を抱えたり、在庫不足になるリスクがある。受注生産方式は、顧客の発注があってから生産に掛かる方式。受注から納品までに時間が掛かるため、急な大量の注文には応じられないのが難点。

● **ロット生産方式と個別生産方式**

ロット生産方式は同じ製品をまとめて大量に作る方式。個別生産方式は顧客からの注文に応じて仕様の異なる製品を個別に作る方式。

● **ライン生産方式とセル生産方式**

出題率超高

ライン生産方式は、ベルトコンベアなどを使い製品の完成までの加工や組立てを連続的に行っていく方式で、作業者は特定の工程のみを担当。少品種の大量生産向きで、見込み生産方式・ロット生産方式の場合にこの方式を使うことが多い。セル生産方式は、1人または少人数のグループで、1つの製品を最終工程まで作り上げる方式。受注生産方式・個別生産方式の場合にこの方式を使うことが多い。また、セル生産方式の中でも高い技術を持つ熟練工が部分的に（または全工程を）担当する方式をクラフト生産方式という。多品種の少量生産に向く。

● **ジャストインタイム（JIT：Just in Time）生産方式**

必要な物を、必要なときに、必要な量だけ生産する方式。原材料や部材を必要な分だけタイムリーに仕入れ、リードタイムを短縮して無駄な在庫や仕掛品を減らし、倉庫代や管理費用などを削減。必要数と指定日時などを後工程から前工程に伝えるために「カンバン」と呼ばれる指示書を用いたため、カンバン方式とも呼ばれる。なお、リードタイムとは、部品等などの発注〜納品までに要する時間、安全在庫は次に納品されるまでに欠品が生じないよう余分に置いておく在庫のこと。また、JITやカンバン方式を用いて多品種大量生産を効率的に行う方式をリーン生産方式という。

期間短縮の手法「コンカレントエンジニアリング」

製品の設計や製造などの工程で、前倒しで作業できる工程を他の工程と並行して先に進めることで、全体の作業期間を短縮する手法。

コンカレントエンジニアリングの説明

コンカレントエンジニアリングの説明として，適切なものはどれか。

ア　既存の製品を分解し，構造を解明することによって，技術を獲得する手法

イ　仕事の流れや方法を根本的に見直すことによって，望ましい業務の姿に変革する手法

ウ　条件を適切に設定することによって，なるべく少ない回数で効率的に実験を実施する手法

エ　製品の企画，設計，生産などの各工程をできるだけ並行して進めることによって，全体の期間を短縮する手法

解説　「コンカレント」は「同時」という意味

ア：リバースエンジニアリングのこと。p.138で既存のソフトウェアの解析手法として紹介しているが、ハードウェアも同じ手法で製造技術を得ることができる。イ：BPR<p.186>の説明。ウ：実験計画法と呼ばれ、実験に用いる条件を設定するときに、必要な条件を網羅し、より少ない回数の実験で実施できる実験方法を設計するための手段。ソフトウェア開発のテスト工程などで用いられている。エ：正解。

正解：エ

生産に関する計算問題

生産に関する計算問題では「最適化問題」と呼ばれるカテゴリの問題がよく出題されます。これは、提示された条件の中で、利益や生産個数が最大となる値の組合せを計算する問題です。

製品の最大生産可能数の計算

製品1個を製造するためには，A原料10kgとB原料5kgが必要である。1か月当たりの原料使用可能量が，A原料は60kg，B原料は40kgである場合，1か月当たりの製品の最大生産可能数は何個か

ア 4　　イ 6　　ウ 8　　エ 10

解説　頭の中だけで計算しようとせず、メモ用紙に計算を書いてみよう

・A原料で作れる最大個数：60kg ÷ 10kg ＝ 6個

・B原料で作れる最大個数：40kg ÷ 5kg ＝ 8個

A原料が6個分しかないため、1か月あたりの最大生産可能数は6個。

正解：イ

不足している部品個数の計算

1個の製品Pは2個の部品Qで構成され，部品Qは4個の部品Rで構成されている。部品Qは1個，部品Rは3個の在庫があるとき，製品Pを6個生産するには，部品Rはあと何個必要か。

ア 41　　イ 44　　ウ 45　　エ 48

解説　条件の見落としによる計算ミスに注意！

これも、メモ用紙に簡単な図を書いてみよう。

・製品Pが1個なら：Q2個←R8個

・製品Pが6個だと：Q12個←R48個

ただし、部品Qは1個、部品Rは3個在庫がある。

ということは、部品Qは11個（12−1）でよいので、必要な部品Rは44個。

さらに、部品R自体も3個在庫があるので、部品Rは41個（44−3）でよい。

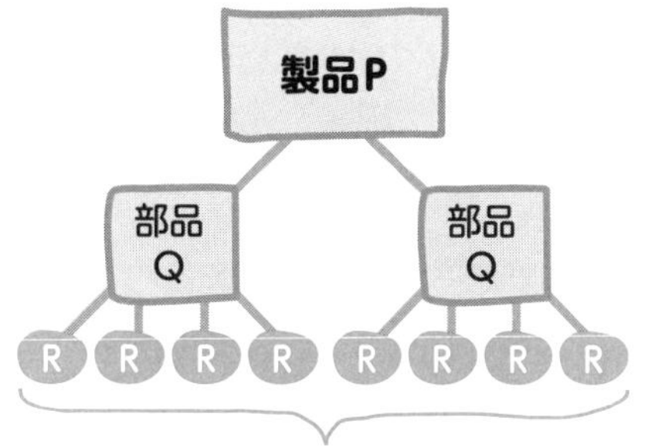

製品Pを1個製造するのに必要な部品Rは8個

正解：ア

ちょこっとメモ

インダストリー4.0は、IoTやAIの技術を導入し、加工機械などの生産設備、生産管理システム在庫管理システムなど、製造に関わるすべてのデバイスをインターネットに接続して、統一的に管理するスマートファクトリを構築する。ここでは、各装置は互いに情報を通信し合い、製造中の製品に不具合が起きたときや調整が必要になったときも、AIを使ってシステム自身が対処を考えて実行していく。このような仕組みによって、効率的でより高品質・低コストな製品作りが可能になった結果、個々の顧客からの受注による個別生産方式も可能となる。

インダストリー4.0は**第4次産業革命**とも訳されている。産業革命は、新たなエネルギー源や産業設備の導入によって、革新的に生産工程が変化したポイントのこと。**第1次産業革命**：水力や蒸気機関の利用と機械設備の導入によって、小規模な工房での生産から工場を使った機械生産工業が始まる。**第2次産業革命**：石油と電力を使い、大規模な機械設備とベルトコンベアを用いた大量生産の開始。**第3次産業革命**：IT技術を活用したコンピュータ制御を用いた生産の自動化と、さらなる大量生産による生産の低コスト化。

10-3 インターネットを利用するe-ビジネス

インターネット技術をベースとしたビジネスの仕組みのことをe-ビジネスといいます。ネットショップでの購入などの商取引だけでなく、EDIを使った企業間での取引や、Webページや SNSを用いた広告宣伝活動も、現代のビジネスでは重要な要素になっています。

e-ビジネスのいろいろ
ネットショップ
お客様、こんなジャケットはいかが？
ぽちっ！
パンツ買ったショップのお薦めジャケットだ
消費者
インターネット
では、先日の件発注書を送ります
発注書
企業A
企業B
お、発注書が来た！情報を読み出させて生産管理システムに…
生産管理システム

取引データの共通化と電子商取引

電子商取引（EC：イーシー：Electronic Commerce）は、インターネット上で商取引の一部、または全部を行う取引形態を指します。最近はネットショップやオンラインモール（Amazonなど）を、ECサイトと呼ぶこともあります。「商取引」という言葉で括られていますが、市役所などの行政機関と一般市民の申請・許諾に伴うやり取りなど、商業的な取引でないものも含まれています。

EDI（電子データ交換）

EDI（イーディーアイ：Electronic Data Interchange）は、受注書や発注書など定型業務で用いるビジネス文書をデータ化・標準化し、取引関係にある企業間でネットワークを介してやりとりする取引形態を指す。EDIの導入が進めば、これまでデータ形式の違いなどから書類ベース（紙）で行っていた異業種間での取引を、XML<p.107>形式などの統一した電子データで行い、やり取りに使われたデータはそのまま取り込んで、社内の各システム（経理や生産管理システムなど）で扱うことが可能になる。

10-3-1 電子商取引関連の用語

BtoB、BtoC、GtoC	BtoBは企業間の電子商取引のことで、B(Business)は企業を意味している。企業間での受発注や決済、e-マーケットプレイス（インターネット上に開設された企業向けの市場・取引所）での取引などの例がある。BtoCは企業と一般顧客との間で行われる電子商取引のこと。C（Consumer）は一般消費者の意味。ネットショップの商取引など。GtoCは、官庁や地方自治体などの行政機関と国民・市民の間で行われる電子取引のこと。G（Government）は行政機関。具体的には、行政のWebページや電子メールを使った申請や届け出、公共施設の予約操作などがある。「to」を発音が同じ「2」に置き換えて、B2B、B2C、G2Cと表記することもある。
OtoO (Online to Offline)	O2Oとも表記される。WebサイトやSNSなどを使って情報を発信し、実店舗へ顧客を誘導する方法全般を指す。Webページ上で割引券を発行し、実店舗への来店動機を作る例などがある。
エスクローサービス	ネット上の取引で支払いを仲介することで、取引の安全性を高めるサービス。買い手からの代金は仲介業者が受け取り、買い手が商品の到着と内容物が確認できたことを仲介業者に連絡した後に、仲介業者から売り手に支払いが行われる。
アカウントアグリゲーション	インターネットバンキングなどで使っている複数の口座の残高や入出金の履歴をまとめて、一覧表示させる仕組み。口座データの取得は金融機関が提供しているAPI<p.198>を利用している。このサービスを提供する企業は、電子決済等代行業者として銀行法に基づいた登録が必要。

インターネットを活用する各種ビジネス

❶インターネット経由でサービスを提供するビジネス

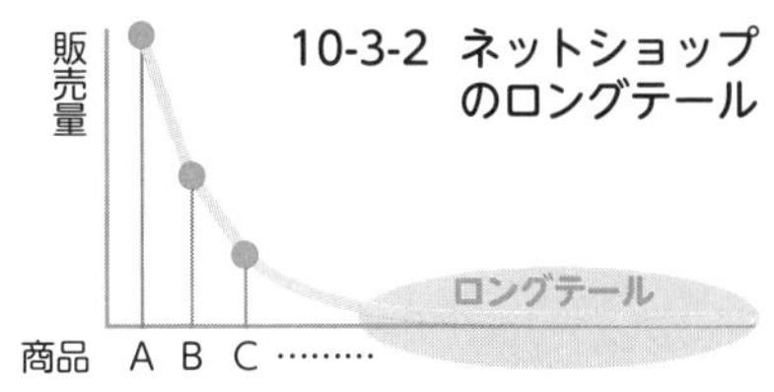

10-3-2 ネットショップのロングテール

圧倒的に出題が多いのはクラウドサービス<p.216>だが、ここではそれ以外のサービスを解説する。

10-3-3 試験によく出るe-ビジネス

デジタルサイネージ	インターネット経由でデータ（画像・動画）を送り、随時表示内容を変化させたり、一緒に音声を流すことができる電子看板。屋外に設置した巨大な看板にニュースや注意情報を表示させるなど、さまざまな用途で使われている。
オンラインストレージ	インターネット上に設けられた、データ保管用のディスクスペースを貸し出すサービス。容量が大きいほど、利用料金も高くなる。外出先からアクセスできるストレージとして使ったり、複数のメンバーでデータを共有することも可能。
シェアリングエコノミー	専門の事業者ではなく、一般の人どうしが提供・利用するためのマッチングをサイト上で行うサービス。提供者は使用していない資産（駐車場など）を貸与したり、空き時間に役務（フードデリバリーなど）を提供する。
ロングテール	ネットショップの取り扱い商品の販売傾向を示すグラフの特徴のことで、動物の尾のように長く続く形状から、販売量の少ない商品がたくさんあり、ショップにとってはそれら商品の売上が無視できない割合になっていることを指す。
クラウドファンディング	資金を集めたい人が、Webサイト上に行いたい活動内容や目標とする金額や内訳などを表明し、それに賛同した不特定多数の人から、広く資金を集める仕組み。資金提供者へのリターンの形によって、4種類に分類できる。寄付型：全額主催者への寄付となるため、リターンなし。投資型：プロジェクト活動の利益の一部を配当としてリターン。貸付型（融資型）：利子という形で一定額をリターン。購入型：活動によって作られる商品やサービスをリターン。

❷宣伝媒体として各種のWebサイトを活用するビジネス

Webブラウザさえあればどのデバイスからもアクセスでき、Webサイトにアクセスするための通信費は閲覧者負担となるため、宣伝を展開するハードルが低いことが企業側のメリットになっている。

10-3-4 Webサイトを活用した宣伝・広告に関する用語

レコメンデーションシステム	商品の購入履歴やWebページの閲覧情報などを基にして、顧客の嗜好に合わせたお薦め商品を表示するシステム。売れ筋商品だけでなくロングテール<前項>に位置付けられる商品を知ってもらうこともできる。
アフィリエイト（成功報酬型広告）	個人のブログや別企業のWebサイトにバナー広告を掲載し、それをクリックした閲覧者が商品を購入したり、会員登録をすると、ブログやサイトの主催者に成功報酬が支払われる仕組みのこと。
SEO（エスイーオー：Search Engine Optimization 検索エンジン最適化）	検索サイト（Googleなど）の検索結果の上位に表示されるように、Webページを工夫するなどの手法のこと。検索サイトでは、Webページを自動的に巡回・閲覧して、掲載されている情報を収集するクローラ<p.107>というツールを使う。そのため、クローラが情報を拾いやすいように、また検索サイトでの評価が高くなるように「タイトルと内容に整合性を持たせる、構成やページのリンクを示すタグをきちんと付ける」などに注意してWebページを作成する。

フリーミアムの事例

フリーミアムの事例として，適切なものはどれか。

ア　購入した定額パスをもっていれば，期限内は何杯でもドリンクをもらえるファーストフード店のサービス

イ　無料でダウンロードして使うことはできるが，プログラムの改変は許されていない統計解析プログラム

ウ　名刺を個人で登録・管理する基本機能を無料で提供し，社内関係者との間での顧客情報の共有や人物検索などの追加機能を有料で提供する名刺管理サービス

エ　有料広告を収入源とすることによって，無料で配布している地域限定の生活情報などの広報誌

解説　「フリー」で宣伝、「ミアム」で収益を上げるビジネスモデル

ア：定額制で使い放題となる購入の形態はサブスクリプション。

イ：OSS<p.022>に分類されるソフトウェア。

ウ：正解。フリーミアムとは、「フリー（無料）」と「プレミアム（割増金）」を合わせた造語で、基本的な機能の一部を無料で使ってもらい、それ以外の機能を有料とすることで収益を得るビジネスモデル。

エ：地域に無料で配られる新聞を模したフリーペーパーなどが該当する。

ネット上の仮想通貨「暗号資産」

暗号資産とは、インターネット上でやり取りされる通貨のような役割をする仮想的な資産のことです。以前は仮想通貨と呼ばれており、代表的なものにビットコインやイーサリアムがあります。

円やドルなどの通貨（法定通貨）は、国が発行し流通量をコントロールしており、その通貨の価値を国が裏付けています。しかし、暗号資産にはこのような仕組みがないため、日々大きく変動するリスクがあります。メリットとしては、その国や地域の経済状況からの影響が少なく、365日世界のどこからでも使えて通貨交換も不要なため、取引の決済に用いるケースも出てきています。また、通貨価値の変動幅が大きいことを利用して、投機（資産運用）の対象にもなっています。

暗号資産に関する日本国内での法制度

利用の広がりとともに、投機への強引な勧誘や登録業者に預けていた暗号資産の消失などの事件も発生している。マネーロンダリング※や脱税に使われる可能性もあるため、資金決済法などの法律により登録業者に対する義務などが定められている。

※マネーロンダリング：資金洗浄とも呼ばれ、犯罪など不正な手口で得た資金を、架空の名義人や他人の口座への送金を繰り返したり、株や債権を購入して資産としての形を変えるなど、出所や所有者がわからないように隠蔽工作すること。

<登録業者に対する義務>

登録制の導入：暗号資産と法定通貨の交換サービスを行えるのは、金融庁・財務局の登録を受けた事業者のみ。

利用者への情報提供：登録業者は利用者に対して「暗号資産の名称や仕組み、利用する場合のリスク、手数料などの契約内容」などの情報を提供する義務がある。

利用者財産の分別管理：登録業者は、自身の暗号資産と利用者から預かった暗号資産を明確に区別して管理しなければならない。

取引時確認の実施：マネーロンダリング等を防止するため、利用者が口座を開設したり多額の暗号資産の交換や移転（送付）を行う場合、登録業者は利用者の公的身分証明書や用途の確認を行わなければならない。

暗号資産を支える技術とセキュリティ上のリスク

暗号通貨の基盤技術として用いられている技術はブロックチェーン（分散型台帳技術）と呼ばれ、参加者（日本では登録業者であることが多い）どうしの相互チェックと、参加者が分担して保存する取引データ記録（台帳）の分散保管で成り立っている。

ブロックチェーンでは、何件かの取引記録をブロックとしてまとめ、このブロックのハッシュ値<p.125>を計算。ハッシュ値は次に作られるブロックに入れ込まれるため、各ブロックには1つ手前のブロックのハッシュ値が保存されて、情報の繋がり（チェーン）ができる。これらのブロックは、参加者の

システムに分散して保管され、ブロックの取引記録が改ざんされると、前後のブロックにある台帳およびハッシュ値と整合性が取れなくなるので改ざんが検出できる。

ブロックチェーンの処理を行うには、莫大なマシンパワーが必要で、その処理の対価として暗号資産が得られる。これをマイニングと呼び、登録業者を使わずにマイニングで暗号資産を得る方法もある。クリプトジャッキングは、コインマイナーというウイルスを使い、他人のコンピュータに勝手にマイニングの処理をさせる攻撃手法だ。マイニングが実行されていると、コンピュータのパフォーマンスが極端に落ちるため、業務にも支障が出る。ウイルス対策ソフトを使い、OSやアプリケーションのアップデートをしっかり行う、不要なWebブラウザの拡張機能はOFFにするなどの対策を行っておこう。

10-3-5 暗号資産利用の一般的な手順（日本国内の場合）

❶ 利用者は暗号資産交換サービスを行っている登録業者（暗号資産交換事業者・暗号資産取引所：法定通貨との交換や暗号資産の保管を行う）に暗号資産用のネット口座を開設。

❷ 金融機関の口座から、開設した暗号資産用ネット口座へ日本円を入金。

❸ 暗号資産の銘柄（ビットコインなど）と金額を選択して購入。暗号資産用の口座に入庫され、入金してあった日本円が登録業者に支払われる。購入した暗号資産自体は登録業者が預かる形で保有される。

❹ **ネットショップや店舗などでの支払い**：現在のところ、対応しているショップはまだ少ない。

❺ **取引先への支払い（送付）**：暗号資産用のネット口座から出庫の操作を行い、送り先相手のアドレスを指定。登録業者から相手側に出庫した暗号資産のデータが送られ、相手側の所有物となる。

❻ **資産運用のための売買**：Webサイトや専用アプリには、交換取引の機能が設けられている。暗号資産の購入時よりも売るときの方が価格が高ければ利益を得られる。

各取引（操作）には、登録業者への手数料が発生する

資金洗浄の防止策

犯罪によって得た資金を正当な手段で得たように見せかける行為を防ぐために，金融機関などが実施する取組を表す用語として，最も適切なものはどれか。

ア　AML（Anti-Money Laundering）　　イ　インサイダー取引規制

ウ　スキミング　　エ　フィッシング

解説　暗号通貨の登録業者にも求められる防止策

ア：正解。AMLはマネーロンダリング防止対策のこと。銀行や証券会社などの金融機関だけでなく、一般企業にも、反社会的勢力との取引やマネーロンダリングが疑われる取引を防止するための対策を講じることが求められている。

イ：インサイダー取引規制とは、株式を公開している（またはこれから公開する）企業の役員や関係者（インサイダー）が、株式の公開や新株の発行など、株価に影響を与える重要な情報（重要事実）を知った場合、情報が公表される前にその企業の株を売買してはならないという規制。

ウ：スキミングは、他人のクレジットカードなどに記録されている情報を不正に読み取る犯罪行為。

エ：p.115を参照。

正解：ア

ITサービスを提供するソリューションビジネス

ソリューションには「解決」や「解法」という意味があり、ITを活用して顧客企業の経営課題を解決するビジネスのことを、ソリューションビジネスといいます。試験では、インターネット経由でさまざまなサービスを提供するビジネスを中心に出題されています。

代表的なソリューションビジネスの形態
ASPサービス
システムやアプリケーションの機能を、ネット経由で提供
アプリ
アプリ
SaaS、PaaSなどのクラウドサービスもある
ホスティングサービス
ネット経由でサーバを貸し出し
レンタルサーバとも呼ばれる
オンプレミス
アウトソーシングとは逆に設備や管理はすべて自社内
自分自身でしっかり管理！

提供されるサービスの形態による分類

ソリューションビジネスには、さまざまな種類があります。まず、試験によく出るサービスの形態による分類を知っておきましょう。

システムインテグレーション（SI：System Integration）

顧客のニーズに最適なリソース（ソフトウェア・ハードウェア）を組み合わせて、情報システムに関する企画・提案を行い、システム設計・開発、導入、運用、保守などの業務を請け負うサービス。

このような業務を行う者は、SI（システムインテグレータ）やSIベンダー、SIer（エスアイヤー）と呼ばれている。Chapter6で説明した開発ベンダーも、この形態の提供者に分類される。

アウトソーシングサービス

アウトソーシング（outsourcing）とは外部委託のこと。自社の業務プロセスの一部を外部企業に委託することをBPO（ビーピーオー：Business Process Outsourcing）と呼ぶ。IT分野では、情報システムの開発や運用管理などの専門的な業務を委託することが多い。

専門性に優れた外部企業にアウトソーシングすることで、業務の効率化やコスト削減ができるだけでなく、削減できた分の人員や資金を必要な事業に集中させることが可能になる。

クラウドサービス

クラウドサービスとは、利用者がハードウェアやソフトウェア（コンピュータ資源やリソースという）がどこに存在するのかを意識することなく、インターネットを介してアプリケーションやハードウェアなどの機能を利用できるサービス全般のことを指す。10-3で説明したオンラインストレージ<p.213>なども、クラウドサービスの一種。

ちょこっとメモ
「**クラウド**」とは「雲」のことで、ユーザー側からはネットワークに接続された先が見えないということを意味している。

クラウドサービスの種類

クラウドコンピューティングとは、ネットワーク経由でコンピュータ資源を使う形態のことです。このコンピュータ資源を、利用者に提供するサービスがクラウドサービスになります。

アプリケーションの機能を提供するクラウドサービス

システムやアプリケーションの機能を、インターネット経由で利用できるサービスを提供している事業者をASP（エーエスピー：Application Service Provider）と呼ぶ。また、これらの事業者が提供するサービスをASPサービスといい、各社員のPCにそれぞれアプリケーションをインストールしたり更新する手間などが不要で、管理コストを削減できる。また、どのPCからでも同じアプリケーションの機能が利用できるので、出先のPCを使った作業も可能。

SaaS（サース：Software as a Service）は、マルチテナント方式によるASPサービス。ASPサービスでは顧客企業ごとにアプリケーションが用意されていたが、マルチテナント方式は同じアプリケーションを複数の顧客企業が共同で利用するため、ASPよりもさらに費用を抑えることができる。

さまざまなコンピュータ資源を提供するクラウドサービス

クラウドサービスには、SaaS以外にもさまざまなコンピュータ資源を提供するサービス形態がある。

10-4-1 コンピュータ資源を提供するクラウドサービス

PaaS (パース： Platform as a Service)	アプリケーションを稼働させるために必要な、OSなどのプラットフォームをネットワーク経由で提供するサービス。所有するコンピュータとは異なるプラットフォーム（OSが異なるケースなど）用のアプリケーションを開発したり、稼働テストを行うときなどに用いられている。
IaaS (アイアース、イアース： Infrastructure as a Service)	ネットワークやコンピュータなどのハードウェア資源を、インターネット経由で提供するサービス。IaaSでは、コンピュータそのもののほか、ストレージ（記憶領域）やサーバ機能などの提供も含まれている。サーバ機を自社購入するより費用を抑制でき、スケールアップ<p.155>も容易。
DaaS(ダース： Desktop as a Service)	端末で利用するデスクトップ環境を、ネットワーク経由で提供するサービス。利用者ごとに異なるアプリケーションの設定や画面設定を、自宅のPCなどにも再現できる。出先のコンピュータ環境を整えるための費用を大幅に削減できる反面、社外で第三者に不正に利用されるリスクもある。

SaaS が提供しているもの

SaaSの説明として，最も適切なものはどれか。

ア　旅行者などに行く先に応じて交通機関や観光スポットなどの検索・予約・決済等を一括で行うサービスを提供。

イ　システムの稼働に必要な規模のハードウェア機能を，サービスとしてネットワーク経由で提供。

ウ　ハードウェア機能に加えて，OSやデータベースソフトウェアなど，アプリケーションソフトウェアの稼働に必要な基盤をネットワーク経由で提供。

エ　利用者に対して，アプリケーションソフトウェアの必要な機能だけを必要なときに，ネットワーク経由で提供。

解説　「サービスが提供しているものは何？」と考えよう

ア：MaaS（マース：Mobility as a Service）の説明。電車だけでなく、バス・タクシー・シェアサイクルなど多様な移動手段を組み合わせたサービスを提供することで、交通事情のよくない地方の活性化と移動の利便性向上を目的としている。イ：ハードウェア機能のみを提供するのはIaaS。ウ：基盤（プラットフォーム）を提供するのはPaaS。エ：正解。アプリケーションの機能だけを提供するのはSaaS。

正解：エ

サーバ管理のアウトソーシング

社内の情報システムで使用しているサーバを預かってもらったり、サービス提供者のサーバを借りるなど、自社のサーバを専門の事業者に委ねるサービスもあります。このようなサービスを利用すると、設置費用を抑えたり、サーバの運用管理の手間を省くことができます。

ハウジングサービス (housing service)

自社で所有しているサーバを、サービス提供者に預けて設置してもらうサービスで、併せて運用管理を委託する場合も多い。自社保有のサーバなので、OSやアプリケーションなどを自由に選択・設定でき、柔軟性が高い（融通が利く）のが特徴。サーバ用の電源やネットワーク回線などの設備は提供者側が用意するので、設備を整えるための費用や運用コストを削減できる。

ホスティングサービス (hosting service)

サービス提供者が所有するサーバを借りるサービスで、レンタルサーバとも呼ばれている。サーバ1台を1顧客に割り当てる専用サーバや、複数の顧客企業で共同利用する共有サーバなどのサービス形態がある。顧客企業は、低コストでサーバを導入できるが、共同利用なため使用できるOSやアプリケーション、記憶領域の容量などの制限を受けることもある。

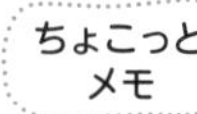

<ホスティングサービスとIaaSの違い>
ホスティングサービスの利用開始には、提供者側のサーバの準備が必要なため、契約後からしばらくの時間が必要。これに対して、**IaaSは仮想的な環境の提供**なので、ワンクリックですぐに借りることができる。さらにIaaSなら、メモリや記憶領域の容量なども、利用設定の変更操作をすればすぐに使い始めることができる。

また、ホスティングサービスは月額など固定料金が多いが、IaaSはネットワークでやり取りしたデータの容量などで金額が変わる従量課金制の場合が多い。

サーバを設置する場合に適切なサービス

自然災害などによるシステム障害に備えるため，自社のコンピュータセンタとは別の地域に自社のバックアップサーバを設置したい。このとき利用する外部業者のサービスとして，適切なものはどれか。

ア　ASP　　イ　PoC　　ウ　SaaS　　エ　ハウジング

解説　**各サービスの特徴と利用目的を考えよう**

自社とは別の地域にバックアップサーバ（データやシステムのバックアップを構築しておくためのサーバ）を設置するのが目的なので、必要なサービスはハウジングサービス（エ）。自社から遠い場所に設備を持つ業者を選んでサーバを預けることになる。なお、イのPoC（ピーオーシー：Proof of Concept）は概念実証と訳され、新たな概念やアイディアが実現できることを、本格的にプロジェクトを開始する前段階で実証すること<p.198>。

オンプレミス (on-premises)

外部のコンピュータ資源を利用する方法とは逆に、情報システムを構成する設備・機器・ソフトウェアなどをすべて社内に設置し、社内の人員で運用管理することをオンプレミスといい、自社運用とも呼ばれている。ソリューションサービス（ハウジングやクラウドなど）を用いず、自前で構築・運用するため、手間とコストは掛かるが、人任せにせず障害対策やセキュリティ管理を自らがしっかり行えるメリットがある。

Chapter 11

法令やルールの遵守

●法務

●内部統制

知的財産を守る法律

知的な活動の成果である知的創作物（知的財産）は、さまざまな法律で保護されています。法律によって保護対象となる範囲が分かれていますが、わかりづらく混同しやすいため、違いを意識して覚えていきましょう。

知的財産権の体系

知的財産権には、著作権や特許権をはじめとする産業財産権が含まれています。それらを保護対象とする法律では、知的創作物の作者にその創作物を独占できる権利を与えています。

11-1-1　知的財産権の構成

保護される知的財産権		保護する法律	出願・登録（申請先）	保護期間
著作権		著作権法	不要（所管は文化庁）	個人：死後70年／法人：公表後70年
産業財産権	特許権	特許法	要（特許庁）	出願日から20年（特定分野のみ5年延長可）
	実用新案権	実用新案法	要（特許庁）	出願日から10年
	意匠権	意匠法	要（特許庁）	出願日から25年
	商標権	商標法	要（特許庁）	登録日から10年（更新制度あり）
営業秘密（トレードシークレット）		不正競争防止法	不要（所管は経済産業省）	制限なし

ソフトウェアも守る「著作権法」

著作権法は「文化の礎となる創作を行った著作者の経済的利益と心を守る」ための法律とされています。著作権には「著作物を無断で利用されない権利（著作財産権）」と「第三者に著者を名乗られたり、勝手に作品を改変されない権利（著作者人格権）」など、いくつかの権利が含まれています。

出願は不要で、著作物を創作した時点で自動的に権利が発生し、個人の著作物は著作者の死後70年まで、法人の著作物は公表後70年まで保護されます。

著作権法で保護される対象

この法律では、小説や美術、音楽や映像、さらにソフトウェア（プログラム著作物）も保護の対象としている。ただし、プログラム言語・規約・アルゴリズム＜p.044＞は保護対象外。そのため、もし同一のアルゴリズムが使われていても、別のプログラムなら元の著作者の権利は及ばない。これは著作権法が、「作られたモノ（作品）そのもの」を保護対象としてきたためで、アイディアや新たな技術（特許法の保護対象）、規約や規格などは対象外としているからだ。

解答のウラ技

著作権で保護される事例として出題された項目

・未発表の小説（公には未発表であっても、創作された時点から保護される）
・プログラム（システムやソフトウェアなど）
・プログラム仕様書（プログラムを作り込むための詳細な仕様が書かれている）
・インターネットに公開されたフリーソフトウェア＜次ページ＞
・データベースの操作マニュアル

著作権では保護されない事例として出題された項目

・アルゴリズム※（著作権法ではアイディアの一種と捉えられている。同じアルゴリズムであっても、プログラムの記述内容が異なれば別のソフトウェアだと判断される）
・プログラム言語（プログラム言語は「こういう処理をしたいときにはこのように記述する」というルールの集合体と捉えられているため。ただし、「プログラム言語を用いたプログラミング」をサポートする「言語ソフト（開発ツール）」は著作権法の保護対象）
・システムのインタフェース規約※（あるシステムにアクセスして、そのシステムが持つ機能を使うときに必要となる、やり取りのための規約）
・コーディング標準＜p.133＞※（プログラミングを行うときに参照される、その組織独自のルール）

※この3つは、営業秘密として不正競争防止法＜p.223＞の保護対象とされる場合がある。

ソフトウェアの自社開発と外部委託

その企業の従業員が業務として作成し、法人（企業）の名義で公表されたソフトウェアは、原則としてその法人が著作者となる。出向や派遣で業務に従事した技術者によるソフトウェア開発も、出向先や派遣先の企業側に著作権がある。注意したいのは、外部へ委託（請負契約＜p.231＞）して開発したソフトウェアで、著作権に関して特に契約等がない場合は、受託側（作った側）に著作権がある。そのため受託側と発注元との間で、「開発したソフトウェアに関わる一切の権利およびソフトウェアの所有権は、委託料が完済された時点をもって発注側に移転する」という契約を取り交わすのが一般的。

購入したソフトウェアのライセンス契約とカスタマイズ

ソフトウェアの購入は、「契約した範囲内で使用する権利（ライセンス）」を買ったことになる。インストールできる台数には制限があり、複数台にインストールできるライセンスを購入すると、通常版を必要本数購入するより安価になる。サイトライセンスは部署内や学部内（サイト）なら複数台で利用可、ボリュームライセンスは契約した台数まで利用できるライセンス契約。

サブスクリプションとは、月単位や年単位で定額の料金を払うことで、その期間はサービスを利用できる契約。アプリケーションソフトをサブスクリプションで利用している場合は、バージョンアップも無料のことが多いので、常に最新版を使えるといったメリットもある。

また、ソースプログラム・オブジェクトプログラム＜p.043＞ともに著作権法の保護対象で、著作者に無断でプログラムを改造することは禁じられている。ただし、パッケージソフトのカスタマイズ（利用環境や用途に合わせて設定を行うこと）など、正規ユーザーが必要な変更を自ら行うことは許容されている。

ネット上に掲載されており、自由にダウンロード・インストールできるオンラインソフトにも著作権がある。許可を得ない改変や再配布は制限されていたり、再配布の際に大元の著作者名の表示を求めるるものなどもある。それぞれのソフトウェアの利用規約にしたがって利用しよう。

11-1-2　オンラインソフトの分類とそのソフトウェアが保持している権利

シェアウェア	有料だが比較的安価に利用できるソフトウェア。一定期間（1か月程度）試用できるようになっているものが多い。作者は著作権を保有しており、プログラムの改変等は禁止されている。
フリーウェア（フリーソフト）	著作権は作者が保有するが、誰でも無料で利用できるソフトウェア。プログラムの改変は禁止されているものが多い。
PDS（パブリックドメインソフトウェア）	PDS（ピーディーエス：Public Domain Software）は、著作者が著作財産権（著作物から発生する利益を得る権利）を放棄したソフトウェア。使用は無料で、改変や再配布なども自由に行える。

著作権を侵害する事例

著作物の使用事例のうち，著作権を侵害するおそれのある行為はどれか

ア　音楽番組を家庭でDVDに録画し，録画者本人とその家族の範囲内で使用した。

イ　海外のWebサイトに公表された他人の闘病日記を著作者に断りなく翻訳し，自分のWebサイトに公開した。

ウ　行政機関が作成し，公開している，自治体の人口に関する報告書を当該機関に断りなく引用し，公立高校の入学試験の問題を作成した。

エ　専門誌に掲載された研究論文から数行の文を引用し，その引用箇所と出所を明示して論文を作成した。

解説　**どんなケースが違法になるのか、具体例を見ておこう**

ア：個人や家族内などの限られた使用の範囲内であれば、複製は許容されている。

イ：正解。著作者には複製権や公衆送信権などの権利（著作権法に規定された権利）があり、無断での翻訳・公開は違法行為にあたる。

ウ：行政機関などが公開を目的として作成した情報は、保護の対象外。

エ：必然性が認められる最小限の引用であり、引用元が明記されていれば著作権侵害にはあたらない。

正解：イ

4つの産業財産権

産業財産権を守る法律は、産業の育成や発展を図ることを目的としており、新技術・新しいデザイン・商品名などについて独占権を与え、模倣防止のために保護しています。

特許権

特許法（特許権）は「技術的な発明で高度なもの」「新規性のあるもの」を保護の対象としている。科学や工業の分野だけでなく、新しいビジネスモデル（独創的なビジネスの仕組みなど）も特許法の保護対象。特許の取得には特許庁への出願が必要で（保護期間は出願日から20年）、審査を経て特許権を与えられる。なお、同じ内容の出願がある場合、先に出願した者が権利を得る（先願主義）。

●特許取得のメリット・デメリット

メリットには、「他社が利用する場合には対価を得られる（開発費用の一部を回収できる）、技術提携などを結ぶ際に有利」などがある。反対に、出願した技術は原則として特許庁から公開されるため、ライバル企業にも技術内容がわかってしまうデメリットもある。そのため、あえて特許出願しないケースもある。

実用新案権・意匠権・商標権

実用新案法（実用新案権）は「物品の形状や構造、組合せに係るもの」が保護対象。特許権のように技術的に高度である必要はない。試験問題には、暗闇でも時刻が確認できる「電気スタンド＋時計」の組合

ストラテジ系

せ製品などが例示されている。

意匠法（意匠権）は、物品の意匠を保護することで創作を奨励し、産業の発達を促すための法律。製品の形状や模様・色彩などのデザインを対象としている。さらに、2020年施行の法改正により、表示画面の画像（Webページなど）・建造物の外観やその内装のデザインなども保護対象に加えられた。

商標法（商標権）は、意匠法の対象外となっている、文字・図形・記号を保護する法律。企業名や製品名、ブランド名、ロゴデザインやキャラクター、CMなどで使われる「音（サウンドロゴ）」や動画の「動き」などが主な保護対象。一度商標権が認められたものは、再審査なしで更新ができる。これは、申請を簡素化することで期限切れを防ぎ、消費者が他社の商品やサービスと混同するのを回避するため。

● 登録商標・トレードマーク・サービスマーク

登録商標（R）は、商標法に基づいて登録された名称等であることを表す用語。トレードマーク（TM）は商品名など、サービスマーク（SM）は役務（提供するサービス）の名称について権利があることを表す言葉だが、TMとSMは商標法に基づく表記ではないため、商標登録されていない場合もある。

特許法の保護対象

新製品の開発に当たって生み出される様々な成果a～cのうち，特許法による保護の対象となり得るものだけを全て挙げたものはどれか。

a　機能を実現するために考え出された独創的な発明　←特許法の保護対象

b　新製品の形状，模様，色彩など，斬新的な発想で創作されたデザイン　←意匠法の保護対象

c　新製品発表に向けて考え出された新製品のブランド名　←商標法の保護対象

ア　a　　イ　a, b　　ウ　a, b, c　　エ　a, c

正解：ア

不正競争防止法

不正競争防止法は企業間の公正な競争を確保することを目的とした法律です。「不正競争」の具体的な定義や、さらに損害賠償に関する規定も盛り込まれていることが、この法律の特徴になります。

出題率超高

不正競争防止法の禁止事項（不正競争）

・偽ブランド品の製造・輸入・販売、消費者に誤解を与える類似品の販売
・社外秘として管理している顧客情報・営業マニュアル・技術情報など営業秘密の不正取得
・商標や商号の不正使用、類似するWebサイトやメールアドレスのドメイン名の使用

●営業秘密の3要件は「未知・有用（事業活動に役立つ）・秘密」

例えば、ある技術で特許を取得した場合、その技術は公開特許公報に掲載されるので、「秘密」という要件には当てはまらなくなる。そのため、特許を取得した技術は不正競争防止法の保護対象からは外れることに注意しよう。

●不正競争防止法に加えられた限定提供データ

平成30年の改正で上記の営業秘密とは別に、新たに「限定提供データ」という区分が作られた。不正取得などが発生すると所有者に大きな損害が発生するが、著作権では対象外であるため、不正競争防止法で守る目的で追加されている。限定提供データは、「他者に提供することで、業務として対価を得ること」を前提に作成されたデータで相当量の情報が蓄積されており、電磁的に（コンピュータにデータとして）保管されているものと規定されている。具体的な例としては、車の自動走行に使う地図データ、小売店チェーンのPOSデータなどが例として挙げられている。

セキュリティを守るための法律

サイバー攻撃など、新たな犯罪に対応するための法整備が急ピッチで進められてきました。出題数のTop 2は不正アクセス禁止法と個人情報保護法ですが、他のセキュリティ関連法規も含め、毎回複数問の出題があるので、しっかりと対策をしておきましょう。

間接的な違法行為
不正アクセス禁止法
知り合いのIDとパスワードをブログに書いたケド
アウト〜ォ!!!
OUT!
俺はアクセスしてないよ?
不正アクセスを助長する行為の禁止
個人情報保護法
子会社の顧客リストから新製品の宣伝メール送っただけですぅ(汗)
アウト〜ォ!!!
OUT!
無許可での
第三者提供と目的外利用の禁止

不正アクセス禁止法

不正アクセス禁止法の正式名称は「不正アクセス行為の禁止等に関する法律」といいます。不正アクセス行為および不正アクセスを助長する行為を禁じる法律です。

IDとパスワードを使ったアクセス制御など、正規ユーザー以外の使用を防ぐ措置が行われているシステムやコンピュータにネットワークを介して不正にアクセスすると、被害の有無にかかわらず処罰されます。ただし、防護措置のない不用心なシステムやコンピュータへのアクセスや、ネットワークを介さないアクセス（例：犯人が社内に侵入して直接コンピュータを操作）は保護の対象外なので要注意！

不正アクセス禁止法の概要

❶ **不正アクセス行為の禁止**
他人のユーザーIDやパスワードを使ったり、ハードウェアの不備やソフトウェアのセキュリティホール<p.114>を狙うなどして、システムやコンピュータに不正アクセスする行為の禁止。

❷ **他人のIDとパスワードなどを不正に取得・保管する行為の禁止**
他人のユーザーIDやパスワードを不正に取得したり、保管しておくことは禁止。不正に取得したIDやパスワードは、記録しておくだけでも違法行為となる。

❸ **不正アクセス行為を助長する行為の禁止**
自分自身が不正アクセスをしなくても、他人のユーザーIDやパスワードを誰かに提供したり、掲示板に書くなど不正アクセスを助長する行為も禁止。

❹ **IDとパスワードの入力を不正に要求する行為の禁止**
偽のWebサイトを作って嘘のログイン画面からIDとパスワードを入力させたり、ログインを促す偽の電子メールを送信することなどは禁止<フィッシング p.115>。

❺ **アクセス管理者による防御措置**
アクセス管理者は、ユーザーIDやパスワードなどの管理を適切に行い、不正アクセス行為の防御措置を講ずること。また、アクセス制御機能が有効に機能しているかどうかを常に監視し、不正アクセスの疑いが生じたときは、速やかに防御のために必要な措置を講ずるように努める。

❻ **都道府県公安委員会による援助**
不正アクセスを受けたら、都道府県公安委員会に援助（資料提供や助言など）を要請することができる。

不正アクセス禁止法で規制されている行為

不適切な行為a～cのうち，不正アクセス禁止法において規制されている行為だけを全て挙げたものはどれか。

a　他人の電子メールの利用者IDとパスワードを，正当な理由なく本人に無断で第三者に提供する。

b　他人の電子メールの利用者IDとパスワードを，本人に無断で使用してネットワーク経由でメールサーバ上のその人の電子メールを閲覧する。

c　メールサーバにアクセスできないよう，電子メールの利用者IDとパスワードを無効にするウイルスを作成する。

ア　a　　イ　a, b　　ウ　a, b, c　　エ　b

解説　**自分でアクセスしなくても、第三者に提供したらアウト！**

a：自分で不正アクセスしなくても、本人に無断でIDとパスワードを第三者に提供するのは違反行為。

b：不正アクセスであり、不正アクセス禁止法の違反行為。

c：不正アクセス禁止法では対象外。刑法のウイルス作成罪<p.228>の違反行為になる。

正解：イ

個人情報保護法

個人情報保護法とは、個人を識別できる情報の取り扱いに関する法律で、正式名称は「個人情報の保護に関する法律」です。氏名や生年月日などの文字情報だけでなく、顔写真や声など別の情報と組み合わせることである個人が特定できれば、それらも個人情報として保護対象となります。

また、指紋やDNAなど身体の特徴をデータ化した情報や、免許証番号やマイナンバー<p.227>など公的な番号は、それ単体で個人情報（個人識別符号という）です。

さらに、人種・社会的身分・信条・障害・病歴・犯罪歴など、差別や偏見による不利益を生む可能性があるため慎重な取扱いが必要な情報を、特に要配慮個人情報と定めています。

個人情報保護法の概要

❶ 個人情報の安全管理措置

個人情報の保管庫には鍵を掛ける、名簿データは暗号化、従業員やデータ加工の委託先などには適切に扱うための教育・監視を行うなど、データ漏洩がないよう安全管理措置を講じることを義務付け。

❷ 個人情報の取得と利用

個人情報を取得する際は、その利用目的を公表（または本人に通知）し、利用はその範囲内に限る。目的外に利用したい場合は、本人の同意を得なければならない。

❸ 個人情報の第三者提供

第三者への提供には本人の同意が必要。ただし、意識の無い人が所持していた預金通帳から銀行に問い合わせて身元を特定するケースなど、人の命や財産の保護に必要な場合や法令に基づく提供は、本人の同意がなくても可能。同意を得ている場合も、情報の受領者の氏名等を記録・保存する義務がある。また、第三者から提供を受けた場合も、提供者の氏名や取得経緯などの記録・保存が必須。

❹ 本人からの請求への対応

本人からデータの開示・訂正・利用停止の申し出があった場合は、速やかに対応しなければならない。

ビッグデータの利用に関する個人情報保護法の改正

ビッグデータ<p.204>の中には、閲覧者がユーザー登録したWebサイトでの閲覧履歴や購入履歴、ポイントカードやクレジットカードを利用した小売店での購入品の情報など、さまざまな場面で収集された莫大な量の個人情報が存在する。

これらビッグデータの利活用を希望する企業が増えたため、2015年の改正では「個人を特定できないようにデータを加工すれば（匿名加工情報という）、本人の許可なく目的外の用途に活用したり、他社に提供することも可能」という条項が追加された。

個人情報保護方針の公表

個人情報保護方針（プライバシーポリシー）とは、個人情報取扱事業者が、個人情報の保護に関する法令を遵守し、個人情報の取得・利用・提供について適切な配慮を行っていることを公に示すもの。

個人情報の適切な管理

個人情報取扱事業者における個人情報の管理に関する事例a～dのうち，個人情報保護に関する管理上，適切でないものだけを全て挙げたものはどれか。

a　営業部門では，許可された者だけが閲覧できるように，顧客リストを施錠管理できるキャビネットに保管している。

b　総務部門では，住所と氏名が記載された社員リストを，管理規程を定めずに社員に配布している。

c　販促部門では，書店で市販されている名簿を購入し，不要となったものは溶解処理している。

d　物流部門では，運送会社に配送作業を委託しており，配送対象とはならない顧客も含む全顧客の住所録をあらかじめ預けている。

ア　a, b　　イ　b, c　　ウ　b, d　　エ　c, d

解説　法律の内容に詳しくなくても、常識で判断できる問題も多い

個人情報を取り扱っている事業者は、扱う個人情報の量に関わらず、すべて個人情報取扱事業者（初期の個人情報保護法には「扱う個人情報が5千件以上」との但し書きがあった）。適切でないのは次の2つ。

b：住所と氏名が記載された社員リストは個人情報。閲覧や持ち出しのルール、保管場所の施錠など、管理規定を定めて管理する必要がある。

d：本人が同意している目的のために、個人情報を使う場合は違法ではない。dの場合、配送対象の顧客の住所であれば、登録した住所を配送に用いることを顧客が承諾していると解釈できる。しかし、配送の対象外である顧客の個人情報が含まれた名簿を委託先に渡すのは違法行為にあたる。

正解：ウ

GDPR（EU一般データ保護規則）

GDPR（General Data Protection Regulation）は、EU加盟国に共通する個人データ保護のための枠組み。「個人データの保護は基本的人権である」という視点から法制化されており、2018年から適用が開始されている。日本の個人情報保護法に比べると、個人データにIPアドレスやcookie<p.107>なども含まれており、保護される範囲が広く、さらに規制も厳格になっている。EU圏内で取得した個人データを域外へ移転することは原則禁止されているが、日本は個人情報保護法の改正によって、保護水準を満たしているとして認定済みなため、日本国内への持ち込みは可能。

本人は事業者に対して自身の個人情報の照会や削除などの要求ができる、事業者が提供するサービスやシステムにはデータの保護機能が必要、漏えい等があれば規制当局への72時間内の通知が求められるなど、細かな規定が設けられている。さらに、違反した場合には非常に高額な制裁金が課せられており、この保護規則はEU圏内に拠点を持つ日本企業にも適用される。

ちょこっとメモ

個人データ ＜ 個人情報 ＜ パーソナルデータ

似たような用語だが、**個人データ**は個人を特定できる情報がデータベース化されており、すぐに検索ができる状態になっているもの。**個人情報**は、氏名や生年月日など個人を識別できる情報（**個人識別符号**を含む）。**パーソナルデータ**は、個人情報に加えて、ネットショップの購入履歴やWebページの閲覧履歴なども含めた、その個人に関わる情報。

ちなみに**仮名加工情報**は、その単体では個人を特定できないように加工した情報。ただし、他の情報と照合すると、個人が特定できてしまう（例：社員名を削除して社員番号のみにしたもの←社員表と突き合わせると個人が特定できる）。

マイナンバー法

マイナンバー法（番号利用法）は、個人番号および法人番号を活用して情報管理を行うことで、行政事務の効率化・迅速化を図り、各行政機関で同じ番号を横断的に用いることで申告手続等の簡素化を実現して、国民の負担を軽減することを目的としています。

マイナンバー法が定める利用範囲・取るべき措置・罰則

マイナンバーは重要な個人識別符号<p.225>であるため、この法律にはマイナンバーの利用範囲（社会保障・税務・災害対策の分野の行政事務に関わる範囲のみ）、取り扱う行政機関が管理を行うために講ずるべき措置、盗用したり漏洩させた場合の罰則など、マイナンバーの守秘に関する事柄が定められている。また、企業の人事部や経理部のように社会保険や年末調整など行政への手続き等を行う部署でも従業員のマイナンバーを扱うため、それらの事業所にも同様の厳密な管理が義務付けられている。

マイナンバーカードには署名用電子証明書と利用者証明用電子証明書も保存されており、電子認証サービス<p.120>を用いたオンライン確定申告に使ったり、健康保険証としての利用も開始されている。

プロバイダ責任制限法

正式名称は「特定電気通信役務提供者の損害賠償責任の制限及び発信者情報の開示に関する法律」といいます。SNSや掲示板などに掲載された情報によって被害を受けた人が持つ権利や、掲載情報の送信（公開）サービスを提供するインターネット接続サービス事業者（ISP）<p.108>やサイトの管理者などの責任範囲を明確にした法律です（以下はSNS管理者もプロバイダと表記）。

プロバイダ責任制限法の概要

❶ 被害者側の権利と裁判手続

サイトなどに掲載された情報によって、権利が侵害されたことが明らかな場合、被害者には損害賠償請求のために、情報を掲載した発信者に関する情報（氏名や住所、IPアドレス、IDやパスワードなど）の開示を請求する権利がある。プロバイダを介して求めた発信者情報の開示に発信者が同意しない場合、被害者は裁判手続によって裁判所からプロバイダに開示命令を出してもらうこともできる。

❷ プロバイダの賠償責任の制限

権利を侵害する情報が提供するサイトに掲載されていても、権利侵害があることをプロバイダが知らなかったときは、プロバイダに被害者に対する賠償責任はない。

被害者から情報の送信（公開）停止を要請された場合、プロバイダは発信者に停止要請に同意するかどうか照会を行う。もし照会後7日を経過しても回答がなければ、プロバイダは送信を停止することもできるが、この停止措置により発信者が損害を被った場合、プロバイダには発信者に対する賠償責任はない。
（ただし、この法律自体には、被害者に送信停止を求める権利を保障したり、プロバイダへ送信停止措置を義務付ける規定はない）。

サイバーセキュリティ基本法

サイバー攻撃とは、攻撃対象のシステムに不正に侵入して破壊・改ざんしたり、データを盗み出したり、システムの機能や提供しているサービスを停止させることなどを目的とした攻撃のことです。

サイバーセキュリティ基本法の概要

サイバーセキュリティ基本法は、サイバー攻撃に対応する国の方針と、組織や個人がどのような対策を実施すべきかを定めた法律で、大きく分けて次の3つの事柄が掲げられている。

❶ 基本理念

ネットワークを利用した自由な情報の流通を確保し、将来に渡ってITを活用した活力ある経済社会を構築するため、官民および教育研究機関が連携してサイバー攻撃に対する積極的な対応を行い、国民にもセキュリティ教育等を振興することで情報セキュリティに対する認識を深めることを促す。

❷ 各関係機関の責務

国や地方自治体の各機関・重要インフラ事業者（電力会社や鉄道事業者など）・サイバー関連事業者（ISPや通信事業者など）は、サービスを安定的に提供するため、サイバーセキュリティの確保に努める。また、大学や研究機関等はサイバーセキュリティに関する研究成果の普及や専門的人材の育成に努める。また国民に対しても、サイバーセキュリティに関する理解を深め、セキュリティ確保に必要な注意を払うよう努力義務が定められている。

❸ サイバーセキュリティ戦略の策定と、内閣サイバーセキュリティセンターの設置

政府は、効果的なサイバーセキュリティの確保を推進するための基本的な計画として、基本理念や❷の事項を促進する施策をサイバーセキュリティ戦略として定め、実施に必要な措置を講ずる。内閣サイバーセキュリティセンター（NISC）を設置し、戦略の策定と推進、サイバー攻撃に関する情報の収集・調査・分析、国の関係機関等の通信の監視とサイバーセキュリティ対策に関する監査などを行う。

11-2-1 セキュリティに関する法規やガイドライン

不正指令電磁的記録に関する罪（ウイルス作成罪）	刑法によって罰せられる罪で、「ウイルス作成・提供罪」、「ウイルス供用罪」、「ウイルスの取得・保管罪」の3つの罪が定義されている。正当な理由がないにも関わらず、他人のコンピュータで実行させる目的で、コンピュータウイルスの作成、提供・供用、取得、保管行為をしたものに対する処罰について定められている。
特定電子メール法	特定電子メールは広告宣伝のために送信されるメール。この法律は、迷惑メールの抑制を目的に制定された。 **送信の制限**：特定電子メールは、事前に送信に同意（オプトイン）した受信者だけに送ることが可能。受信者から受信拒否の通知を受けたときは送信不可。（ちなみにオプトアウトとは「拒否」のことで、この場合は全員に送信することを前提に、受信を拒否した受信者にのみ送らない） **表示の義務**：特定電子メールには、送信者の氏名や名称、受信拒否を通知するための宛先の表示義務がある。 **偽アドレスからの送信禁止**：送信者のアドレスを偽ったり、架空アドレスから送信してはならない。
サイバーセキュリティ経営ガイドライン	経済産業省が提示しているこのガイドラインは、サイバー攻撃に対して経営者が認識しておくべき事柄（存在するセキュリティリスク、攻撃を受けた場合のダメージ）や、経営者としてセキュリティ対策の責任者に指示すべき重要項目（対応方針・管理体制構築・対策のための資源確保・PDCAサイクルを用いたセキュリティリスク管理・インシデント発生時の体制整備など）がまとめられている。
IoTセキュリティガイドライン	IoT機器を用いる場合のセキュリティ対策が書かれたガイドライン。大きく2つに分かれており、IoT機器（IoTデバイス）の供給者（メーカーなど）やIoTを用いたサービスの提供者向けに「IoTのリスク、セキュリティ設計、ネットワークのセキュリティ対策、出荷／提供後のフォロー」に関する指針と、IoT機器やサービスを使うユーザー向けに「購入時や初期設定時の確認事項、使用休止時の乗っ取り防止、廃棄時の注意事項」が書かれている。
中小企業の情報セキュリティ対策ガイドライン	中小企業でもIT化が進み、発注元の大手企業ともネット経由で連携がとられているが、セキュリティ対策が遅れがちな企業も多い。このような中小企業を踏み台に、相手先の大手企業への標的型攻撃が行われる懸念もあり、対策が急がれている。このガイドラインはIPA※が公開しており、中小企業がセキュリティ対策を行う際の利用を想定し、「経営者が認識し実施すべき指針（経営者編）」と「対策の実施手順・手法（実践編）」で構成されている。
PCI DSS	PCI DSS（ピーシーアイディーエスエス：Payment Card Industry Data Security Standard）は、インターネットを介したクレジットカード決済を安全に取り扱うことを目的として、クレジットカード業界およびネット決済の環境を提供するサービスプロバイダが参加した協議会が策定したセキュリティ基準。

※IPAは、ITパスポート試験の実施組織

労働関連の法律と取引関連の法律

システム開発では、外部の専門技術者に関わってもらうケースが多く、労働や契約の形態が複雑になります。契約形態によっては指揮命令権などの制限もあるので、特に注意が必要です。さらに、取引関連や消費者保護に関する法律も出題されていますので、まとめて覚えておきましょう。

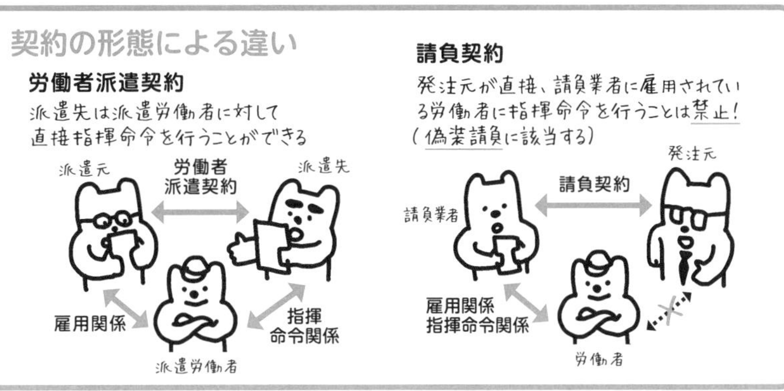

労働や契約に関する法律

ここでは、外部の専門技術者にシステムやソフトウェアの開発作業を依頼する場合に、関連してくる法律を説明します。

労働者派遣法

労働者派遣とは、派遣会社（派遣元）に雇用された労働者を、労働力を必要とする企業（派遣先）に派遣する事業形態。人材派遣を利用することで、派遣先企業はメインとなる業務に人材を集中させることが可能になる。ソフトウェア開発のような特定分野の業務だけでなく、業務の効率化や人件費抑制のため、事務などの一般的な業務を派遣労働者でまかなう企業も少なくない。

労働者派遣法は、労働者派遣事業の適正な運用や派遣労働者の保護を目的とした法律で、派遣元と派遣先の責務などが定められている。

● **労働者派遣法の主な規定**

- 日雇い派遣（30日以内の短期の労働契約）・多重派遣（派遣先からの再派遣）の禁止。
- 請負契約を装い、請負業者の労働者に指揮命令を行う偽装請負<p.231>の禁止。
- すべての職種で同一派遣労働者の派遣先同一事業所への3年を超える派遣の禁止。派遣労働者の派遣が3年を超える場合、派遣元は派遣先に派遣労働者の直接雇用を依頼することが可能になる。
- 派遣労働者が派遣元と有期契約（登録契約）を結んでおり、その契約期間が5年を超えた場合、労働者の申し出があれば派遣元は無条件で労働者と無期雇用契約を結ばなければならない。

● **労働者派遣法の改正＝派遣労働者の待遇改善（2020年4月施行）**

改正により、派遣労働者の賃金や福利厚生などの待遇を、同じ職務を担う派遣先の労働者（正社員）と同等になるよう配慮する努力義務が、派遣先と派遣元に課せられた（同一労働同一賃金）。

- 派遣先から派遣元へ、「派遣労働者と同じ責務を持つ労働者（正社員）の待遇」「派遣労働者が従事する業務の責任の程度」に関する情報を提供。
- 派遣元は派遣先から提供された待遇情報を基に、派遣労働者の待遇を検討（または派遣元の派遣労働者の組合と労使協定を締結する）。
- 派遣元は派遣労働者の雇い入れ時や派遣時に、給与などの労働条件・派遣先で行う職務の内容など、労働者派遣法に定められた項目について説明を行わなければならない。

派遣先の適切な行為

派遣先の行為に関する記述a～dのうち，適切なものだけを全て挙げたものはどれか。

a　派遣してもらう労働者を事前に審査・選考し，特定の個人を指名して派遣を要請した。

b　派遣労働者が派遣元を退職した後に自社で雇用した。

c　派遣労働者を仕事に従事させる際に，自社の従業員の中から派遣先責任者を決めた。

d　派遣労働者を自社とは別の会社に派遣した。

ア　a, c　　イ　a, d　　ウ　b, c　　エ　b, d

解説　**違法と適法の境界を読み取ろう**

a：派遣先企業が特定の派遣労働者を指名することは禁止されている。さらに、派遣先企業が事前に面接を行うなど、派遣労働者を選考することも禁止（派遣先と派遣労働者には雇用関係がないため）。ただし、紹介予定派遣の場合には書類選考・面接・指名を行うことができる。紹介予定派遣は、派遣期間（6か月）終了後に派遣先が直接雇用することを前提に、派遣先・派遣元・派遣労働者の三者の同意の基に行われる。

d：再派遣に該当するため禁止。

正解：ウ

11-3-1 取引関連の法律と契約

下請法	正式名称は下請代金支払遅延防止法。弱い立場にある下請業者（受注者）を保護する法律。下請代金について支払い期日を定め、それを明示した書面を下請業者に交付する義務が発注元側にあることや、下請代金の支払い遅延や買いたたき（不当に低い代金を強要）の禁止、発注元の製品の下請業者への購入強制の禁止などが定められている。
独占禁止法	正式名称は私的独占の禁止及び公正取引の確保に関する法律。公正かつ自由な競争を促進し、その障害となる行為を排除し、事業者が自主的な判断で自由に活動できるようにすることを目的とした法律。「不当な低価格販売で他社を市場から排除する、複数の企業間で事前に受注価格や受注の順番などを密約する（カルテル・談合）、業界組合などを結成し組合員以外を意図的に排除する」などの行為を禁止している。
デジタルプラットフォーム取引透明化法	プラットフォーマーと呼ばれる、オンラインモールやアプリストアとして市場に独占的にサービスを提供している巨大IT企業を規制するための新たな法律（2021年2月施行）。プラットフォーマーが圧倒的に優位な立場にあることを利用して、取引先に対して不利な取引条件を強要するケースが見られる。この法律は、これらの取引をルール化することで透明性と公正さを確保することを目的としている。アマゾンジャパン、楽天グループ、LINEヤフー、Apple Inc（および iTunes）、Googleなどが規制対象に指定されている。
金融商品取引法	国民経済の健全な発展と投資者の保護を目的とした法律。金融商品（証券）の適切な取引に関するルールなどが定められている。また、上場企業に対しては事業年度ごとに、内部統制<p.232>実現のための活動状況やその有効性を評価した内部統制報告書の提出を義務付けている。また、この法律には、暗号資産を原資とする金融商品の取引に関する規制なども含まれている。
資金決済法	この法律は、購入した製品の代金を支払う（決済）場合に、プリペイドカードや電子マネーのような前払いによる支払いを行ったり（前払式支払手段）、暗号資産を用いるケースが増えており、このようなキャッシュレス時代に対応するために制定された。前払式支払手段を扱う業者（前払式支払手段発行者）は登録または免許が必要なこと、前払いとして預けられた未使用残高が一定以上あるときは発行保証金を供託しなければならないことなどが定められている。また、暗号資産については、交換業者は登録制であることや、顧客から預かった暗号資産の保全、暗号資産の取引に関するルールなどが定められている<詳しくはp.214>。
守秘義務契約（秘密保持契約）	法的義務はないが、多くの場合請負契約や派遣契約を行う際には、同時に守秘義務契約（NDA：エヌディーエー：Non Disclosure Agreement）を結ぶ。この契約には「業務上知り得た秘密を他に漏らしてはならない」「データ管理や作業室の入退出管理など、守秘義務を守るための環境を整える義務を負う」などの項目を含めておく。
シュリンクラップ契約	商品のパッケージに巻かれている薄いビニールがシュリンクラップ。このシュリンクラップを破ったり剥がした場合、購入者はパッケージに書かれた使用許諾契約書（ソフトウェアであればライセンスの制限や利用できる機能範囲など）に同意して使用を開始したとみなすのがシュリンクラップ契約。

請負契約と準委任契約

業務を外部の企業や個人に委託する形態のひとつが請負契約で、納品された成果物に対して対価が支払われる。成果物の内容や品質が請負契約の記載事項を満たしていない場合（契約不適合という）、納品後であっても発注側は受注側に契約内容を履行するように不具合箇所の改善を請求したり（追補請求）、場合によっては報酬減額請求を行うこともできる。これに対して準委任契約は、作業の遂行にかかった時間（工数）に対して対価が支払われ、完成義務は負わない。また、成果物の内容や品質に対しては、プロとして一般的な注意義務が課せられている。

● **労働者派遣と請負契約・準委任契約の違い**

労働者派遣では、派遣労働者は派遣元（派遣会社）に雇用されているが、指揮命令権は派遣先にあり、派遣労働者への指示は派遣先が行う。請負契約や準委任契約では、受託側が雇用する労働者へ発注元が直接指示を行うことはできず、受託側の人員が指揮命令して受託した業務を遂行する。
偽装請負は、請負契約や準委任契約であるにも関わらず、発注元が受託側の労働者に直接業務の指示を行っている違法形態。

ちょこっとメモ
委任契約は法律で定められた権利や義務を伴う行為を行う契約(例：弁護士への委任契約)。
準委任契約は民法で定められた契約形態で、システムやソフトウェアの開発委託は準委任契約に該当する。

消費者や市民を守るための法律

ここでは、企業や行政と消費者のやり取り（取引など）に関する法律をまとめておきます。

11-3-2 消費者や市民の権利保護のための法律

法律	内容
PL法 （製造物責任法）	正式名称は製造物責任法で、PL法（ピーエル：Product Liability Act）は一般名称。製品の欠陥によって、消費者がケガをしたり損害を被った場合、製品の製造業者などには損害賠償責任があることなどが定められている。ソフトウェアはPL法の対象外だが、ソフトウェアを内蔵した機器（ハードウェア）を製品として出荷した場合には、PL法の対象となる。
特定商取引法	訪問販売や通信販売などを対象に、消費者保護のためのルールを定めた法律。販売事業者には、①事業者名や勧誘目的を事前に告げる、②広告には重要事項を表示、③契約締結時等に重要事項を記載した書面を交付、などを義務付けている。また、消費者側からの一定期間内の契約の解除（クーリング・オフ）が認められている。
電子消費者契約法	ネットショップなどで購入や契約の申込みを行う（電子契約）場面で起こる、消費者の操作ミスを救済することを目的とした、民法の特例となる法律。事業者は「その操作（クリックなど）が申込みの意思表示となることを画面に明示する、最終の意思表示となる操作の前に確認のための申込み内容を表示する」などの措置を講ずることが義務付けられた。また、この法律により、電子契約での契約成立は申込み操作を行った時点ではなく、「事業者から申込者に承諾の通知（メールなど）が到達した時点」に変更された。
情報公開法	省庁や地方自治体など行政機関が保有している資料（行政文書）を開示請求する権利と手続きなどを定めた法律。行政機関にはその活動内容を説明する責務があり、国民・市民には知る権利があることを明示している。ただし、個人情報や国の安全に関する情報は開示の対象外とされている。

情報公開法で請求できる文書

情報公開法に基づいて公開請求することができる文書として，適切なものはどれか。

ア　国会などの立法機関が作成，保有する立法文書
イ　最高裁判所などの司法機関が作成，保有する司法文書
ウ　証券取引所に上場している企業が作成，保有する社内文書
エ　総務省などの行政機関が作成，保有する行政文書

正解：エ

企業が負う ルール遵守の責任

巨額の横領事件や顧客情報の大規模流出などが多発し、社会問題化しています。事件発生による売上減少や株価下落などの企業価値の低下を防ぐには、企業倫理の確立や不正を許さないルール・体制の整備など、内部統制を整えることが重要な課題とされています。

内部統制の4つの目的

①業務の有効性および効率性

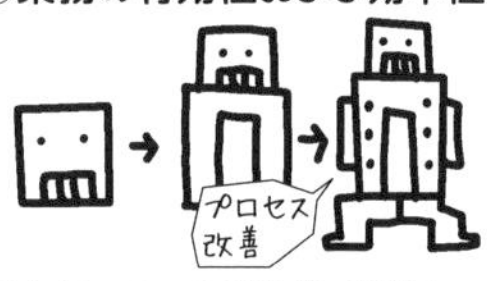

日々行っている業務が、経営目標達成のために有効で、効率よく行われるよう、意識改革や業務プロセスの改善を行う

②財務報告の信頼性

財務情報（財務諸表<p.172>など）が正しく作成できる体制や作業手順を整え、情報内容は外部専門家の評価を受ける

③事業活動に関わる法令等の遵守

経営者は自ら法令などを遵守する姿勢を示す。また、守るべき法律などについて研修を行って周知させ、社内ルールを整える

④資産の保全

資産の取得～利用～処分の各過程が適切で誤りなく行われるよう、手続きや承認に関する仕組みを整えて運用する

企業自らが体制を整える内部統制

内部統制とは「企業内部で不正や違法行為が行われないよう、健全で効率的な組織運営のための体制を構築し運用する仕組み」のこと。経営者はこれらの仕組みを整備・運用する最終責任を負います。

内部統制実現のための6つの基本的要素

❶ 統制環境

ルールを遵守する気風を確立するため、経営者は企業としての基本方針を示し、❷～❻の施策を実施。

❷ リスクの評価と対応

内部統制を阻害する可能性のあるリスクの特定・分析・評価を行い、万一事件（例：横領、顧客名簿転売）などが発生した場合にどう対応するのかを検討。

❸ 統制活動

統制活動とは、内部統制を実現するための方針や手続きのこと。具体的には、職務分掌による職権の分散や多重チェックによる相互けん制を行う体制を整えることなどがある<右ページ>。

❹ 情報と伝達

必要な情報を識別・把握し、社内外から収集して処理を行う。正しい情報を必要な構成員に正確に伝え、経営陣の指示や命令、構成員の希望や意見を迅速に伝達するためのルールと体制を構築する。

❺ モニタリング

内部統制のための各種の対策が有効に機能しているかどうかを継続的に評価する。日常の業務に組み込んで内部で行う評価と、外部の専門家による第三者の視点からの評価の2種類がある。

❻ ITへの対応

経営目標達成のため、あらかじめITの利活用に関する適切な方針と手続きを定め、必要な対応を行う。

IT統制：業務処理の完全性や正確性を確保するために業務システムを活用して業務プロセスを監視・記録・統制し（業務統制）、社内のIT基盤であるハード・ソフト・ネットワークなどの可用性・安全性を保つための運用管理を適切に行う（全般統制）。

内部統制のテーマでよく出題される用語

● 職務分掌と相互けん制

内部統制の項目でよく出題される職務分掌とは、「権限の分離」のこと。例えば、実際に取引を行う者と、その取引の承認を与える者を分離し、相互に監視することで、ミスを防いだり、ワイロの要求や架空請求などの不正行為が起こらないように相互けん制することができる。

● 財務報告の正当性を評価する内部統制報告制度（J-SOX法）

金融証券取引法では上場企業に対して、財務諸表（決算書）など財務情報に関わる内部統制を評価し、公認会計士や監査法人の監査証明を受けた内部統制報告書の提出を義務付けている。また、会社法（会社の設立・組織・運用について定めた法律）でも、株式会社やそのグループ会社に対して、「業務の適性を確保する（内部統制）ための体制」の整備を義務付けている。

● ITガバナンス

ITガバナンスは、ITを活用することで企業の価値や競争力を高めることを目的とし、経営者自身がIT活用の原則や方針を定めて、情報システム戦略の策定や各部署が担当する戦略の実行活動を統制するための取組みのこと。また、IT戦略の策定・実行をコントロールする組織の「能力」もITガバナンスと呼ばれている。ITガバナンスを実践するときの基準として、ITガバナンスの国際的基準であるISO/IEC 38500の国内版 JIS Q 38500と、システム管理基準<p.165>が示されている。

左ページのIT統制を実現する仕組みとしてITガバナンスが使われることもあるが、IT統制はITリスクのコントロールのために行われ、ITガバナンスはITを活用して競争優位性を高めることが主目的。両者は混同しやすいので注意しよう。

試験問題を解く! 行っている施策に該当する内部統制の目的

ある食品メーカーでは，食品業界で示された安全基準にのっとって業務を行っている。安全基準の改定があったので，社内の基準も対応して改定した。これは内部統制の四つの目的のうち，どれに該当するか。

ア　業務の有効性と効率性　　　　イ　財務報告の信頼性
ウ　事業活動に関わる法令等の遵守　　エ　資産の保全

解説　**内部統制の4つの目的から、あてはまるものを見つけよう**

4つの目的の内容は、左ページのテーマタイトル下のイラストを参照。問題の例は法令等遵守③の施策例に当たるので、正解はウの「事業活動に関わる法令等の遵守」。各目標に対する施策の例は次のとおり。

ア：業務の有効性と効率性①→業務の目標達成度や資源の利用度を評価し、業務改善と体制作りを行う。
イ：財務報告の信頼性②→財務情報（財務諸表<p.172>など）に虚偽記載が生じることがないよう、正確な財務情報作成に必要な体制を整える。
エ：資産の保全④→資産の取得・使用・処分には、適正な手続きを経て承認を得る。

正解：ウ

職務分掌に該当する事例

内部統制における相互けん制を働かせるための職務分掌の例として，適切なものはどれか。

ア　営業部門の申請書を経理部門が承認する。
イ　課長が不在となる間，課長補佐に承認権限を委譲する。
ウ　業務部門と監査部門を統合する。
エ　効率化を目的として，業務を複数部署で分担して実施する。

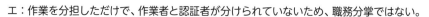

解説　職務分掌を見分けるポイントは「作業者と認証者が別人」

ア：正解。異なる部署のチェックを入れることで、不正を防ぐ手段になる。

イ：一時的な権限の委譲であり権限の分離ではないため、職務分掌には該当しない。

ウ：業務を行う側とそれをチェックする側が統合されてしまうため、相互監視機能が働かなくなる可能性がある。

エ：作業を分担しただけで、作業者と認証者が分けられていないため、職務分掌ではない。

正解：ア

企業倫理の遵守

企業は、法律を守って事業活動をしていくのはもちろんですが、それ以外にも「人権を尊重しプライバシーに配慮する」「顧客や関連会社と節度ある健全な関係を保つ」「セキュリティ対策を怠らずネット上のモラルを守る」など、遵守すべき倫理があります。

コンプライアンスとコーポレートガバナンス

上記のようなルールやモラルを守る企業倫理をコンプライアンス（Compliance）と呼ぶ。多くの企業では、コンプライアンスを明記した倫理規定を策定したり社員教育を行うなど、企業の社会的信用を保つための取り組みが行われている。試験問題では、コンプライアンス上配慮が必要な事柄として「公務員の接待禁止、法律・交通ルール・就業規則の遵守、他者が持つ知的財産権の尊重」を挙げている。

ガバナンス（governance）には「統治、管理」などの意味があるが、「よりよい方向へ導くための仕組み」と考えればよいだろう。コーポレートガバナンス（Corporate Governance：企業統治）は、企業が正しく経営されているか、株主や取引先など社外の利害関係者も含めて監督・監視する仕組みを指す。具体的には、企業運営のルールを作り、それに基づく監査（社内／社外）を行い、監査結果を開示するなどの対策がある。試験問題では、効果の高い対策として、社外の監査役を増やす方法などが例示されている。経営陣の不正行為などが発覚すると、企業価値が損なわれ、株主や顧客、取引先などが不利益を被ることになるため、社外の利害関係者にとってもコーポレートガバナンスは重要だ。

通報者を守る「公益通報者保護法」

公の利益のために、自身（労働者・役員・退職者）が勤務している企業の、刑罰や過料の対象となるような不正を、定められた通報先（内部通報・行政機関・報道機関など）に通報した場合、解雇・降格・減給などの不利益を受けないよう、公益通報者保護法によって保護される。ただし、雇用関係のない企業に関する通報や、ネット上の掲示板での告発などは保護されないことに注意。

令和4年には法改正が行われ、現役の従業員だけでなく、役員や退職後1年以内の退職者も、通報した場合の保護の対象に加えられた。さらに事業者には、内部通報の受付・調査・是正を行う担当者（従事者という）を置くことが義務付けられ、従事者には守秘義務が課されるようになった。

開発や運用管理で参照される規格

ここでは、システムやソフトウェアの開発や運用管理の現場で参照される代表的な規格などをまとめておきます。公に定められた規格以外にも、市場に普及していく中で標準として認知されるようになったデファクトスタンダードや、業界内のグループ（フォーラムという）で統一するために策定されたフォーラム標準なども使われています。

11-4-1 開発/管理関連の標準化団体や規格

用語	説明
ISO（アイエスオー、イソ：International Organization for Standardization）	国際標準化機構。電気・電子技術分野を除く、各産業分野の国際規格を策定している。工業分野だけでなく、農業や医療、環境や労働安全など、さまざまな分野の国際規格が作られている。規格名に「ISO/IEC」と付けられているものは、ISOとIEC<電気および電子の技術分野における標準化団体、下欄参照>が共同で策定した規格。
JIS（ジス：Japanese Industrial Standards）	日本産業規格。国内の産業製品などに関する規格が定められた日本の国家規格。工業製品だけでなく、情報処理やサービスの提供に関する規格も策定されている。近年は、ISOなどの国際規格に準拠する形でJIS規格が策定されることが多い。2019年より、日本工業規格から日本産業規格へと名称が改められた。
IEEE（アイトリプルイー：Institute of Electrical and Electronic Engineers）	米国電気電子学会。世界150カ国に38万人以上の会員がおり、この分野では世界最大規模の学会。電気・電子工学、コンピュータ工学などの分野の規格を策定。無線LANの通信規格IEEE 802.11<p.094>などがよく知られている。
IEC（アイイーシー：International Electrotechnical Commission）	国際電気標準会議のことで、電気工学および電子技術分野の国際標準を策定している標準化団体。各国の委員（メーカー、販売事業者、消費者、その国の標準化機関など）の代表がIECに参加している。ISOと共同で規格を策定することも多く、それらの規格には「ISO/IEC XXXXXX」という規格名が付けられている。
ITU（アイティーユー：International Telecommunication Union）	国際電気通信連合。無線通信と電気通信の良好な運用によって電気通信業務の利用を促進し、国家間の平和的関係や国際協力を円滑にすることを目的とする組織。無線周波数や通信衛星軌道の割当て、国と国を繋ぐ海底ケーブルの敷設や国際電話などの接続の調整、通信網の技術や運用に関する国際標準の策定などを行っている。
JIS Q 9001（品質マネジメントシステム－要求事項）	製品の品質維持・向上を目的として、組織を指揮し管理するためのマネジメントシステムの規格。製造業だけでなく、サービス業まで広く適用できる。対応する国際規格はISO 9000シリーズ。
JIS Q 14001（環境マネジメントシステム－要求事項及び利用の手引）	組織の活動や製品の製造などで生じる環境への影響を低減するため、環境方針を作り、継続的に環境問題に取り組んでいくためのマネジメントシステムの規格。対応する国際規格はISO 14000シリーズ。
JIS Q 21500（プロジェクトマネジメントの手引き）	プロジェクトを円滑に進めていくために必要な概念や、各プロセスで行うべき活動に関する実践的な手引き書。システム開発だけでなく、さまざまなプロジェクトで使われることを前提としている。対応する国際規格はISO 21500。
JIS X 25000（システム及びソフトウェア製品の品質要求及び評価）	システムおよびソフトウェア製品の品質要求および評価に関する規格。ソフトウェアの品質を評価する手順や、品質の測定方法などが定められている。国際規格はISO/IEC 25000。
JIS Q 27001（情報セキュリティマネジメントシステム－要求事項）	組織の情報セキュリティを管理する仕組みを導入し、情報資産の漏えい・破壊が引き起こされるリスクを低減するための、情報マネジメントシステム（ISMS）の規格群。国際規格はISO/IEC 27000シリーズ。
JIS Q 31000（リスクマネジメント－指針）	事業活動で発生する可能性のあるリスクを把握し、リスクの発生を管理することを目的としたリスクマネジメントの指針。国際規格はISO 31000。
CMMI（シーエムエムアイ：Capability Maturity Model Integration）	能力成熟度モデル。システム開発組織の能力の成熟度レベルを5段階で評価。「ソフトウェアの品質向上には、作成（開発）プロセスの品質向上（＝プロジェクトチームのスキルアップ）が必須」という考え方を基に、成熟度レベル別にプロセス改善のための目標が設定されている。
JANコード（ジャンこーど：Japan Article Number）	商品のバーコードに使われる、国際的な商品識別コードの共通規格EAN（イアン）コードの国内用規格。13桁の標準バージョンと、8桁の短縮バージョンがあり、末尾の桁にはエラー検出用にチェックデジットが付けられている。
バーコード、QRコード	バーコードは、線（バー）を一定方向に並べた図形パターン（1次元）で情報を表すコード。線の太さや間隔の違いで異なる情報を表す。主に商品の管理コード（JANコードなど）の表示とバーコードリーダー（読取り機）を使った情報の読取りに用いられている。 QR（キューアール：Quick Response）コードは、縦横に四角形のドットを並べる2次元の図形パターンで情報を表すコード。バーコードに比べて情報量は数十～数百倍と格段に多いため、より詳細な商品情報を入れ込んだり、追加情報を掲載しているURLなどの情報の表示に使われている。

ア行

カ行

サ行

タ行

ナ行

ハ行

記号

著者紹介

イエローテールコンピュータ

原山 麻美子（はらやま まみこ）

情報処理試験対策用の書籍・雑誌やパソコン関連ムック等の、企画・執筆・編集など、IT関連全般の出版に携わる。受験者への具体的で細やかなアドバイスは、わかりやすくて実践的だと好評。著書「基本情報技術者 合格教本（共著）」（技術評論社）など。

◆表紙デザイン　渡辺ひろし、小島トシノブ
◆本文デザイン　渡辺ひろし
◆表紙・本文イラスト　渡辺ひろし
◆本文レイアウト　鈴木ひろみ

令和07年 ITパスポートの新よくわかる教科書

2019年 11月 13日 初 版 第1刷発行
2024年 10月 19日 第6版 第1刷発行
2024年 11月 30日 第6版 第2刷発行

著　者　原山麻美子
発行者　片岡　巌
発行所　株式会社 技術評論社
東京都新宿区市谷左内町21-13
電話　03-3513-6150　販売促進部
03-3513-6166　書籍編集部

印刷／製本　昭和情報プロセス株式会社

定価は表紙に表示してあります。

造本には細心の注意を払っておりますが、万一、乱丁（ページの乱れ）や落丁（ページの抜け）がございましたら、小社販売促進部までお送りください。送料小社負担にてお取り替えいたします。

ISBN978-4-297-14463-0 C3055
Printed in Japan

本書に関するご質問は、FAX・書面でお送りいただくか、弊社Webサイトのお問い合わせ用フォームからお送りください。電話での直接のお問い合わせにはお答えできませんので、あらかじめご了承ください。

お送りいただいたご質問には、できる限り迅速に対応するよう努力いたしますが、場合によってはお時間をいただくこともございます。なお、ご質問は、本書に記載されている内容に関するもののみとさせていただきます。

ご質問の際にお知らせいただいたお客様の個人情報は、返答以外の目的には使用せず、終了後、破棄させていただきます。

◆お問い合わせ先
〒162-0846　東京都新宿区市谷左内町21-13
株式会社技術評論社　書籍編集部
「令和07年 ITパスポートの新よくわかる教科書」係
FAX：03-3513-6183
Webサイト：
https://gihyo.jp/book/2024/978-4-297-14463-0

試験本番中の受験テクニック

何度も受験している筆者でも、試験会場に入るとドキドキしてしまう。最初の1問目が画面に表示されたら、とりあえず一度「ゆっくり深呼吸」をして、脳に酸素を供給してからスタートしよう。

1 手間のかかる問題は後回し

120分で100問だから、見直し時間を考えると、1問に使える時間は約1分。複雑な計算や擬似言語のプログラムなど、考える時間が必要な問題と、判断に迷って正解の選択肢を決められない問題は、すべて飛ばして後回し。
時間切れで未回答の問題を残してしまうより、すぐに解答できる問題をドンドン解いた方が得点は高くなる。
問題を未回答のまま飛ばすときは、画面の下部に「後で見直すためにチェックする」というチェックボックスがあるので、クリックしてチェックマークを付けておこう。

2 捨てる勇気も必要

実は、出題される100問の内、8問は採点されない。これは、今後の試験問題の作成やIRT理論※を使った採点のためのデータ収集に使われる。だから、難しくて解けない問題は、今まで誰も解いたことがない問題だったり、もう二度と出題されない問題かもしれない。
だから、解けない問題は捨てる勇気を持とう。気にしていると、人間の脳はいつまでもその問題を考えようとするので、能率が格段に下がってしまう。パーフェクト合格なんて必要ないので、すっぱり捨てて次の問題を解くことに専念しよう。

※**IRT理論**：まぐれ当たりを排除する採点理論。関連する項目を扱った2つの問題で、両方正解であれば受験者はきちんと理解できているが、片方だけだとまぐれ当たりかもしれないと考えて採点される。

配点例：「配点が1問10点の場合、2問とも正解なら得点は20点だが、1問だけ正解なら得点は7点のみ」など、関連する問題すべてが正解でないと減点となる採点方法が用いられる。

3 計算の工夫

データ容量の問題は補助単位を揃えてから計算

k→Mなど、補助単位を大きい方に揃えると計算で扱う桁数を減らせる。また「0.1Mバイト×100本」と「1Mバイト×10本」のデータ容量は同じだ。ひと工夫で計算を楽にしよう。

<例題>
600kバイトのファイル300本を保存するには、何Mバイトの空き容量が必要か？

先に単位をMバイトに

600kバイト＝0.6Mバイト
0.6Mバイト×300本＝6×30
＝180Mバイト

割り算はできるだけ分数の形で残す

計算の途中できっちり商（割り算の結果）を出そうとすると、割り切れずに余りが出て、後の計算値が不正確になりがち。

<例題>
100万円の予算で、ある商品を30人に贈る計画を立てたが、後に予算が3倍に増額された。
1人当たりの商品の金額はいくらになるか。

$$\frac{100万円 \times \cancel{3}^{1}}{\cancel{30}^{10}人} = 10万円$$

先に割り算をするとヤヤコシイ
100万円 ÷ 30人 ＝ 3.33333…

令和07年 ITパスポートの新よくわかる教科書
実力アップ模試

出題は50問、目標タイムは**1時間**です。
（本試験の出題数は100問、試験時間は2時間）

問1　ITの活用によって，個人の学習履歴を蓄積，解析し，学習者一人一人の学習進行度や理解度に応じて最適なコンテンツを提供することによって，学習の効率と効果を高める仕組みとして，最も適切なものはどれか。

ア　アダプティブラーニング　　イ　タレントマネジメント
ウ　ディープラーニング　　エ　ナレッジマネジメント

○ア　○イ　○ウ　○エ

問2　同一難易度の複数のプログラムから成るソフトウェアのテスト工程での品質管理において，各プログラムの単位ステップ数当たりのバグ数をグラフ化し，上限・下限の限界線を超えるものを異常なプログラムとして検出したい。作成する図として，最も適切なものはどれか。

ア　管理図　　イ　特性要因図　　ウ　パレート図　　エ　レーダーチャート

○ア　○イ　○ウ　○エ

問3　ある製品の今月の売上高と費用は表のとおりであった。販売単価を1,000円から800円に変更するとき，赤字にならないためには少なくとも毎月何個を販売する必要があるか。ここで，固定費及び製品1個当たりの変動費は変化しないものとする。

売上高	2,000,000円
販売単価	1,000円
販売個数	2,000個
固定費	600,000円
1個当たりの変動費	700円

ア　2,400　　イ　2,500
ウ　4,800　　エ　6,000

○ア　○イ　○ウ　○エ

問4 上司から自社の当期の損益計算書を渡され，“我が社の収益性分析をしなさい”と言われた。経営に関する指標のうち，この損益計算書だけから計算できるものだけを全て挙げたものはどれか。

a 売上高増加率　　b 売上高利益率　　c 自己資本利益率

ア a　　イ a，b　　ウ a，b，c　　エ b

○ア ○イ ○ウ ○エ

問5 著作権法における著作権に関する記述のうち，適切なものはどれか。

ア 偶然に内容が類似している二つの著作物が同時期に創られた場合，著作権は一方の著作者だけに認められる。

イ 著作権は，権利を取得するための申請や登録などの手続が不要である。

ウ 著作権法の保護対象には，技術的思想も含まれる。

エ 著作物は，創作性に加え新規性も兼ね備える必要がある。

○ア ○イ ○ウ ○エ

問6 情報の取扱いに関する不適切な行為a～cのうち，不正アクセス禁止法で定められている禁止行為に該当するものだけを全て挙げたものはどれか。

a オフィス内で拾った手帳に記載されていた他人の利用者IDとパスワードを無断で使って，自社のサーバにネットワークを介してログインし，格納されていた人事評価情報を閲覧した。

b 同僚が席を離れたときに，同僚のPCの画面に表示されていた，自分にはアクセスする権限のない人事評価情報を閲覧した。

c 部門の保管庫に保管されていた人事評価情報が入ったUSBメモリを上司に無断で持ち出し，自分のPCで人事評価情報を閲覧した。

ア a　　イ a，b　　ウ a，b，c　　エ a，c

○ア ○イ ○ウ ○エ

問７　取得した個人情報の管理に関する行為a～cのうち，個人情報保護法において，本人に通知又は公表が必要となるものだけを全て挙げたものはどれか。

a　個人情報の入力業務の委託先の変更
b　個人情報の利用目的の合理的な範囲での変更
c　利用しなくなった個人情報の削除

ア　a　　イ　a，b　　ウ　b　　エ　b，c

○ア　○イ　○ウ　○エ

問８　労働者派遣法に基づき，A社がY氏をB社へ派遣することとなった。このときに成立する関係として，適切なものはどれか。

ア　A社とB社との間の委託関係
イ　A社とY氏との間の労働者派遣契約関係
ウ　B社とY氏との間の雇用関係
エ　B社とY氏との間の指揮命令関係

○ア　○イ　○ウ　○エ

問９　プロバイダが提供したサービスにおいて発生した事例a～cのうち，プロバイダ責任制限法によって，プロバイダの対応責任の対象となり得るものだけを全て挙げたものはどれか。

a　氏名などの個人情報が電子掲示板に掲載されて，個人の権利が侵害された。
b　受信した電子メールの添付ファイルによってマルウェアに感染させられた。
c　無断で利用者IDとパスワードを使われて，ショッピングサイトにアクセスされた。

ア　a　　イ　a，b，c　　ウ　a，c　　エ　c

○ア　○イ　○ウ　○エ

問 10 企業が，他の企業の経営資源を活用する手法として，企業買収や企業提携がある。企業買収と比較したときの企業提携の一般的なデメリットだけを全て挙げたものはどれか。

a　相手企業の組織や業務プロセスの改革が必要となる。
b　経営資源の活用に関する相手企業の意思決定への関与が限定的である。
c　必要な投資が大きく，財務状況への影響が発生する。

ア　a　　イ　a，b，c　　ウ　a，c　　エ　b

○ア　○イ　○ウ　○エ

問 11 製造販売業A社は，バランススコアカードの考え方を用いて戦略テーマを設定した。業務プロセス（内部ビジネスプロセス）の視点に基づく戦略テーマとして，最も適切なものはどれか。

ア　売上高の拡大　　イ　顧客ロイヤルティの拡大
ウ　従業員の技術力強化　　エ　部品の共有化比率の向上

○ア　○イ　○ウ　○エ

問 12 SCMの導入による業務改善の事例として，最も適切なものはどれか。

ア　インターネットで商品を購入できるようにしたので，販売チャネルの拡大による売上増が見込めるようになった。
イ　営業担当者がもっている営業情報や営業ノウハウをデータベースで管理するようにしたので，それらを営業部門全体で共有できるようになった。
ウ　ネットワークを利用して売上情報を製造元に伝達するようにしたので，製造元が製品をタイムリーに生産し，供給できるようになった。
エ　販売店の売上データを本部のサーバに集めるようにしたので，年齢別や性別の販売トレンドの分析ができるようになった。

○ア　○イ　○ウ　○エ

問13 次の事例のうち，AIを導入することによって業務の作業効率が向上したものだけを全て挙げたものはどれか。

a 食品専門商社のA社が，取引先ごとに様式が異なる手書きの請求書に記載された文字を自動で読み取ってデータ化することによって，事務作業時間を削減した。

b 繊維製造会社のB社が，原材料を取引先に発注する定型的なPCの操作を自動化するツールを導入し，事務部門の人員を削減した。

c 損害保険会社のC社が，自社のコールセンターへの問合せに対して，オペレーターにつなげる前に音声チャットボットでヒアリングを行うことによってオペレーターの対応時間を短縮した。

d 物流会社のD社が，配送荷物に電子タグを装着して出荷時に配送先を電子タグに書き込み，配送時にそれを確認することによって，誤配送を削減した。

ア a，c　　イ b，c　　ウ b，d　　エ c，d

○ア ○イ ○ウ ○エ

問14 ある製造業では，後工程から前工程への生産指示や，前工程から後工程への部品を引き渡す際の納品書として，部品の品番などを記録した電子式タグを用いている。サプライチェーンや内製におけるジャストインタイム生産方式の一つであるこのような生産方式として，最も適切なものはどれか。

ア かんばん方式　　イ クラフト生産方式　　ウ セル生産方式　　エ 見込み生産方式

○ア ○イ ○ウ ○エ

問15 IoTの事例として，最も適切なものはどれか。

ア オークション会場と会員のPCをインターネットで接続することによって，会員の自宅からでもオークションに参加できる。

イ 社内のサーバ上にあるグループウェアを外部のデータセンタのサーバに移すことによって，社員はインターネット経由でいつでもどこでも利用できる。

ウ 飲み薬の容器にセンサを埋め込むことによって，薬局がインターネット経由で服用履歴を管理し，服薬指導に役立てることができる。

エ 予備校が授業映像をWebサイトで配信することによって，受講者はスマートフォンやPCを用いて，いつでもどこでも授業を受けることができる。

○ア ○イ ○ウ ○エ

問16 企業でのRPAの活用方法として，最も適切なものはどれか。

ア　M&Aといった経営層が行う重要な戦略の採択
イ　個人の嗜好に合わせたサービスの提供
ウ　潜在顧客層に関する大量の行動データからの規則性抽出
エ　定型的な事務処理の効率化

〇ア　〇イ　〇ウ　〇エ

問17 ITの進展や関連するサービスの拡大によって，様々なデータやツールを自社のビジネスや日常の業務に利用することが可能となっている。このようなデータやツールを課題解決などのために適切に活用できる能力を示す用語として，最も適切なものはどれか。

ア　アクセシビリティ
イ　コアコンピタンス
ウ　デジタルリテラシー
エ　デジタルディバイド

〇ア　〇イ　〇ウ　〇エ

問18 ブラックボックステストに関する記述として，適切なものはどれか。

ア　プログラムの全ての分岐についてテストする。
イ　プログラムの全ての命令についてテストする。
ウ　プログラムの内部構造に基づいてテストする。
エ　プログラムの入力と出力に着目してテストする。

〇ア　〇イ　〇ウ　〇エ

問19 システムの開発側と運用側がお互いに連携し合い，運用や本番移行を自動化する仕組みなどを積極的に取り入れ，新機能をリリースしてサービスの改善を行う取組を表す用語として，最も適切なものはどれか。

ア　DevOps
イ　RAD
ウ　オブジェクト指向開発
エ　テスト駆動開発

〇ア　〇イ　〇ウ　〇エ

問 20 アジャイル開発の特徴として，適切なものはどれか。

ア　各工程間の情報はドキュメントによって引き継がれるので，開発全体の進捗が把握しやすい。
イ　各工程でプロトタイピングを実施するので，潜在している問題や要求を見つけ出すことができる。
ウ　段階的に開発を進めるので，最後の工程で不具合が発生すると，遡って修正が発生し，手戻り作業が多くなる。
エ　ドキュメントの作成よりもソフトウェアの作成を優先し，変化する顧客の要望を素早く取り入れることができる。

○ア　○イ　○ウ　○エ

問 21 プロジェクト管理におけるプロジェクトスコープの説明として，適切なものはどれか。

ア　プロジェクトチームの役割や責任
イ　プロジェクトで実施すべき作業
ウ　プロジェクトで実施する各作業の開始予定日と終了予定日
エ　プロジェクトを実施するために必要な費用

○ア　○イ　○ウ　○エ

問 22 次のアローダイアグラムに基づき作業を行った結果，作業Dが2日遅延し，作業Fが3日前倒しで完了した。作業全体の所要日数は予定と比べてどれくらい変化したか。

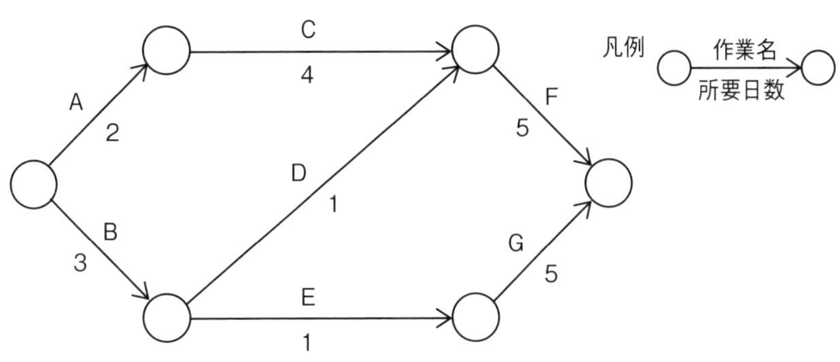

ア　3日遅延　　イ　1日前倒し　　ウ　2日前倒し　　エ　3日前倒し

○ア　○イ　○ウ　○エ

問 23 Ａ社のIT部門では，ヘルプデスクの可用性の向上を図るために，対応時間を24時間に拡大することを検討している。ヘルプデスク業務をＡ社から受託しているＢ社は，これを実現するためにチャットボットをＢ社が導入し，活用することによって，深夜時間帯は自動応答で対応する旨を提案したところ，Ａ社は24時間対応が可能であるのでこれに合意した。合意に用いる文書として，適切なものはどれか。

ア　BCP　　イ　NDA　　ウ　RFP　　エ　SLA

○ア　○イ　○ウ　○エ

問 24 利用者からの問合せの窓口となるサービスデスクでは，電話や電子メールに加え，自動応答技術を用いてリアルタイムで会話形式のコミュニケーションを行うツールが活用されている。このツールとして，最も適切なものはどれか。

ア　FAQ　　イ　RPA　　ウ　エスカレーション　　エ　チャットボット

○ア　○イ　○ウ　○エ

問 25 ファシリティマネジメントに関する実施事項として，適切なものだけを全て挙げたものはどれか。

a　コンピュータを設置した建物への入退館の管理
b　社内のPCへのマルウェア対策ソフトの導入と更新管理
c　情報システムを構成するソフトウェアのライセンス管理
d　停電時のデータ消失防止のための無停電電源装置の設置

ア　a，c　　イ　a，d　　ウ　b，d　　エ　c，d

○ア　○イ　○ウ　○エ

問 26 有料のメールサービスを提供している企業において，メールサービスに関する開発・設備投資の費用対効果の効率性を対象にしてシステム監査を実施するとき，システム監査人が所属している組織として，最も適切なものはどれか。

ア　社長直轄の品質保証部門
イ　メールサービスに必要な機器の調達を行う運用部門
ウ　メールシステムの開発部門
エ　メールサービスの機能の選定や費用対効果の評価を行う企画部門

○ア　○イ　○ウ　○エ

問 27　システムによる内部統制を目的として，幾つかの機能を実装した。次の処理は，どの機能の実現例として適切か。

ログイン画面を表示して利用者IDとパスワードを入力する。利用者IDとパスワードの組合せがあらかじめ登録されている内容と一致する場合は業務メニュー画面に遷移する。一致しない場合は遷移せずにエラーメッセージを表示する。

ア　システム障害の検知　　　イ　システムによるアクセス制御
ウ　利用者に対するアクセス権の付与　　　エ　利用者のパスワード設定の妥当性の確認

○ア　○イ　○ウ　○エ

問 28　10進数155を2進数で表したものはどれか。

ア　10011011　　イ　10110011　　ウ　11001101　　エ　11011001

○ア　○イ　○ウ　○エ

問 29　ディープラーニングに関する記述として，最も適切なものはどれか。

ア　インターネット上に提示された教材を使って，距離や時間の制約を受けることなく，習熟度に応じて学習をする方法である。
イ　コンピュータが大量のデータを分析し，ニューラルネットワークを用いて自ら規則性を見つけ出し，推論や判断を行う。
ウ　体系的に分類された特定分野の専門的な知識から，適切な回答を提供する。
エ　一人一人の習熟度，理解に応じて，問題の難易度や必要とする知識，スキルを推定する。

○ア　○イ　○ウ　○エ

問 30　CPUの性能に関する記述のうち，適切なものはどれか。

ア　32ビットCPUと64ビットCPUでは，64ビットCPUの方が一度に処理するデータ長を大きくできる。
イ　CPU内のキャッシュメモリの容量は，少ないほどCPUの処理速度が向上する。
ウ　同じ構造のCPUにおいて，クロック周波数を下げると処理速度が向上する。
エ　クアッドコアCPUより，デュアルコアCPUの方が同時に実行する処理の数を多くできる。

○ア　○イ　○ウ　○エ

問 31 関数convertは，整数型の配列を一定のルールで文字列に変換するプログラムである。関数convertをconvert(arrayInput)として呼び出したときの戻り値が"AABAB" になる引数arrayInputの値はどれか。ここで，arrayInputの要素数は1以上とし，配列の要素番号は1から始まる。

〔プログラム〕

```
○文字列型：convert(整数型の配列：arrayInput)
  文字列型：stringOutput ← ""  //空文字列を格納
  整数型：i
  for(iを1からarrayInputの要素数まで1ずつ増やす)
       if(arrayInput[i]が1と等しい)
            stringOutputの末尾に"A"を追加する
       else
            stringOutputの末尾に"B"を追加する
       endif
  endfor
  return stringOutput
```

ア {0, 0, 1, 2, 1}　　イ {0, 1, 2, 1, 1}

ウ {1, 0, 1, 2, 0}　　エ {1, 1, 2, 1, 0}

○ア ○イ ○ウ ○エ

問 32 PCにおいて，電力供給を断つと記憶内容が失われるメモリ又は記憶媒体はどれか。

ア DVD-RAM

イ DRAM

ウ ROM

エ フラッシュメモリ

○ア ○イ ○ウ ○エ

問 33 配列に格納されているデータを探索するときの，探索アルゴリズムに関する記述のうち，適切なものはどれか。

ア　2分探索法は，探索対象となる配列の先頭の要素から順に探索する。
イ　線形探索法で探索するのに必要な計算量は，探索対象となる配列の要素数に比例する。
ウ　線形探索法を用いるためには，探索対象となる配列の要素は要素の値で昇順又は降順にソートされている必要がある。
エ　探索対象となる配列が同一であれば，探索に必要な計算量は探索する値によらず，2分探索法が線形探索法よりも少ない。

○ア　○イ　○ウ　○エ

問 34 表計算ソフトを用いて，二つの科目X，Yの点数を評価して合否を判定する。それぞれの点数はワークシートのセルA2，B2に入力する。合格判定条件 (1) 又は (2) に該当するときはセルC2に“合格”，それ以外のときは“不合格”を表示する。セルC2に入力する式はどれか。

〔合格判定条件〕
(1) 科目Xと科目Yの合計が120点以上である。
(2) 科目X又は科目Yのうち，少なくとも一つが100点である。

	A	B	C
1	科目X	科目Y	合否
2	50	80	合格

ア　IF(論理積((A2 + B2) ≧ 120, A2 = 100, B2 = 100), '合格', '不合格')
イ　IF(論理積((A2 + B2) ≧ 120, A2 = 100, B2 = 100), '不合格', '合格')
ウ　IF(論理和((A2 + B2) ≧ 120, A2 = 100, B2 = 100), '合格', '不合格')
エ　IF(論理和((A2 + B2) ≧ 120, A2 = 100, B2 = 100), '不合格', '合格')

○ア　○イ　○ウ　○エ

問 35 OSS（Open Source Software）に関する記述として，適切なものだけを全て挙げたものはどれか。

a　OSSを利用して作成したソフトウェアを販売することができる。
b　ソースコードが公開されたソフトウェアは全てOSSである。
c　著作権が放棄されているソフトウェアである。

ア　a　　イ　a，b　　ウ　b，c　　エ　c

○ア　○イ　○ウ　○エ

問 36 情報デザインで用いられる概念であり，部屋のドアノブの形で開閉の仕方を示唆するというような，人間の適切な行動を誘発する知覚可能な手掛かりのことを何と呼ぶか。

ア　NUI（Natural User Interface）
イ　ウィザード
ウ　シグニファイア
エ　マルチタッチ

○ア　○イ　○ウ　○エ

問 37 関係データベースの“社員”表と“部署”表がある。“社員”表と“部署”表を結合し，社員の住所と所属する部署の所在地が異なる社員を抽出する。抽出される社員は何人か。

社員

社員ID	氏名	部署コード	住所
H001	伊藤 花子	G02	神奈川県
H002	高橋 四郎	G01	神奈川県
H003	鈴木 一郎	G03	三重県
H004	田中 春子	G04	大阪府
H005	渡辺 二郎	G03	愛知県
H006	佐藤 三郎	G02	神奈川県

部署

部署コード	部署名	所在地
G01	総務部	東京都
G02	営業部	神奈川県
G03	製造部	愛知県
G04	開発部	大阪府

ア　1　　イ　2　　ウ　3　　エ　4

○ア　○イ　○ウ　○エ

問 38 トランザクション処理に関する記述のうち，適切なものはどれか。

ア　コミットとは，トランザクションが正常に処理されなかったときに，データベースをトランザクション開始前の状態に戻すことである。
イ　排他制御とは，トランザクションが正常に処理されたときに，データベースの内容を確定させることである。
ウ　ロールバックとは，複数のトランザクションが同時に同一データを更新しようとしたときに，データの矛盾が起きないようにすることである。
エ　ログとは，データベースの更新履歴を記録したファイルのことである。

○ア　○イ　○ウ　○エ

問 39 無線LANに関する記述のうち，適切なものだけを全て挙げたものはどれか。

a　使用する暗号化技術によって，伝送速度が決まる。
b　他の無線LANとの干渉が起こると，伝送速度が低下したり通信が不安定になったりする。
c　無線LANでTCP/IPの通信を行う場合，IPアドレスの代わりにESSIDが使われる。

ア　a，b　　イ　b　　ウ　b，c　　エ　c

○ア　○イ　○ウ　○エ

問 40 LPWAの特徴として，適切なものはどれか。

ア　AIに関する技術であり，ルールなどを明示的にプログラミングすることなく，入力されたデータからコンピュータが新たな知識やルールなどを獲得できる。
イ　低消費電力型の広域無線ネットワークであり，通信速度は携帯電話システムと比較して低速なものの，一般的な電池で数年以上の運用が可能な省電力性と，最大で数十kmの通信が可能な広域性を有している。
ウ　分散型台帳技術の一つであり，複数の取引記録をまとめたデータを順次作成し，直前のデータのハッシュ値を埋め込むことによって，データを相互に関連付け，矛盾なく改ざんすることを困難にして，データの信頼性を高めている。
エ　無線LANの暗号化方式であり，脆(ぜい)弱性が指摘されているWEPに代わって利用が推奨されている。

○ア　○イ　○ウ　○エ

問 41 インターネット上のコンピュータでは，Webや電子メールなど様々なアプリケーションプログラムが動作し，それぞれに対応したアプリケーション層の通信プロトコルが使われている。これらの通信プロトコルの下位にあり，基本的な通信機能を実現するものとして共通に使われる通信プロトコルはどれか。

ア　FTP　　イ　POP　　ウ　SMTP　　エ　TCP/IP

○ア　○イ　○ウ　○エ

問 42 インターネットに接続されているサーバが，1台でメール送受信機能とWebアクセス機能の両方を提供しているとき，端末のアプリケーションプログラムがそのどちらの機能を利用するかをサーバに指定するために用いるものはどれか。

ア　IPアドレス　　イ　ドメイン　　ウ　ポート番号　　エ　ホスト名

○ア　○イ　○ウ　○エ

問 43 攻撃対象とは別のWebサイトから盗み出すなどによって，不正に取得した大量の認証情報を流用し，標的とするWebサイトに不正に侵入を試みるものはどれか。

ア　DoS攻撃　　イ　SQLインジェクション
ウ　パスワードリスト攻撃　　エ　フィッシング

○ア　○イ　○ウ　○エ

問 44 公開鍵暗号方式では，暗号化のための鍵と復号のための鍵が必要となる。4人が相互に通信内容を暗号化して送りたい場合は，全部で8個の鍵が必要である。このうち，非公開にする鍵は何個か。

ア　1　　イ　2　　ウ　4　　エ　6

○ア　○イ　○ウ　○エ

問 45 情報セキュリティのリスクマネジメントにおいて，リスク移転，リスク回避，リスク低減，リスク保有などが分類に用いられることがある。これらに関する記述として，適切なものはどれか。

ア　リスク対応において，リスクへの対応策を分類したものであり，リスクの顕在化に備えて保険を掛けることは，リスク移転に分類される。
イ　リスク特定において，保有資産の使用目的を分類したものであり，マルウェア対策ソフトのような情報セキュリティ対策で使用される資産は，リスク低減に分類される。
ウ　リスク評価において，リスクの評価方法を分類したものであり，管理対象の資産がもつリスクについて，それを回避することが可能かどうかで評価することは，リスク回避に分類される。
エ　リスク分析において，リスクの分析手法を分類したものであり，管理対象の資産がもつ脆(ぜい)弱性を客観的な数値で表す手法は，リスク保有に分類される。

○ア　○イ　○ウ　○エ

問 46 情報セキュリティの三大要素に関する記述のうち，最も適切なものはどれか。

ア　可用性を確保することは，利用者が不用意に情報漏えいをしてしまうリスクを下げることになる。
イ　完全性を確保する方法の例として，システムや設備を二重化して利用者がいつでも利用できるような環境を維持することがある。
ウ　機密性と可用性は互いに反する側面をもっているので，実際の運用では両者をバランスよく確保することが求められる。
エ　機密性を確保する方法の例として，データの滅失を防ぐためのバックアップや誤入力を防ぐための入力チェックがある。

○ア　○イ　○ウ　○エ

問 47 無線LANのセキュリティにおいて，アクセスポイントがPCなどの端末からの接続要求を受け取ったときに，接続を要求してきた端末固有の情報を基に接続制限を行う仕組みはどれか。

ア　ESSID　　イ　MACアドレスフィルタリング
ウ　VPN　　エ　WPA2

○ア　○イ　○ウ　○エ

問 48 ランサムウェアに関する記述として，最も適切なものはどれか。

ア　PCに外部から不正にログインするための侵入路をひそかに設置する。
イ　PCのファイルを勝手に暗号化し，復号のためのキーを提供することなどを条件に金銭を要求する。
ウ　Webブラウザを乗っ取り，オンラインバンキングなどの通信に割り込んで不正送金などを行う。
エ　自らネットワークを経由して感染を広げる機能をもち，まん延していく。

○ア　○イ　○ウ　○エ

問 49　a～dのうち，ファイアウォールの設置によって実現できる事項として，適切なものだけを全て挙げたものはどれか。

a　外部に公開するWebサーバやメールサーバを設置するためのDMZの構築
b　外部のネットワークから組織内部のネットワークへの不正アクセスの防止
c　サーバルームの入り口に設置することによるアクセスを承認された人だけの入室
d　不特定多数のクライアントからの大量の要求を複数のサーバに動的に振り分けることによるサーバ負荷の分散

ア　a，b　　イ　a，b，d　　ウ　b，c　　エ　c，d

○ア　○イ　○ウ　○エ

問 50 HDDを廃棄するときに，HDDからの情報漏えい防止策として，適切なものだけを全て挙げたものはどれか。

a　データ消去用ソフトウェアを利用し，ランダムなデータをHDDの全ての領域に複数回書き込む。
b　ドリルやメディアシュレッダーなどを用いてHDDを物理的に破壊する。
c　ファイルを消去した後，HDDの論理フォーマットを行う。

ア　a，b　　イ　a，b，c　　ウ　a，c　　エ　b，c

○ア　○イ　○ウ　○エ